PUNTOS DE DECISIÓN

GEORGE W.
BUSH

Puntos de decisión

por George W. Bush

Traducción, producción y distribución por acuerdo con Crown Publishers, una marca de Crown Publishing Group, una división de Penguin Random House, LLC.

ISBN: 978-1-942991-51-9

Mapas por David Lindroth Inc.
Fotografías páginas ii-iii por White House/Eric Draper
Fotografía de portada (Edición Limitada) por White House/Paul Morse

Publicado por
Editorial RENUEVO

www.EditorialRenuevo.com
info@EditorialRenuevo.com

A los amores de mi vida:
Laura, Barbara y Jenna

CONTENIDO

INTRODUCCIÓN

Durante el último año de mi mandato, comencé a pensar seriamente acerca de escribir mis memorias. Con la recomendación de Karl Rove, me reuní con más de una docena de distinguidos historiadores. Todos y cada uno de ellos me dijeron que tenía una obligación de escribir. Sintieron que era importante que hubiera un registro sobre mi perspectiva en la presidencia y en mis propias palabras.

—¿Ha visto usted la película Apolo 13? —interrogó el historiador Jay Winik—. Todo mundo sabe que al final los astronautas logran llegar a casa, pero uno se encuentra al borde del asiento preguntándose cómo lo harán.

La mayoría de esos historiadores sugirieron que leyera las Memorias del Presidente Ulysses S Grant y lo hice. El libro captura la esencia que lo distingue. Escribe anécdotas para recrear su experiencia durante la Guerra Civil. Pude darme cuenta porqué su legado ha prevalecido.

Como Grant, decidí no escribir una narrativa exhaustiva de mi vida o de mi mandato. En su lugar, preferí contar la historia de mi momento en la Casa Blanca al buscar un enfoque en la parte más importante del trabajo: tomar decisiones. Cada capítulo está basado en una decisión mayor o bien, series de decisiones relacionadas. Como resultado, la narrativa fluye de forma temática; no en una cronología del día a día. No estoy tratando todos los problemas importantes que tuve en mi escritorio. Muchos miembros devotos de mi Gabinete y personal son mencionados de forma breve o no son mencionados en absoluto. Valoro su servicio y siempre estaré agradecido por sus contribuciones.

Mis metas al escribir este libro son dos. Primero, deseo mostrar de forma vívida cómo fue servir como presidente por ocho años consecutivos. Creo que será imposible llegar a conclusiones definitivas acerca de mi mandato —o acerca de cualquier presidencia reciente—hasta que transcurran varias décadas. El paso del tiempo permite que se apaguen las pasiones, que se clarifiquen los resultados y que los eruditos comparen diferentes puntos de vista. Mi esperanza es que este libro sirva como recurso para cualquier persona que estudie este periodo de la historia estadounidense.

En segundo lugar, decidí escribir para brindar a los lectores una perspectiva de la toma de decisiones en un ambiente complejo. Muchas de las decisiones que llegan al escritorio del presidente son de gran envergadura, con fuertes argumentos en ambos lados. A través del libro, describo las opciones que debí sopesar y los principios que seguí. Espero que esto les brinde un mejor sentido del porqué de las decisiones que tomé. Tengo la esperanza que incluso lleguen a ser útiles para la toma de decisiones de sus propias vidas.

Puntos de decisión está basado básicamente en mis recuerdos. Con la ayuda de investigadores, he confirmado mi narración con documentos del gobierno, notas contemporáneas, entrevistas personales, reportajes periodísticos y otros recursos; algunos de los cuáles son clasificados. Hubo momentos en que tuve que confiar solamente en mi memoria. Si hubiera datos inexactos en este libro, tomo toda la responsabilidad.

En las páginas siguientes, he hecho mi mejor esfuerzo por escribir acerca de mis decisiones correctas, las equivocadas y lo que haría de forma diferente si tuviera la oportunidad. Por supuesto, en la presidencia, no hay forma de rehacer algo. Tienes que hacer lo que consideras que es correcto y aceptar las consecuencias. Intenté hacer eso todos los días de mis ocho años de mandato. Servir como presidente fue el honor de mi vida y aprecio el que se me permita compartir mi historia.

1

RENUNCIANDO

Fue una simple pregunta. —¿Puedes recordar el último día que estuviste sobrio? —Laura interrogó con una voz calmada y reconfortante. No sonaba amenazante o persistente, ni esperaba una respuesta. Mi esposa es el tipo de persona que elige sus momentos y éste era uno de ellos.

—Por supuesto que lo recuerdo —fue mi respuesta cargada de indignación. En ese momento, mi mente voló hacia la semana anterior. Me tomé unas cuantas cervezas con amigos el lunes por la noche. El martes, me preparé mi bebida favorita para después de la cena: B&B Benedictine y Brandy. Me tomé un par de bourbons y Sevens después de que llevé a su cama a Barbara y Jenna el miércoles. Jueves y viernes fueron noches para beber cerveza. El sábado, Laura y yo habíamos salido con amigos. Tomé unos martinis antes de la cena, cerveza durante la cena y B&B después de la cena. ¡Ay! Fallé la semana uno.

La memoria empezó a carcomerme el corazón literalmente, para encontrar un día durante las últimas semanas; durante el último mes y luego más tiempo. No pude encontrar un solo día en el que no hubiera bebido. El beber se me había convertido en un hábito.

Tengo una personalidad de hábitos. He fumado cigarrillos por cerca de nueve años, empezando en la universidad. Dejé de fumar para tomar rapé. Renuncié a eso al masticar tabaco de hoja larga y a la larga, me aficioné a los puros.

Por un tiempo, intenté racionalizar mi afición por la bebida. No me encontraba en la misma coyuntura, tan mala, como algunos ebrios que conocí en nuestro pueblo natal de Midland, Texas. No bebía durante el día o en el trabajo. Me encontraba en buena forma y trotaba casi todas las tardes, otro hábito.

Con el tiempo, me di cuenta que corría no solamente para mantenerme en buena forma, sino también para purgar mi sistema del veneno. La pregunta casual de Laura me provocó grandes preocupaciones. ¿Deseaba pasar tiempo en casa con mis hijas o salir a beber? ¿Prefería leer en mi cama con Laura o beber bourbon yo solo después de que la familia se había ido a dormir? ¿Podría continuar acercándome al Todopoderoso o el alcohol empezaba a convertirse en mi Dios? Sabía las respuestas, pero era difícil reunir la voluntad para hacer el cambio.

En 1986, Laura y yo cumplimos cuarenta años y también nuestros amigos íntimos Don y Susie Evans. Decidimos celebrar juntos en el Centro Turístico Broadmoor en Colorado Springs. Invitamos a nuestros amigos de la infancia Joe y Jan O'Neill, a mi hermano Neil y a otra amiga de Midland, Penny Sawyer.

La cena oficial de cumpleaños era el sábado en la noche. Tuvimos una cena espectacular acompañada de botellas de vino Silver Oak de sesenta dólares. Hubo muchísimos brindis—a nuestra salud, a la de nuestros hijos y a las niñeras que los cuidaban en casa. A medida que el tiempo transcurría, nos hacíamos más ruidosos, diciendo las mismas historias una y otra vez. Llegamos a un punto en el que Don y yo decidimos que éramos tan ingeniosos que tomaríamos todas las mesas. Cerramos el lugar, pagamos una colosal suma en el bar y nos fuimos a dormir.

Desperté a la mañana siguiente con una horrenda resaca. Cuando salí a trotar como era mi rutina diaria, no recordaba mucho de la noche anterior. Más o menos como a la mitad del recorrido, mi mente empezó a aclararse y mis errores cometidos se asomaron amenazantes. Por meses, había estado pidiéndole a Dios que me mostrara de qué mejor manera podría yo hacer su voluntad. Mis lecturas de la Sagrada Escritura habían aclarado la naturaleza de la tentación y el entendimiento de que el amor a los placeres mundanos podría reemplazar el amor de Dios. Mi problema no era solamente la bebida, era el egoísmo. El alcohol me estaba conduciendo a solo pensar en mí mismo, dejando atrás especialmente a mi familia. Amaba a Laura y a las niñas demasiado como para dejar que eso sucediera. La fe me mostró una forma de redimirme. Sabía que podía contar con la gracia de Dios para ayudarme a cambiar. No iba a ser fácil, pero al final del recorrido, tomé la decisión: ya no iba a beber más.

Cuando regresé al cuarto del hotel, le dije a Laura que nunca más volvería a beber. Me miró como si creyera que todavía estaba bajo el influjo del alcohol y expresó, —Eso está muy bien, George.

Sabía lo que pensaba. Ya había dicho que dejaría de beber antes y todo continuaba igual. Lo que ella no sabía era que en esta ocasión algo había cambiado en mi interior y eso me permitiría cambiar mi comportamiento para siempre.

Me tomó como cinco días para que mi firme decisión empezara a flaquear. En el momento en que el recuerdo de la resaca se desvaneció de mi mente, la tentación de beber se intensificó. Mi cuerpo necesitaba el alcohol. Oré para pedir fuerza y luchar contra esos deseos. Empecé a correr más largas distancias para disciplinarme. También comí mucho chocolate. Mi cuerpo clamaba por el azúcar. El chocolate era una buena forma de mantenerlo tranquilo. Esto también me dio otra motivación para seguir corriendo: Mantenerme en mi peso.

Laura me apoyó muchísimo. Percibió que verdaderamente yo iba a renunciar a esos malos hábitos. Cada vez que yo hablaba del tema, ella me instaba a resistir. Algunas veces, mencioné el volver a beber solo para escuchar sus palabras de aliento. Mis amigos fueron de gran ayuda también, aun cuando la mayoría de ellos no dejaban de beber cuando me encontraba cerca. Al principio, era difícil observar a otras personas disfrutar de un coctel o una cerveza; pero el convertirme en el tipo sobrio, me ayudó a darme cuenta lo imbécil que debía haber sonado cuando estaba ebrio. En la medida que el tiempo transcurría, mayor era mi impulso. El no beber se convirtió en un hábito que me causó alegría el haber cultivado.

El dejar de beber fue una de las decisiones más difíciles que jamás he tomado. Sin eso, ninguna de las que siguen en este libro hubiera podido ser posible. No obstante, sin las experiencias de mis primeros cuarenta años, el dejar de beber tampoco hubiera sido posible. Mucho de mi carácter y muchas de mis convicciones se moldearon durante esas primeras cuatro décadas. Mi jornada incluyó retos, luchas y fracasos. Es el testimonio de la fuerza del amor, el poder de la fe y la verdad acerca de que la gente puede cambiar; pero, sobre todo, fue un paseo interesante.

Soy el primogénito de George y Barbara Bush. Mi padre vistió el uniforme en la Segunda Guerra Mundial, se casó con su novia en cuanto volvió a casa y rápidamente empezaron una nueva familia. La historia era común a muchas parejas jóvenes de su generación. Sin embargo, siempre hubo algo extraordinario acerca de George H.W. Bush.

Durante el ataque a Pearl Harbor, mi padre cursaba el último año de Bachillerato. Lo habían aceptado en Yale. En lugar de eso, se enlistó en la Marina a los dieciocho años de edad y se convirtió en el piloto más joven en ganar sus alas. Antes de embarcarse hacia el Pacífico, se enamoró de una hermosa chica de nombre Barbara Pierce. De inmediato les dijo a sus amigos que se casaría con ella. Como recordatorio, escribió su nombre a un lado de su avión.

Una mañana de septiembre de 1944, papá estaba volando en una misión por encima de Chichijima, una isla ocupada por los japoneses. Su avión TBM Avenger fue atacado por el fuego enemigo, pero él siguió adelante —lanzándose en picado a doscientas millas por hora— hasta que había lanzado sus bombas y dio en el blanco. Les gritó a sus compañeros de vuelo para que hicieran la retirada y él hizo lo mismo. Solo en el Pacífico Sur, nadó hacia la pequeña balsa de plástico que había sido el cojín de su asiento. Cuando mi padre fue rescatado por un submarino, le dijeron que podía ir a casa. En lugar de eso, se volvió a reunir con su escuadrón. Su jornada terminó un poco antes de navidad y el 6 de enero de 1945, se casó con mi madre en la iglesia de la familia en Rye, Nueva York.

Después de la Guerra, mis padres se mudaron a New Haven para que él pudiera entrar a Yale. Era un atleta excelente—el primera base y capitán del equipo de béisbol. Mamá asistió a casi todos los juegos, aún durante la primavera de 1946, cuando me llevaba en el vientre. Por fortuna para ella, el estadio incluía un asiento doble y amplio detrás de la platea designado para el antiguo profesor de derecho, William Howard Taft.

Papá sobresalió en la escuela, graduándose como Phi Beta Kappa en tan solo dos años y medio. Asistí a su graduación en los brazos de mamá, dormitando en casi toda la ceremonia. No sería la última vez que me quedaría dormido durante un discurso en Yale.

Años más tarde, millones de estadounidenses aprenderían la historia de mi padre, pero desde el comienzo, yo la sabía de memoria. Una de mis primeras memorias es el estar sentado en el piso con mamá, mirando álbumes de recortes. Ella me mostró fotos del entrenamiento de papá como piloto en Corpus Christi, cuadros de puntuación de sus juegos de Serie Mundial de la Universidad y una famosa foto de él con Babe Ruth, en el montículo de lanzamiento en Yale Field. Observé, cuidadosamente, las fotos de su boda: el oficial de la Armada con su joven novia, mostrando una sonrisa. Mi parte favorita del libro de recortes era una pieza de plástico que provenía de la balsa que salvó la vida de mi padre en el Pacífico. Lo molestaba para que me contara historias de la guerra. Él se rehusaba a jactarse, pero mamá no. Lo adoraba y yo también. Cuando fui creciendo, hubo otros a quien admirar, pero la verdad es que nunca tuve que buscar por un modelo a seguir. Yo era el hijo de George Bush.

Cuando papá se graduó en 1948, la mayoría asumió que su meta sería Wall Street. Después de todo, su padre era el socio de una casa de inversiones muy exitosa. Sin embargo, papá deseaba buscar su propio destino; por lo tanto, él y mamá cargaron su Studebaker rojo y se mudaron al oeste. Siempre los he admirado por tomar ese riesgo y siempre he estado agradecido de que se hayan establecido donde lo hicieron. Una de mis más grandes herencias es que fui criado en el Oeste de Texas.

Pasamos nuestro primer año en el pueblo de trabajadores manuales de Odessa, donde había pocas calles pavimentadas y frecuentes tormentas de polvo. Vivíamos en un pequeñito apartamento y compartíamos el baño con—dependiendo de a quien pregunte—ya fuera una o dos prostitutas. El trabajo de mi padre era en el escalafón más bajo de una compañía de servicios de petróleo. Sus deberes incluían barrer los almacenes y pintar los gatos hidráulicos de las bombas. Un compañero de trabajo le preguntó un día a papá si había ido a la universidad. Papá le dijo que si y que, de hecho, había ido a Yale. El tipo hizo una pausa por un momento y dijo —Nunca he oído acerca de Yale.

Después de un breve periodo en California, nos mudamos de nuevo al oeste de Texas en 1950. Nos establecimos en Midland, el lugar que me viene a la mente cuando pienso en cómo crecí. Midland estaba a veinte millas al este de Odessa. No había árboles nativos. El suelo estaba plano, seco y polvoriento. Por debajo, había un yacimiento de petróleo.

Midland era la capital de la Cuenca Permian, que contaba con aproximadamente el 20 por ciento de la producción de petróleo en los Estados Unidos durante los 1950. El pueblo daba una sensación de independencia y emprendimiento. Había una fiera competencia, especialmente en el negocio del petróleo, pero también había un sentido de comunidad. Cualquiera lograba triunfar y también fracasar. Los amigos de mis padres hacían cualquier tipo de trabajos. Uno pintaba casas, el otro era un cirujano, el otro vertía cemento. Como a unas diez cuadras vivía un constructor de casas, el Señor Harold Welch. Un cuarto de siglo pasó para que yo pudiera conocer y cortejar a su dulce hija, Laura Lane.

La vida en Midland era simple. Yo andaba en bicicleta con amigos como Mike Proctor, Joe O'Neill y Robert McCleskey. Salíamos a viajes de la Liga Menor de los Scouts y yo vendía salvavidas de puerta en puerta para caridad. Mis amigos y yo jugábamos béisbol por horas, lanzándonos roletazos y volando las pelotas hasta que mamá me gritaba desde la cerca de nuestro patio trasero para que entrara a cenar. Me emocioné muchísimo cuando papá salió a jugar. Era famoso por atrapar pelotas detrás de su espalda, un truco que aprendió en la universidad. Mis amigos y yo intentábamos emularlo. Terminábamos con muchos moretones en los hombros.

Uno de los momentos de más orgullo durante mi infancia fue cuando yo tenía once años. Papá y yo estábamos jugando a atrapar en el patio. Me lanzó una pelota rápida, la cual enganché con mi guante. —Hijo, ya lo lograste — dijo él con una sonrisa—. Puedo lanzártela tan fuerte como quiera.

Fueron años de comodidad y sin preocupaciones. La palabra que utilizo ahora es idílicos. Las noches de los viernes, éramos animadores de los Bulldogs de Midland High. Los domingos por la mañana, íbamos a la iglesia. Nadie ponía cerrojo en sus puertas. Años más tarde, cuando conversaba acerca del Sueño Americano, Midland era lo que me venía a la memoria.

En medio de esta vida feliz, hubo un episodio de terrible dolor y angustia. En la primavera de 1953, mi hermana Robin, de tres años de edad, fue diagnosticada con leucemia, una forma de cáncer para la que virtualmente no había tratamiento alguno en aquél entonces. Mis padres la ingresaron al hospital Memorial Sloan-Kettering en la Ciudad de Nueva York. Esperaban un milagro. También sabían que los investigadores aprenderían al estudiar su enfermedad.

Mi madre pasó meses a un lado de la cama de Robin. Papá viajaba de ida y vuelta entre Texas y la Costa Este. Yo me quedaba en la casa de los amigos de mis padres. Cuando papá estaba en casa, comenzaba su día levantándose muy temprano para ir al trabajo. Más tarde supe que se iba a la iglesia a las 6:30 de la mañana para rezar por Robin.

Mis padres no sabían cómo decirme que mi hermana estaba muriendo. Solo mencionaban que estaba enferma en el este. Un día, mi maestra en la escuela primaria Sam Houston, en Midland nos pidió a mí y a un compañero del salón que lleváramos un tocadiscos a otra ala de la escuela. Mientras transportábamos la voluminosa máquina, me sentí conmocionado de ver a mis padres salir del auto familiar verde Oldsmobile. Hubiera podido jurar que vi los rizos dorados de Robin en la ventanilla. Corrí hacia el auto, mamá me dio un abrazo apretado. Miré hacia el asiento trasero. Robin no estaba allí. Mamá murmuró, «Murió». De vuelta a casa, vi a mis padres llorar por primera vez en mi vida.

La muerte de Robin me conmocionó también, a la manera de un niño de siete años. Estaba triste de perder a mi hermana y futura compañera de juegos. Estaba triste porque veía a mis padres sufriendo tanto. Serían muchos años antes de que yo pudiera entender la diferencia entre mi dolor y el desgarrador quebranto que mis padres sintieron al perder a su hija.

———

El periodo después de la muerte de Robin fue el comienzo de una nueva intimidad entre mamá y yo. Papá se encontraba ausente mucho tiempo debido a los negocios y yo pasaba la mayoría de mi tiempo a su lado; colmándola de afecto y tratando de animarla con bromas. Un día ella oyó a Mike Proctor tocar la puerta y preguntar si podía salir a jugar. —No —le dije—, debo quedarme con mi mamá.

Por un tiempo, después de la muerte de Robin, me sentí como hijo único. Mi hermano Jeb, siete años más joven que yo, era solo un bebé. Mis hermanos menores, Neil y Marvin y mi hermana Doro llegaron después. A medida que fui creciendo, mamá continuó jugando un papel importante en mi vida. Ella era la mamá encargada de la Liga Menor de los Scouts de transportarnos a las Cavernas de Carlsbad, donde caminábamos entre las estalactitas y estalagmitas. Como mamá de una liga menor, llevaba el puntaje de cada juego. Me llevó con el ortodontista más cercano e intentaba enseñarme francés en el auto. Aún puedo visualizar a los dos, conduciendo a través del desierto, conmigo repitiendo: «Ferme la bouche ... ouvre la fenêtre.» Si solo Jack Chirac hubiera podido verme en aquél tiempo.

En el proceso, adquirí mucho de la personalidad de mi madre. Tenemos el mismo sentido del humor. Nos gusta provocar para mostrar afecto y algunas veces hacer un comentario. Los dos tenemos temperamento que puede encenderse rápidamente y podemos ser tajantes, un rasgo que nos mete en problemas de vez en cuando. Cuando fui el candidato para gobernador de Texas, le decía a la gente que tenía los ojos de mi padre y la boca de mi madre. Lo hacía para que se rieran, pero era verdad.

El ser el hijo de George y Barbara Bush contenía altas expectativas, pero no del tipo que más tarde mucha gente asumió. Mis padres nunca proyectaron sus sueños en mí. Si deseaban que yo fuera un gran lanzador o una figura política o artista (de ninguna manera) nunca me lo dijeron. Su punto de vista como padres era ofrecer amor y aliento para que yo trazara mi propio camino.

Pusieron límites de comportamiento y hubo veces en que yo crucé esos límites. Mamá era el ejecutor. Era capaz de encenderse como un cartucho de dinamita y puesto que teníamos personalidades similares, yo sabía cómo encender la mecha. Cuando yo era respondón, ella me daba una paliza. Si yo era obsceno—como ella lo decía—me lavaba la boca con jabón. Eso ocurrió más de una vez. La mayoría del tiempo, no trataba de provocarla. Yo era un chico con espíritu intentando encontrar mi propio camino, tal como ella encontraba el suyo como madre. Solo medio bromeo cuando digo que soy el responsable de sus canas.

Cuando fui creciendo, me di cuenta que el amor de mis padres era incondicional. Lo sé porque los puse a prueba. Tuve dos choques en auto cuando tenía catorce, la edad legal para conducir en ese entonces. Mis padres aún me amaban. Tomé prestado el auto de papá y di reversa sin ningún cuidado y arranqué una de las puertas. Vacié vodka en la pecera de mi pequeña hermana Doro y maté a su pez dorado. Algunas veces, era hosco, demandante y temerario. A pesar de todo eso, mis padres aún me amaban.

Finalmente, su amor paciente hizo un efecto en mí. Cuando sabes que cuentas con el amor incondicional, no hay una razón para la rebelión y ninguna necesidad de temor al fracaso. Era libre de seguir mis instintos, gozar mi vida y amar a mis padres de la misma manera que ellos me amaban a mí.

Un día, un poco después de que aprendí a conducir y mientras papá se encontraba fuera en un viaje de negocios, mamá me llamó a su cuarto. Había urgencia en su voz. Me pidió que la llevara de inmediato al hospital. Le pregunté qué pasaba. Me dijo que me lo diría en el auto.

En cuanto arranqué el auto fuera de la cochera, me pidió que condujera de forma estable y evitara los baches. Luego dijo que acababa de tener un aborto espontáneo. Me tomó por sorpresa. Este era un tema que nunca esperé hablar con mamá. Tampoco esperaba ver los restos del feto, el cual guardó en un tarro para llevarlo al hospital. Recuerdo haber pensado: Había una vida humana, un pequeño hermano o hermana.

Mamá se registró sola en el hospital y fue conducida a un cuarto de exámenes. Caminé de un lado al otro del corredor para calmar los nervios. Después de que pasé a una anciana varias veces, ella dijo—No te preocupes, querido, tu esposa va a estar bien.

Cuando me permitieron entrar al cuarto de mi madre, el doctor dijo que estaría bien, pero necesitaba pasar allí la noche. Le platiqué a mi mamá lo que dijo la dama que vi en el pasillo. Serio como solía hacerlo—carcajadas sonoras—y me fui a casa sintiéndome mucho mejor.

Al siguiente día, regresé al hospital para recogerla. Me agradeció por ser tan cuidadoso y responsable. También me pidió que no le dijera a nadie del aborto espontáneo; lo cual ella consideró que era un asunto familiar privado. Respeté su deseo, hasta que me dio permiso de contar la historia en este libro. Lo que hice ese día por mi madre fue poco, pero para mí fue una gran cosa. Me ayudó a profundizar en la unión especial que había entre los dos.

———

Mientras yo crecía en Texas, el resto de la familia Bush era parte de un mundo muy diferente. Cuando tenía como seis años, visitamos a los padres de mi padre en Greenwich, Connecticut. Fui invitado a cenar con los mayores. Debía usar saco y corbata, algo que nunca hice en Midland, excepto para la escuela de los domingos. Pusieron la mesa de forma elegante. Nunca había visto tantas cucharas, tenedores y cuchillos, todos alineados de forma perfecta. Una mujer vestida de negro con un delantal blanco me sirvió una sopa roja que se veía rara, con una masa blanca amorfa en medio. Le di una probadita. Estaba horrible. Pronto, todos tenían sus ojos en mí, esperando a que terminara de comer semejante delicia. Mamá ya me había advertido que me comiera todo sin quejarme, pero olvidó decirle al chef que me había criado con mantequilla de cacahuate y jalea, no sopa de betabel.

Ya había escuchado mucho acerca de mis abuelos paternos por las pláticas de papá. Mi abuelo Prescott Bush era un hombre altísimo —seis pies cuatro pulgadas (1,93 metros)— que reía de forma estridente y con una gran personalidad. Era bien conocido en Greenwich como un exitoso hombre de negocios con una integridad incuestionable y moderador, por mucho tiempo, de la asamblea de la ciudad. También era un excelente jugador de golf y fue Presidente de la U.S. Golf Association y una vez lanzó sesenta y seis en la U.S. Senior Open. En 1950, Gampy —como solíamos llamarlo— se postuló para el Senado. Perdió por tan solo mil votos y se retiró de la política. Sin embargo, dos años más tarde, los Republicanos de Connecticut lo persuadieron de que lo intentara de nuevo. Esta vez sí ganó.

Cuando yo tenía diez años, fui a visitar a Gampy en Washington. Él y mi abuela me llevaron a una reunión en un hogar de Georgetown. Mientras deambulaba entre los adultos, Gampy me tomó del brazo. —Georgie —dijo—, quiero que conozcas a alguien. Me condujo frente a un hombre gigantesco, la única persona en el cuarto que era tan alta como él.

—Mira, aquí hay uno de tus constituyentes —dijo Gampy al hombre. Una enorme mano devoró la mía. —Mucho gusto en conocerte —dijo el colega de Gampy, El Líder de Mayoría del Senado Lyndon B. Johnson.

Mi abuelo podía ser un hombre muy severo. Él era del tipo tradicional que decía: «A los niños se les debe ver, pero no oír» lo cual era extraño para un pequeño sabihondo y hablador como yo. Imponía disciplina rápidamente y con fuerza; tal como descubrí cuando me persiguió alrededor de la habitación después de que le jalé la cola a su perro favorito. En el momento, pensé que él era aterrador. Años más tarde, aprendí que este hombre impositivo tenía un corazón dulce: Mamá me platicó como la confortó al elegir un hermoso sitio para la tumba de Robin en el Cementerio de Greenwich. Cuando mi abuelo murió en 1972, fue enterrado a su lado.

Papá amaba y respetaba a su padre; adoraba a su mamá. Dorothy Walker Bush era como un ángel. La llamábamos Ganny y ella era posiblemente la persona más dulce que he conocido. La recuerdo envolviéndome con mantas en la cama cuando yo era chico, haciéndome cosquillas en la espalda mientras decíamos nuestras oraciones nocturnas. Era humilde y nos enseñó a nunca alardear. Ella vivió para ver a papá convertirse en presidente y murió a la edad de noventa y un años, unas cuantas semanas después de su derrota en 1992. Papá estuvo con ella en sus últimos momentos. Le pidió que le leyera de la Biblia junto a su cama. En cuanto él abrió el libro sagrado, se deslizaron un montón de papeles viejos. Eran cartas que papá le había escrito años atrás. Ella las había atesorado toda su vida y las quiso junto a ella hasta el final.

Los padres de mamá vivían en Rye, Nueva York. Su mamá, Pauline Robinson Pierce, murió cuando yo tenía tres años. Fue muerta en un accidente de auto cuando mi abuelo Marvin, quien iba conduciendo, se volcó para evitar que se derramara una taza de café caliente. El auto viró fuera del camino y chocó contra una pared de piedra. A mi pequeña hermana le pusieron su nombre en la memoria de mi abuela.

Sentía mucho afecto por el padre de mi madre, Marvin Pierce, conocido como Monk. Había destacado en cuatro deportes en la Universidad Miami en Ohio, lo que le dio un aura mítica ante mis ojos de niño. Fue presidente de McCall's y pariente lejano del Presidente Franklin Pierce. Lo recuerdo como un hombre gentil, paciente y humilde.

Mis viajes al este me enseñaron dos importantes lecciones: Primera, podía sentirme cómodo en casi cualquier ambiente. Segunda, verdaderamente amaba vivir en Texas. Por supuesto, que había una gran ventaja al estar en la Costa Este: podía disfrutar del béisbol de las grandes ligas. Cuando tenía como diez años, mi gentil tío Bucky, el hermano menor de papá, me llevó al juego de los Gigantes de Nueva York en el Polo Grounds. Todavía recuerdo ese día cuando observé a mi héroe, Willie Mays, jugar en el campo.

Pasaron cinco décadas para que volviera a ver a Willie de nuevo, cuando sirvió como comisionado honorario para un juego de T-Ball de jóvenes en el Jardín Sur de la Casa Blanca. Tenía setenta y cinco años, pero aún lucía para mí como el que les decía a los muchachos: «Hey, chico». Le dije a los jóvenes jugadores ese día —Quería ser el Willie Mays de mi generación, pero no podía golpear una curva; por lo tanto, terminé siendo presidente.

En 1959, mi familia dejó Midland y nos mudamos 550 millas a través del estado, hacia Houston. Papá era el Director Ejecutivo de una compañía en el creciente campo de la perforación mar adentro y tenía sentido que él estuviese cerca de sus plataformas en el Golfo de México. Nuestra nueva casa estaba situada en una exuberante área boscosa que era frecuentemente acosada por tormentas. Esto era exactamente opuesto a Midland, dónde el único tipo de tormenta era de polvo. Yo estaba nervioso acerca de mudarme, pero Houston era una ciudad excitante. Aprendí a jugar golf, hice nuevos amigos y comencé a estudiar en una escuela privada llamada Kinkaid. En ese momento, las diferencias entre Midland y Houston parecían enormes; pero no eran nada comparadas con lo que se avecinaba.

Un día después de la escuela, mamá estaba esperando al final de nuestra entrada de autos. Yo estaba en el noveno grado y las madres nunca salían a esperar el autobús—al menos la mía no. Se notaba claramente excitada acerca de algo. En cuanto bajé del autobús, me la soltó —¡Felicidades, George, fuiste aceptado en Andover! Ésta fue una buena noticia para ella. Yo no estaba tan seguro.

Papá me había llevado a conocer su alma mater: Phillips Academy en Andover, Massachusetts; el verano anterior. Era definitivamente diferente a lo que yo estaba acostumbrado. La mayoría de los dormitorios eran grandes edificios de ladrillo colocados alrededor del patio. Parecía una universidad. A mí me gustaba Kinkaid, pero la decisión ya estaba hecha. Andover era una tradición familiar, debía ir.

Mi primer reto fue el explicarles a mis amigos en Texas el asunto de Andover. Durante esos días, la mayoría de los tejanos, a quienes los enviaban fuera para estudiar la secundaria, era porque tenían problemas de disciplina. Cuando le platiqué a un amigo que iría a una escuela en Massachusetts como interno, solo tuvo una pregunta —Bush, ¿qué error cometiste? Cuando llegué a Andover en el otoño de 1961, pensé que tal vez él había tenido razón. Usábamos corbatas para las clases, las comidas y para los servicios eclesiásticos obligatorios. En los meses del invierno, era como si estuviéramos en Siberia. Como tejano, identifiqué cuatro nuevas estaciones: nieve helada, nieve fresca, nieve derretida y nieve gris. No había chicas—fuera de las que trabajaban en la biblioteca. Con el tiempo, empezaron a verse como estrellas de cine ante nuestros ojos.

La escuela era un verdadero reto académico. El ir a Andover fue la cosa más difícil que hice hasta que me postulé como presidente casi cuarenta años más tarde. Estaba atrasado con respecto a otros estudiantes académicamente y tenía que estudiar como loco. En mi primer año, las luces de los dormitorios se apagaban a las diez en punto y muchas noches me desvelé leyendo bajo la luz del pasillo que brillaba bajo la puerta.

Lo que más me costaba trabajo era el inglés. Para una de mis primeras tareas, escribí acerca de la tristeza de haber perdido a mi hermana Robin.

Decidí que buscaría una palabra mucho mejor que lágrimas. Después de todo, estaba en la Costa Este y debía intentar ser sofisticado. Por lo tanto, saqué el Roget's Thesaurus que mamá había puesto en mi equipaje y escribí «Las laceradas resbalaban sobre mis mejillas».

Cuando recibí el resultado de mi tarea, tenía un enorme cero al frente. Me sentí sorprendido y humillado. Siempre había tenido buenas notas en Texas; esto marcaba mi primer fracaso académico. Llamé a mis padres y les dije que me sentía miserable. Me alentaron a quedarme. Decidí aguantarme. No me daría por vencido.

Mi ajuste social se dio más rápido que mi ajuste académico. Había un pequeño grupo de chicos tejanos en Andover, incluyendo a un chico de Fort Worth de nombre Clay Johnson. Hablábamos la misma lengua y nos convertimos en amigos cercanos. Pronto amplié mi círculo. Para un tipo que estaba interesado en las personas, Andover era un buen apacentamiento.

Descubrí que era un organizador natural. Durante mi último año en Andover, me nombré comisionado de nuestra liga de béisbol improvisado. Me hice llamar Tweeds Bush, por un famoso jefe político de Nueva York. Nombré a un gabinete de ayudantes, incluyendo un árbitro principal y un psicólogo de la liga. Ideamos reglas elaboradas y un sistema de desempate. No había un comodín; yo soy un purista.

También inventamos un esquema para imprimir tarjetas de identificación de la liga, las cuales convenientemente, podrían servir como identificaciones falsas. El plan fue descubierto por las autoridades escolares. Se me ordenó que parara, lo cual hice. En mi último acto como comisionado, nombré a mi sucesor, mi primo Kevin Rafferty.

El último año en Andover, tuve un maestro de historia de nombre Tom Lyons. Le gustaba llamar nuestra atención al golpear el pizarrón con una de sus muletas. El Señor Lyons había jugado fútbol americano en la Universidad Brown antes de ser atacado por la polio. Él representaba un ejemplo poderoso para mí. Sus lecciones daban vida a figuras históricas, especialmente al Presidente Franklin Roosevelt. El Señor Lyons amaba las políticas de Roosevelt y sospecho que encontró inspiración en el triunfo de Roosevelt sobre su enfermedad.

El Señor Lyons me forzaba al máximo. Me retaba, pero también me educaba. Intimidaba y alababa. Exigía mucho y gracias a él, descubrí un amor por la historia de toda mi vida. Décadas más tarde, invité al Señor Lyons a la Oficina Oval. Fue un momento especial para mí: un estudiante que estaba haciendo historia; de pie junto al hombre que le había enseñado la materia muchos años antes.

En cuanto se terminaba mi instrucción en Andover, llegó el momento de hacer solicitudes para la universidad. Mi primer pensamiento fue Yale. Después de todo, yo había nacido allí. Una parte de la aplicación que consumía tiempo era llenar la tarjeta azul que te pedía listar a tus parientes que habían sido alumnos. Estaban mi abuelo, mi papá y todos sus hermanos, así como también mis primos hermanos. Tuve que escribir los hombres de mis segundos primos en la parte trasera de la tarjeta.

A pesar de mis lazos familiares, tuve dudas de ser aceptado. Mis grados y los puntajes de mis exámenes eran aceptables, pero muy por debajo de muchos de mi clase. El Director de Andover, G. Grenville Benedict era realista. Me aconsejó que «me asegurara con otra cosa» para el caso de que Yale no me aceptara. Solicité entrada en otra buena escuela, la Universidad de Texas en Austin e hice un tour por el campus con papá. Empecé a visualizarme allí como parte de un programa honorífico llamado Plan Dos.

Al siguiente día, en el buzón del correo, quedé sorprendido al encontrar un sobre grueso con la aceptación en Yale. El Señor Lyons me había escrito una recomendación y todo en lo que pude pensar era que debe haberse inspirado en una gran carta. Clay Johnson abrió su carta de admisión al mismo tiempo. Cuando estuvimos de acuerdo en ser compañeros de cuarto, sellamos nuestro pacto.

———

Salir de Andover fue como quitarme una camisa de fuerza de encima. Mi filosofía en la universidad fue el viejo cliché: Trabaja duro y juega duro. Confirmé el primero y sobresalí en el segundo. Me uní a la fraternidad Delta Kappa Epsilon, jugué rugby y deportes intramuros; hice visitas a los colegios de chicas y pasé mucho tiempo con amigos.

Mi espíritu bullicioso me arrastraba algunas veces. Durante mi último año, estábamos en Princeton para un juego de fútbol americano. Inspirado por la victoria de Yale —y más que nada por algunas bebidas alcohólicas— encabecé un grupo hacia el campo para arrancar los postes de la portería. Los fieles a Princeton no estaban divertidos. Yo estaba sentado encima del travesaño cuando un guardia de seguridad me jaló. Desfilé, entonces, por la extensión del campo y me introdujeron en el auto policial. Los amigos de Yale empezaron a sacudir el auto y gritaban «¡Liberen a Bush!».

Presintiendo el desastre, mi amigo Roy Austin —un tipo grande de la isla de San Vicente que era el capitán del equipo de soccer de Yale— gritó a la multitud para que se movieran y entonces, saltó al auto conmigo. Cuando llegamos a la estación de policía, se nos exigió que dejáramos el campus y nunca volviéramos. En la actualidad y con todos estos años que han transcurrido, no he regresado todavía a Princeton. En cuanto a Roy, continuó perfeccionando sus habilidades diplomáticas. Cuatro décadas más tarde, lo nombré como Embajador de Trinidad y Tobago.

En Yale, no sentí ningún interés por convertirme en político del campus; pero ocasionalmente, me veía expuesto a las políticas del plantel. El otoño de mi primer año, papá se postuló para el Senado contra un demócrata de nombre Ralph Yarborough. Mi padre tuvo más votos que ningún otro candidato republicano en la historia de Texas, pero el triunfo nacional aplastante encabezado por el Presidente Johnson era demasiado para superar. Un poco después de la elección, me presenté con el Capellán de Yale, William Sloane Coffin. Él conocía a mi padre por su tiempo juntos en Yale, y pensé que ofrecería una palabra de aliento. Por el contrario, me dijo que mi padre había sido «derrotado por un hombre mejor».

Sus palabras fueron un duro golpe para un chico de dieciocho años. Cuando la historia fue escrita en los periódicos más de treinta años después, Coffin me envió una carta diciendo que sentía haber hecho tal comentario, si es que lo había hecho. Acepté su disculpa, pero su actitud farisaica fue una muestra de los insultos que emanarían de muchos de los profesores de universidad durante mi presidencia.

Yale fue un lugar donde me sentí libre para descubrir y seguir mis pasiones. Mi amplio rango de selecciones de cursos incluyó Astronomía, Planeación de Ciudades, Arqueología Prehistórica, Piezas Maestras de la Literatura Española y una de mis favoritos hasta la fecha, el Haiku Japonés. También tomé un curso sobre ciencias políticas, comunicación masiva, el cual se enfocaba en el «contenido e impacto de los medios masivos». Terminé con un 70, lo cual podría explicar mis tambaleantes relaciones con los medios a través de los años.

Mi pasión era la historia, la cual se convirtió en mi especialidad. Disfruté escuchando las conferencias de los profesores como John Morton Blum, Gaddis Smith y Henry Turner. Uno de mis primeros cursos de historia se basó en la Revolución Francesa. «Mi negocio es el pasado» le gustaba decir al Profesor Stanley Mellon. Nos narró apasionadas historias acerca del famoso Juramento en la Cancha de Tenis, el terror de Robespierre y el ascenso de Napoleón. Yo estaba horrorizado por la forma en que las ideas que inspiraron la Revolución fueron desechadas cuando todo el poder se concentraba en las manos de unos cuantos.

Uno de mis cursos más memorables fue la historia de la Unión Soviética, que enseñaba un conferencista del Este de Alemania de nombre Wolfgang Leonhard. El Señor Leonhard había escapado de la Alemania Nazi cuando chico y crecido en la Unión Soviética, donde su madre fue arrestada durante las depuraciones de Stalin. Fue preparado para ser un oficial comunista, pero él desertó al Oeste. En su fuerte acento alemán, describió los juicios espectáculos, los arrestos masivos y las extendidas privaciones. Después de escucharlo, nunca pensé de la Unión Soviética o del movimiento comunista de la misma manera. La clase era una introducción a la lucha entre la tiranía y la libertad; una batalla que atrapó mi atención por el resto de mi vida.

En mi último año, tomé un curso llamado La Historia y la Práctica de la Oratoria Americana, impartido por el Profesor Rollin G. Osterweis. Leímos discursos estadounidenses famosos, desde los fieros sermones del predicador colonial Jonathan Edwards hasta «El día de la Infamia» del Presidente Roosevelt, que dio después del evento de Pearl Harbor. Me sentía impactado por el poder de las palabras que han moldeado la historia. Escribí un trabajo analizando el discurso del periodista de Georgia, Henry W. Grady sobre el Nuevo Sur y redacté cuatro minutos de observaciones, nominando a la estrella de Red Sox Carl Yastrzemski como Concejal de Boston. El Profesor Osterweis nos enseñó como estructurar un discurso: introducción, tres puntos principales, peroración y conclusión. Recordaría su modelo de por vida, el cual, como se vio después, ha incluido unos cuantos discursos.

Nada de esto es para sugerir que yo era un estudiante particularmente notable. Creo que es justo decir que gané más de la experiencia que mis profesores ganaron. Una vez le preguntaron a John Morton Blum que era lo que recordaba de su famoso estudiante George W. Bush y él respondió: «No tengo el mínimo recuerdo de él» pero yo sí recuerdo al Profesor Blum.

———

Mi graduación llegó en un momento tumultuoso. Martin Luther King Jr. había sido asesinado en abril de mi último año. Lo que siguió fueron disturbios raciales en Chicago y Washington, D.C. Luego, unos cuantos días antes de la graduación, mis amigos y yo conducíamos de regreso de un viaje del norte de Nueva York cuando escuchamos en la radio que Bobby Kennedy había sido asesinado. Nadie en el auto dijo una sola palabra. Había un sentido de que todo se estaba descomponiendo. Para la mayoría de nuestro tiempo en Yale, los derechos civiles dominaban las discusiones en el plantel. Para nuestro último año, otro problema se apoderó de nuestras mentes. La guerra de Vietnam se estaba intensificando y el Presidente Johnson había instituido un reclutamiento. Teníamos dos opciones: unirnos a la milicia o buscar la forma de escapar del reclutamiento.

No tenía que pensarlo más. Me uniría a la milicia. Fui criado por un padre que se había sacrificado por su país. Me hubiera sentido avergonzado de evitar ese deber.

Mi actitud hacia la Guerra era escéptica, pero de aceptación. Me sentía escéptico hacia la estrategia y la gente que la ejecutaba en la administración Johnson. Sin embargo, acepté la meta declarada de la guerra: detener la difusión del comunismo. Un día, durante mi último año, pasaba de largo una estación de reclutamiento que tenía un cartel de un piloto de jet en la ventana. El volar aviones sería una forma excitante de servir. Me detuve para hablar con el reclutador y tomé una solicitud.

Cuando fui a casa para navidad, le dije a mis padres acerca de mi interés en la Fuerza Aérea. Papá me refirió con un hombre llamado Sid Adger, un piloto retirado que estaba bien conectado con la comunidad de la aviación. Me sugirió que considerara unirme a la Guardia Aérea Nacional de Texas, que tenía espacios disponibles para pilotos. A diferencia de los miembros de la Guardia regular, a los pilotos se les requería completar un año de entrenamiento, seis meses de instrucciones especiales y luego vuelos regulares para conservar su status.

El servir como piloto de Guardia me atraía. Aprendería una nueva habilidad. Si me llamaban, volaría en combate. Si no, tendría flexibilidad para hacer otras cosas. En ese punto de mi vida, no estaba buscando una carrera. Vislumbré mi primera década después de la universidad como un tiempo para explorar. No deseaba anclas que me detuvieran. Si algo llamaba mi atención, lo intentaba y si no, seguía mi camino.

Este fue el enfoque que había tomado para trabajos de verano. En 1963, trabajé en un rancho de ganado en Arizona. El capataz era un tipo canoso de nombre Thurman. Él tenía un dicho acerca de los tipos bien educados que conocía: «Listo para los libros y estúpido para la acera». Me determiné en no dejar que esa frase aplicara en mi persona. Pasé otros veranos trabajando en una plataforma petrolera cerca de la costa en Luisiana, detrás del escritorio de una compañía corredora de bolsa y como vendedor de artículos deportivos en Sears, Roebuck. Conocí personajes fascinantes en ese proceso: vaqueros y cajunes, bravucones y buscavidas. Siempre he sentido que recibí dos educaciones en esos años: una de las buenas escuelas y otra de la gente firme.

En el otoño de 1968, me reporté en la Base de la Fuerza Aérea en Moody, Georgia para el entrenamiento de piloto. Comenzamos como con cien entrenados y se graduaron aproximadamente cincuenta. Los fracasos eran precoces y frecuentes. Recuerdo a un tipo de Nueva York, quien regresó de su primer vuelo en un Cessna 172 que se veía tan verde como su traje de vuelo— excepto en la parte en la que había vomitado su comida.

Mis primeras experiencias en el aire fueron solo un poco mejores. Mi instructor pudo oler la inseguridad y no creía en el consejo tranquilo. En uno de mis primeros vuelos; sorpresivamente, sujetó el arnés, dio marcha atrás lo más fuerte que pudo y detuvo la nave. La nariz fue hacia arriba y el avión se sacudió. Entonces, empujó la palanca hacia adelante y la nariz fue hacia abajo y el avión se recuperó. El entrenador me había dado mi primera lección del manejo de la recuperación de una pérdida de velocidad. Me miró y dijo — Muchacho, si deseas ser un piloto, deberás controlar la máquina y no dejarla que te controle.

Tomé su consejo con seriedad. Dominé lo básico de volar, incluyendo círculos, tonel volado e instrumentos. Cuando mi padre vino a colocarme mis alas, sentí un tremendo sentido de logro. Después de la escuela de vuelo, me mudé a Houston, donde aprendí a volar un jet de caza llamado F-102 en la Base de la Fuerza Aérea Ellington. El F-102 era un interceptor de aire que tenía un solo asiento y un solo motor. Cuando te desplazabas hacia el final de la pista, ponías el acelerador en propulsión y sentías que la máquina se activaba; no importaba quién fueras o de dónde vinieras, más valía que pusieras atención en el momento.

Amaba volar, pero para 1972, estaba inquieto. Estaba registrando mis horas de vuelo durante las noches o los fines de semana y trabajando durante los días en la agroindustria. Mis deberes en la oficina incluían conducir un estudio de la industria de los champiñones en Pennsylvania y visitar viveros de plantas que la compañía había adquirido. No era exactamente un empleo cautivador.

Un día, recibí una llamada de mi amigo Jimmy Allison, un operativo político de Midland que se había encargado de la campaña exitosa de mi padre para la Casa de Representantes de los Estados Unidos en 1966. Me informó acerca de una oportunidad en la campaña de Red Blount para el Senado de los Estados Unidos en Alabama. Me sonó interesante y estaba listo para otro reto.

Mi oficial comandante, el Teniente Coronel Jerry Killian aprobó mi transferencia a Alabama en el entendimiento de que cumpliría con mis horas requeridas en ese lugar. Informé a los comandantes de la Guardia de Alabama que tendría que faltar a varias juntas durante la campaña. Me dijeron que podía cumplirlas después de la elección, lo cual hice. No pensé mucho en eso por otras cuantas décadas.

Desafortunadamente, el mantenimiento del registro era de mala calidad y los documentos de mi asistencia no eran claros. Cuando entré en la política, mis oponentes usaron las brechas en el sistema para reclamar que yo no había cumplido con mi deber. Al final de los 1990 le pedí a un ayudante de confianza, Dan Bartlett, que indagara en mis registros. Mostraron que yo había cumplido con mis responsabilidades. En 2004, Dan descubrió algunos registros dentales que probaban que yo había sido examinado en la Base de la Guardia Nacional de Montgomery, Alabama, durante el tiempo en que los críticos alegaron que yo estaba ausente. Si mis dientes estuvieran en la base —le dijo él de forma graciosa a la prensa—podrían haber estado muy seguros de que el resto de mi cuerpo también.

Creí que el problema había quedado atrás, pero en el momento en que aterrizaba el Marine One en el Jardín Sur, una noche de septiembre del 2004 y siendo ya muy tarde, vi la silueta de Dan en el Cuarto de Recepción Diplomática. Como regla general, cuando un asesor superior está esperando el helicóptero del presidente, no es para dar buenas noticias. Dan me dio un pedazo de papel. Era un memo escrito a máquina en la papelería de la Guardia Nacional alegando que yo no había cumplido con los estándares en 1972. Estaba firmado por mi viejo comandante Jerry Killian. Dan me dijo que el hombre de las noticias de CBS, Dan Rather iba a lanzar un reporte bomba en 60 Minutos, basado en el documento.

Bartlett preguntó si yo recordaba el memo. Le dije que no tenía idea de él y que por favor lo verificara. La mañana siguiente, Dan entró a la Oficina Oval más aliviado. Me dijo que había indicaciones de que el documento había sido falsificado. El tipo de letra provenía de una computadora moderna que no existía en los 1970. En unos cuantos días, la evidencia fue concluyente: el memo era falso.

Estaba sorprendido y disgustado. Dan Rather había hecho un reporte en el aire, influenciando una elección presidencial basado en un documento falso. Pronto, estuvo sin trabajo y lo mismo su productor. Después de años de falsas alegaciones, las preguntas de la Guardia finalmente comenzaron a disminuir.

Siempre me sentiré orgulloso de mi tiempo en la Guardia. Aprendí mucho, hice amigos para toda la vida y tuve el honor de usar el uniforme de nuestro país. Yo admiro y respeto a aquéllos que fueron desplegados a Vietnam. Casi sesenta mil de ellos nunca volvieron a casa. Mi servicio fue nada comparado con el de ellos.

En 1970, papá decidió postularse para el Senado otra vez. Nos sentíamos bien acerca de sus oportunidades en una contienda otra vez contra Ralph Yarborough. Sin embargo, el Senador Yarborough se había vuelto tan impopular que perdió la primaria contra Lloyd Bentsen, un demócrata conservador. Papá hizo una buena campaña, pero nuevamente le faltaron votos. La lección fue que era todavía muy difícil ser elegido como Republicano en Texas.

Muy pronto vino otra lección. La derrota, aún dolorosa, no siempre es el final. Poco después de la elección de 1970, el Presidente Richard Nixon hizo a mi padre embajador de las Naciones Unidas. Entonces, en 1973, el Presidente Nixon le pidió a papá que dirigiera el Comité Nacional Republicano. Resultó ser una lección valiosa en el manejo de crisis cuando mi padre dirigió el partido durante el escándalo de Watergate.

Mis padres estuvieron en la Casa Blanca el día que el Presidente Nixon renunció y Gerald Ford juramentó en la oficina. Poco después, el Presidente Ford ofreció a papá que eligiera entre las embajadas de Londres o Paris; tradicionalmente, los puestos diplomáticos más codiciados. Mi padre le dijo que preferiría ir a China y él y mamá pasaron catorce meses fascinantes en Beijing. Regresaron a casa cuando el Presidente Ford le pidió a mi padre que encabezara la Agencia Central de Inteligencia. Nada mal, para haber sido derrotado dos veces como candidato a Senador y por supuesto, allí no terminó la cosa.

Admiraba a papá por sus logros. Desde mis años de adolescencia, había seguido sus pasos muy de cerca—Andover, Yale y luego el servicio como piloto militar. Cuando crecí, me di cuenta de algo importante: Nadie me estaba pidiendo que igualara los récords de mi padre y no necesitaba intentarlo.

Estuvimos en situaciones completamente diferentes. A la edad de treinta años, ya había peleado en una guerra, se había casado, era el padre de tres hijos y había perdido a una por el cáncer. Cuando dejé la Guardia a mis veinte años, no tenía responsabilidades serias. Era espontáneo y curioso; buscaba la aventura. Mi meta era ser yo mismo y seguir mi propio camino.

Por su lado, mis padres reconocieron mi espíritu boyante y no lo frustraron. Ellos sí me decían cuando me pasaba de la raya. Una de las conversaciones más severas que alguna vez tuve con mi padre fue cuando tenía veinte años. Estaba en casa después de la universidad para el verano y trabajaba como obrero en una plataforma de petróleo para Circle Drilling basada en Lago Charles en Luisiana. Trabajaba una semana si y otra no. Después de tanto trabajo caliente y duro; decidí volarme mi última semana para pasar tiempo con mi novia en Houston.

Mi padre me mandó llamar a su oficina. Le dije con indiferencia que había decidido renunciar a mi trabajo una semana antes. Él respondió que la compañía me había contratado de buena fe y había estado de acuerdo en trabajar hasta cierta fecha. Tenía un contrato y lo había violado. Me senté allí sintiéndome peor y peor. Cuando terminó con las palabras: «hijo, estoy decepcionado», yo estaba avergonzado.

Unas cuantas horas después, sonó el teléfono en la casa. Era mi padre. Me preocupé de que fuera a regañarme otra vez. En su lugar, me preguntó: «¿Qué harás esta noche, George?» Me dijo que tenía boletos para el juego de los Astros de Houston y nos invitó a mi novia y a mí. De inmediato, acepté. La experiencia reforzó la importancia de tener palabra de honor y me mostró lo profundo que era el amor de mi padre.

Papá era serio cuando era necesario, pero nuestra casa siempre estaba llena de risas. Mi padre adoraba decirnos bromas a nosotros los chamacos —¿Has escuchado el del avión? No importa, está sobre tu cabeza. —Salía con apodos para familiares y amigos. Llegó a un punto de llamarme Juney por Junior. Mi hermano Neil era conocido como Whitey, lo cual se transformaba en Whitney, debido a su cabello rubio. El querido amigo de mi padre, James Baker se convirtió en Bake. En su logro más glorioso, mi padre apodó a mamá: «El Zorro Plateado».

El maravilloso sentido del humor de mi padre continuó a través de su vida. Cuando fue presidente, creó el Premio Scowcroft—en honor al Consejero de Seguridad Nacional Brent Scowcroft—para los miembros de su gabinete que se quedaban dormidos en las reuniones. Ahora en sus ochentas, comparte bromas en correo electrónico, dándoles un valor en una escala del uno al diez. Hace algunos años, papá se recobraba de una cirugía de cadera en la Clínica Mayo. Cuando entró la enfermera a checarlo, él preguntó —¿Están negros mis testículos? —ella quedó asombrada—. ¿Disculpe, Señor Presidente? —Él repitió la pregunta —¿Están negros mis testículos? (Are my testicles black?) —En el momento que ella alcanzaba la sábana, él bromeó —Pregunté que si los resultados de mis pruebas habían salido (Are my test results back?). —Su equipo médico se desternillaba de risa.

A través de los años, ha habido mucha especulación acerca de mi relación con mi padre. Supongo que es natural por el hecho de primer padre y primer hijo como presidentes en 172 años. La simple verdad es que yo lo adoro. A través de mi vida lo he respetado, admirado y estado agradecido por su amor. Hay una infame historia acerca de mi conduciendo tarde hacia casa una noche y chocando contra el bote de basura del vecino y luego ser respondón con mi papá. Cuando algunas personas visualizan la escena, ellos ven a dos presidentes atrapados en alguna confrontación psicológica épica. En realidad, yo era un joven bebedor y él un padre entendiblemente irritado. No pensamos mucho en ello hasta que apareció en los periódicos veinte años después.

Momentos como éste son el recordatorio de que no solamente soy el hijo de mi padre. Tengo la vena combativa e irreverente, cortesía de Barbara Bush. Algunas veces, me salí con la mía para mostrar mi independencia, pero nunca dejé de amar a mi familia. Creo que ellos entendían eso, aun cuando los exasperaba.

Finalmente, vi las cosas desde la perspectiva de mis padres cuando tuve yo mismo a mis hijas. Mi hija Jenna podía ser descarada y cortante, tal como yo. Cuando me postulé para gobernador en 1994, accidentalmente le disparé a un colirojo, un ave protegida, en el primer día de la estación de caza de palomas. La torpeza produjo titulares, pero rápidamente se desvanecieron. Unas cuantas semanas antes de la elección, Laura y yo hicimos campaña con las niñas en la Feria Estatal de Texas, en Dallas. Jenna de doce años ganó un pájaro de peluche como premio en un juego de carnaval. Con las cámaras de televisión grabando, sostuvo el animal de felpa en el aire y dijo: —Mira, papá —dijo riéndose— es un colirojo.

———

En el otoño de 1972, fui a visitar a mi abuela en Florida. Mi amigo de la universidad Mike Brooks estaba en el área y jugamos golf. Mike acababa de graduarse de la Escuela de Negocios de Harvard. Me dijo que debería considerar asistir allí. Para asegurarse de que entendí el mensaje, me envió por correo una solicitud. Estaba lo suficientemente intrigado para llenarla. Algunos meses más tarde, fui aceptado.

No estaba seguro de que deseaba regresar a la escuela o a la Costa Este. Compartí mis dudas con mi hermano Jeb. No conocía a Jeb muy bien cuando estaba creciendo—él solo tenía ocho cuando yo me mudé a la escuela internado—pero crecimos juntos en la medida que fuimos madurando.

Jeb siempre era más serio de lo que yo he sido. Era inteligente, enfocado y motivado en todo sentido. Él aprendió a hablar español fluido, se especializó en Asuntos de Latinoamérica y se graduó Phi Beta Kappa de la Universidad de Texas. Durante su último año de la secundaria, vivió en México, como parte de un programa de intercambio estudiantil. Allí conoció a una hermosa mujer, Columba Garnica. Ambos eran jóvenes, pero era obvio que Jeb estaba enamorado. Cuando fuimos al Astrodome juntos, yo observaba el juego y él escribía cartas a Colu. Se casaron dos semanas después de su cumpleaños número veintiuno.

Una noche, Jeb y yo cenábamos con mi padre en un restaurante en Houston. Yo estaba trabajando en un programa de mentoría en un vecindario afligido por la pobreza conocido como Third Ward, y mi padre y yo estábamos teniendo una discusión acerca de mi futuro. Jeb dejó escapar: «George fue aceptado en Harvard».

Después de pensarlo un poco, mi padre dijo: —Hijo, deberías considerar seriamente el ir... eso sería una buena forma de ampliar tus horizontes. — Eso fue todo lo que dijo, pero me hizo pensar. Ampliar mis horizontes era exactamente lo que estaba tratando de hacer durante esos años. Era otra forma de decir: «Esfuérzate en poner a trabajar los talentos que Dios te dio».

Por segunda vez en mi vida, me mudé de Houston a Massachusetts. El conductor del taxi se detuvo en el campus de Harvard y me dio la bienvenida al «West Point del Capitalismo». Había ido a Andover por expectativa y a Yale por tradición; estaba en Harvard por elección propia. Allí aprendí la mecánica de las finanzas, contabilidad y economía. De allí me llevé un mejor entendimiento de la administración, particularmente, la importancia de tener metas claras para una organización, delegar tareas y pedir la rendición de cuentas de parte de la gente. También gané confianza para perseguir mi impulso empresarial.

Las enseñanzas de la Escuela de Negocios de Harvard fueron reforzadas por una fuente improbable: un viaje para visitar a mis padres en China después de la graduación. El contraste era vívido. Había ido del West Point del capitalismo al puesto de avanzada del comunismo oriental; de una república de elección individual a un país donde toda la gente usaba la misma ropa gris. Mientras pedaleaba mi bicicleta en las calles de Beijing, ocasionalmente, vi una limosina negra con ventanas polarizadas que pertenecía a uno de los peces gordos del partido. Aparte de ello, había pocos autos y ninguna señal de un mercado libre. Quedé sorprendido de ver cómo un país con una historia tan rica podía estar tan desolado.

En 1975, China estaba emergiendo de una Revolución Cultural y los esfuerzos de su gobierno para purificar y revitalizar a la sociedad. Los oficiales del comunismo habían impuesto programas de adoctrinamiento, emitían propaganda por medio de omnipotentes y ruidosas bocinas y procuraban erradicar cualquier evidencia de la historia antigua de China. Multitudes de gente joven arremetían contra sus ancianos y atacaban a la élite intelectual. La sociedad estaba dividida en contra de sí misma y se dirigía hacia la anarquía.

La experiencia de China me recordó las revoluciones francesas y rusas. El patrón era el mismo: La gente tomó el control al prometer promover ciertos ideales. Una vez que se consolidaban en el poder; abusaban, desechando sus creencias y brutalizando a sus propios ciudadanos. Era como si la humanidad tuviera una enfermedad que continuaba infligiendo a sí misma. El sensato pensamiento profundizó mi convicción de que la libertad—económica, política y religiosa—es la única forma justa y productiva de gobernar a una sociedad.

—

Por la mayoría de mi tiempo en Harvard, no tenía idea de qué utilidad le daría a mi especialidad en negocios. Sabía lo que no quería hacer. No tenía ningún deseo de ir a Wall Street. Mientras que conocía a gente decente y admirable que habían trabajado en Wall Street, incluyendo a mi abuelo Prescott Bush, tenía mis sospechas acerca de la industria financiera. Acostumbraba decir a mis amigos que Wall Street era el tipo de lugar donde te compraban o te vendían, pero realmente no les importas nada si no pueden hacer dinero contigo.

Me encontraba en la búsqueda de opciones cuando mi compañero de clase de Harvard Del Marting me invitó a pasar las vacaciones de primavera de 1975 en el rancho de su familia en Tucson, Arizona. De camino al oeste, decidí hacer una parada en Midland. Había escuchado por medio de mi amigo Jimmy Allison, quien se había convertido en editor del *Midland Reporter-Telegram*, que el lugar estaba en auge. Tenía razón. La industria energética estaba al alza, después del Embargo Árabe Petrolero de 1973. Las barreras para entrar en la industria eran muy pocas. Me encantó la idea de empezar un negocio por mi cuenta. Tomé una decisión: Me dirigiría de regreso a Texas.

Llegué a la ciudad en el otoño de 1975, con todas mis posesiones dentro de mi Oldsmobile Cutlass 1970. Tenía mucho que aprender, por lo tanto, busqué mentores. Una de las primeras personas que visité fue a un abogado local de nombre Boyd Laughlin, conocido de forma afectiva como Loophole. Él convocó a una reunión con Buzz Mills, un hombre grande con el pelo al rape y años de experiencia en el negocio del petróleo. Me encontré con Buzz y su socio, un masticador de tabaco de nombre Ralph Way, jugando a los naipes. No puedo recordar cuánto dinero estaban apostando en el juego, pero era muchísimo más de lo que yo tenía.

Detrás de su comportamiento amigable y pueblerino, había un perspicaz conocimiento del negocio del petróleo. Le dije a Buzz y a Ralph que quería aprender a ser un negociador de tierras ubicadas sobre yacimientos de petróleo. Ese trabajo es viajar a las cortes de los condados e investigar quien posee los derechos minerales de sitios potenciales de excavación. Las claves para el éxito en el trabajo son la voluntad de leer un montón de papeleo, un ojo agudo para los detalles y un auto confiable. Empecé a trabajar con hombres de tierra experimentados, quienes me enseñaron cómo leer libros de títulos. Entonces, hice viajes yo solo, verificando los registros de las cortes por tarifas por día. Con el tiempo, compré unas cuantas regalías y pequeños intereses en los pozos de Buzz y Ralph. Comparado con los grandes hombres petroleros, yo colectaba migajas, pero estaba ganándome la vida de manera decente y aprendiendo mucho.

Abatí costos al vivir con modestia. Renté una casa de quinientos pies cuadrados (46,45 metros cuadrados) en un callejón que los amigos describían como «un basurero de desperdicios tóxicos». Una esquina de mi cama estaba unida por una corbata. No tenía lavadora de ropa; por lo tanto, llevaba mi ropa sucia a la casa de Don y Susie Evans. Susie y yo nos habíamos conocido desde la escuela primaria. Ella se casó con Don, un nativo de Houston con dos licenciaturas de la Universidad de Texas y se mudaron a Midland para entrar al negocio del petróleo. Don era un hombre centrado, humilde y con un excelente sentido del humor. Corríamos juntos, jugábamos golf y forjamos una amistad de toda la vida.

Durante la primavera de 1976, Don y otro amigo cercano, un cirujano ortopedista de Midland, de nombre Charlie Younger, sugirieron que me les uniera en el concierto de Willie Nelson en Odessa. Por supuesto, que necesitábamos algo de libación para prepararnos para el evento. Compramos botellas de bourbon y nos echamos algunos tragos en el camino. Cuando llegamos al Ector County Coliseum, nos recordaron que no permitían beber. Nos tomamos un par más de tragos, nos deshicimos de las botellas y fuimos a nuestros asientos.

Charlie decidió que necesitábamos más alcohol para disfrutar la experiencia completamente. Para nuestra sorpresa, pudo convencer a un tramoyista de que Willie Nelson necesitaba algo de cerveza. El muchacho, diligentemente, salió y compró la cerveza con el dinero de Charlie. Charlie dejó un cartón para Willie y sacó uno para nosotros.

Nos agachábamos en nuestros asientos y bebíamos como vagabundos sedientos. Después de que cada uno se tomó varias botellas, Charlie sugirió que nos dirigiéramos al escenario para agradecerle a su nuevo amigo. Don sabiamente se quedó atrás, pero no yo. Sobre el ruido de la banda, oí gente gritando mi nombre. Un grupo de gente de Midland al frente de la multitud nos reconocieron a Charlie y a mí.

Gritaban por la cerveza. Los complacimos. Cuando terminó el concierto, Charlie se guardó varias botellas de cuello largo bajo su camisa. En el momento en que los tres íbamos hacia la salida, las botellas de cuello largo se resbalaron y explotaron en el piso, una después de la otra. Era como si hubiéramos puesto una alarma en funcionamiento para las autoridades. Nuestro paso estable se convirtió en una carrera hacia las salidas, tres ebrios corriendo para resguardar nuestras reputaciones.

El siguiente día, una docena de amigos de Midland me dijeron que me habían visto en el escenario con Willie. No hubo ningún comentario editorial hasta que un muchacho dijo que me veía como un tonto allá arriba. Tenía razón.

***

Pasé el fin de semana del Día Del Trabajo de 1976 en la casa de mi familia en Kennebunkport, Maine. Ese sábado en la noche, me encontraba en un bar con mi hermana Doro, Pete Rousell, el ayudante político de mi padre por mucho tiempo y dos amigos de la familia; la estrella de tenis australiana, John Newcombe y su esposa, Angie. John me introdujo a la tradición Aussie de beber cerveza sin manos. Pones los dientes en la orilla de la jarra e inclinas la cabeza hacia atrás y la cerveza va directo a tu garganta. Nos divertimos mucho hasta que condujimos a casa.

Un policía local, Calvin Bridges, pensó que era extraño el que yo fuera conduciendo a diez millas por hora con dos neumáticos en el arcén. Cuando fallé el examen de caminar por la línea recta, me llevó a la estación. Era culpable y eso dije a las autoridades.

También estaba avergonzado. Había cometido un serio error. Fui afortunado de no haber lastimado a ninguno de mis pasajeros, a otros conductores o a mí mismo. Pagué una multa de $150 y no conduje en Maine por el periodo prescrito. El caso estaba cerrado o por lo menos, eso pensé.

***

Ese verano, empecé a pensar seriamente en establecerme. El delito por conducir bajo la influencia fue parte de eso, pero el sentimiento se había venido alimentando por meses. Mis formas desarraigadas me estaban fastidiando y yo también. El gran 3-0 había llegado en el verano. Me había comprometido a pasar mis primeros diez años después del colegio experimentando mucho y sin ataduras. Esa fue una promesa que cumplí, pero la década estaba por terminarse.

De regreso a casa en Midland, en julio de 1977, mi viejo amigo Joe O'Neill me invitó a su casa para comer una hamburguesa. Rara vez digo no a la comida casera. Por supuesto que es mucho mejor que la comida rápida que se convirtió en mi alimento básico. Joe y su esposa, Jan tenían una persona que deseaban que yo conociera: una de las mejores amigas de Jan, Laura Welch. Llegué un poco tarde. En el patio trasero estaban Jan y Laura, quien lucía un veraniego vestido azul.

Era encantadora. Con unos ojos azules hermosos y se movía de forma elegante. Era inteligente y con dignidad. Reía con mucha facilidad y calidez. Si existe el amor a primera vista, eso lo fue.

Laura y yo descubrimos que habíamos crecido cerca el uno del otro en

Midland y que ambos estuvimos en el séptimo grado en la Escuela San Jacinto Junior High. Hasta habíamos vivido en el mismo conjunto de apartamentos en Houston. Ella vivía en el lado tranquilo, donde la gente se sentaba a un lado de la piscina y leían libros. Yo viví en el lado donde la gente jugaba voleibol acuático hasta media noche. Con razón, nuestros caminos nunca se cruzaron.

La llamé el siguiente día y estuvimos de acuerdo en vernos de nuevo esa noche. Le pregunté si quería jugar golfito. Sabía que era mi tipo de chica cuando estuvo de acuerdo. Su corto juego fue un poco vacilante, pero fue pura diversión estar a su lado. Mis impresiones favorables de la noche anterior se habían fortalecido. Solo había una parte negativa. Laura debía regresar a Austin, donde era la encargada de la biblioteca de la Escuela Dawson Elementary. La extrañé de inmediato y empecé a visitarla lo más frecuente que pude allá.

Éramos la pareja perfecta. Yo soy un hablador y Laura una buena oyente. Yo soy inquieto y ella es tranquila. Yo puedo emocionarme rápidamente y ella es práctica y sensata. Sobre todo, es genuina y natural. No hay nada falso acerca de ella. Su atractivo fue inmediato y constante. En agosto, fui a visitar a mi familia a Kennebunkport, planeando quedarme una semana. Después de una noche, volé de regreso a Texas para ver a Laura.

Unas semanas más tarde de habernos conocido, Laura me presentó con sus padres, Harold y Jenna Welch. Su madre, una mujer gentil, dulce y paciente, siempre me hizo sentir en casa. Su padre amaba los deportes y disfrutaba hacer una o dos apuestas en el fútbol americano. El lugar donde acudía era Johnny's Barbecue. Los locales lo llamaban el Cerdo Enfermo, debido al espantoso cerdo de madera en la parte alta del restaurante. Un día el papá de Laura me presentó con sus amigos en el Cerdo Enfermo, incluyendo al mismo Johnny. Creo que pasé la prueba, porque me ofrecieron un "screwdriver" y lo decliné. Eran las nueve de la mañana.

El noviazgo se movió rápido. Un fin de semana, Laura y yo hicimos un viaje al rancho de Anne y Tobin Armstrong en el Sur de Texas. Anne era antigua Embajadora en Gran Bretaña y ella y Tobin habían invitado al Príncipe Carlos a jugar polo. Otro fin de semana, visitamos a John y Angie Newcombe en su academia de tenis en New Braunfels, en la bella zona rural montañosa de Texas. En esta ocasión, mantuve mis manos en la jarra de cerveza y lejos del volante. Me estaba enamorando mucho de Laura. Yo no era el tipo de persona que me gustaran mucho los gatos, pero supe que nuestra relación era sólida cuando me apegué a su gato blanco y negro de pelo corto; Dewey, llamado así por el sistema decimal.

Nunca he sentido temor de tomar una decisión y a finales de septiembre, tomé una muy importante. Una noche, en la pequeña casa rentada de Laura, dije: «Casémonos» y ella de inmediato dijo que sí. Nuestro romance había sido un torbellino, pero estábamos listos los dos para comprometernos.

Un poco después del compromiso, Laura y yo viajamos a Houston, donde Jeb y Columba estaban celebrando el bautizo de su hija Noelle. Presenté a

Laura con mi familia. Se prendaron de ella, tal como lo hice yo. Laura supo que se estaría uniendo a una gran familia competitiva y eso le pareció bien. Como hija única, se divirtió mucho del bullicioso Clan Bush.

Nuestros padres checaron sus agendas y elegimos el primer sábado disponible, el 5 de noviembre de 1977. Tuvimos una boda sencilla con familia y amigos cercanos de Midland. La mamá de Laura escribió las invitaciones a mano. No tuvimos acomodadores, damas de honor o padrinos de boda. Éramos solo Laura y su padre caminando a través del pasillo y yo al frente.

Puesto que no pude determinarlo con precisión en el momento, creo que hay una razón por la que Laura y yo nunca nos conocimos durante todos esos años anteriores. Dios la trajo a mi vida en el momento correcto; cuando estaba listo para establecerme y abierto para tener una pareja a mi lado. Gracias a Dios, que tuve el buen sentido de reconocerlo. Ha sido la mejor decisión de mi vida.

———

Un poco después de casarnos, Laura y yo decidimos tener hijos. Después de un par de años de intentar, no estaba ocurriendo tan fácilmente como esperábamos. Lo discutimos, reflexionamos, rezamos y tomamos la decisión de adoptar. Al principio, me sentía nervioso de ser el padre del hijo de alguien más; pero en cuanto más analizaba el asunto de la adopción, me sentí más cómodo. Teníamos amigos que habían adoptado y amaban a sus hijos como una preciosa bendición y nosotros nos sentimos afortunados de saber acerca de una agencia maravillosa llamada la Edna Gladney Home en Fort Worth.

Fundada por un misionero metodista en 1887, Gladney se había convertido en uno de los principales hogares de adopción en el mundo. Laura y yo fuimos presentados por teléfono con la directora por largo tiempo, Ruby Lee Piester. Nos invitó a hacer un tour por el hospital, donde conocimos a algunas de las mujeres embarazadas que estaban cerca de dar a luz. Me sentí tocado por su desinteresada decisión de traer sus hijos al mundo y darlos a parejas como nosotros.

El proceso de solicitud se llevó varios meses. Primero, se llevaba a cabo la entrevista inicial, la cual incluía un largo cuestionario. Por fortuna, la pasamos. En la siguiente etapa, Gladney planeaba enviar a un representante a visitar nuestro hogar. Laura y yo nos preparamos meticulosamente. Entonces, a principios de 1981, me sorprendió con noticias de que creía estar embarazada.

Algunas semanas más tarde, programamos un viaje para ver a un ecógrafo experto en Houston, una encantadora mujer india americana de nombre Srini Malini. Me puse nervioso cuando ella pasó el dispositivo por el cuerpo de Laura. Observaba el monitor del video y dijo —¡Aquí está la cabeza y aquí el cuerpo: es una niña! —Se movió para tomar un mejor ángulo y repentinamente, exclamó —¡Veo dos bebés, dos hermosos bebés! Ésta también es una niña. Van a ser padres de gemelas. —Mis ojos se llenaron de lágrimas. Fue una bendición duplicada. Empecé a llamar a la imagen de la ecografía nuestra primera foto familiar.

Cuando llamamos a la directora de Gladney para darle la noticia, nos sentimos extrañamente culpables; como si la hubiéramos estado engañando. Ella le dijo a Laura algo tan bello: «Querida, esto ocurre algunas veces. Gladney puede ayudar a una pareja a tener un niño de una manera u otra». Ruby Lee tenía más razón de lo que suponía. En el cuestionario original, Laura había marcado el recuadro diciendo que preferiríamos adoptar gemelos.

Los médicos nos habían advertido que el dar a luz gemelos era un embarazo de alto riesgo. Laura se negó a decorar el cuarto de las bebés por superstición. Cuando se encontraba en el séptimo mes de embarazo, fue diagnosticada con toxemia gravídica, una seria condición que podría dañar sus riñones y poner en peligro la vida de las niñas. Un día después de que recibimos la noticia, Laura hizo su admisión en el Baylor Hospital de Dallas, donde su tío era cirujano. El médico le dijo a Laura que debía empezar el descanso en cama.

Sabía que Laura estaba bajo los mejores cuidados posibles, pero me sentía preocupado. Recordé el aborto de mamá. Había visto a mis padres después de que Robin falleció. Sabía lo mucho que duele perder a un hijo. Le confesé mi ansiedad a Laura. Nunca voy a olvidar su reacción. Me regaló una mirada con sus ojos azules y dijo: «George, voy a traer estas niñas al mundo, van a nacer saludables». Me maravillé ante la entereza de mi esposa. Esta mujer tranquila y modesta, tenía un espíritu poderoso.

Dos semanas más tarde, me encontraba en mi oficina en Midland—había estado volando de ida y regreso a Dallas—cuando recibí una llamada del Doctor James Boyd. Él estaba a cargo del cuidado de Laura y no era un hombre de muchas palabras. —George —dijo—, tus hijas van a nacer mañana. Las traeré al mundo a las seis de la mañana. Le pregunté acerca del estado de salud de Laura. Dijo que estaría bien. —¿Qué tal las niñas? —Respondió —Serán prematuras por cinco semanas, pero estarán bien. Sin embargo, el tiempo de actuar es ahora. Llamé a Laura para decirle lo emocionado que estaba. Luego llamé a sus padres en Midland, a mis padres en Washington y a un montón de amigos y—por supuesto—a las líneas aéreas.

He experimentado algunos eventos emocionantes en mi vida—las inauguraciones presidenciales, los discursos frente a enormes multitudes, el lanzamiento de la primera pelota en el Estadio de los Yankees—pero nada fue igual al momento en que estas niñas nacieron. Laura estaba en cama, sedada. Acaricié su cabeza. Pronto, el doctor sostuvo un pequeño cuerpo rojo. La bebé gritó y el doctor proclamó su buena salud. Una enfermera la aseó y me la entregó. Era la pequeña Barbara y luego lo mismo con Jenna. Deseábamos que nuestras hijas llevaran los nombres de dos buenas mujeres; por lo tanto, les pusimos el nombre de nuestras madres.

Había pensado acerca de esas niñas por tanto tiempo, que casi no podía creer que estuvieran en mis brazos. Fue el día anterior a Acción de Gracias de 1981 y agradecido fue exactamente como me sentí. Estaba agradecido con Dios por sus vidas; agradecido al competente equipo médico por su excelente cuidado y agradecido a Laura por su determinación de llevar en su vientre a nuestras hijas el tiempo suficiente para que pudieran nacer saludables.

El sostener en mis brazos a Barbara y Jenna la primera vez fue un momento de increíble claridad. Se me había dado una bendición y una responsabilidad. Juré ser el mejor padre que pudiera ser.

Durante esos primeros meses, recibí una llamada de atención. Las niñas lloraban en medio de la noche. Yo las levantaba, una en cada brazo y caminaba alrededor de la casa. Deseaba cantarles una canción de cuna, pero realmente no sabía ninguna. En su lugar, generalmente les cantaba la canción de pelea de Yale «Bulldog, Bulldog, Bow Wow Wow». Eso las tranquilizaba, quizá solo porque ya no querían oírme cantar. Cualquiera que fuera la razón, funcionó. Las colocaba en sus cunas y regresaba con Laura como padre satisfecho.

———

A medida que Laura y yo nos ajustamos a la vida con nuestra nueva familia, yo operaba un nuevo negocio. En 1979, comencé una pequeña compañía de exploración de energía en Midland. Recaudé dinero, principalmente de la Costa Este, para financiar la perforación a bajo riesgo, petróleo de baja rentabilidad y pozos de gas. Hice algunos hallazgos respetables, incluyendo algunos que todavía están produciendo. También perforé mi justo porcentaje en hoyos secos. El dirigir un pequeño negocio me enseñó mucho, especialmente que las condiciones del mercado pueden cambiar rápidamente; por lo que hay que estar preparado para lo inesperado.

Cuando los precios del petróleo se moderaron en 1983, decidí fusionar mis operaciones con dos empresarios de Cincinnati, Bill DeWitt y Mercer Reynolds. Yo sería los ojos y oídos en los campos de Texas y ellos recaudarían fondos en el este. El negocio fue muy bien por un par de años y nos convertimos en amigos cercanos; pero a comienzos de 1986, el precio del petróleo se desplomó de veintiséis dólares a diez dólares el barril. Mucha gente que conocía que habían tomado fuertes préstamos, se encontraban en un espantoso riesgo financiero. Afortunadamente, nosotros habíamos mantenido nuestra deuda en bajo perfil y pudimos fusionar nuestro negocio con una compañía de sociedad de cotización oficial más grande: Harken Energy.

La mitad de los 1980 fueron años tenebrosos en Midland. Había una sensación de ansiedad y muchos se encontraban buscando un propósito. La religión siempre había sido parte de mi vida, pero realmente no era un creyente. Fui bautizado en la Capilla Sin Denominación de Yale Dwight Hall. Cuando era joven, mis padres me llevaban a la First Presbyterian en Midland, St. Martin's Episcopal en Houston y St. Ann's Episcopal en Kennebunkport.

Iba a la iglesia en Andover porque era obligatorio. Nunca fuí en Yale. Iba cuando visitaba a mis padres, pero mi misión esencial era no irritar a mamá. Laura y yo nos casamos en First United Methodist en Midland. Empezamos a acudir de forma regular, después de que nacieron las niñas, porque sentimos la responsabilidad de exponerlas a la fe. Me gustaba pasar tiempo con amigos en la congregación. Disfruté la oportunidad de reflexionar. De vez en cuando, escuché un sermón que me inspiraba. Leí la Biblia ocasionalmente y lo vi como un curso de autosuperación. No dudaba de que a mí me hacía falta un poco de autosuperación. Sin embargo, en su mayoría, la religión era más una tradición que una experiencia espiritual. Estaba oyendo, pero no escuchando.

En el verano de 1985, hicimos nuestro viaje anual a Maine. Mamá y papá invitaron al gran predicador evangélico Billy Graham. Papá le había pedido que respondiera a algunas preguntas de parte de la familia después de la cena. Eso era típico de mi padre, siempre con la voluntad de compartir. Hubiera sido una señal de importancia el tener a Billy solo para él, pero ese no es George H.W. Bush. Él es un hombre generoso, despojado del ego; por lo tanto, allí estábamos sentados—como treinta de nosotros: Laura, mi abuela, hermanos y hermana, primos primeros y segundos—en el gran cuarto al final de la casa de Walker's Point.

La primera pregunta fue por parte de papá. Expresó: —Billy, alguna gente dice que debes experimentar la experiencia de volver a nacer para ir al cielo. Mamá [mi abuela] aquí, es la más apegada a la religión, la persona más gentil que conozco; pero ella no ha tenido una experiencia de volver a nacer. ¿Irá al cielo? —Qué pregunta más profunda de mi viejo. Todos volteamos a ver a Billy. En su voz tranquila y fuerte, respondió —George, algunos de nosotros necesitamos una experiencia de volver a nacer para entender a Dios y algunos de nosotros nacemos cristianos. Suena como que tu mamá simplemente nació como cristiana.*

Quedé cautivado por Billy, Tenía una presencia poderosa, plena de amabilidad y gracia y una mente inteligente. El siguiente día, me pidió que diéramos una caminata alrededor de la propiedad. Me preguntó acerca de mi vida en Texas. Le platiqué acerca de las niñas y compartí mis pensamientos acerca de que, al leer la Biblia, me convertiría en una mejor persona. En su forma apacible y amorosa, Billy comenzó a ahondar mi conocimiento superficial de la fe. —No hay nada erróneo en usar la Biblia como guía para el mejoramiento de uno mismo —dijo—. La vida de Jesús proporciona un ejemplo poderoso para nosotros mismos. Sin embargo, la autosuperación no es verdaderamente el punto de la Biblia. El centro de la Cristiandad no es uno mismo, es Cristo.

Billy explicó que todos somos pecadores y que no podemos ganar el amor de Dios a través de buenas acciones. Dejó en claro que el camino a la salvación es a través de la gracia de Dios y la forma de encontrar esa gracia es al abrazar a Cristo como el Señor resucitado—el hijo del Dios tan poderoso y amoroso que dio a su único hijo para conquistar la muerte y derrotar el pecado.

Estos eran conceptos profundos y yo no los comprendí en su totalidad ese día. Sin embargo, Billy había plantado una semilla. Su cuidadosa explicación hizo la tierra menos dura y las zarzas menos gruesas.

Un poco después de que regresamos a Texas, llegó un paquete de Billy. Era una copia de la Biblia Viviente. Había inscrito: «Para mi amigo, George W. Bush, Dios te bendiga a ti y a Laura siempre». Incluyó una referencia a Filipenses 1.6 «Y tengo la certeza de que Dios, quién ya empezó a obrar en tu ser, continuará su trabajo hasta que finalmente, esté concluido el día en que Cristo Jesús regrese».

A principios del otoño, mencioné mi conversación con Billy a Don Evans. Él me dijo que él y otro amigo de Midland, Don Jones, estaban asistiendo a un estudio comunitario de la Biblia. Se reunían los miércoles por la noche en la Iglesia First Presbyterian. Decidí probar.

Cada semana, estudiábamos un capítulo del Nuevo Testamento. Al principio, me sentía un tanto escéptico. Me costó mucho trabajo resistir la tentación de bromear. Una noche, el líder del grupo preguntó: «¿Qué es un profeta?» y yo respondí: «Es cuando la ganancia excede los gastos. Nadie ha visto uno alrededor desde Elías».

Pronto empecé a tomar las sesiones con mayor seriedad. Cuando leía la Biblia, me emocionaban las historias de la gentileza de Jesús a los extraños que sufrían, su mano curativa para el ciego y el lisiado y su último acto de sacrificio por amor cuando fue clavado a la cruz. Para navidad, ese año, Don Evans me dio una Biblia Diaria, una versión dividida en 365 lecturas individuales. La leía cada mañana y rezaba para entenderla más claramente. Con el tiempo, mi fe empezó a crecer.

Al principio, me afligían mis dudas. La noción de un Dios viviente era un gran salto, especialmente para alguien con una mente lógica como la mía. El rendirte al Todopoderoso es un reto para el ego, pero me di cuenta que las luchas y las dudas son partes naturales de la fe. Sino dudaras, probablemente no has pensado con profundidad en tus creencias. Por último, la fe es un recorrido—una jornada hacia un entendimiento más grande.

No es posible probar la existencia de Dios, pero eso no puede ser la norma para la creencia. Después de todo, es igualmente imposible probar que Él no existe. Al final, si crees o no, tu posición está basada en la fe.

Ese descubrimiento me liberó para reconocer las señales de la presencia de Dios. Vi la belleza de la naturaleza, la maravilla de mis pequeñas niñas, el amor perene de Laura y de mis padres, así como la libertad que proviene del perdón—todo lo que el predicador Timothy Keller llama «los indicios de Dios». Avancé con más confianza en mi camino. La oración fue el alimento que me nutrió. A medida que profundicé en mi entendimiento de Cristo, me acerqué a mi meta original de ser una mejor persona—no porque estaba acumulando puntos en el libro mayor celestial, sino porque fui tocado por el amor de Dios.

———

Me di cuenta de algo más. Cuando Billy comenzó a responder preguntas esa noche en Maine, yo iba por mi tercera copa de vino, después de un par de cervezas antes de la cena. El mensaje de Billy había superado las bebidas alcohólicas; pero eso no siempre era el caso. Fui un bebedor social por mucho tiempo. Me gustaba beber con los amigos, en las comidas, en los eventos deportivos y en las fiestas. Cuando estaba en medio de mis treintas, estaba bebiendo rutinariamente, incluyendo juergas ocasionales.

Teníamos un dicho en el oeste de Texas: «Anoche se creía un as cuando de hecho era un asno». Eso aplicaba a mi persona más de una vez. Me gusta bromear, pero el alcohol tiene una forma de convertir una ocurrencia o broma en un sablazo o insulto. Lo que parece cómico con el alcohol, puede sonar estúpido después. Una noche de verano, estábamos cenando en Maine después de un día de pesca y golf. Me dio mucha sed que apagué con múltiples bourbons y Sevens. Cuando estábamos comiendo, me dirigí hacia una hermosa amiga de mis padres y le hice una pregunta de borracho insolente:
—Entonces, ¿cómo es el sexo después de los cincuenta?

Todo mundo en la mesa observó su plato en silencio—excepto mis padres y Laura—quienes me fulminaron con una mirada de desaprobación. La encantadora mujer rio con nerviosismo y la conversación siguió adelante. Cuando desperté la mañana siguiente, me recordaron lo que dije. De inmediato sentí un terrible remordimiento. Después de que llamé por teléfono a la dama para pedir disculpas, empecé a preguntarme si era ésta la manera como deseaba llevar mi vida. Años más tarde, cuando cumplí cincuenta, la gentil dama envió una nota a la mansión del Gobernador de Texas: «Bueno, George, ¿cómo se siente?».

Laura también vio que se desarrollaba un patrón. Lo que parecía divertido o ingenioso para mis amigos y para mí, era repetitivo e infantil para ella. No tuvo miedo de decirme lo que pensaba, pero no podía hacer las cosas por mí. Debía hacerlo yo mismo. A la edad de cuarenta, finalmente encontré la fuerza para hacerlo—una fortaleza que vino del amor que había sentido en mis primeros días y de la fe que no descubrí completamente por muchos años.

No he tomado una gota de alcohol desde aquella noche en el Broadmoor en 1986. No hay forma de saber hacia dónde hubiera ido mi vida, sino hubiera tomado la decisión de renunciar a la bebida. Sin embargo, tengo la certeza de que no estaría grabando estos pensamientos como antiguo gobernador de Texas y presidente de los Estados Unidos.

Me han preguntado si me considero un alcohólico. No lo sé con seguridad. Sólo sé que tengo una personalidad de hábitos. Estaba bebiendo demasiado y eso empezaba a crearme problemas. Mi habilidad para renunciar de un golpe, me lleva a creer que no tenía una adicción química. Algunos tomadores no son tan afortunados como lo fui yo. Admiro a aquellos que utilizan otros métodos para renunciar, tal como el proceso de los doce pasos de Alcohólicos Anónimos.

No hubiera podido renunciar a la bebida sin la fe. Tampoco pienso que mi fe se hubiera fortalecido, si no hubiera dejado de beber. Creo que Dios me ayudó abriendo mis ojos, que se estaban cerrando por la bebida. Por esa razón, siempre he sentido una conexión especial con las palabras «Sublime Gracia», mi himno favorito: «Una vez estuve perdido, pero ahora he sido encontrado/ estaba ciego, pero ahora puedo ver».

2

LA POSTULACIÓN

La mañana del 12 de junio de 1999, fue hermosa en Texas. Los Rangers iban en el primer lugar de la división oeste de la liga americana. El promedio industrial Dow Jones se mantuvo en 10.490. Papá acababa de celebrar exitosamente su cumpleaños setenta y cinco, lanzándose de un paracaídas. Yo estaba a punto de realizar un salto por mi propia cuenta.

Después de algunos meses de reflexión e incontables horas sopesando los pros y contras, me dirigí a Iowa, sede de la primera asamblea partidista de la elección presidencial del año 2000. Estaba libre de la ansiedad de tomar la decisión e impaciente por empezar el viaje. Laura y yo nos despedimos de las niñas con un beso, nos dirigimos al aeropuerto y abordamos un chárter de TWA con destino a Cedar Rapids.

El vuelo iba totalmente lleno, principalmente de reporteros. Ellos habían colmado la televisión y los periódicos con debates, cuestionamientos y análisis sobre mi posible candidatura. Ahora iban a tener la respuesta. Decidí tener un poco de diversión con ellos. Bauticé nuestro avión como *Grandes Esperanzas*. Poco después de que despegamos, tomé el micrófono y anuncié: —Este es su candidato. Por favor coloquen sus expectativas en los compartimientos superiores, ya que pueden desplazarse durante el viaje, caer y lastimar a alguien, especialmente a mí.

Frecuentemente utilizo el humor para calmar la tensión, pero sabía que me estaba embarcando en un compromiso muy serio. Más que casi cualquier otro candidato en la historia, entendí lo que implicaba la candidatura a la presidencia. Había visto a papá soportar meses agotadores en la campaña electoral bajo constante escrutinio de la prensa escéptica. Había visto como distorsionaron sus logros, atacaron su persona y se burlaron de su apariencia. Fui testigo de amigos suyos que le dieron la espalda y asistentes que lo abandonaron. Sabía lo difícil que era ganar y también lo mucho que duele perder.

Lo que más me preocupaba eran nuestras hijas de diecisiete años, Bárbara y Jenna. Aprendí que ser hijo de un político es más difícil que ser político. Comprendí el dolor y la frustración que surge de escuchar que se refieran a tu papá con apodos desagradables. Sabía cómo se siente preocuparse cada vez que enciendes la televisión y sabía cómo era vivir con el sentimiento de que cualquier inocente descuido mío podía avergonzar al presidente de los Estados Unidos. Había pasado por todo esto en mis cuarentas. Si yo me convertía en presidente, mis hijas estarían en la universidad cuando yo hubiera tomado el puesto. Podía imaginar cuánto más difícil sería para ellas.

Había reflexionado sobre preguntas muy importantes. ¿Estaba dispuesto a perder para siempre mi anonimato? ¿Era correcto someter a mi familia al escrutinio de una campaña nacional? ¿Podría manejar la vergüenza de una derrota con todo el país observándome? ¿Estaba realmente preparado para el trabajo?

Creí saber las respuestas, pero no había forma de estar seguro.

Lo que si sabía es que sentía un llamado para lanzarme a la candidatura. Estaba preocupado por el futuro del país y tenía una clara visión para dirigirlo. Quería recortar impuestos, aumentar la calidad de la educación en escuelas públicas, reformar la seguridad social y el *Medicare*, estimular a organizaciones benéficas de base religiosa y levantar la visión del pueblo estadounidense estimulando una nueva era de responsabilidad personal. Como he dicho en mis discursos —Cuando ponga mi mano en la Biblia, juraré no sólo defender las leyes de nuestra tierra, juraré defender el honor y la dignidad de la oficina para la cual he sido elegido, que Dios me ayude.

Mi conocimiento de la presidencia me había revelado el potencial del trabajo. Los dos presidentes que mejor conocía, papá y Ronald Reagan, utilizaron su tiempo en la oficina para cumplir con objetivos históricos. El presidente Reagan desafió a la Unión Soviética y ayudó a ganar la Guerra Fría. Papá había liberado a Kuwait y dio una guía a Europa hacía su unificación pacífica.

También conocí el lado personal de la presidencia. Papá amó su trabajo aun con todo el escrutinio y el estrés. Terminó su trabajo con sus valores y honor intactos. A pesar de tantas presiones, la intensidad de la experiencia unió más a nuestra familia.

El proceso de decisión lo consumía todo. Pensé mucho en el proceso, lo platiqué, lo analicé y recé mucho. Tenía una filosofía que quería fomentar y estaba convencido de que podía construir un equipo digno para la presidencia. Tenía la seguridad financiera para mantener a mi familia—ganara o perdiera. Finalmente, los factores decisivos eran intangibles. Sentí un impulso para hacer algo más con mi vida, para impulsar mi potencial y poner a prueba mis habilidades al más alto nivel.

Contaba con la inspiración del ejemplo de servicio de mi padre y de mi abuelo. Había visto a papá tener éxito en las plazas más grandes. Quería descubrir si yo tenía lo necesario para unirme a él.

Incluso si perdiera, tendría una vida maravillosa. Mi familia me amaba. Habría sido gobernador de un gran estado y nunca tendría que imaginarme cómo hubiera sido. Les diría a mis amigos: —Cuando mi tiempo termine, moriré satisfecho.

Mi anuncio fue en un pequeño pueblo de Iowa llamado Amana. Di mi discurso en un granero, sobre un escenario cubierto de heno enfrente de un enorme campo de maíz. El congresista Jim Nussle, quien después sería mi Director de la Oficina de Administración y Presupuesto, me presentó cantando *Iowa Stubborn* del musical *The Music Man*. Con Laura a mi lado dije: —Me lanzo como candidato a la presidencia de los Estados Unidos. No hay vuelta atrás, y pretendo ser el próximo presidente.

———

Mi camino de ese día fue poco convencional. No había pasado toda mi vida planeando mi candidatura a la presidencia. Si lo hubiera hecho, probablemente habría hecho algunas cosas distintas cuando era más joven. Sin embargo, a lo largo del viaje, construí el deseo y las habilidades para librar y ganar la campaña presidencial. Las semillas de esa decisión, al igual que muchas otras decisiones en mi vida, fueron plantadas en el suelo polvoriento bajo el cielo infinito de Midland en Texas.

Los políticos en Midland eran muy conservadores. El oeste tejano tiene un espíritu independiente y desconfía del gobierno centralizado. Como es muy común en Texas, Midland había sido dominado durante varias generaciones por el partido demócrata. El distrito de Midland en el congreso, que incluía diecisiete condados, fue representado por el demócrata George Mahon durante cuarenta y tres años. Él fue el congresista que permaneció más tiempo que todos en los Estados Unidos. El 6 de julio de 1977, mi cumpleaños treinta y uno, anunció que se retiraría al final de su mandato.

Para ese entonces yo había estado en Midland por dos años después de la escuela de negocios. Estaba aprendiendo el negocio del petróleo, reconectándome con amigos y, en general, disfrutando de la vida. También empezaba a sentir un llamado hacía la escena política.

Si bien yo nunca había considerado la política como una profesión, había ayudado en todas las campañas de papá: su campaña al senado en 1964, la campaña hacia la cámara de representantes en 1966 y su segunda apuesta por el Senado en 1970. Antes de comenzar mis prácticas de vuelo en 1968, pasé varios meses como ayudante del congresista Edward Gurney, quien estaba de campaña para el Senado en Florida. El punto culminante de esa experiencia fue un gran mitin en Jacksonville en el que Gurney fue respaldado por el alto y bronceado gobernador de California, Ronald Reagan. En 1972, fui el Director Político de la campaña de Red Blount al Senado en Alabama. En 1976, fui voluntario del presidente Ford en el oeste tejano en las primarias republicanas. Lo ayudé a ganar un total de cero delegados.

El estilo de vida de campaña se ajustaba perfectamente para mí cuando estaba en mis veintes. Disfrutaba estar viajando y conociendo nuevas personas. Prosperé con la intensidad y competencia de las campañas. Me gustaba el final que viene con el día de elección, cuando los votantes escogen un ganador y todos seguimos adelante. No lo había planeado de esta manera, pero cuando el congresista Mahon se retiró, yo era un operador político relativamente experimentado.

Empecé a pensar en lanzarme a esa candidatura. Tenía la experiencia de manejar los aspectos políticos de una campaña. También sentí que algo fuerte me empujaba. Estaba preocupado sobre el destino de la nación. Mis experiencias en la escuela de negocios, en China y en los negocios petroleros estaban convergiendo en un conjunto de convicciones: El libre mercado proveía la manera más justa de reasignar recursos. Los bajos impuestos recompensan al trabajo y fomentan la toma de riesgos, lo que estimula la creación de empleos. Eliminar barreras al comercio crea nuevos mercados de exportación para los productores estadounidenses y más opciones para nuestros consumidores. El gobierno debe respetar sus límites constitucionales y dar a la gente la libertad de vivir sus vidas.

En Washington bajo la presidencia de Jimmy Carter y el congreso demócrata, vi lo contrario. Tenían planes para aumentar impuestos, endurecer el control gubernamental sobre el sector energético, sustituir el gasto federal por creación de empleos en el sector privado. Me preocupaba Estados Unidos flotando a la deriva, hacia una versión de estado de bienestar europeo, donde la planeación del gobierno central desplaza a la libre empresa. Quería hacer algo al respecto. Estaba teniendo mi primera experiencia con la cosquilla política y me afectaba muy fuertemente.

Cuando les conté a mamá y papá sobre mi idea, se quedaron sorprendidos. Mi decisión debió haberles parecido que provenía de la nada, pero ellos no quisieron arruinar mi entusiasmo. Papá me preguntó si yo estaría dispuesto a escuchar consejos de uno de sus amigos, el ex gobernador de Texas Allan Shivers. —Por supuesto, —le dije. Shivers era una leyenda. Él fue el gobernador del estado con mayor tiempo en el poder en la historia de Texas. Era un demócrata conservador y sus consejos me servirían en la campaña contra Kent Hance, un senador estatal de centro derecha y favorito para la candidatura demócrata.

Cuando fui a ver al viejo gobernador, me preguntó sin rodeos si me lanzaría por la silla del Sr. Mahon. Le dije que lo estaba considerando seriamente. Me miró directo a los ojos y dijo: —Hijo, no puedes ganar. No hubo ningún estímulo, ni nada. Me dijo que el distrito estaba perfectamente delimitado para elegir a Kent Hance. Murmuré algo así como —Espero que se equivoque si decido lanzarme a la candidatura, —y le agradecí por su tiempo.

Recuerdo que me preguntaba por qué papá me había presentado al gobernador. Ahora que lo pienso, puede haber sido su manera de decirme, sin acabar con mis ambiciones, que debía estar preparado para perder.

La primera fase de la campaña era la primaria republicana. La logré en segunda vuelta contra Jim Reese, un ex comentarista deportivo de voz suave que era alcalde de Odessa. Él se había enfrentado a George Mahon en las elecciones de 1976 y se sentía con derecho a que lo nominaran en 1978. Estaba muy enojado de que me había ido mejor que él en las encuestas en la primera fase de las primarias.

Reese tenía un lado contundente, al igual que algunos de sus partidarios. Su estrategia fue señalarme como un liberal, como un aventurero sin tacto. Inventaron todo tipo de teorías de conspiración. Papá fue parte de una campaña para una comisión trilateral con el objetivo de establecer un gobierno mundial y yo había sido mandado por la familia Rockefeller a comprar tierras agrícolas. Cuatro días antes de la elección, Reese obtuvo una copia de mi acta de nacimiento para probar que yo había nacido en el este. ¿Cómo se supone que yo podría contrarrestar eso? Respondí con un argumento que papá había usado alguna vez: —No, yo no nací en Texas, porque quería estar cerca de mi madre ese día.

Reese recibió aprobación y contribuciones para su campaña de parte de Ronald Reagan, quien estaba buscando una ventaja sobre papá en la primaria presidencial de 1980. A pesar de todas las insinuaciones, yo era muy optimista sobre mis oportunidades. Mi estrategia era construir una muralla en mi condado natal de Midland. Laura y yo asistimos a los cafés, organizamos el condado calle por calle, y persuadimos a amigos que nunca se habían involucrado en la política para que nos ayudaran.* En la noche de la elección, nuestro esfuerzo local en Midland produjo una concurrencia masiva. Perdí todos los otros condados del distrito, pero la victoria en Midland con un margen tan grande me hizo ganar la nominación.

Papá había predicho que Reagan me llamaría para felicitarme si ganaba las primarias. Lo hizo al día siguiente. Fue amable y se ofreció para ayudarme en la elección general. Le agradecí por su llamada y no guardé resentimiento. Sin embargo, estaba determinado a llevar mi campaña con mis propios esfuerzos. Nunca hice ninguna campaña con ayuda de Reagan, ni siquiera con ayuda de papá.

La campaña contra Reese me fortaleció como candidato. Aprendí que podía recibir un golpe fuerte, seguir luchando y ganar. Mi oponente en la elección general era Kent Hance, el senador estatal sobre el cual el gobernador Shivers me había advertido. La estrategia de Hance fue la misma que la de Reese: convertirme en un extraño de la costa este. Aunque el desarrolló su estrategia con mayor sutileza y encanto.

Uno de mis primeros anuncios en televisión me mostraba trotando, lo cual pensé que enfatizaba mi energía y juventud. Hance volteó ese anuncio en mi contra diciendo: —Las únicas personas de estos rumbos que andan corriendo lo hacen cuando alguien los persigue.

Hance incluso lanzó un anuncio en la radio: —En 1961, cuando Kent Hance se graduó de la preparatoria Dimmitt en el Distrito Diecinueve de nuestro congreso, su oponente, George W. Bush, estaba estudiando en la Academia Andover en Massachusetts. En 1965, cuando Kent Hance se graduó del tecnológico de Texas, su oponente estaba en la universidad de Yale. Y mientras Kent Hance se graduaba de la escuela de derecho de la universidad de Texas, su oponente ... escuchen esto amigos ... estaba estudiando en Harvard. No necesitamos a nadie del noreste para decirnos cuales son nuestros problemas.

Hance era un gran narrador, y usaba esa habilidad para acusarme de desconocido. Su historia favorita era sobre un hombre en una limosina que se detuvo en una granja donde Hance trabajaba. Cuando el conductor le preguntó por las indicaciones para llegar a la siguiente población, Hance le dijo: —De vuelta a la derecha justo donde está el guarda-ganados y siga el camino. —La parte importante de la historia llegaba cuando el conductor preguntaba: —Disculpe, y ¿de qué color es el uniforme que usa el guarda-ganados? —La multitud del oeste tejano amaba esa historia. Hance retorcía la navaja al decir: —No recuerdo si la limosina tenía placas de Massachusetts o de Connecticut.

Laura y yo nos mudamos temporalmente a Lubbock, la ciudad más grande del distrito, aproximadamente a 115 millas al norte de Midland. Lubbock además de ser un importante bastión para el negocio algodonero, era la casa del tecnológico de Texas. Usamos la ciudad como la base de nuestra campaña en los condados rurales del distrito. Laura y yo pasamos horas en el carro juntos, haciendo campaña en pueblos como Levelland, Plainview y Brownfield. Para ser alguien a quien particularmente no le interesaba la política, Laura tenía un don natural para trabajar en las campañas. Su autenticidad hacía fácil que los votantes se relacionaran con ella. Después de nuestra boda, habíamos hecho un viaje corto a Cozumel en México, pero ella bromeaba diciendo que la campaña era nuestra luna de miel.

El 4 de julio hicimos campaña en Muleshoe, al norte del distrito. En las primarias de mayo, recibí 6 de los 230 votos emitidos en el condado de Bailey. La visión que tuve fue que tenía muchas cosas que mejorar. Laura y yo sonreímos y saludamos a los espectadores desde la parte de atrás de nuestra camioneta blanca. Nadie aplaudió. Ni siquiera saludó. La gente nos veía como si fuéramos extraterrestres. Al final yo estaba convencido de que el único apoyo que tenía en Muleshoe era la persona que iba sentada a mi lado.

La noche de la elección llegó y resultó que el viejo gobernador Shivers tenía razón. Gané por mucho en el condado de Midland y en la parte sur del distrito, pero no lo suficiente para compensar los márgenes de Hance en Lubbock y todos los demás lugares. El resultado final fue de 53 a 47 por ciento.

Odiaba perder, pero estaba contento de haber contendido. Disfruté el duro trabajo político conociendo gente y presentando mis argumentos. Aprendí que permitir a tu oponente crear una definición sobre ti es uno de los más grandes errores que se pueden cometer en campaña. Y descubrí que podía aceptar la derrota y seguir adelante. No fue fácil para alguien tan competitivo como yo, pero fue una parte importante para mi madurez.

En cuanto al congresista Kent Hance, merecía ganar esa elección y nos hicimos buenos amigos. Después de dos victorias electorales para gobernador y una presidencial, el sigue siendo el único político que alguna vez me venció en las urnas. Después trabajó por tres periodos en la cámara de representantes

antes de perder una elección al Senado. Más tarde se volvió republicano y contribuyó a mis campañas. Kent es ahora el Rector del Tecnológico de Texas. Dice que, sin su ayuda, yo nunca me habría convertido en presidente. Probablemente tiene razón.

———

Seis meses después de que terminó mi campaña, llegó otra elección que tuve que sopesar. Papá anunció su candidatura para la elección presidencial de 1980. Tenía una muy remota posibilidad en contra de Ronald Reagan, pero tuvo una muy fuerte campaña en Iowa y obtuvo una inesperada victoria en la asamblea partidista. Desafortunadamente, su buena racha terminó en medio del frío invierno de New Hampshire. Reagan lo derrotó allí y continuó hacia la nominación republicana.

Se especulaba mucho sobre la persona que elegiría Reagan como vicepresidente. En la convención de Detroit, estaba en conversaciones con Gerald Ford acerca de una especie de co-presidencia. Estuvieron de acuerdo en que no tendría éxito, una buena decisión. Entonces Reagan le llamó a papá para preguntarle si quería ser su compañero de campaña, una decisión aún mejor.

En la noche de la elección, la alianza Reagan-Bush aplastó a la de Jimmy Carter con Walter Mondale con 489 votos contra 49 en el colegio electoral. Laura y yo volamos a Washington para la toma de posesión el 20 de enero de 1981, la primera vez que esa ceremonia se llevaba a cabo en el majestuoso frente oeste del capitolio. Nosotros irradiábamos de alegría mientras el juez Potter Stewart le tomaba el juramento a papá. Después Ronald Reagan también tomó juramento en manos del presidente de la Suprema Corte de Justicia de los Estados Unidos, Warren Burger.

Con mi especialidad en historia, estaba encantado de tener un asiento en primera fila. Como hijo estaba lleno de orgullo. Nunca pasó por mi mente que yo estaría en esa plataforma para levantar mi mano derecha en dos tomas de posesión presidencial.

El principio de la década de los ochenta trajo consigo momentos difíciles, desde una dolorosa recesión económica hasta el bombardeo de nuestros cuarteles de los marines en Líbano, pero la administración Reagan-Bush cumplió todo lo prometido. Recortaron impuestos, recuperaron el control de la Guerra Fría y restauraron la moral estadounidense. Cuando el presidente Reagan y papá mostraron a los votantes todos sus logros en 1984, ganaron cuarenta y nueve de cincuenta estados.

Papá era el lógico favorito para la candidatura presidencial de 1988, pero la campaña no sería fácil. Él había sido tan leal al presidente Reagan que no había hecho mucho por promoverse a sí mismo. Estaba también luchando contra el infame factor Van Buren. Desde que Martin Van Buren se convirtió en presidente en 1836 después de haber sido vicepresidente durante el mandato de Andrew Jackson, no se había vuelto a repetir dicha suerte para un vicepresidente en la historia de los Estados Unidos.

Al principio de su segundo periodo, el presidente Reagan permitió generosamente a papá usar el retiro presidencial de Camp David para una reunión con su equipo de campaña. Papá fue considerado e invitó también a todos sus hermanos e hijos. Disfruté mucho reunirme con su equipo, a pesar de que tenía algunas reservas. El principal estratega de papá era un hombre joven llamado Lee Atwater. Un guitarrista de Carolina del Sur que hablaba muy rápido, Lee era considerado como uno de los consultores políticos más populares del país. No había duda de que era muy inteligente. No había duda de que tenía la experiencia requerida. Mi única duda era sobre su lealtad.

Cuando papá preguntó si alguno de los miembros de la familia tenía preguntas, levanté la mano: —Lee, ¿cómo sabemos si podemos confiar en ti, dado que tus socios de negocios están trabajando para otros candidatos? —pregunté. Jeb intervino—: Si alguien lanza una granada a papá, esperamos que usted salte sobre ella. —Nuestro tono fue duro, pero reflejaba nuestro amor a papá y nuestras expectativas sobre el equipo, una agenda que pusiera al candidato en primer lugar y la ambición personal en segundo término.

Lee dijo que había conocido a papá en el Comité Nacional Republicano, que lo admiraba mucho y que quería hacerlo ganar. Agregó que estaba planeando terminar las relaciones con sus socios de negocio que pudieran causar conflicto. Sin embargo, era obvio que nuestras dudas lo habían afligido. Más tarde durante ese día, nos buscó a Jeb y a mí. Si estábamos tan preocupados, preguntó ¿porque no alguno de nosotros iba a Washington, ayudaba en la campaña y mantenía vigilancia sobre él y el resto del equipo?

La invitación me intrigó. El tiempo era correcto. Después de la caída de los mercados de petróleo, mis socios y yo habíamos fusionado nuestra compañía de exploración y encontramos trabajos para todos los empleados. A mi padre le gustó la idea y Laura estuvo dispuesta a intentarlo.

En la oficina de campaña en el centro de Washington, yo no tenía ningún cargo específico. Como papá dijo, yo ya tenía un muy buen cargo: hijo. Me dediqué especialmente a la recaudación de fondos, a viajar por todo el país dando discursos y a impulsar la moral de los voluntarios, dándoles las gracias a nombre de papá. De vez en cuando, también les recordaba a algunos asistentes de alto nivel que estaban en un equipo para apoyar la elección de George Bush y no para avanzar sus propias carreras. Aprendí una lección invaluable sobre Washington: la cercanía al poder empodera. Tener los oídos de papá me hizo efectivo para realizar ese trabajo.

Una de mis tareas era escoger las solicitudes de los reporteros. Cuando Margaret Warner del *Newsweek* nos dijo que quería hacer una entrevista, recomendé cooperar. Margaret tenía talento y parecía dispuesta a escribir una entrevista justa. Papá estuvo de acuerdo.

Mamá me llamó en la mañana que la revista llegó a los puestos de periódicos. —¿Ya viste el *Newsweek*? —Aún no —le dije. —Llamaron a tu padre debilucho —rezongó.

Rápidamente conseguí una copia y me asombró el encabezado: «Luchando contra el factor débil». No podía creerlo. La revista estaba insinuando que mi padre, piloto de un bombardero en la Segunda Guerra Mundial, era un débil. Estaba al rojo vivo. Pedí que me comunicarán al teléfono con Margaret. Diplomáticamente, me preguntó mi opinión sobre su historia. Yo nada diplomático le contesté que creía que ella era parte de una emboscada política. Ella murmuró que sus editores eran los responsables de la portada. Yo no murmuré. Despotriqué en contra de los editores y colgué. A partir de entonces, tuve muchas sospechas sobre los periodistas de política y sus editores ocultos. Después de terminar en el tercer lugar en Iowa, papá se recuperó con una victoria en New Hampshire y ganó la nominación.

Su oponente en la elección general era el gobernador liberal de Massachusetts, Michael Dukakis. Papá empezó la campaña con un gran discurso en la convención de New Orleans. Yo estaba maravillado con el poder de sus palabras, elegantemente escritas y entregadas con fuerza. Él habló de una nación más amable, más apacible, construida con la compasión y la generosidad del pueblo estadounidense, lo que él llamó: mil puntos de luz. Esbozó un programa de fuertes políticas, incluyendo una promesa que destacó: —Lean mis labios, no a nuevos impuestos.

Estaba impresionado con el sentido del tiempo que tenía papá. Había logrado perfectamente la transición de ser un vicepresidente leal a ser candidato. Al salir de la convención, era el ganador en las encuestas y comenzó la recta final. El 8 de noviembre de 1988, la familia observó los resultados en la casa de nuestro amigo el Dr. Charles Neblett en Houston. Yo sabía que papá había ganado cuando Ohio y New Jersey, dos estados críticos, lo apoyaron. Al final de la noche había ganado cuarenta estados y 426 votos electorales. George H.W. Bush, el hombre que yo admiraba y adoraba fue elegido como el cuadragésimo primer presidente de los Estados Unidos.

———

Laura y yo disfrutamos nuestro año y medio en Washington, pero cuando la gente empezó a sugerir que me quedara en Washington a apalancar contactos, nunca lo consideré. No tenía ningún interés en ser un parásito de la administración de papá. No mucho tiempo después de la elección, empacamos nuestras cosas para nuestro viaje de regreso a Texas.

Tenía otra razón para regresar a casa. Muy cerca del final de la campaña de papá, recibí una intrigante llamada telefónica de mi ex socio de negocios Bill DeWitt. El padre de Bill había sido el dueño de los Reds de Cincinnati y estaba muy bien conectado en la comunidad del béisbol. Él había escuchado que

Eddie Chiles, el dueño mayoritario de los Rangers de Texas estaba pensando en vender el equipo. ¿Estaría yo interesado en comprarlo? Casi brinco de mi silla. Ser dueño de un equipo de béisbol sería un sueño hecho realidad. Estaba determinado a hacerlo.

Mi estrategia fue convertirme en comprador por decisión de los propios vendedores. Laura y yo nos mudamos a Dallas y visité a Eddie y a su esposa Fran con frecuencia. Le prometí ser un buen administrador de la franquicia que amaba. Me dijo: —Tienes un gran nombre y mucho potencial. Me encantaría venderte hijo, pero no tienes nada de dinero.

Me dediqué a trabajar en la búsqueda de inversionistas potenciales, principalmente amigos a lo largo del país. Cuando el comisionado Peter Ueberroth argumentó que se necesitaban más propietarios locales, fui a buscar a un exitosísimo inversionista de Fort Worth: Richard Rainwater. En alguna ocasión anterior, ya lo había contactado y me había rechazado. En esta ocasión fue muy receptivo. Richard aceptó contribuir con la mitad del dinero para la franquicia, siempre y cuando yo pusiera la otra mitad y me comprometiera a hacer socio administrador a su amigo Rusty Rose.

Fui a conocer a Rusty al club de golf Brook Hollow de Dallas. Parecía algo tímido. Nunca le había gustado el béisbol, pero era muy bueno en las finanzas. Platicamos sobre la idea de que él se encargara de los números y yo me encargaría de las relaciones públicas.

Un poco después, Laura y yo fuimos a un evento de beneficencia. Nuestros planes para el equipo se habían filtrado y un conocido me llamó y me susurró: —¿Sabías que Rusty Rose está loco? Mejor ten cuidado —Al principio lo tomé como una charla sin sentido. Después me preocupé. ¿Qué significaba loco?

Llamé a Richard y le conté lo que había escuchado. Me sugirió que le preguntara a Rusty yo mismo. Eso sería un poco incómodo. Yo apenas conocía al tipo y ¿debía cuestionarlo sobre su estabilidad mental? Vi a Rusty en una reunión esa tarde. Tan pronto como entré en la sala de conferencias, caminó hacia mí y me dijo: —Entiendo que tienes un problema con mi estado mental. Consulto a un psiquiatra. He estado enfermo. ¿Cuál es el problema?

Resultó que Rusty no estaba loco. Era su torpe manera de reírse de su realidad, tenía un desbalance químico que si no era tratado adecuadamente, podía conducir su mente brillante a la ansiedad. Me sentí muy avergonzado y me disculpé.

Rusty y yo hicimos una gran amistad. Él me ayudó a entender como la depresión, la misma enfermedad que después supe que había afectado a mi madre algún tiempo de su vida, puede ser manejada con cuidado adecuado. Dos décadas después en la oficina oval, firmé con los senadores Pete Domenici y Ted Kennedy un proyecto de ley que ordenaba a las compañías de seguros cubrir el tratamiento para pacientes con enfermedades mentales. Mientras lo hacía, pensaba en mi amigo Rusty Rose.

Con Rusty y Richard como parte del grupo acreedor, fuimos aprobados para comprar el equipo.* Eddie Chiles sugirió que nos presentaría a los fans como nuevos dueños en el día de inauguración de la temporada de 1989. Salimos de la banca del equipo, cruzamos el exuberante pasto verde y en el montículo del lanzador nos unimos a Eddie y al legendario entrenador de los Dallas Cowboys Tom Landry, quien lanzó la primera bola. Me volteé hacia Rusty y le dije: —Mejor... imposible.

A lo largo de las siguientes cinco temporadas, Laura y yo fuimos a cincuenta o sesenta juegos de béisbol al año. Vimos muchas victorias, soportamos muchas derrotas y disfrutamos de incontables horas juntos. Llevamos a las niñas al entrenamiento de primavera y las llevamos al estadio cuantas veces fue posible. Viajé a lo largo de todo el territorio de los Rangers, dando discursos para vender boletos y hablando de nuestro club de béisbol con los medios locales. A través del tiempo, me sentí más cómodo detrás del podio. Aprendí como conectar con el público y transmitir un mensaje claro. También gané experiencias invaluables manejando preguntas difíciles de los periodistas, casi siempre sobre la rotación inestable de los lanzadores.

Administrar a los Rangers incrementó mis habilidades gerenciales. Rusty y yo pasábamos nuestro tiempo con los principales asuntos estratégicos y de finanzas y dejábamos las decisiones deportivas a los profesionales del béisbol. Cuando algunos no se desempeñaban bien, hacíamos cambios. No era fácil pedir a alguien decente como Bobby Valentine, un dinámico entrenador que se volvió amigo mío, que dejara el cargo. Sin embargo, traté de darle la noticia de forma considerada y Bobby lo manejó como un profesional. Estuve agradecido cuando, años después, lo escuché decir: —Yo voté por George W. Bush, a pesar de que me despidió.

Cuando Rusty y yo asumimos nuestros cargos en el equipo, los Rangers habían terminado con un récord negativo durante siete de las nueve temporadas anteriores. El club logró un récord positivo en cuatro de nuestras primeras cinco temporadas. Las mejoras en el campo de juego llevaron a más personas a las gradas. Aun así, la economía del béisbol era complicada para un equipo con un mercado limitado. Nunca pedimos al grupo acreedor capital adicional, pero tampoco les distribuimos ninguna ganancia.

Rusty y yo nos dimos cuenta que la mejor forma de incrementar el valor de la franquicia a largo plazo era tener un nuevo estadio. Los Rangers eran un equipo de grandes ligas jugando en un estadio de ligas menores. Diseñamos un sistema de financiamiento público-privado para costear la construcción del nuevo estadio. No tuve ninguna objeción en un aumento temporal de impuestos para pagar el estadio, siempre y cuando los ciudadanos locales tuvieran la oportunidad de votar por la decisión. Lo aprobaron por un margen de casi dos a uno.

---

*Estoy particularmente agradecido con el comisionado Peter Ueberroth, el presidente de la Liga Americana, Bobby Brown y con Jerry Reinsdorf de los Medias Blancas de Chicago por su ayuda en el proceso de compra.

Gracias al liderazgo de Tom Schieffer, el nuevo y reluciente estadio estuvo listo para el día de inauguración de la temporada de 1994. Tom era un ex representante estatal demócrata que hizo un trabajo tan detallado supervisando el proyecto del estadio que más tarde le pedí que fuera embajador en Australia y Japón. Durante los años siguientes, millones de tejanos vinieron a los partidos de béisbol en la nueva sede. Fue un gran sentimiento de realización el saber que yo había sido parte de la administración que lo hizo posible. Para entonces, sin embargo, una carrera de béisbol no era la única que tenía en mente.

Poco tiempo después de que compré a los Rangers en 1989, comenzó la campaña electoral para la gubernatura de Texas en 1990. Muchos amigos de la política me sugirieron que me postulara. Me sentía halagado, pero nunca lo consideré seriamente.

La mayor parte de mi participación política se centró en papá. Unos meses después de asumir el cargo como presidente fue confrontado con diversos cambios abruptos alrededor del mundo. Casi sin ninguna advertencia, el muro de Berlín cayó en noviembre de 1989. Admiré la forma en que papá manejó la situación. Él sabía que celebrar demasiado ese tema podía provocar innecesariamente a los soviéticos, quienes necesitaban su tiempo y espacio para llevar a cabo pacíficamente su salida del comunismo.

Gracias a la diplomacia constante de papá al final de la Guerra Fría y sus fuertes respuestas a las agresiones en Panamá e Irak, el país tenía una enorme confianza en la política exterior de George Bush. No obstante, yo estaba preocupado por la economía, que empezó a estancarse en 1989. Para 1990, temí que pudiera llegar una recesión económica. Liquidé mis escasas acciones y pagué el préstamo que había pedido para comprar mi parte de los Rangers. Tenía la esperanza de que cualquier recesión terminaría pronto, por el bien del país y de mi padre.

Mientras tanto, papá tuvo que decidir sobre su reelección. —Hijo, no estoy tan seguro de postularme otra vez —me dijo mientras estábamos pescando juntos en Maine durante el verano de 1991.

—¿De verdad? —pregunté—. ¿Por qué?

—Me siento responsable por lo que le pasó a Neil, —contestó.

Mi hermano Neil había sido miembro en el Consejo de Silverado, un fallido banco de Colorado. Papá creyó que Neil había sido sujeto de fuertes ataques de la prensa por ser hijo del presidente. Me sentí muy mal por Neil y comprendí la angustia de papá. Sin embargo, el país necesitaba el liderazgo de George Bush. Me sentí aliviado cuando papá le dijo a la familia que se postularía una vez más.

El esfuerzo de la reelección tuvo un mal comienzo. La primera lección en política electoral es consolidar tu base. Sin embargo, en 1992 la base de papá se estaba erosionando. La razón principal fue incumplir su promesa de no aumentar impuestos, la infame frase de lean mis labios de su discurso en la convención de 1988. Papá aceptó un aumento de impuestos del Congreso Demócrata a cambio de frenar el gasto público. Si bien su decisión benefició al presupuesto público, fue un error político.

Pat Buchanan, un comentarista de extrema derecha, desafió a papá en las primarias de New Hampshire y ganó el 37% de los votos, lo cual constituyó un fuerte castigo electoral. Para empeorar las cosas, el billonario tejano Ross Perot decidió lanzar una campaña independiente. Se aprovechó de los conservadores desilusionados con su retórica anti-déficit y anti-comercio. Uno de los centros de campaña de Perot estaba del otro lado de la calle de mi oficina en Dallas. Asomándome por la ventana podía hacer una encuesta diaria de seguimiento. Cadillacs y camionetas se formaban para recoger letreros y propagandas. Me di cuenta de que papá tendría que luchar una batalla en dos frentes para su reelección, con Perot en un flanco y el candidato demócrata en el otro.

Para la primavera de 1992 era claro quién sería ese candidato, el gobernador de Arkansas Bill Clinton. Clinton era veintidós años más joven que papá y seis semanas más joven que yo. La campaña marcó el inicio de un cambio generacional de la política en los Estados Unidos. Hasta ese momento, todos los presidentes desde Franklin Roosevelt habían combatido en la Segunda Guerra Mundial, ya fuera en el ejército o como comandantes en jefe. En 1992, una gran parte del electorado era de la generación del *Baby-Boom* y gente más joven y naturalmente apoyarían a alguien de su propia generación. Clinton era lo suficientemente inteligente para alejarse de los puntos fuertes de papá en la política exterior. Descubrió la ansiedad que había respecto a la economía en el país y lanzó el siguiente mensaje: —Es la economía, estúpido.

Mantuve mucho contacto con papá durante el año electoral. A principios del verano de 1992, la campaña no había ganado fuerza. Le dije a papá que debía pensar en un movimiento audaz para cambiar la dinámica de la campaña. Una posibilidad era remover al vicepresidente Dan Quayle, a quien yo respetaba y me agradaba y sustituirlo con un nuevo compañero de fórmula. Le sugerí a papá que considerara al Secretario de Defensa Dick Cheney. Dick era listo, serio, tenía experiencia y resistencia. Había hecho un excelente trabajo supervisando al ejército durante la liberación de Panamá y en la guerra del Golfo. Papá dijo que no. Pensó que el movimiento se vería desesperado y avergonzaría a Dan. En retrospectiva, no creo que le hubiera ido mejor a papá con alguien más como compañero de fórmula. Pero me quedé con la idea de una fórmula Bush-Cheney.

Un cambio que si hizo mi padre fue traer de vuelta a la Casa Blanca al Secretario de Estado, James Baker como jefe de personal. La campaña fue mucho más ligera con Baker al mando. Los votantes se empezaron a centrar en la pelea Bush contra Clinton. Las encuestas se estrecharon y entonces, cuatro días antes de la elección, Lawrence Walsh, el fiscal que investigaba el

escándalo Irán-Contras de la administración Reagan, lanzó una acusación al
ex Secretario de Defensa Caspar Weinberger. La acusación dominó los medios
de comunicación y detuvo el impulso de la campaña. El demócrata Robert
Bennett, quien defendió a Caspar, más tarde se refirió a la acusación como
«uno de los más grandes abusos del poder de la fiscalía que he presenciado».
Así fue como el consejo independiente mostró su «independencia».

En los últimos días antes de la elección, mi hermano Marvin sugirió que
yo hiciera campaña con papá para ayudarlo a mantener altos sus ánimos.
Estuve de acuerdo en hacerlo, aunque yo no estaba en el estado de ánimo más
optimista. Estaba especialmente irritado con la prensa, porque consideré que
le echaban muchas porras a Bill Clinton. En una de las paradas del cierre de
campaña, dos reporteros me abordaron muy cerca del Air Force One. Me
preguntaron por el ambiente en el avión. La respuesta políticamente astuta
habría sido alguna banalidad como: «Él siente que puede subir la colina»,
pero en vez de eso, me desaté. Les dije a los reporteros que pensaba que sus
historias estaban sesgadas. Mi tono fue duro y grosero. No fue mi único
ataque de ira en la campaña. Había desarrollado una reputación en la prensa
de malhumorado y me lo merecía. Lo que la prensa no comprendía era que
mis ataques de ira fueron impulsados por el amor, no por la política.

El día de la elección llegó y papá no ganó. Bill Clinton ganó con 43 por
ciento de la votación. Papá terminó con 37,4 por ciento. Ross Perot robó 18.9
por ciento, incluyendo millones de votos que, de no haber sido para él, hubieran
sido para George Bush. Papá manejó la derrota con su gracia característica.
Llamó en la mañana a Bill para felicitarlo y sentó así las bases para una de las
amistades más improbables de la historia política de los Estados Unidos.

Papá había sido educado para ser un buen deportista. No culpó a nadie; no
se amargó. Él no era así, pero yo sabía que estaba afectado. Fue una experiencia
horrible. Ver como un buen hombre perdía, convirtió a 1992 en uno de los
peores años de mi vida.

La mañana después de la elección, mamá dijo: —Bueno, ahora todo
eso quedó atrás. Es hora de seguir adelante. —Afortunadamente para mí, la
temporada de béisbol siempre estaba cerca. Mientras tanto, había entrenado
para el maratón de Houston, que corrí el 24 de enero de 1993, cuatro días
después de que papá dejó la oficina. Estaba manteniendo mi ritmo de 8:33
por milla cuando, alrededor de la milla 19, pasé por la iglesia a la que asistían
mamá y papá. El servicio de las 9:30 a.m. acababa de terminar y mi familia
estaba reunida en la acera. Tenía un poco de energía adicional cuando pasé
por ahí. Papá me animó con su típica forma. —Ese es mi chico— gritó. Mamá
tenía un enfoque diferente. Ella gritó: —Sigue corriendo George, hay algunos
gordos adelante de ti. —Terminé en tres horas, cuarenta y cuatro minutos.
Me sentí diez años más joven cuando llegué a la línea de meta y diez años más
viejo al día siguiente.

De la misma forma en que había corrido alguna vez para liberar mi cuerpo del alcohol, el maratón me ayudó a disipar la decepción que sentí por 1992. A medida que el dolor comenzó a desvanecerse, una nueva sensación le reemplazó: las ganas de postularme nuevamente.

Todo fue de forma gradual. Cuando Laura y yo nos mudamos de regreso a Texas en 1988, me volví más consciente de los retos del estado. El sistema de educación estaba en problemas. Los niños que no podían leer o resolver problemas matemáticos eran arrastrados a través del sistema, sin que nadie se molestara en preguntar lo que habían aprendido.

El clima legal en nuestro estado era una broma nacional. Muchos abogados de Texas estaban haciendo millonarias demandas sin sustento y gracias a fuertes veredictos del jurado, se estaba esfumando mucho empleo del estado. La delincuencia juvenil estaba creciendo. Yo estaba preocupado por la creciente cultura de —Si te hace sentir a gusto, hazlo— y —Si tienes un problema, culpa a alguien más.

Las consecuencias derivadas de este enfoque eran preocupantes. Más bebés nacían fuera del matrimonio. Más padres fueron renunciando a sus responsabilidades. La dependencia de prestaciones sociales estaba reemplazando los incentivos para el trabajo.

Mis experiencias en campañas de papá y en la administración de los Rangers habían agudizado mis habilidades políticas, gerenciales y de comunicación. El matrimonio y la familia habían ampliado mis perspectivas y papá estaba ahora fuera de la política. Mi decepción inicial por su derrota dio paso a una sensación de liberación. Podría exponer mis puntos de vista sin tener que defender los suyos. No tendría que preocuparme de que mis decisiones interfirieran con su presidencia. Estaba libre de lanzarme por mi cuenta.

No era el único en la familia que llegó a esta conclusión. En la primavera de 1993, Jeb me dijo que estaba considerando seriamente lanzarse como candidato a gobernador de Florida. De forma irónica, la derrota de papá era responsable de nuestras nuevas oportunidades. Lo que en un principio había parecido como el triste final de una gran historia ahora parecía el extraño inicio de dos nuevas carreras. De haber ganado papá en 1992, dudo que yo me hubiera lanzado a la candidatura en 1994 y estoy casi seguro que no habría llegado a ser presidente.

La gran pregunta era cómo participar. Le pedí consejos a un amigo cercano, el estratega político Karl Rove. Conocí a Karl en 1973, cuando mi padre era presidente del Comité Nacional Republicano y Karl era el jefe del comité nacional estudiantil de los republicanos. Supuse que sería un político más de esos que me habían decepcionado en Yale. Pronto me di cuenta que Karl era diferente. No era presumido, ni santurrón y no era el típico operador de campaña. Karl era como una combinación de político intelectual con científico loco, era divertido y lleno de energía e ideas.

Nadie que yo conozca ha leído y absorbido más sobre historia que Karl. Lo digo con confianza porque he tratado de seguirle el paso. Hace algunos años, Karl y yo nos enfrentamos en un concurso de lectura de libros. Obtuve una temprana ventaja. Entonces, Karl me acusó de obtener una ventaja injusta mediante la selección de los libros más cortos. A partir de ese momento, medimos no sólo el número de libros leídos, sino también su número de páginas y tamaño. Al final del año, mi amigo me había ganado por mucho en todas las categorías.*

Karl no se limitó únicamente a acumular conocimiento, lo usó. Había estudiado la estrategia electoral de William McKinley en 1896. En 1999, me sugirió que organizara una campaña similar del porche delantero. Resultó ser una sugerencia sabia y efectiva. Me arrepentí de no trabajar con Karl durante mi campaña al congreso en 1978. Nunca cometí ese error nuevamente.

En 1993, Karl y yo vimos una oportunidad política. La opinión pública aseguraba que la gobernadora de Texas Ann Richards tenía garantizada su reelección en noviembre. Ann Richards fue una pionera política al ser la primera mujer gobernadora de Texas desde la década de 1930. Tenía un gran número de seguidores entre los demócratas y muchos creían que tenía la oportunidad de ser presidenta o vicepresidenta algún día.

Todo el mundo decía que la gobernadora era popular, pero Karl y yo creíamos que realmente no había logrado mucho. Karl me dijo que su análisis mostraba que muchos tejanos, incluso algunos demócratas, estarían dispuestos a apoyar a un candidato con un programa serio para mejorar al estado. Eso era exactamente lo que yo tenía en mente.

En una elección especial durante la primavera de 1993, la gobernadora Richards colocó a votación una medida para financiar a las escuelas públicas. Su plan era redistribuir el dinero de los distritos ricos a los pobres y burlonamente fue llamado «Robin Hood». Los votantes estuvieron en contra de la medida con un margen bastante amplio. Cuando Laura y yo vimos los resultados de la elección esa noche, escuchamos una entrevista a Ann Richards. Se sentía frustrada por la derrota de su propuesta para financiar la educación y dijo sarcásticamente: «Estamos todos esperando ansiosamente cualquier sugerencia o idea que sea realista».

Volteé a ver a Laura y le dije: —Tengo una sugerencia. Podría lanzarme como candidato a gobernador. Ella me miró como si estuviera loco. —¿Estás bromeando? —preguntó. Le dije que era en serio. —Pero tenemos una vida muy feliz —dijo ella. —Tienes razón —le contesté. Nos sentíamos muy cómodos en Dallas. Me encantaba mi trabajo con los Rangers. Nuestras niñas estaban muy bien ahí. Sin embargo, tenía la cosquilla política de nuevo y ambos lo sabíamos.

---

* *El recuento final fue de 110 a 95 en libros, 40.347 a 37.343 en páginas, y 2,275.297 a 2,032.083 en pulgadas cuadradas totales del tamaño de los libros.*

———

Cuando saqué a relucir mi campaña para gobernador, siempre escuché lo mismo: —Ann Richards es muy popular. —Les pedí consejo a algunos de los estrategas políticos de papá. Amablemente me sugirieron que esperara unos cuantos años. Cuando me hice a la idea de que me iba a postular, la respuesta de mamá fue al grano: —George —dijo—, no puedes ganar.

La buena noticia fue que el frente republicano estaba abierto. Nadie quería desafiar a Richards, por lo que podría concentrar mi atención inmediatamente a la elección general. Tomé un enfoque metódico, trazando una visión optimista y muy específica para el estado. Me centré en cuatro aspectos principales de política: educación, justicia juvenil, reforma de la asistencia social y reforma de responsabilidad civil.

Reunimos a un equipo de campaña con muchas capacidades y habilidades.* Particularmente, hice dos contrataciones importantes. La primera fue Joe Allbaugh, un enorme hombre con el porte de un sargento, quién había servido como jefe del equipo del gobernador de Oklahoma, Henry Bellmon. Traje a Joe para lanzar la campaña e hizo un excelente trabajo en la organización. También contratamos una nueva directora de comunicaciones, Karen Hughes. Había conocido a Karen en la Convención Estatal del partido en 1990. —Les estaré informando periódicamente sobre sus tareas —dijo bruscamente. Luego me dio mis primeras instrucciones. No había duda de que esta mujer estaba a cargo. Cuando me dijo que su padre fue un general con dos estrellas, todo tuvo sentido.

Me mantuve en contacto con Karen después de la convención. Ella tenía una personalidad cálida y una gran risa. Como ex corresponsal de la televisión, conocía los medios de comunicación y sabía cómo hacer lucir una frase. Fue una buena señal, cuando ella vino a escuchar mi anuncio de candidatura en el otoño de 1993. Fue fácil detectarla porque su hijo Robert estaba sentado sobre sus hombros. Karen era el tipo de persona genial para mí — una que pone primero a la familia. El día que fue contratada para la campaña, fue uno de los mejores días de mi carrera política.

Cuando mi campaña comenzó a generar entusiasmo, los medios de comunicación a nivel nacional mostraron interés. Los reporteros sabían de mi reputación de malhumorado y hubo una discusión acerca del momento en que finalmente me harían explotar. Ann Richards hizo todo lo posible para enfurecerme. Me llamó «imbécil» y «arbusto» pero me negué a chispear. La mayoría de las personas no entendieron la gran diferencia entre mi campaña

---

*El equipo incluía a mis amigos Jim Francis como presidente; Don Evans como director financiero; Karl Rove como estratega principal; el abogado egresado de Stanford Vance McMahon como director de políticas públicas; la ex oficial de la Texas Association of School Boards Margaret LaMontagne como directora política; Dan Bartlett, un reciente graduado de la Universidad de Texas en el equipo de comunicaciones; e Israel Hernández, un graduado de UT muy trabajador que nos quitó presión a Laura y a mí apoyándonos en los viajes.

y las de papá. Como hijo del candidato, era lógico que la emoción me ganara y defendiera a George Bush a toda costa. Como candidato, entendí que tenía que ser mesurado y disciplinado. Los votantes no quieren un líder con ataques de ira que tornan los debates en peleas. La mejor forma de refutar todas las acusaciones era ganar la elección. A mediados de octubre, Ann Richards y yo nos reunimos para un debate por televisión. Había estudiado con la ayuda de muchos libros y había realizado varios simulacros de debate. Una semana antes de la gran noche, pedí que nadie me aconsejara nada. Había sido testigo de algunas de las preparaciones de papá para sus debates. Sabía que un candidato podía verse fácilmente abrumado con sugerencias de último momento. Mi consejo favorito era: —Sólo sé tú mismo —no es broma. Pedí que todos los consejos sobre el debate fueran filtrados a través de Karen. Si ella pensaba que era de vital importancia, ella me lo transmitiría. De lo contrario, yo podía mantener mi mente clara y enfocada.

En la noche del debate, Karen y yo estábamos en el elevador cuando Ann Richards entró. Le di la mano y dije: —Buena suerte gobernadora. —Ella dijo con voz fuerte— Esto va a ser duro para ti, muchacho

Era el juego mental clásico. Sin embargo, su efecto fue contrario a lo que ella esperaba. Si la gobernadora estaba tratando de asustarme, me di cuenta que ella debía sentirse insegura. Dibujé en mi cara una gran sonrisa y el debate estuvo muy bien. Había visto suficiente política para saber realmente que no se puede ganar un debate. Sólo se puede perder diciendo algo estúpido o luciendo cansado o nervioso. En este caso, yo no estaba ni cansado, ni nervioso. Presenté mis argumentos con confianza y evité cualquier metida de pata.

Como era habitual, las últimas semanas trajeron algunas sorpresas. Ross Perot intervino en la campaña para apoyar a Ann Richards. No me molestó. Siempre he pensado que las aprobaciones políticas están sobrevaloradas. Rara vez ayudan y a veces causan daño. Le dije a un reportero: —Ella puede tener a Ross Perot. Yo tengo a Nolan Ryan y a Bárbara Bush. —No mencioné que mamá todavía no creía que yo pudiera ganar.

Estaba eufórico cuando llegaron los resultados en la noche de la elección. Habíamos arrancado lo que el *Dallas Morning News* llamó «lo impensable». El *New York Times* lo consideró como «una sorprendente victoria». Papá me llamó al Marriott de Austin, donde mis seguidores se habían congregado. —Felicidades George, es una gran victoria —dijo—, pero parece que Jeb va a perder.

Me sentí mal por mi hermano, quién había trabajado muy duro y merecía ganar. Pero nada podría disminuir la emoción que sentí cuando fui a la sala de conferencias del Marriott para dar mi discurso de victoria.

El día de la toma de posesión fue el 17 de enero de 1995. Mientras me estaba alistando en la habitación del hotel antes de la ceremonia, mamá me entregó un sobre. El sobre contenía un par de mancuernillas y una carta de papá:

Querido George:

Estas mancuernillas son mi más preciado tesoro. Me las dieron mi mamá y mi papá el 9 de junio, ese día de 1943 en el que recibí mi insignia de la Marina en Corpus Christi. Quiero que ahora las tengas tú; porque, en cierto sentido, aunque ganaste tu insignia de la fuerza aérea piloteando esos aviones, ahora estás otra vez ganando una insignia al tomar posesión de tu cargo como nuestro gobernador.

Escribió sobre lo orgulloso que estaba, y me dijo que yo siempre podía contar con su amor y el de mamá. Concluyó:

Nos has dado más de lo que merecíamos. Te has sacrificado por nosotros. Nos has dado tu lealtad y devoción inquebrantables. Ahora es nuestro turno de hacerlo.

Papá no es el tipo de persona que diría algo así en persona. La carta manuscrita era su estilo y sus palabras significaban mucho. Esa mañana sentí una poderosa conexión con la tradición familiar de servicio que ahora estaba yo continuando a mi estilo propio.

Como gobernador, no necesitaba tiempo para planear mi agenda. Había pasado el último año diciéndoles a todos exactamente lo que quería lograr. Siempre he creído que una plataforma de campaña no debe ser utilizada únicamente para ser elegido. Es un modelo a seguir para el trabajo en la oficina.

Tenía otra razón para actuar con rapidez. En Texas la legislatura se reúne sólo durante 140 días cada dos años. Mi objetivo era conseguir que mis cuatro iniciativas fueran pasadas por las dos cámaras en la primera sesión.

Para que eso sucediera, necesitaba una buena relación con la legislatura. Comencé con el vicegobernador, quien se desempeña como presidente del senado estatal, de los comités y toma decisiones sobre el desarrollo de proyectos de ley. El vicegobernador es elegido de forma separada al gobernador, haciendo que sea posible que gobernador y vicegobernador sean de partidos opuestos como sucedió con el vicegobernador Bob Bullock y yo.

Bullock era una leyenda en la política tejana. Había sido el contralor del estado durante dieciséis años antes de su elección como vicegobernador en 1990. Gobernó el Senado con mucha fuerza. Tenía ex empleados y amigos en organismos de todo el gobierno, lo que le permitió mantenerse bien informado. Bullock tenía el potencial de hacerme la vida miserable, pero, por otro lado; si lo podía persuadir para trabajar conmigo, sería un aliado invaluable.

Unas semanas antes de la elección, Joe Allbaugh me había sugerido que me reuniera en secreto con Bullock. Me escabullí durante una tarde tranquila y volé a Austin. Jan, la esposa de Bullock, abrió la puerta. Es una mujer bonita con sonrisa cálida. Entonces salió Bullock. Era un hombre flaco con aspecto curtido. Había estado casado cinco veces con cuatro mujeres. Jan era su última esposa y el amor de su vida. Se había casado con ella una sola vez. En algún tiempo Bullock había sido un gran bebedor. En una famosa historia cuentan que se emborrachó y disparó su pistola en un urinario público. Fumaba sin cesar, a pesar del hecho de que había perdido parte de un pulmón. Era un hombre que había vivido la vida de la manera difícil. Extendió la mano y dijo: —Soy Bullock. Pásate. —Me llevó a su estudio. El lugar parecía una biblioteca. Tenía pilas de documentos, informes y datos. Bullock dejó caer un archivo grande en el escritorio frente a mí y dijo: —Es un informe sobre la justicia juvenil. —Él sabía que mi campaña estaba basada parcialmente en la reforma de la justicia juvenil y me sugirió que pensara en algunas de sus ideas. Después me dio informes similares para la reforma de la educación y de la asistencia social. Hablamos durante tres o cuatro horas. Bullock apoyaba a Ann Richards, pero dejó en claro que trabajaría conmigo si yo ganaba.

La otra clave legislativa era el Presidente de la Cámara de Representantes, Pete Laney. Como yo, Pete es del oeste de Texas. Era un agricultor de algodón en Hale Center, un pueblo rural entre Lubbock y Amarillo que yo había visitado en mi campaña de 1978. Pete era un hombre de bajo perfil. Mientras Bullock tendía a mostrar siempre sus cartas y de vez en cuando lanzarte el mazo completo, Laney siempre mantenía sus cartas en el chaleco. Era un demócrata con aliados en ambos partidos.

Poco después de asumir mi cargo, Pete, Bob y yo acordamos tener un desayuno semanal. Al principio, los almuerzos eran una oportunidad para intercambiar historias y ayudarme a aprender sobre la legislatura. Cuando los proyectos de ley empezaron su camino a través del sistema, los desayunos se convirtieron en importantes reuniones estratégicas. Un par de meses después del inicio de la sesión, Bullock había logrado que un número importante de proyectos de ley fueran aprobados por el Senado. La mayoría de ellos todavía estaban esperando pasar por la cámara de representantes.

Bullock quería acción y dejó que Laney lo supiera. Mientras yo comía mi desayuno de hotcakes, tocino y café, Pete con calma le dijo al vicegobernador que los proyectos de ley serían procesados. Bullock estaba a punto de hervir. Después explotó. Me miró directamente y me gritó: —Gobernador, voy a cogérmelo. Voy a hacerlo ver como un tonto.

Pensé un momento, me puse de pie, caminé hacia Bullock y le dije: —Si me vas a coger, será mejor que me des primero un beso. —En broma lo abracé, pero se alejó rápidamente y salió del lugar. Laney y yo sólo nos reímos. Ambos entendimos que lo de Bullock no era personal contra mí. Era su forma de decir a Laney que era hora de sacar sus proyectos de ley fuera de la cámara.

Lo que nunca sabré es si el mensaje de Bullock había tenido algún impacto en Laney.

Sin embargo, con la fuerza y presión de nosotros tres, la legislación sobre educación, justicia juvenil y la reforma de la asistencia social comenzó a moverse rápidamente. El aspecto más complicado de la agenda fue la reforma de responsabilidad civil. Frenar las demandas chatarra era crucial para hacer que muchos trabajadores dejaran de abandonar el estado. Sin embargo, hubo una fuerte oposición por parte de los abogados de la barra, que eran influyentes y estaban bien financiados. Yo tenía un aliado en David Sibley, un senador estatal republicano de Waco y presidente del comité que supervisó el tema.

Una noche de los primeros días de la sesión, invité a David a cenar. Acabábamos de empezar a comer cuando recibió una llamada telefónica de Bullock. Escuché únicamente la conversación unidireccional con lo que David contestaba. David asentía y se quedaba en silencio mientras el vicegobernador le hablaba. Luego dijo: —Él está sentado aquí. ¿Le gustaría hablar con él? —Bullock quería hablar conmigo. Tomé el teléfono.

—¿Por qué está bloqueando la reforma de responsabilidad civil? Pensé que iba a estar bien. Pero no, usted es un gobernador chupa-----. —Bullock dijo un par de groserías y colgó. David sabía lo que había sucedido. Lo había visto antes y no estaba seguro de cómo yo iba a responder. Me reí y reí duro. Bullock fue duro y grosero, pero tenía la sensación de que esta tormenta estaba pasando.

Una vez que David se dio cuenta de que yo iba a tolerar la explosión de Bullock, nos centramos en el proyecto de ley de reforma de responsabilidad civil. La principal diferencia de opinión era el tamaño límite de los daños y perjuicios. Yo quería un límite de $500,000; Bullock quería $1,000,000. David me dijo que, si podía lograr un acuerdo sobre esta legislación, los otros cinco proyectos de ley de responsabilidad civil que eran parte del paquete de reforma se moverían rápidamente. Sugirió un compromiso: ¿Qué tal un proyecto de ley con un umbral de $750,000? No tenía duda de que eso mejoraría el sistema. Estuve de acuerdo.

David llamó a Bullock y le comentó sobre el acuerdo. Esta llamada fue más corta, pero una vez más, David terminó pasándome el teléfono a mí. —Gobernador Bush —Bullock comenzó muy formal—, usted va a ser un gobernador cojonudo. Buenas noches.

———

En 1996 Laura me sorprendió con una fiesta por mi cumpleaños cincuenta en la mansión del Gobernador. Ella invitó a la familia y a amigos de Midland, Houston y Dallas; compañeros de clase de Andover, Yale y Harvard; y amigos de la política de Austin, incluyendo a Bullock y Laney. Laura no era la única que me tenía una sorpresa. Con la puesta del sol comenzaron los brindis. Bullock se dirigió al micrófono. —Feliz cumpleaños —dijo con una sonrisa—. Usted es un gobernador cojonudo —continuó—, Gobernador Bush, usted va a ser el próximo presidente de los Estados Unidos.

La predicción de Bullock me impactó. Había sido gobernador por sólo dieciocho meses. El presidente Clinton todavía estaba en su primer mandato. Escasamente, había pensado en mi reelección en 1998 y aquí estaba Bullock hablando del año 2000. No lo tomé demasiado en serio; Bullock siempre estaba tratando de provocar, pero su comentario me inspiró una idea interesante. Diez años antes había estado celebrando mi cumpleaños número cuarenta emborrachándome en el hotel Broadmoor. Ahora estaba recibiendo brindis en la mansión del Gobernador de Texas en los que me apuntaban como el próximo presidente. Esta había sido una gran década.

Mientras tanto, se estaba desarrollando una campaña presidencial en ese momento. El Partido Republicano había postulado al senador Bob Dole, héroe de la Segunda Guerra Mundial que había construido un distinguido récord legislativo. Admiraba al Senador Dole. Pensé que sería un buen presidente y le hice una fuerte campaña en Texas, pero me preocupaba que nuestro partido no había reconocido la lección política generacional de 1992: Una vez que los votantes habían elegido a un presidente de la generación del *Baby-Boom*, no era probable que volvieran a elegir uno de una generación previa. Efectivamente, el senador Dole ganó en Texas, pero el presidente Clinton ganó la reelección.

Llegué a 1998, sintiendo confianza de mis logros. Había logrado cada una de las cuatro prioridades que me había propuesto en mi primera campaña a Gobernador. También habíamos tenido el mayor recorte de impuestos en la historia de Texas e hicimos más fácil para los niños huérfanos ser adoptados por familias amorosas. Muchas de estas leyes fueron patrocinadas y apoyadas por los demócratas. Fue un honor cuando Bob Bullock, quien había apoyado a candidatos demócratas durante casi medio siglo, respaldó públicamente mi reelección. También estaba un poco sorprendido. Bullock fue el padrino de uno de los hijos de mi oponente. Yo estaba decidido a no dar nada por sentado y lanzar una fuerte campaña. En la noche de la elección recibí más de 68 por ciento de los votos, incluyendo 49 por ciento de los hispanos, 27 por ciento de los afroamericanos y 70 por ciento de los independientes. Yo era el primer gobernador de Texas elegido para dos periodos consecutivos de cuatro años.

Esa noche, también tuve el ojo en otra elección. Jeb se convirtió en gobernador de Florida por un margen convincente. Fui a su toma de posesión en enero de 1999, lo que nos convirtió en el primer par de hermanos en ser gobernadores al mismo tiempo desde que Nelson y Win Rockefeller lo hicieran hace más de un cuarto de siglo. Fue un momento maravilloso para nuestra familia. También fue un tiempo para pensar en el futuro y tuve una gran pregunta en mi mente.

Postularme como candidato a la presidencia fue una decisión que evolucionó con el tiempo. Muchos me incitaron a hacerlo, algunos por el bien del país; otros porque esperaban aprovecharse de la gloria. A menudo oí el mismo comentario: —Puede ganar la elección. Puede ser presidente. —Me sentí halagado por la confianza, pero mi decisión no dependía de que otros pensaran que podía ganar. Después de todo, muchos me dijeron que nunca podría vencer a Ann Richards. La cuestión clave era si sentía el llamado para postularme.

Mientras meditaba la decisión, tuve un dilema. Debido al tamaño y la complejidad de una campaña presidencial, tienes que empezar a planearlo con anticipación, incluso si no estás seguro en postularte. Autoricé a Karl para comenzar a preparar el papeleo y contratar a una red de personas para recaudar dinero y comenzar la operación política de base. Una vez que el proceso inició, se creó un sentido de inevitabilidad. En octubre de 1998, le dije al columnista del *Washington Post*, David Broder que me sentía «como un corcho en medio de un mar embravecido». Cuando gané la reelección al siguiente mes, los rápidos crecieron aún más fuerte.

Estaba decidido a no dejarme arrastrar. Si yo iba a postularme, quería que fuera por las razones correctas. No puedo determinar exactamente cuando me resolví, pero había momentos de claridad en el camino. Uno de esos momentos vino durante mi segunda toma de posesión como gobernador. La mañana de la ceremonia, asistimos al servicio en la Primera Iglesia Metodista Unida en el centro de Austin. Laura y yo habíamos invitado al reverendo Mark Craig, nuestro amigo y pastor de Dallas, para dar el sermón.

Intenté concentrarme en la toma de posesión, pero no pude. Al entrar a la iglesia, le dije a mamá que había estado luchando con la decisión de postularme a la presidencia.

—George —me dijo—, supéralo. Decídete, y sigue adelante. Era un buen consejo, pero no demasiado útil en ese momento.

Entonces Mark Craig me hizo entrar en razón. En su sermón, habló sobre el libro del Éxodo, cuando Dios llama a Moisés a la acción. La primera respuesta de Moisés fue la incredulidad: —¿Quién soy yo, que debo ir con el faraón y sacar a los israelitas de Egipto? —Él tenía todas las excusas en el libro. No había llevado una vida perfecta; no estaba seguro si la gente le seguiría; ni siquiera podía hablar claramente. Eso sonaba un poco familiar para mí.

Mark describió la confianza que le dio Dios a Moisés de que tendría el poder para llevar a cabo la tarea en la que había sido encomendado. Entonces Mark convocó a la congregación a la acción. Él declaró que el país estaba hambriento de liderazgo moral y ético. Al igual que Moisés, concluyó, —Tenemos la oportunidad, todos y cada uno de nosotros, para hacer lo correcto, y por la razón correcta.

Me preguntaba si esto era la respuesta a mi pregunta. No hubo voces misteriosas que susurraran en mis oídos, simplemente el agudo acento tejano de Mark Craig desde el púlpito. Entonces mamá se inclinó hacia delante de su asiento al otro extremo del banco. Me llamó la atención y me susurró: —Él está hablando contigo.

Después del servicio, me sentí diferente. La presión se había evaporado y tenía una sensación de calma.

———

Laura y yo habíamos estado discutiendo mi postulación presidencial durante dieciocho meses. Ella me escuchaba mientras yo hablaba de los pros y contras. Ella no trató de disuadirme de la idea, ni tampoco trató de convencerme. Ella escuchó con paciencia y ofreció sus opiniones. Creo que ella siempre sintió que yo me iba a postular. Según ella, la política era el negocio familiar. Su objetivo era asegurarse de que tomara mi decisión por las razones correctas, no porque los demás me estuvieran presionando para que me postulara.

Si ella se hubiera opuesto, me lo habría dicho directamente y yo no me hubiera postulado. Ella se preocupaba por la presión que yo tendría como presidente y compartía mis esperanzas para el país y tenía la confianza de que yo podía dirigirlo. Una noche, ella me sonrió y dijo: —Estoy contigo.

Compartir la noticia a nuestras hijas era más difícil. Bárbara y Jenna tenían diecisiete años de edad, con rasgos independientes que me recordaban mucho a su papá. Desde el principio, me habían pedido que no me postulara, a veces en broma, a veces con seriedad, a menudo hasta gritando. Una de sus frases favoritas era: —Papá, vas a perder. No eres tan *cool* como piensas que eres. Otras veces preguntaban: —¿Por qué quieres arruinar nuestras vidas?

Esas eran palabras difíciles de escuchar para un padre. No sé si nuestras hijas realmente pensaban que yo iba a perder, pero sabía que no querían renunciar a sus vidas con algo de privacidad. Una tarde le pedí a Jenna que me acompañara al porche trasero de la mansión del Gobernador. Era una hermosa noche tejana, los dos nos sentamos y hablamos durante un momento. Le dije: —Sé qué piensas que estoy arruinando tu vida, postulándome para presidente, pero, en realidad, tu mamá y yo estamos viviendo nuestras vidas, de la misma forma en que te hemos criado a ti y a Bárbara para hacerlo.

Me dijo que nunca lo había pensado de esa manera. La noción de vivir la vida al máximo le atraía, como siempre me había atraído a mí. Ella no estaba encantada, pero a partir de ese momento, creo que tanto ella como Bárbara entendieron.

Mirando lo que sucedió una década más tarde, nuestras hijas apreciaron las oportunidades que vinieron con la presidencia. Viajaron con nosotros en los viajes internacionales, conocieron a personas fascinantes e inspiradoras como Václav Havel y Ellen Johnson Sirleaf y aprendieron sobre el servicio público. Al final, Laura y yo probablemente vimos a Bárbara y Jenna más tiempo durante la presidencia de lo que hubiera sido si nos quedábamos en Texas.

Uno de nuestros lugares favoritos para pasar el tiempo con las niñas era Camp David. Un fin de semana del verano de 2007, Laura y yo invitamos a Jenna y su novio, Henry Hager, un buen joven de Virginia que había conocido en la campaña de 2004. En la cena de la noche del viernes, Henry mencionó que le gustaría hablar conmigo al día siguiente: —Voy a estar disponible a las tres en la cabaña presidencial —le dije.

Henry llegó a la hora señalada, claramente bien preparado. —Señor presidente, amo a su hija —me dijo y luego comenzó un emotivo discurso. Después de un par de minutos, yo lo corté: —Henry, la respuesta es sí, tienes mi permiso —le dije—. Ahora vamos por Laura. —La expresión de su rostro me dijo: —¡Espera, no he terminado de exponer los puntos de mi charla!

Laura estaba igual de emocionada que yo. Sabiamente, Henry también pidió el permiso de Bárbara. Unas semanas más tarde, en el Parque Nacional Acadia en Maine, le propuso matrimonio a Jenna. Se casaron en nuestro rancho en Crawford en mayo de 2008. Pusimos un altar tallado en piedra caliza de Texas en una península de nuestro lago y nuestro amigo de la familia Kirbyjon Caldwell, maravilloso pastor de Houston, ofició la ceremonia con la puesta del sol. La novia estaba despampanante. Laura y Bárbara estaban radiantes. Fue una de las alegrías de mi vida caminar con Jenna para entregarla en el altar. Después de mis ocho años en la presidencia, nuestra familia se había vuelto no sólo más fuerte, sino también más grande.

Después de que anuncié mi candidatura en Iowa en junio de 1999, Laura y yo fuimos a Maine para visitar a mamá y papá. Les di una actualización de la campaña. Entonces los cuatro juntos salimos a caminar al jardín. A nuestras espaldas estaba el hermoso océano atlántico. Frente a nosotros había un gran grupo de fotógrafos. Mamá dijo una de sus clásicas frases. Miró al cuerpo de prensa y les preguntó: —¿Dónde estaban en 1992?

Me reí. Quedé sorprendido por esta maravillosa mujer. Ella era responsable de muchas cosas buenas en mi vida. Volteé a ver a papá. Mi mente recordó cuando yo miraba fotos de él en sus álbumes de fotos. Al igual que en esas viejas fotos, su rostro se veía deteriorado, pero su espíritu era todavía fuerte. Le dije a la prensa lo que había conocido durante toda mi vida: Fue una gran ventaja ser el hijo de George y Bárbara Bush. Qué viaje habíamos compartido. Hace siete años la campaña final de papá había terminado en derrota. Ahora estaba a su lado con orgullo y con la oportunidad de convertirme en el cuadragésimo tercer presidente de los Estados Unidos.

———

Cuando regresé a Texas, mi primera parada fue a la casa de Bob y Jan Bullock. Los años de abuso le habían pasado factura y el cuerpo de Bob estaba cansado. Su piel estaba perdiendo color, estaba postrado en la cama y usaba una máscara de oxígeno. Le di un abrazo suave. Él levantó la máscara y tomó un ejemplar de la revista *Newsweek* de su buró. Mi foto estaba en la portada.

—¿Cómo es que no sonríe? —me dijo. Me reí. Era el viejo Bullock.

Después me tomó por sorpresa: —Gobernador —me dijo—, ¿me hará el honor de elogiarme a mi funeral?

Se deslizó la máscara de oxígeno de nuevo y cerró los ojos. Le conté sobre mi visita a Iowa y mi discurso anunciando mi candidatura. No estoy seguro de que haya escuchado una sola palabra de lo que dije. Después de los extraordinarios tiempos juntos, mi amigo poco probable y yo seguiríamos adelante.

3

EL PERSONAL

Era difícil intentar descifrar la expresión de Dick. No mostraba ninguna emoción. Observaba a las vacas que pastaban bajo aquel sol abrasador de nuestro rancho en Crawford, Texas. Era el 3 de julio del 2000. Diez semanas antes, después de asegurar la nominación presidencial republicana, había enviado a mi director de campaña Joe Allbaugh a visitar a Dick Cheney en Dallas. Le pedí que averiguara sobre dos interrogantes que tenía: el primero, si Dick estaba interesado en ser un candidato para la vicepresidencia y si no fuera el caso, si él estaría dispuesto a ayudarme a encontrar a algún prospecto para la candidatura. Dick le dijo a Joe que estaba contento con su vida y que había terminado con la política, pero que estaría dispuesto a dirigir el Comité de búsqueda para un vicepresidente.

Tal como esperaba, Dick realizó un trabajo exhaustivo y meticuloso. En nuestra primera junta, expuse mis principales criterios para un candidato. Quería a alguien con quien me sintiera a gusto, alguien que estuviera dispuesto al servicio como parte del equipo, alguien con la experiencia de Washington que a mí me faltaba; pero lo más importante: Alguien que estuviera preparado para fungir como presidente en cualquier momento. Dick reclutó a un pequeño equipo de abogados y de manera muy discreta, reunió una serie de información de candidatos potenciales. Para cuando vino a verme al rancho en julio, ya habíamos reducido la lista a nueve personas, pero en mi mente, siempre hubo diez.

Después de nuestro almuerzo tranquilo con Laura; Dick y yo caminamos hacia el jardín, atrás de nuestra vieja casa de madera del rancho. Escuché pacientemente mientras Dick me comentaba acerca del reporte final de la búsqueda del comité. Luego lo miré a los ojos y le dije, —Dick, ya tomé una decisión.

———

Como dueño de pequeño negocio, ejecutivo del béisbol, gobernador y observador de primera fila de mi padre en la Casa Blanca, aprendí la importancia de estructurar apropiadamente y dotar de personal una organización. Las personas que eliges a tu alrededor, determinan la calidad de consejos que recibirás y la manera cómo tus metas se implementan. Durante ocho años como presidente, mis decisiones personales plantearon algunos de los más complejos y sensibles cuestionamientos que llegaron a la Oficina Oval: Cómo ensamblar un equipo bien integrado, cuándo reestructurar una organización, cómo gestionar los conflictos, cómo distinguir entre candidatos calificados, cómo dar malas noticias a buenas personas. Comencé cada decisión para elegir personal definiendo la descripción del trabajo y los criterios para el candidato ideal. Conduje una búsqueda amplia y consideré una diversa gama de opciones. Para los nombramientos mayores, entrevisté candidatos en persona. Me tomé el tiempo para calibrar tanto carácter como personalidad. Estaba buscando integridad, competencia, desinterés y la habilidad de manejar la presión. Siempre me han gustado las personas con buen sentido del humor, con un toque de modestia y conciencia de sí mismos.

Mi meta era organizar un equipo de gente talentosa, cuya experiencia y habilidades se complementaran y con quienes me sintiera cómodo de delegar. Quería gente que estuviera de acuerdo en la dirección de la administración, pero que se sintieran libres de expresar sus diferencias sobre cualquier problema. Una parte importante de mi trabajo era crear una cultura que impulsara el trabajar en equipo y fomentara la lealtad—no hacia mí—sino al país y a nuestros ideales.

Me siento orgulloso de muchas personas trabajadoras, talentosas y honorables que sirvieron dentro de mi administración. Teníamos pocos reemplazos, pocas luchas internas y una cooperación muy estrecha durante algunos de los momentos más difíciles en la historia de nuestra nación. Siempre estaré agradecido por su servicio y dedicación.

No todas las decisiones para elegir personal que tomé fueron las correctas. La Primera Ministra Margaret Thatcher comentó en alguna ocasión: — Generalmente me formo un juicio sobre un hombre en diez segundos, y rara vez cambio mi posición. —Yo no hago esos juicios tan rápido, pero siempre he podido leer a través de las personas. Casi siempre fue una ventaja, pero hubo ocasiones que fui demasiado leal o poco flexible para cambiar. Juzgue erróneamente con respecto a algunas selecciones y la forma como se percibían. Algunas veces, de plano escogí a la persona equivocada para el trabajo. Mis decisiones relativas al personal estaban entre mis primeras decisiones como presidente y las más importantes.

La primera gran decisión del personal de un presidente viene antes de asumir el cargo.

Las selecciones para vicepresidente proporcionan a los votantes una visión sobre el estilo de toma de decisiones del candidato. Revela lo cuidadoso y completo que él o ella serán y señala las prioridades de un posible presidente para el país. Para el momento en que aseguré la nominación republicana en marzo del 2000, sabía ya un poco acerca de los vicepresidentes. Había seguido el proceso de selecciones muy de cerca cuando mi padre fue destapado como un posible candidato por Richard Nixon en 1968 y Gerald Ford en 1976.

Lo observé cuando sirvió al lado del Presidente Reagan por ocho años. Había observado su relación con Dan Quayle y recordaba la historia de horror durante mi juventud de la vicepresidencia, cuando el candidato demócrata George McGovern eligió a Tom Eagleton para ser su candidato, solo para darnos cuenta más tarde que Eagleton había sufrido varias crisis nerviosas y había tenido terapias de electrochoques. Yo estaba determinado a no repetir ese error, que era la razón por la cual elegí a alguien tan cuidadoso y deliberado como Dick Cheney para ejecutar el proceso de investigación. A principios del verano, estábamos enfocados en los finalistas. Cuatro de ellos eran gobernadores actuales o anteriores: Lamar Alexander de Tennessee, Tom Ridge de Pennsylvania, Frank Keating de Oklahoma y John Engler de Michigan. Los otros cinco eran senadores actuales o anteriores: Jack Danforth de Missouri, Jon Kyl de Arizona, Chuck Hagel de Nebraska, Bill Frist y Fred Thompson de Tennessee.

Hablé acerca de las opciones con Dick, Laura, Karl, Karen y algunos otros ayudantes en los que confiaba. Karen recomendó a Tom Ridge, un veterano de Vietnam de un estado clave de resultados impredecibles. Como director ejecutivo compañero, Tom sería lo suficientemente capaz de manejar el país si algo me sucedía. También estaba a favor de la elección de la mujer por el aborto, lo que atraería a los moderados de ambos partidos, mientras que ofendería a algunos en la base Republicana. Otros sugirieron a Chuck Hagel, quien tuvo asiento en el Comité de Relaciones Exteriores del Senado y brindaría su experiencia en política externa. Me encontraba cerca con Frank Keating y John Engler y sabía que podría trabajar bien con cualquiera de los dos. Jon Kyl, era un conservador sólido como roca, que ayudaría a reforzar la base republicana. Lamar Alexander, Bill Frist y Fred Thompson eran hombres buenos y podrían ayudarme a lograr una derrota sorpresa en Tennessee, el estado oriundo del nominado por el Partido Demócrata, el Vicepresidente, Al Gore.

Me intrigaba Jack Danforth, un ministro ordenado. Jack era honesto, ético y directo. Su historial de votos en tres términos en el Senado era sólido. Había ganado mi respeto con su defensa de Clarence Thomas durante su confirmación de la Suprema Corte en 1991. Era un conservador con principios, quien pudo también apelar a través de las líneas de los partidos. Como dividendo, él podría ayudar a llevar a Missouri, el cual sería un estado campo de batalla clave.

Pensé seriamente ofrecerle el trabajo a Danforth, pero siempre regresaba una y otra vez a Dick Cheney. La experiencia de Dick era más extensa y diversa que la de cualquier otro en mi lista. Como Jefe de Personal de la Casa Blanca, había ayudado al Presidente Ford a guiar la nación a través de las secuelas del Watergate. Había servido más de una década en el Congreso y nunca perdió la elección. Había sido un Secretario de Defensa fuerte. Él había dirigido un negocio global y conocía el sector privado. A diferencia de los senadores y gobernadores de mi lista, él había estado junto al presidente, durante las decisiones más desgarradoras que se toman en la Oficina Oval; incluía enviar a los estadounidenses a la guerra. Dick no solo sería un consejero valioso, sino que era capaz de asumir la presidencia en su totalidad.

Mientras que Dick conocía el movimiento de Washington mejor que casi todos, no se comportaba como un propio miembro de esa cultura, sino que permitiría a los subordinados obtener reconocimiento. Cuando hablaba en las juntas, las palabras que había escogido cuidadosamente tenían credibilidad e influencia.

Como yo, Dick era de occidente y disfrutaba de la pesca y pasar tiempo en espacios abiertos. Se había casado con Lynne Vincent, su novia de la preparatoria de Wyoming y era un padre devoto con sus hijas Liz y Mary. Tenía una mente práctica y un sentido del humor irónico. Me comentó que él había comenzado en Yale algunos años antes que yo, pero que en la universidad le dijeron dos veces que no regresara. Comentó que había llenado una prueba de compatibilidad diseñada para encontrar, conforme a su personalidad, las carreras más apropiadas para él. Cuando llegaron los resultados, le dijeron a Dick que lo más adecuado para él sería ser director de una funeraria.

Mientras me devanaba en la decisión, llamé a mi padre para obtener una opinión externa. Le leí la lista de nombres de prospectos que tenía bajo consideración. Él conocía a la mayoría de ellos y dijo que todos eran excelentes personas. —¿Qué te parece Dick Cheney? —interrogué. —Dick sería una gran opción —respondió. Él te daría asesoramiento franco y sólido y no tendrías que preocuparte de que actúe a tus espaldas.

Cuando Dick vino al rancho a darme su reporte final, yo había decidido abordar nuevamente el tema con él. Tan pronto terminó su informe, le dije: —Dick tú eres el candidato ideal.

Como ya se lo había insinuado antes, él pudo darse cuenta de la seriedad en esta ocasión. Finalmente, expresó: —Necesito platicarlo con Lynne. —Lo tomé como una promesa. Me dijo que había tenido tres ataques cardiacos y que él y Lynne estaban felices con sus vidas en Dallas. Entonces dijo: —Mary es gay. —Pude adivinar lo que quiso decir por la manera como lo dijo. Dick amaba profundamente a su hija. Sentí que estaba evaluando mi tolerancia. —Si tienes un problema con esto, definitivamente no soy tu hombre. —Eso, esencialmente, es lo que estaba diciendo.

Le sonreí y le dije, —Dick, tomate tu tiempo. Por favor platícalo con Lynne. Y, por supuesto, no tengo ningún problema con la orientación de Mary.

Más tarde ese mismo día, platiqué con algunos ayudantes de confianza. No quería poner todas mis cartas en la mesa todavía. Solo les comenté que estaba pensando seriamente en Cheney. Muchos se quedaron aturdidos, Karl se opuso. Le pedí que viniera a la mansión del Gobernador para escuchar su argumento e invité a una persona como oyente, ese era Dick. Considero que es bueno ventilar los desacuerdos y también quería cimentar una relación de confianza entre Karl y Dick en caso de que los dos terminaran juntos en la Casa Blanca.

Karl expuso de manera resuelta sus argumentos: La presencia de Cheney en la contienda no agregaría nada al mapa electoral, puesto que las tres votaciones electorales de Wyoming, estaban entre los republicanos más confiables en el país.

El historial de Cheney en el Congreso era sumamente conservador e incluía algunos asuntos delicados que se irían en contra de nosotros, como su condición del corazón, que levantaría cuestionamientos con respecto a su condición física para servir. Al elegir al Secretario de la Defensa de mi padre, podría provocar que las personas se cuestionaran si yo tomaba mis propias decisiones. Finalmente, Dick vivía en Texas y la Constitución prohíbe que dos residentes de un mismo estado reciban votos del Colegio Electoral.

Escuché cuidadosamente las objeciones de Karl. Dick comentó que pensaba que ellas eran muy persuasivas. Yo no. A mí no me molestaba que Dick tuviera ese gran historial en el Congreso. Consideré su experiencia en Capitol Hill como un recurso. Su falta de impacto en el mapa electoral tampoco me preocupaba. Creo que los votantes basan su decisión en el candidato a la Presidencia, no en el vicepresidente.*

En cuanto a la preocupación de Karl de escoger al Secretario de Defensa de mi padre, yo estaba convencido de que los beneficios de elegir a un candidato serio y comprometido compensarían cualquier percepción de que recurriría al consejo de mi padre.

Había dos preocupaciones que debían ser abordadas: La salud de Dick y su residencia. Dick estuvo de acuerdo en realizarse un examen médico y enviar los resultados al Dr. Denton Cooley, un respetable cardiólogo de Houston. El doctor acentuó que el corazón de Dick soportaría el estrés de la campaña y la vicepresidencia. Dick y Lynne podrían cambiar su registro de votantes a Wyoming, el estado que Dick había representado en el Congreso y que también consideraba como su casa.

La manera como Dick manejó esas semanas cruciales, aumentó mi confianza de que él era la opción correcta. Ni siquiera una sola vez me presionó para tomar la decisión. De hecho, insistió para que me reuniera con Jack Danforth antes de tomar una decisión final. Dick y yo fuimos a ver a Jack y a su esposa Sally a Chicago el 18 de julio. Tuvimos una visita placentera de tres horas. Mi impresión positiva hacia Jack se confirmó, pero yo me había decidido por Dick.

Una semana después, hice la oferta de manera formal. Como era mi costumbre, me levanté a las 5:00 a.m. y después de dos tazas de café, me sentí ansioso por comenzar. Como hombre consciente, esperé hasta las 6:22 a.m.

---

* Podría decirse que en mi estado natal se dio una excepción en 1960, cuando John F. Kennedy eligió a Lyndon Johnson como su candidato. No existía ningún beneficio similar en 1988, cuando Michael Dukakis escogió a Lloyd Bentsen el Senador de Texas como su candidato.

antes de llamarle a Dick. Lo sorprendí haciendo ejercicio, lo que me pareció una buena señal. Él y Lynne vinieron a Austin para dar el anuncio esa tarde.

Diez años más tarde, nunca me arrepentí de mi decisión de quedarme con Dick Cheney. Sus posturas pro-vida y en favor de impuestos bajos ayudaron a cimentar partes clave de nuestra base. Tenía una gran credibilidad cuando anunció que «La ayuda venía en camino» para los militares. Su sus respuestas firmes y efectivas en el debate vicepresidencial con Joe Lieberman, tranquilizando a los votantes con respecto a la fuerza de nuestro partido. Me dio la tranquilidad de que estaría listo para tomar mi lugar en caso de que algo me sucediera.

Los beneficios reales al seleccionar a Dick, comenzaron a verse catorce meses después. Una mañana de septiembre en el 2001, los estadounidenses se levantaron con una crisis inimaginable. El hombre calmado y quieto que recluté aquel día de verano en Crawford se mantuvo tan firme como un roble.

———

La selección de la vice presidencia llegó al final de una agotadora temporada de las primarias. El proceso de una campaña tiene sus formas de desnudar a los candidatos hasta su esencia. Se expone la fortaleza y las debilidades frente a los votantes. No me di cuenta para entonces, pero el desarrollo de la campaña ayuda a los candidatos a que se preparen para la presión de la presidencia. Esos días intensos también revelaron el carácter de las personas cercanas a mí y definió el trabajo preparatorio para la toma de decisiones sobre el personal que posteriormente enfrenté en la Casa Blanca.

La campaña dio su patada inicial con la Asamblea partidista de Iowa, la última experiencia de desarrollar las bases. Laura y yo recorrimos el estado, saludamos a mucha gente y tomamos cantidades extraordinarias de café. A pesar de todos nuestros eventos planeados de manera meticulosa, uno de los momentos más reveladores llegó de manera improvisada.

En diciembre de 1999, asistí a un debate republicano en Des Moines. Los moderadores eran Tom Brokaw de la NBC y un presentador local, John Bachman. Al final de la cobertura sobre temas previsibles. Bachman nos abordó con una sorpresa. —¿Con qué filósofo político o pensador se identifica más? y ¿por qué?

Yo era el tercero de la fila para contestar. Pensé en citar a alguien como Mill o Locke, cuya teoría sobre el derecho natural había influenciado a los Fundadores. También tenía a Lincoln y no me podría equivocar con Abe en un debate republicano. Todavía lo estaba pensando cuando Bachman se dirigió a mí: —¿Gobernador Bush? —Ya no tuve más tiempo para decidir sobre mis opciones y las palabras que salieron de mi boca fueron: —Cristo, porque él cambió mi corazón.

Todos se quedaron sorprendidos. ¿De dónde había salido eso? Durante el recorrido de regreso al hotel, mi madre y mi padre llamaron. Ellos casi siempre lo hacían después de eventos importantes. —Excelente trabajo hijo —comento él—. No creo que tu respuesta te afecte demasiado. —¿Cuál respuesta? —le pregunté. —Tú sabes, esa de Jesús —dijo.

Al principio, no había pensado que mi respuesta me afectara, solo había dejado escapar lo que había en mi corazón. Después de reflexionar, sin embargo, entendí la nota de precaución. Yo era escéptico hacia los políticos que promueven la religión como una manera para ganar votos. No creía en un enfoque metodista, judío o musulmán hacia la política pública. No era la función del gobierno promover alguna religión. Ni siquiera lo había hecho como gobernador en Texas y ciertamente no lo promovería como presidente.

Efectivamente, había protestas por mis palabras. —Hay algo pecaminoso acerca de esto, —escribió un columnista. —W. está verificando solamente los números de Jesús y Jesús está despuntando bien en las encuestas en Iowa, — mencionó otro.

Las reacciones no fueron todas negativas. Mi respuesta había hecho conexión con muchas personas que habían tenido experiencias similares en sus propias vidas y apreciaron lo que respondí abiertamente sobre la fe.

En la noche de la Asamblea Partidista, gané Iowa con un 40 por ciento de los votos. Después de una pequeña celebración por la victoria, comenzamos nuestra jornada en New Hampshire. Los votantes del Estado de Granito tienen un historial de tumbar al favorito. Me sentía cómodo con respecto a nuestra operación en el estado, dirigido por mi amigo, el Senador Judd Gregg. Yo había empleado mucho tiempo en New Hampshire, marchando en festivales y perfeccionando mis habilidades sobre voltear panqueques. El día de las primarias, Laura y yo nos quedamos en el hotel en Manchester para ver el resultado de las votaciones. Temprano por la tarde, vino Karl con los primeros resultados de las encuestas: Iba a perder y de la peor manera.

Entonces, Laura habló. —George, ¿quieres ser presidente? —preguntó. Yo asentí. —Entonces es mejor que no te dejes definir por otros —respondió.

Ella tenía razón. Había cometido el clásico error del candidato en la delantera. Había dejado al Senador John McCain de Arizona, el otro principal contendiente para la nominación, tomar la iniciativa en New Hampshire. Él había llevado una campaña energética que atrajo a muchos independientes, los cuales vencieron el apoyo sólido de mis colegas republicanos. McCain, un miembro del Congreso desde 1983, se había manejado con la definición de que él era un candidato externo y yo un candidato interno con conexiones en la política. Hablaba de la reforma en todos los actos de campaña; aunque yo fui el que había hecho las reformas sobre el sistema escolar, cambié leyes de responsabilidad civil y renové los beneficios sociales en Texas. Tenía que darle a John el crédito por su campaña inteligente y efectiva y yo debía aprender de mi error.

Fui al gimnasio con la finalidad de ejercitarme rigurosamente. En la caminadora, pensé acerca de mi siguiente paso. Encaré la decisión sobre mi personal más importante de mi incipiente campaña. El manual de estrategia convencional me indicaba el despedir a algunas personas de mi personal y empezar de cero. Decidí ir hacia la dirección opuesta. Reuní a mis funcionarios superiores y les dije que me rehusaba a botar a cualquiera que estuviera a bordo, solo para satisfacer los comentarios de la televisión. Si alguien merecía ser culpable, ese era yo. Ya fuera que perdiera o ganara, terminaríamos la carrera como un equipo y me dispuse a darles a cada quien una asignación. Karl llamó a los directores políticos de los estados para las próximas primarias. Joe tranquilizó al personal de la campaña. Karen habló con miembros clave de los medios de comunicación y Don Evans animó a los recaudadores de fondos.

Llamé al Director de Política Josh Bolten, que estaba con la mayoría de nuestro personal en las instalaciones de campaña en Austin. —¿Cómo están todos? —pregunté.

—La mayoría de la gente está conmocionada —admitió.

Sabía que el equipo estaría esperando a que les diera una señal. Le dije a Josh. —Reúnelos y diles que mantengan levantadas sus cabezas muy en alto, porque vamos a ganar.

Cuando recuerdo esta etapa de mi vida, la pérdida de New Hampshire creó una oportunidad. A los votantes les gusta calibrar la manera en que un candidato responde a la adversidad. Reagan y mi papá mostraron su resistencia después de perder Iowa en 1980 y 1988, respectivamente. Bill Clinton cambió su campaña después de su derrota en New Hampshire en 1992, al igual que Barack Obama en el 2008. En el 2000, observé la derrota como una oportunidad de probar que podía recibir un golpe y regresar.

La lección es que algunas veces, las mejores estrategias para llevar a cabo con el personal son las que no se llevan a cabo. En Carolina del Sur, elegimos un nuevo tema que subrayara mis logros bipartidistas en Texas: Reformador con Resultados. Preparamos eventos en los ayuntamientos, donde contesté preguntas hasta que la audiencia agotó todo lo que tenía que preguntar.

Trabajé en los teléfonos, enlistando el apoyo de los líderes a través del estado. Entonces, McCain hizo un anuncio cuestionando mi carácter, comparándome con Bill Clinton. Eso sobrepasó los límites. Salí al aire para contraatacar. La respuesta se combinó con una campaña comunitaria bien organizada que dio frutos.

Gané en Carolina del Sur con 53 por ciento de los votos, me llevé a nueve de las trece primarias en el Súper Martes y dio un nuevo impulso a la nominación.

A principios de mayo, John y yo nos encontramos por una hora y media en Pittsburgh. Él estaba molesto con razón, por el lenguaje insultante que algunos de mis partidarios utilizaron en Carolina del Sur. Entendí su enojo y dejé claro que yo respetaba su carácter. Después de nuestra reunión, dijo a los reporteros que yo podría restaurar la integridad de la Casa Blanca «más que adecuadamente».

No fue el respaldo más brillante que haya alguna vez recibido, pero fue el comienzo de una reconciliación entre John y yo. En agosto, John y su esposa Cindy, nos recibieron en su precioso rancho en Sedona, Arizona. Fue divertido ver al Jefe McCain atrás de la parrilla, relajado y preparando costillas a la barbacoa. Hicimos campaña juntos en el 2000 y nuevamente en el 2004. Respeto a John y estuve contento de tenerlo a mi lado.

———

Al Gore era un talentoso hombre y un político consumado. Como yo, se había graduado de una escuela Ivy League y tenía a un padre en la política.

Sin embargo, nuestras personalidades eran muy distintas. Él era rígido, serio y distante. Daba la impresión de que se había postulado para la presidencia toda su vida. Aportó una formidable coalición de liberales partidarios de un gobierno grande, élites culturales y sindicatos. Era plenamente capaz de involucrarse en el populismo de la lucha de clases. También fue vicepresidente durante épocas de bonanza económica; sería difícil de vencer.

Cuando miro atrás hacia la campaña del 2000, mucho se reduce a un borrón de apretones de manos, recaudación de fondos y una lucha por los titulares matutinos. Hubo dos momentos cuando el carrusel de la política se detuvo. La primera fue en la Convención Nacional Republicana en Filadelfia, la cual fue manejada con éxito por el antiguo subjefe del Estado Mayor y Secretario de Transporte de la administración de mi padre, Andy Card.

Había asistido a cada convención desde 1976, pero nada comparado con lo que sentí cuando tomé el escenario central. Esperé entre bastidores en la obscuridad, escuchando el conteo regresivo: Cinco, cuatro, tres, dos uno y entonces salir hacia la bulliciosa Arena. Al principio todo me desorientaba; luces y sonidos rebotaban a mi rededor. Podía sentir el calor corporal y oler a las personas. Entonces, empecé a enfocar los rostros. Vi a Laura y a las chicas, a mi mamá y papá. Toda mi vida había estado viendo el discurso de George Bush; estaba impresionado por el cambio de papeles.

—Nuestras oportunidades son demasiado grandiosas, nuestras vidas muy cortas para desperdiciar este momento —expresé. —Hoy, nosotros juramos a nuestra nación que aprovecharemos este momento de la promesa de Estados Unidos. Utilizaremos estos buenos tiempos para grandes metas.... Esta administración tuvo su momento, tuvieron su oportunidad. Ellos no dirigieron. Nosotros lo haremos.

Dos meses después, las campañas se detuvieron de nuevo; esta vez por los debates. Karen Hughes supervisó mi equipo de preparación, con Josh Bolten llevando el liderazgo en la política. Josh tiene una combinación de una mente brillante, una gran modestia y un espíritu divertido. Nunca olvidaré estar en la encuesta extraoficial de Ames, Iowa en agosto de 1999 viendo cientos de motocicletas llegar al pueblo. Entre los motociclistas, estaba el Gobernador

Tommy Thompson de Wisconsin y el Senador Ben Nighthorse Campbell de Colorado. Cuando el dirigente bajó de su moto Victory, de azul brillante y cromada, de manufactura en Iowa y se quitó el casco, quedé atónito de ver a Josh, con un pañuelo con el logo de nuestra campaña.

—Gobernador, —dijo—, conozca a los motociclistas por Bush. —El primer debate fue en Boston. Tras bastidores en la habitación de espera, llamé a Kirbyjon Caldwell y oramos por teléfono. Kirbyjon le pidió al Todopoderoso que me diera la fuerza y la sabiduría. Su voz me dio tanto confort y tranquilidad, que hice una especie de tradición de orar por teléfono con Kirbyjon, antes de eventos importantes para el resto de la campaña y durante mi presidencia.

Lo siguiente que escuché fue la voz del moderador, Jim Lehrer de PBS, presentando a los candidatos. Surgimos de nuestras respectivas esquinas y nos encontramos en el escenario central. Gore desplegó el ultra firme apretón de manos. Sospeché que planeaba realizar un juego mental, justo como lo hizo Ann Richards en 1994.

Me concentré en contestar las preguntas, a pesar de que, en algunos momentos, sentía como si fuera un piloto automático. Cuando miré mi reloj —el cual me había quitado y puesto en el estrado para evitar repetir un error en el debate, que mi padre cometió alguna vez—casi habíamos terminado. Dimos nuestro resumen de cierre, nos despedimos nuevamente con un apretón de manos—esta vez normal—y participamos en la etapa de post-debate con una ráfaga de familiares, amigos y ayudantes. Inmediatamente después, Karen me dijo que Gore había cometido un grave error, que estuvo repetidamente suspirando y haciendo muecas mientras yo estaba hablando. Eso eran noticias para mí. Me había enfocado tanto en mi presentación que no me había dado cuenta.

El segundo y tercer debates tuvieron diferentes formatos, pero resultados similares. Ninguno de nosotros tuvimos metidas de pata notables. Hubo un momento interesante en el tercer debate, en la Universidad Washington en St. Louis. El formato del ayuntamiento nos dio libertad para recorrer el escenario. La primera pregunta fue acerca de la lista de garantías para aquellos que reciben atención médica. Estaba dando mi respuesta, cuando vi a Gore dirigiéndose a mí. Él es un hombre grande y su presencia llenó mi espacio rápidamente. ¿Estaba a punto el vicepresidente de dar un golpe al pecho? ¿un golpe devastador? Por una fracción de segundo, me vi de regreso al patio de recreo de la primaria de Sam Houston. Lo observé con divertido desdén y continué.

Me sentía bien con respecto a los debates. Creí que mi presentación había excedido las expectativas y supuse que los momentos dramáticos de la campaña quedaban atrás. Qué equivocado estaba.

———

Cinco días antes de las elecciones, en una parada para un acto de campaña de rutina en Wisconsin, Karen Hughes me apartó a un lado. Nos dirigimos a una habitación tranquila y dijo: —Un reportero de New Hampshire llamó para preguntar con respecto al DUI [infracción por conducir bajo la influencia]. —Se me hundió el corazón. Esas noticias negativas al final de la campaña serían explosivas.

Había considerado seriamente revelar lo del DUI cuatro años antes cuando fui llamado a servir como jurado. El caso envolvía manejar tomado. Fui eximido del jurado porque como gobernador, tendría más tarde que dictaminar en el caso del acusado, como parte de un proceso de perdón. Cuando salí de la Corte en Austin, un reportero gritó, —¿Alguna vez ha sido arrestado por un DUI? —y le contesté, —No tengo un historial perfecto en mi juventud. Cuando era joven, hice muchas cosas tontas, pero te diré algo: siempre le digo a las personas que, si toman, no conduzcan.

Políticamente, no habría sido un problema revelar lo del DUI ese día. La siguiente elección era en dos años y yo había dejado de beber. Decidí no plantear lo del DUI por una razón: mis hijas, Barbara y Jenna, comenzarían a manejar pronto. Me preocupaba que esa revelación de mi DUI debilitara los sermones severos que había estado dándoles con respecto de tomar y conducir. No quería que dijeran: —Mi papá lo hizo y no pasó nada, nosotras también podemos.

Laura estaba viajando conmigo el día en que la prensa destapó lo del DUI. Llamó a Barbara y a Jenna para decirles, antes de que lo oyeran por televisión. Posteriormente, fui a las cámaras e hice una declaración. —Fui detenido. Admití al policía que había estado bebiendo, pagué una multa y me arrepiento de lo que ocurrió, pero ocurrió. Aprendí mi lección.

No revelar lo del DUI en mis propios términos podría haber sido el error más costoso que hubiera hecho en mi carrera política. Karl más tarde hizo una estimación de que más de dos millones de personas, incluyendo a muchos conservadores sociales, o se quedaron en casa o cambiaron sus votaciones. Ellos habían estado esperando por un presidente diferente, alguien que pusiera el ejemplo de responsabilidad personal.

Si tuviera la oportunidad de hacerlo de nuevo, hubiera aclarado lo del DUI ese día en la Corte. Les habría explicado a mis hijas mi error y realizar un evento con las madres en contra de los bebedores al volante, para emitir una fuerte advertencia de si toma no conduzca. Todos esos pensamientos recorrían mi cabeza cuando fui a dormir esa noche en Wisconsin. Hubo otro costo que pagar que me podría haber costado la presidencia. Cinco días más tarde, la ventaja de los cuatro puntos que me mantenían arriba antes de la revelación del DUI, se evaporaron.

Hice una campaña frenética durante la semana final y llegué al día de la elección en un empate con Gore. Esa noche, compartimos la cena con toda la familia en el Shoreline Grill en Austin. El brindis no se hizo esperar, hasta que comenzaron a salir las encuestas. Las redes declararon a Pennsylvania, Michigan, y Florida para Gore. Un presentador de la CBS, Dan Rather aseguró a sus espectadores —Dejemos algo en claro desde un principio ... si decimos que alguien se ha ganado un estado, puedes básicamente llevarlo a la banca. ¡Anótalo!

Nuestros huéspedes no conocían mucho de política y continuaban balbuceando. —La noche es joven, cualquier cosa puede pasar.... —Aquellos que entendían el mapa electoral sabían que acababa de perder. Jeb y yo estábamos furiosos de que las redes hubieran declarado Florida antes de que las encuestas se cerraran en el Panhandle, la parte con mayor incidencia republicana en el Estado, que se encuentra en la zona central. ¿Quién sabía cuántos de mis partidarios habían escuchado las noticias y decidieron no votar? Laura y yo nos escabullimos de la cena sin tocar nuestra comida.

La vuelta de regreso a la Mansión del Gobernador fue silenciosa. No hay mucho de que hablar cuando uno pierde. Estaba desguanzado, desilusionado y un tanto aturdido. No tenía amargura, estaba dispuesto a aceptar el veredicto de la gente y repetir las palabras de mi madre en 1992: —Es tiempo de seguir adelante.

Poco después de que regresamos, sonó el teléfono. Pensé que era la primera llamada de consuelo: —Brindaste lo mejor de ti... —No fue así, era Karl. No sonaba abatido, sino desafiante. Hablaba rápido y comenzó a arrojar información acerca de cómo las encuestas de salida en Florida habían exagerado este condado o tal distrito.

Lo interrumpí y le pregunté por el resultado final. Dijo que las proyecciones en Florida fueron matemáticamente débiles. Luego puso a las redes al teléfono y confrontó a los encuestadores con los hechos. En un término dos horas, él había comprobado sistemáticamente que las principales cadenas de televisión estaban equivocadas. A las 8:55 pm hora del centro, la CNN y la CBS sacaron a Florida de la línea de Gore y todas las demás le siguieron.

Laura y yo seguimos las devoluciones desde la mansión con mi mamá, mi papá, Jeb y varios altos colaboradores. Un rato más tarde, la familia Cheney, Don Evans y un contingente de amigos cercanos llegó. Conforme pasaba la noche, fue aparente que el resultado de la elección dependió de Florida. A la 1:15 de la mañana las redes anunciaron el estado nuevamente, esta vez fue por mí.

Al Gore llamó un poco después de eso. Me felicitó gentilmente y dijo —Seguro lo tuvimos en suspenso. —Le agradecí y le dije que estaba saliendo para abordar a las veinte mil personas solidarias que se estaban congelando en medio de la lluvia en el Capitolio del estado. Me pidió que me esperara hasta que él hablara con sus partidarios en aproximadamente quince minutos. Yo estuve de acuerdo.

Me tomó algo de tiempo digerir las noticias. Horas antes me estaba preparando para disponerme a continuar con mi vida. Ahora me iba a preparar para ser el Presidente de los Estados Unidos

Pasaron quince minutos y otros quince más. Todavía no había la charla de concesión de Gore. Algo estaría mal. Jeb abrió su laptop y empezó a monitorear las votaciones de Florida, dijo que mi margen se estaba reduciendo. A las 2:30 am, Bill Daley, el presidente de la campaña de Gore, llamó a Don Evans. Don habló con Daley brevemente y me llevó el teléfono. El vicepresidente estaba en la línea; me dijo que sus números en Florida habían cambiado desde el último anuncio, por lo tanto; se retractaba de su concesión.

Nunca había escuchado de un candidato retractar una concesión. Le dije que en Texas significaba algo cuando una persona te dio su palabra. —No tienes por qué ser insolente a este respecto —replicó. Poco tiempo después, los medios televisivos pusieron a Florida de nuevo en una categoría de indecisión —su cuarta posición en ocho horas —y arrojó el resultado de la elección en cuestión.

No creo haber sido insolente, pero estaba encendido. Justo cuando pensé que esta contienda electoral había terminado, regresábamos por la puerta de salida. Mucha gente en la sala me aconsejó que saliera y declarara la victoria. Lo consideré, hasta que Jeb me llevó hacia otro lado y dijo: —George, no lo hagas. La cuenta está demasiado cerrada. El margen en Florida había disminuido a poco menos de dos mil votos.

Jeb tenía razón. Un intento para forzar la situación habría sido precipitado. Le dije a todo mundo que la elección no se decidiría esa noche. Muchos se fueron a sus casas a descansar, yo me quedé con Jeb y Don mientras ellos trabajaban en los teléfonos a Florida. En algún punto, Don llamó a la Secretaria de Estado de Florida, Katherine Harris, para que nos pusiera al día. Lo escuché gritando: —¿Cómo que estás acostada? ¿Entiendes que la elección está en la balanza? ¿¡Qué sucede!?

Después de eso, una extraña noche había terminado y cinco semanas aún más extrañas comenzarían.

———

De los 105 millones de votos emitidos a nivel nacional, la elección del 2000 sería determinada por varios cientos de votos de un estado. Florida, inmediatamente, se convirtió en un campo de batalla legal. Don Evans se enteró cerca de las 4:30 a.m., que la campaña de Gore había enviado un equipo de abogados para coordinar un recuento y me aconsejó que hiciera lo mismo. Estaba confrontándome con la elección de personal más extraña de mi vida pública. ¿A quién enviaría a Florida a asegurarse que nuestro puntaje estuviera protegido?

No había tiempo para desarrollar una lista o un procedimiento de entrevistas. Don sugirió a James Baker. Baker era la opción perfecta, un estadista, un abogado experto, y un imán para la gente talentosa. Le hablé a Jim y le pedí si podría tomar la misión. Poco después, se dirigió a Tallahassee.

Laura y yo estábamos mental y físicamente agotados; habíamos puesto cada gota de energía en la contienda. Una vez que se aclaró que estuvimos dentro de un largo proceso legal, pasamos la mayoría del tiempo relajándonos en nuestro rancho en Crawford.

Vi por primera vez Prairie Chapel Ranch en febrero de 1998. Siempre había deseado un lugar donde encontrarme conmigo mismo y refugiarme del ajetreo de la vida diaria, del mismo modo, como mi padre lo tuvo en Kennebunkport. Cuando vendí mi participación de los Rangers, Laura y yo teníamos el dinero para realizar la compra.

Me enganché en el momento que vi el lugar de Benny Engelbrecht de 1.583 acres en el condado de McLennan, casi exactamente a la mitad entre Austin y Dallas. El rancho era una combinación de llano, idóneo para el pastoreo de ganado y cañones escarpados que desaguan en el ramal medio del Bosque River y Rainey Creek. La vista de los acantilados de piedra caliza desde el fondo del cañón de noventa pies, era impresionante, así como los árboles—enormes árboles nativos de nueces, robles, olmo de cedro, roble blanco y árboles bois d'arc con sus verdes frutos. En todo el lugar había cerca de una docena de variedades de árboles de hojas caducas, una rareza para el centro de Texas.

Para convencer a Laura, le prometí construir una casa y nuevos caminos de acceso hacia las partes más escénicas del rancho. Ella encontró a un arquitecto de la universidad de Texas llamado David Heymann, que diseñó una confortable casa de un piso con ventanas grandes, cada una ofreciéndonos una vista única de nuestra propiedad. Utilizó calor geotérmico y agua reciclada para minimizar el impacto del medio ambiente. Mucha de la construcción se hizo durante el año 2000. La sobrevivencia a una campaña presidencial y el proyecto de la construcción de la casa en el mismo año, fue el símbolo de un matrimonio fortalecido y un tributo a la paciencia y habilidad de Laura Bush.

El rancho era el lugar perfecto para resistir la tormenta después de las elecciones. Me contactaba regularmente con Jim Baker para que me pusiera al tanto y me proporcionara dirección estratégica. Decidí muy temprano que evitaría la interminable y extenuante cobertura televisiva. En su lugar, corría largas distancias que me dieron la oportunidad de pensar acerca del futuro, quemé energía nerviosa talando cedros que consumían el agua que necesitan los árboles de hojas caducas e hice caminatas por el arroyo con Laura. Si llegara a ser presidente, quería sentirme energético y estar listo para la transición.

Hubo algunos momentos dramáticos en el camino. En el 8 de diciembre, un mes y un día después de las elecciones, Laura y yo regresamos a Austin.

Esa tarde, la Corte Suprema de la Florida tenía programado dictar una decisión en la cual Jim Baker confiaba sería mi victoria oficial.

Laura y yo invitamos a nuestros buenos amigos, Ben y Julie Crenshaw para ver el anuncio. Ben es uno de los mejores golfistas consumados de su época y uno de los más simpáticos en deportes profesionales. Durante las últimas semanas, el apacible Ben había unido a multitudes protestando afuera de la Mansión del Gobernador. Algunos fueron partidarios de Gore, pero muchos me apoyaron. Una de las tres hijas de Ben y Julie, cargó un cartel blasonado con las palabras «Sore-Loserman [Mal perdedor]»; una movida en la papeleta de Gore-Lieberman. Ben tenía un letrero rosa hecho en casa que decía: «Florida, No Más Mulligans».

Ben, Julie, Laura y yo nos reunimos en la sala para esperar el fallo. Rompí mi regla de no ver la televisión, con la esperanza de poder experimentar la victoria en el tiempo real. A las tres en punto, el portavoz de la Corte caminó hacia el atril. Me dispuse a abrazar a Laura cuando él anunció que la Corte, por conteo de votos de 4-3, había fallado favor de Gore. La decisión obligaba un recuento manual a nivel estatal. Efectivamente, otro mulligan (chance extra en contra de las reglas).

Poco más tarde, Jim Baker me llamó para preguntarme si quería apelar a la Corte Suprema de los EE.UU. Él y Ted Olson, un abogado excepcional que Jim había reclutado, nos manifestó que teníamos un caso fuerte. Expusieron que apelar la decisión era un movimiento riesgoso. La Corte Suprema de los EE.UU. no estaría de acuerdo en escuchar el caso o fallarían en contra de nosotros. Le dije a Jim que preparara la apelación. Estaba preparado para aceptar mi destino. El país necesitaba una conclusión de una forma o de otra.

En el 12 de diciembre, treinta y cinco días después de la elección, Laura y yo estábamos recostados en la cama cuando Karl llamó e insistió que encendiéramos el televisor. Escuché con atención como Pete Williams de las noticias NBC descifró el veredicto de la Corte Suprema. Por un voto de 7-2, los jueces encontraron que el procedimiento de recuento, caótico e inconsistente de Florida, había violado la cláusula de protección igualitaria de la Constitución. Por lo que, por un voto de 5-4, la corte falló acerca de que no había una forma justa para hacer un recuento de votos a tiempo para que Florida participara en el Colegio Electoral. Los resultados de la elección permanecerían así. Con un conteo de 2.912.790 a 2.912.253, yo había ganado Florida. Sería el presidente número cuarenta y tres de los Estados Unidos.

Mi primera respuesta fue de alivio. La incertidumbre había infligido una pesada carga sobre el país. Después de todas las altas y bajas, no tenía la capacidad emocional para regocijarme. Había esperado compartir mi victoria con veinte mil personas en el capitolio del estado la noche de la elección. En lugar de eso, probablemente fui la primera persona en saber que había ganado la presidencia, mientras estaba recostado en la cama con mi esposa viendo televisión.

———

Por los primeros 140 años en la historia de los Estados Unidos, la inauguración presidencial se llevó a cabo el 4 de marzo. Un presidente electo a comienzos de noviembre tuvo cerca de 120 días para preparar su administración. En 1933, la veinteava enmienda cambió el día de la inauguración a enero 20, acortando el promedio de transición en aproximadamente 75 días. Cuando la elección del 2000 se resolvió finalmente en *Bush v. Gore*, yo tenía 38 días.

Mi primera gran decisión era determinar cómo sería el funcionamiento de la Casa Blanca. Era una pregunta sobre la cual ya había reflexionado antes. En 1991, mi padre me pidió que estudiara la operación de su Casa Blanca. Después de entrevistar a todos sus empleados de alto nivel, surgió un tema común: Las personas estaban insatisfechas. Muchos de ellos manifestaron que el jefe del gabinete John Sununu les había negado el acceso a la Casa Blanca y había limitado el flujo de información a mi padre. John siempre me había caído bien, pero mi trabajo no era discutir el caso, sino informar los resultados. Así que lo hice varios días antes del Día de Acción de Gracias de 1991. Mi papá concluyó que necesitaba realizar un cambio. Me pidió que notificara a John, lo cual hice en una conversación incómoda, que dio como resultado que poco tiempo después entregara su renuncia.

Estaba resuelto a evitar ese problema en mi Casa Blanca. Quería una estructura bien ajustada para asegurar un flujo ordenado de información, pero a la vez lo suficientemente flexible para poder recibir asesoría de todas mis fuentes. Era importante que mis asesores se sintieran libres de expresarme preocupaciones de manera directa, sin que se pasara por un filtro. Además, sería más simple convencer a miembros clave de mi familia política tejana de mudarnos a Washington, si tuvieran acceso regular a mi persona.

La clave para crear esta estructura era contratar a un jefe del gabinete de confianza y experimentado, que no se sintiera amenazado con mi relación con sus subordinados. Irónicamente, encontré al hombre perfecto en el representante de John Sununu, Andy Card. Cuando visitaba la Casa Blanca de mi padre, seguido iba a la oficina de Andy para que me diera una actualización de los últimos informes. Andy era perceptivo, humilde y leal y un excelente trabajador. Él había estado sirviendo bajo cada jefe de gabinete en las presidencias tanto de Reagan como de Bush. Tenía lo que yo necesitaba, buen juicio y carácter firme; era de buen corazón y con un gran sentido del humor. Estaba convencido de que él era la persona ideal para dirigir mi gabinete en mi Casa Blanca.

Un par de semanas antes de la elección, me encontré de manera discreta con Andy en Florida. Estaba claro que él pensó que le pediría que dirigiera la transición.

—No, estoy hablando acerca del Puesto Grande —le dije. Le expliqué que él sería el único Jefe del Gabinete, pero que también confiaría en tejanos como Karl, Karen, Al Gonzales, Harriet Miers, Clay Johnson y Dan Bartlett como asesores. Andy estuvo de acuerdo con la posición, siempre y cuando le informara de cualquier decisión que yo tomara cuando él no estuviera presente. Anuncié su cargo a finales de noviembre, haciéndolo el primer miembro oficial del equipo de mi Casa Blanca.

La siguiente posición importante de cubrir fue la del Asesor de Seguridad Nacional. Sabía por medio de la relación de mi padre con Brent Scowcroft que era crucial encontrar a alguien sumamente capaz y completamente confiable. En un viaje a Maine en el verano de 1998, mi papá me presentó con Condoleezza Rice, que había servido como especialista en asuntos soviéticos con los miembros del Consejo de Seguridad Nacional. La hija de un ministro afroamericano de la segregada Birmingham, Alabama. Condi tenía un Doctorado en Filosofía de la Universidad de Denver y había llegado a ser rectora en Stanford a la edad de treinta y ocho.

Me pareció, de inmediato, una mujer inteligente, reflexiva y energética. A partir de los siguientes dos años y medio, Condi y yo nos reuníamos frecuentemente para discutir política exterior. Un día de verano en 1999, Condi, Laura y yo fuimos a dar un paseo por el rancho. Comenzamos a subir una cuesta inclinada. Condi comenzó a dar un discurso sobre la historia de los Balcanes. Laura y yo estábamos jadeando y resoplando. Condi continuaba explicando sobre la desintegración de Yugoslavia y el ascenso de Milosevic. Ese camino se conoce hoy en día como la Colina del Balkan. Decidí que, si llegaba a la Oval Office, Condi Rice estaría a mi lado.

La primera selección para el gabinete fue fácil. Colin Powell sería Secretario de Estado. Había conocido a Colin en el Camp David en 1989, cuando él era presidente del Estado Mayor. Él y Dick Cheney habían venido a informar a mi papá sobre la rendición del dictador panameño Manuel Noriega. Colin portaba su uniforme del ejército. En contraste con la formalidad de su vestimenta, poseía una naturaleza bondadosa y amigable. Hablaba con todos en el salón, incluso con observadores como los hijos del presidente.

Colin era sumamente admirado en casa y tenía una gran presencia alrededor del mundo. Poseía credibilidad para defender los valores e intereses de los estadounidenses, desde una OTAN más fuerte a un comercio más libre. Creí que Colin podría ser una repetición de George Marshall, un soldado convertido en estadista.

Las dos posiciones clave para la seguridad nacional que quedaban, fueron la del Secretario de la Defensa y el Director de la Central de Inteligencia. Después de más de una década de la caída del Muro de Berlín, mucho del Departamento de Defensa estaba todavía diseñado para pelear la Guerra Fría. Yo había hecho campaña con una visión ambiciosa de transformar la milicia. Planeaba reordenar la estructura de nuestras fuerzas e invertir en nuevas tecnologías, tales como armas de precisión y misiles de defensa.

Sabía que habría resistencia dentro del Pentágono; por lo tanto, necesitaba a un secretario tenaz e innovador para dirigir el esfuerzo.

Mi candidato principal era Fred Smith, el fundador y Director Ejecutivo de Fedex. Fred se graduó de la universidad de Yale dos años antes de mí, ganó la estrella de plata como Marín en Vietnam y construyó su empresa hasta convertirlo en uno de los negocios más exitosos del mundo. Amaba la milicia y traería una mente organizativa al Pentágono. Andy Card llamó a Fred, fue informado que él estaba interesado en el puesto de trabajo y lo invitó a Austin. Yo estaba preparado a ofrecerle a Fred la posición, pero antes de que realizara el viaje, lo diagnosticaron con una afección cardiaca; por lo que tendría que retirarse para enfocarse en su salud.

Habíamos considerado una variedad de nombres para el secretario de la Defensa, incluyendo a Dan Coats, un buen Senador de Indiana. Entonces Condi aportó una idea interesante: —¿Qué le parece Don Rumsfeld? — Don había sido Secretario de la Defensa veinticinco años antes, durante la administración de Ford. Desde entonces, había realizado numerosas comisiones de seguridad nacional de gran envergadura. Yo había considerado a Rumsfeld para la CIA, no para la defensa. Cuando lo entrevisté, Don expuso una visión cautivadora para la transformación del Departamento de Defensa. Habló acerca de hacer las fuerzas armadas más ligeras, más ágiles y con un despliegue más rápido. Él era un gran defensor de un sistema de defensa con misiles para la protección contra estados rebeldes como Corea del Norte e Irán.

Rumsfeld me impresionó. Estaba bien informado, bien articulado y confiado. Como ex Secretario de Defensa, tenía la fuerza y la experiencia para traer mayores cambios al Pentágono. Él dirigiría la burocracia, y no la burocracia a él. Por otro lado, Dick Cheney, que había sido suplente de Don, cuando fue Jefe de Estado Mayor en la Casa Blanca de Ford, lo recomendó ampliamente.

Había un engorroso inconveniente. Algunos creían que Don había utilizado su influencia para persuadir al Presidente Ford para nombrar a mi padre a dirigir la CIA en 1975, como una manera de mantenerlo fuera de la contienda para la vicepresidencia. Yo no tenía ninguna forma de saber si fue verdad, pero cualquier desacuerdo que él y mi padre podrían haber tenido veinticinco años atrás no me concernía, siempre y cuando Don pudiera desempeñar bien el puesto. Lo hizo y se convirtió tanto en la persona más joven como la más vieja para servir como Secretario de Defensa.

Con Rumsfeld a cargo del Pentágono, ya no contaba con un candidato que dirigiera la CIA. Tenía un gran respeto por la Agencia como resultado del tiempo que estuvo allí mi padre. Había estado recibiendo informes de inteligencia como presidente electo por algunas semanas, cuando conocí al Director George Tenet. Era lo opuesto a los estereotipos de directores de la CIA que lee uno en las novelas de espías, con la clásica corbata, perteneciente a la Liga Ivy, tipo elitista. Tenet era de la clase de obreros manuales, hijo de inmigrantes griegos provenientes de Nueva York. Hablaba francamente y de manera colorida. Sobre todo, estaba profundamente comprometido con la Agencia.

Conservar al director de la CIA de Bill Clinton daría un mensaje de continuidad y mostraría que yo consideraba la Agencia más allá del alcance de la política. Le pedí a mi padre que sondeara a algunos de sus contactos en la CIA. Me comentó que Tenet era sumamente respetado dentro de las filas. A medida que George y yo empezamos a conocernos mutuamente, decidí dejar de buscar un remplazo. El director, masticador de tabaco y griego hasta los huesos, aceptó quedarse.

———

Por lo general, mi equipo de seguridad nacional funcionó bien en los primeros años de mi administración. No así el equipo de economía. El problema fue que parte del personal no se acopló. Como presidente, contaba con tres asesores de economía clave: El director del Consejo Económico Nacional, el presidente del Consejo de Asesores Económicos y el secretario del Tesoro. Me decidí por Larry Lindsey, un economista consumado y asesor principal durante mi campaña, para dirigir la NEC. Glen Hubbard, otro economista muy reflexivo, presidió la CEA. Realizaron un excelente trabajo diseñando el recorte de impuestos que yo había propuesto durante la campaña. La legislación fue aprobada con una fuerte mayoría bipartidista.

Mi Secretario del Tesoro no compartía el mismo entusiasmo con respecto al recorte de impuestos. Paul O'Neill era recomendado de Dick, Clay Johnson y otros del equipo. Su excelente currículo incluía un historial exitoso en la Oficina de Dirección y Presupuesto y también como Director Ejecutivo de Alcoa, una de las cien compañías más prestigiadas de Fortune 100. Consideré que su experiencia práctica en los negocios, infundiría respeto en Wall Street y en el Capitol Hill.

Desafortunadamente, las cosas comenzaron a ir mal desde el principio. Paul menospreció el recorte de impuestos, lo que por supuesto, recayó sobre mí. Él y yo nos reuníamos regularmente, pero nunca nos engranamos bien. No se ganó mi confianza, ni originó credibilidad con la comunidad financiera, el Congreso o sus colegas en la administración. Había deseado un Secretario del Tesoro fuerte, un líder como Jim Baker o Bob Rubin, quien alentaría mis políticas económicas en discursos televisivos. En el 2002, casi dos millones de estadounidenses habían perdido sus empleos durante el año anterior. Paul no estaba transmitiendo nuestra determinación de devolverles sus empleos. Al contario, utilizaba sus juntas en la Oficina Oval para abordar temas de poca importancia; tales como el plan de mejorar la seguridad en los lugares de trabajo en el U.S. Mint.

Me negaba a repetir el error de mi padre en 1992, cuando fue percibido como desvinculado con la economía. Decidí que una reorganización del equipo de economía era la mejor forma para señalar que mi administración era seria con respecto a confrontar la desaceleración que afectaba cada día a los estadounidenses. Con la finalidad de tener credibilidad, tendría que ser convincente. Larry Lindsey había realizado un gran trabajo y no era sencillo pedirle que se retirara, pero él entendió la necesidad de un nuevo comienzo y manejó las noticias profesionalmente. Paul no lo tomó de igual forma. Me quedé decepcionado de que él se fuera en malos términos, pero contento al mismo tiempo de que tomé la decisión cuando tenía que hacerlo.

El siguiente verano, recibí una invitación sorpresiva respecto a realizar otro cambio. Cada semana, Dick Cheney y yo almorzábamos juntos, solos él y yo. Jimmy Carter y Walter Mondale habían comenzado la tradición y la habían continuado desde entonces. Me gustaba el ambiente relajado y tener la oportunidad de escuchar lo que Dick tuviera en mente. Mientras que yo tenía juntas similares con otros colaboradores, Dick era el único con horario regular. No veía al vicepresidente como otro asesor de alto rango. Él había puesto su nombre en la boleta y fue elegido. Quería que se sintiera cómodo con todos los problemas de mi escritorio. Después de todo, serían también de él en cualquier momento.

Dick y yo comimos en un pequeño comedor fuera de la Oficina Oval. La decoración del recinto incluía una escultura de un toro de bronce que me regalaron algunos amigos tejanos y una pintura de un paisaje que me recordaba la costa de Maine. La pieza de arte dominante en la habitación era el retrato de John Quincy Adams, el único otro hijo de un presidente que había estado a cargo del mando. Lo colgué en la pared como una broma a mi padre. Un día en mi incipiente mandato, él me estaba bromeando acerca del especial parentesco entre W y Q. Yo quería que él tuviera que mirar la Q en la cara, la próxima vez que sintiera ganas de burlarse.

Había leído mucho acerca de Quincy. Admiraba sus principios abolicionistas, a pesar de que no me agradaba mucho su campaña para excluir Texas de la Unión. Sin embargo, conservé el retrato por el resto del tiempo en la Casa Blanca. A mediados del 2003, Dick abrió uno de nuestros almuerzos semanales con un comentario sorprendente. Dijo: —Sr, Presidente, quiero que sepa que debería sentirse libre para presentarse a la reelección con alguien más, sin resentimientos. Le pregunté por su salud; dijo que su corazón estaba bien, que solo creía que yo debería tener la opción de remodelar el partido. Su oferta me impresionó. Era tan atípico en el hambre de poder de Washington. Eso me confirmó las razones por las que escogí a Dick en primer lugar.

Sí consideré su oferta. Hablé con Andy, Karl y algunos otros con respecto a la posibilidad de preguntarle a Bill Frist, el impresionante Senador de

Tennessee que había llegado a ser jefe de la mayoría para dirigir conmigo. Todos esperábamos que el 2004 sería otra elección cerrada. Mientras que Dick me ayudaba con partes importantes de nuestra base, él había llegado a ser un pararrayos para la crítica de los medios y la izquierda. Se le conocía como oscuro y sin corazón —el Darth Vader de la administración. A Dick no le importaba mucho su imagen, lo cual me gustó, pero eso permitió que se formaran malas imágenes. Había un mito acerca de que Dick estaba, de hecho, dirigiendo la Casa Blanca. Todos dentro del edificio, incluyendo el vicepresidente, sabían que no era cierto, pero fuera existía esa impresión. El aceptar la oferta de Dick, sería una manera de demostrar que yo estaba a cargo.

Entre más pensaba al respecto, más me convencía de que Dick debía quedarse. No lo había elegido para que fuera un recurso político, lo había escogido para que me ayudara con el trabajo; que era exactamente lo que él había hecho. Aceptaba cualquier asignación que le pedía, me daba su opinión honesta, entendía que yo tomaba la decisión final. Cuando no estábamos los dos de acuerdo, él guardaba nuestras diferencias en privado. Pero lo más importante; yo confiaba en Dick. Valoré su firmeza y disfrutaba de su compañía y llegó a ser un buen amigo. En uno de nuestros almuerzos algunas semanas después, le pedí a Dick que se quedara y estuvo de acuerdo.

———

Cuando se aproximaba la elección del 2004, creció mi preocupación con respecto a la creciente discordia dentro del equipo de seguridad nacional. En la mayoría de las administraciones, existe una fricción natural entre los diplomáticos del Estado y los guerreros de la Defensa. El Secretario de Estado George Shultz y el Secretario de la Defensa Caspar Weinberger famosamente pelearon a lo largo de la administración Reagan. El Presidente Ford reemplazó al Secretario de Defensa, James Schlesinger, en gran parte, porque no se pudo llevar bien con Henry Kissinger. A mí no me preocupaba algo de tensión creativa en la organización.

Las diferencias de opinión entre asesores ayudaron a aclarar decisiones difíciles. La clave era que los desacuerdos tenían que ser ventilados respetuosamente y mi decisión tenía que ser aceptada como final. Después de la liberación satisfactoria de Afganistán, las disputas territoriales entre el Estado y la Defensa eran intolerables, pero cuando el debate sobre Irak se intensificó, oficiales de alto nivel dentro de los departamentos respectivos, comenzaron a lanzar críticas maliciosas el uno al otro. Colin y Don siempre fueron respetuosos entre sí en mi presencia. Pasado el tiempo, me di cuenta que eran como un par de viejos duelistas con sus pistolas en las fundas, que dejan que sus respaldos abran fuego.

Un ejemplo memorable ocurrió durante uno de los informes de la Prensa televisados de Don Rumsfeld, el cual había estado haciendo casi todos los días desde que la guerra de Afganistán comenzó. El manejo de Don con la Prensa fue divertido de ver. Era un experto para eludir las preguntas de los reporteros, y competía con exuberancia e instinto. Me gustaba bromear con él con respecto a su estrellato en el espacio televisivo del comienzo de la tarde.

—Eres un ídolo de la matinée para una multitud de más de sesenta —solía decirle. Tomaba la broma con calma.

En enero del 2003, un reportero de la televisión holandesa, le preguntó a Don porqué aliados europeos de Estados Unidos ya no dieron más apoyo a nuestros llamados para pedir cuentas a Saddam Hussein. —Estás pensando en Europa como Alemania y Francia —respondió Don—, yo no. Yo creo que esa es la vieja Europa.

Estuve de acuerdo con el punto de Don. Las nuevas democracias del Centro y Este de Europa entendieron la pesadilla de la tiranía de primera mano y dieron apoyo contra Saddam Hussein, pero ese argumento sensato no era el que hacía las noticias. La respuesta de Don de Alemania y Francia como «la vieja Europa» encendió una ola de protestas.

Colin estaba furioso. Él trataba de persuadir a los alemanes y franceses para que se unieran a nuestra causa en las Naciones Unidas, y sintió que Don había cruzado la línea de una forma que complicaba su misión diplomática. Sus subordinados claramente se sintieron de la misma forma. Las disputas políticas que alguna vez tomaron lugar atrás a puerta cerrada, comenzaron a filtrarse en la prensa.

Me irritó leer encabezados como: «La Casa Blanca dividida: La guerra civil de la administración de Bush» y «La próxima función de Bush: Mediador de disputas sobre cómo dirigir la postguerra de Irak». Anuncié en juntas del NSC que las peleas y fugas estaban dañando nuestra credibilidad y dando municiones a nuestros críticos. Hablé con Don y Colin de manera individual, le pedí a Dick y Condi que trabajaran detrás del telón. Mandé a Steve Hadley, el diputado calificado de Condi, que dijera tanto a uno como al otro que calmaran las aguas. Nada funcionó.

En la primavera del 2004, Don vino a verme con noticias muy serias. Haciendo caso omiso de sus órdenes y leyes militares, los soldados estadounidenses habían maltratado severamente a los detenidos en una prisión iraquí llamada Abu Ghraib. Eso me enfermó, realmente me enfermó. Eso no era lo que nuestra fuerza militar o nuestro país defendía. Mientras que los perpetradores fueron a una corte marcial, la reputación de Estados Unidos tuvo un golpe severo. Lo consideré como un punto bajo de mi presidencia.

También, estaba sorprendido. Don me había dicho que la fuerza militar estaba investigando reportes de abuso en la prisión, pero no tenía idea de lo gráficas o grotescas que serían las fotos. La primera vez que las vi, fue el día que fueron ventiladas por *60 Minutes II*. No estaba nada contento con la manera como se había manejado la situación. El equipo de la Casa Blanca tampoco estaba contento. La gente comenzó a hablar a la Prensa y a señalar con el dedo, más que nada a mi Secretario de Defensa. Cuando Don oyó las historias, me dio una nota manuscrita: «Señor Presidente, quiero que sepa que aquí tiene mi carta de renuncia como Secretario de Defensa, en el momento que considere sea de utilidad para usted».

Le llamé a Don esa noche y le dije que no aceptaba su renuncia. No lo culpaba por la mala conducta de los soldados en Abu Ghraib y no quería que se convirtiera en un chivo expiatorio. Necesitaba arreglar el problema y quería que él lo hiciera. Cuatro días después, Don envió otra carta más larga, comunicando lo siguiente:

> *Durante días recientes, he recibido una buena dosis de reflexión hacia la situación, testificado ante el Congreso y considerado sus puntos de vista. Le tengo un gran respeto a usted y a su destacado liderazgo en la guerra mundial contra el terrorismo y sus esperanzas para nuestro país. Sin embargo, he concluido que el daño por los actos de abuso que sucedieron durante mi guardia, por individuos, de cuya conducta, soy responsable en última instancia, será reparado de la mejor forma al renunciarme.*

Respeté a Don por repetir su oferta. Era claro que su mensaje anterior no había sido una mera formalidad, él estaba serio en cuanto a irse. Era una prueba de su carácter, su lealtad a su trabajo y su entendimiento del daño causado en Abu Ghraib. Consideré seriamente aceptar su consejo. Entendí que era una poderosa señal reemplazar al dirigente del Pentágono después de tan grave error, pero un gran factor me detuvo. No había una persona obvia para reemplazar a Don y no podía darme el lujo de crear un vacío en la dirección de la Defensa.

Aunque decidí no aceptar la renuncia de Don, la primavera del 2004, puso punto final a mi tolerancia por las riñas dentro de mi equipo de seguridad nacional. Lo que había comenzado como tensión creativa se había vuelto destructivo.

Estaba furioso con respecto a las historias relacionadas con las peleas que, a su vez, estaban originando la impresión de desorden dentro de la administración. Concluí que los ánimos estaban profundamente arraigados, por lo que la única solución era cambiar el equipo de seguridad nacional completamente después de las elecciones del 2004.

Colin Powell me lo hizo más fácil. Esa misma primavera del 2004, me dijo que estaba listo para irse. Había estado al servicio durante tres difíciles años y estaba naturalmente fatigado. Él era un hombre sensible que había quedado dolido por la lucha interna y desalentado por el no haber encontrado armas de destrucción masiva en Irak. Le pedí que se quedara durante el trayecto de las elecciones y le agradecí que aceptara.

La notificación temprana me dio mucho tiempo para pensar quien sería el sucesor. Admiraba a Colin, sin embargo, a veces parecía que el Departamento de Estado que él dirigía no estaba completamente a bordo con mi filosofía y políticas. Era importante para mí el hecho de que no hubiera ninguna brecha entre el presidente y el Secretario de Estado. Después de seis años juntos en la Casa Blanca y en la campaña, me había compenetrado muy de cerca con Condi Rice. Ella podía leer mi mente y conocía mis estados de ánimo. Compartíamos nuestra visión sobre el mundo y no temía decirme cuando no estaba de acuerdo conmigo.

El nivel de talentos de Condi era impresionante. Le había observado dar informes a algunos miembros del Congreso y a la Prensa con relación a problemas de seguridad nacional sensitiva. También era una pianista talentosa que había tocado con personalidades como Yo-Yo Ma. Sus historias sobre su crecimiento en la parte segregada del sur eran inspiradoras y sabía cómo manejar a algunas de las personalidades más grandes del mundo.

Esto es lo que observé en marzo del 2001, cuando realicé una reunión sobre la política de Corea del Norte para preparar mi visita el siguiente día con el presidente de Corea del Sur, Kim Dae-jung, mi primera visita con un jefe de Estado Asiático. La administración pasada había ofrecido concesiones al dictador de Corea del Norte Kim Jong-il, a cambio de comprometerse a abandonar su programa de armas nucleares. La política no había funcionado, y les dije a mi equipo que lo íbamos a cambiar. De allí en adelante, Corea del Norte tendría que cambiar su comportamiento antes que Estados Unidos les hiciera concesiones.

A las 5:15 de la mañana siguiente, leí el Washington Post con una noticia que decía: «La administración de Bush intenta levantar lo que la administración de Clinton dejó en negociaciones con Corea del Norte sobre sus programas de misiles, el Secretario de Estado Colin L. Powell lo declaró ayer».

Me quedé pasmado. Pensé que el reportero tendría que haber malinterpretado a Colin, porque la noticia era exactamente lo contrario de lo que habíamos discutido en la junta. Le llamé a Condi que es madrugadora igual que yo, pero aún no había visto la noticia. Le di un sumario de la publicación y le dije, —Para cuando Colin llegue a la Casa Blanca para la junta, esto ya debe estar arreglado.

Le había asignado a Condi una misión de enormes proporciones. Ella debía instruir al secretario de Estado, un afamado ex general una generación mayor que ella, que arreglara lo que dijo. Más tarde esa mañana, Colin llegó corriendo hacia la Casa Blanca y dijo: —Señor Presidente, no se preocupe, ya todo está aclarado.

El año siguiente, le pedí a Condi realizar una misión similar con el vicepresidente. Fue en agosto del 2002, y yo analizaba mi decisión acerca de buscar una resolución de la ONU para enviar de vuelta inspectores de armas a Irak. Dick dio un discurso en la Convención de Veteranos de Guerra en el exterior y comentó: —Un regreso de inspectores proporcionaría... un falso confort, de que Saddam, de alguna forma, estaba de «regreso en su guarida». —Eso sonó como que yo ya hubiese tomado la decisión, aunque todavía estaba considerando mis opciones. Le pedí a Condi que le dejara claro a Dick que se había antepuesto a mi posición. Le llamó y dando crédito a Dick, eso nunca volvió a suceder.

Me preparé a anunciar la nominación de Condi como Secretaria de Estado, poco después de las elecciones del 2004. Con el objetivo de cubrir el puesto del asesor de Seguridad Nacional, decidí promover a su excepcional Jefe Adjunto, Steve Hadley, un abogado sencillo y reflexivo, con una asesoría nítida, discreta; sin tintes de índole personal, y de la nada, Andy me informó que Colin había expresado sus dudas con respecto a su salida. Consideraba a Colin como un amigo y valoraba sus logros, especialmente su trabajo para reunir una coalición poderosa en la guerra contra el terrorismo y sentar las bases para un futuro pacto de paz entre israelitas y palestinos, pero yo ya había optado por Condi.

A menudo me preguntaba si una de las razones que hacían dudar a Colin con respecto a su salida, era que él esperaba que Don Rumsfeld se fuera también. Él tenía la razón al asumirlo. Yo había planeado realizar cambios en la Defensa como parte de un nuevo equipo de seguridad nacional. A fines del 2004, le pedí a Andy que se aproximara a Fred Smith nuevamente para saber si consideraría el puesto. Había visto a Fred y se veía muy bien, pero ahora el problema no era la salud de Fred, sino su hija la mayor. Wendy había nacido con una enfermedad mortal genética del corazón y ocupaba su tiempo para estar con ella. Desafortunadamente, ella falleció en el 2005.

Consideré otros posibles reemplazos para el Departamento de Defensa. Consideré la posibilidad de poner a Condi en el Pentágono, pero ella estaría mejor como Secretaria de Estado. Pensé en el Senador Joe Lieberman de Connecticut, pero tampoco creí que fuera el indicado. En algún punto, me comuniqué con Jim Baker. Si él hubiese aceptado, podría haber reclamado una histórica triple corona por ser la primera persona en servir como Secretario de Estado, del Tesoro y de la Defensa. Sin embargo, estaba disfrutando de su retiro y no tenía interés alguno en regresar a Washington.

La realidad es que no había mucha gente capaz de dirigir a la milicia, durante una guerra global tan compleja. Don Rumsfeld era uno de los pocos. Tenía una vasta experiencia y compartía mis puntos de vista sobre la guerra contra el terrorismo, como una lucha ideológica a largo plazo. Ocasionalmente, Don me frustraba con su brusquedad hacia los dirigentes militares y miembros de mi gabinete. Creí que él había cometido un error al no ir a la ceremonia de retirada del General Eric Shinseki, el Jefe de Estado Mayor de cuatro estrellas quien dejó el cargo en el 2003 después de una carrera honorable. La decisión de Don ayudó a alimentar la falsa impresión de que el general había sido despedido por desacuerdos políticos sobre Irak.*

Aun así, me agradaba Don. Respeta la cadena de mando. Él y su esposa Joyce eran devotos de nuestras tropas y frecuentemente visitaban hospitales militares sin buscar la atención de la Prensa. Don estuvo realizando un excelente trabajo, transformando la milicia. Fue la misión que originalmente me atrajo a él. Había incrementado nuestro arsenal de vehículos aéreos no tripulados; había logrado que nuestras fuerzas fueran más expedicionarias; había expandido la capacidad de banda ancha de la milicia para que pudiéramos realizar un mejor uso de los enlaces de datos en tiempo real e imágenes; había comenzado a traer a casa tropas para antiguos puestos de avanzada de la Guerra Fría, tales como Alemania; y había invertido muchos recursos en fuerzas especiales, particularmente, en la integración de inteligencia y operaciones especiales.

A pesar de su apariencia externa de dureza, Don Rumsfeld era un hombre decente y atento. En una ocasión, estábamos juntos en la Oficina Oval. Él acababa de informarme sobre una operación militar y yo tenía unos minutos antes de mi próxima junta. Le pregunté de manera casual como estaba su familia. No respondió en el momento.

Eventualmente dijo unas palabras y rompió en llanto. Me explicó que su hijo, Nick, estaba luchando contra una seria adicción a las drogas.

El dolor de Don era profundo y su amor genuino. Meses después, le pregunté cómo le iba a Nick. Don sonrió y me explicó que su hijo había ido a rehabilitación y que estaba bien. Fue conmovedor ver que Don estaba orgulloso del carácter y fuerza de su hijo.

Me apené por Don nuevamente en la primavera del 2006, cuando un grupo de generales retirados lanzaron una avalancha de críticas públicas en contra de él. Aunque todavía estaba considerando un cambio de personal, no había forma de que yo le permitiera a un grupo de oficiales retirados que me intimidaran para sacar al Secretario Civil de la Defensa. Podría haberse visto como un golpe militar y dejado un precedente desastroso.

Conforme avanzaba el 2006, la situación en Irak empeoró dramáticamente. La violencia sectaria estaba desgarrando al país. Al comienzo del otoño, me dijo Don que creía que podríamos necesitar nuevos ojos sobre el problema. Yo estaba de acuerdo, ese cambio era necesario, especialmente desde que empecé a contemplar seriamente una nueva estrategia de arranque. No obstante, todavía estaba teniendo dificultades para encontrar un reemplazo capaz. Una noche de verano de ese mismo año, estaba charlando con mi amigo de la preparatoria y de la universidad Jack Morrison, a quien había nombrado para la Junta Asesora de Inteligencia Exterior del Presidente de los Estados Unidos (PFIAB). Me preocupaba

---

Después escuché que el personal del General Shinseki no había invitado a Don. Sin embargo, creo que él debió haber ido de cualquier forma.

las condiciones de deterioro en Irak y mencioné el comentario de Don Rumsfeld de la necesidad de nuevos ojos.

—Tengo una idea, —dijo Jack—. ¿Qué te parece Bob Gates? —Me comentó que se había encontrado con Gates, recientemente, como parte de su trabajo en la PFIAB.

¿Por qué no había pensado en Bob? Había sido el director de la CIA en la administración de mi padre y Vice Asesor de Seguridad Nacional del Presidente Reagan. Había dirigido exitosamente una gran organización, Texas A&M University. Él sirvió en Baker-Hamilton Commission, donde estuvo aprendiendo sobre los problemas en Irak. Sería ideal para el puesto.

Le llamé inmediatamente a Steve Hadley y le pedí que sondeara a Bob. Habíamos tratado de reclutarlo como Director de Inteligencia Nacional el año anterior, pero declinó porque le encantaba su trabajo como presidente en A&M. Steve reportó el siguiente día. Bob estaba interesado.

Estaba bastante seguro que había encontrado a la persona idónea para el puesto, pero me preocupaba el tiempo. Estábamos a pocas semanas de las elecciones intermedias del 2006. Si cambiaba al Secretario de Defensa en ese momento, me vería como que estaba tomando decisiones militares con fines políticos. Decidí hacer el movimiento después de la elección.

El fin de semana anterior a las elecciones de medio término, Bob condujo desde College Station, Texas al rancho en Crawford. Nos encontramos en la oficina, un apartado edificio de un piso cerca de media milla de la casa principal. Me sentía cómodo con Bob; es un hombre sencillo y modesto con una fortaleza tranquila. Le prometí que tendría acceso conmigo siempre que lo necesitara. Luego le dije que había algo más que necesitaba saber antes de tomar posesión de su puesto: Yo estaba seriamente considerando el incremento de las tropas en Irak. Él estuvo dispuesto a asumir eso. Le comenté que sabía que tenía una gran vida en A&M, pero que su país lo necesitaba. Aceptó en el mismo momento.

Sabía que Dick no estaría contento con mi decisión. Él era amigo cercano de Don y como siempre Dick me dijo lo que pensaba. —Estoy en desacuerdo con tu decisión, pienso que Don está haciendo un excelente trabajo. No obstante, es tu decisión, tú eres el Presidente. Le pedí a Dick que le diera la noticia a su amigo, con lo que esperaba amortiguar el golpe.

Don manejó el cambio tan profesionalmente como lo era él. Me envió una carta conmovedora. «Me voy sintiendo un gran respeto por usted y por el liderazgo que ha proporcionado durante el tiempo más desafiante para nuestro país —escribió—. Ha sido el más grande honor a lo largo de mi vida haber podido servir a nuestro país en este momento tan crítico de nuestra historia».

El reemplazo del Secretario de Defensa fue uno de los dos cambios de personal más difíciles que hice en el 2006. El otro fue el cambio de jefes de personal. Como el ambiente de Washington se estaba poniendo agrio, Andy Card me recordaba a menudo que solo había pocas posiciones en las cuales un movimiento de personal sería visto como significativo. Su posición era una de ellas. A comienzos del 2006, Andy a menudo sacaba el tema de la posibilidad de su salida. —Lo puedes hacer de manera sencilla y podría cambiar el debate —dijo —. Te lo debes, considéralo.

Casi al mismo tiempo, Clay Johnson me pidió que nos viéramos. Clay había estado a mi servicio cada día desde que tomé posición como gobernador en 1995. Cuando se sentó para almorzar ese día, me preguntó qué pensaba acerca del funcionamiento de la Casa Blanca. Le dije que me sentía un poco inquieto y que había estado oyendo quejas de los miembros del personal. Desde la cima de la presidencia, sin embargo, era difícil decir si las quejas eran reclamos mezquinos o evidencia de un serio problema.

Clay me dio un enfoque que señalaba que tenía todo en claro en su mente. Luego saco un bolígrafo de su bolsillo, tomó una servilleta y realizó un bosquejo del organigrama de la Casa Blanca. Había una maraña, con líneas de autoridad cruzadas y borrosas. Su punto era muy claro: Fue la fuente mayor del disturbio. Entonces dijo: —No soy el único que se siente así. —Me dijo que mucha gente había, de manera espontánea, utilizado el mismo término desafortunado para describir la estructura de la Casa Blanca: Comenzó con grupo y terminó con cuatro letras más.

Clay tenía razón. La organización estaba a la deriva. La gente se había establecido en su zona de confort y la nitidez que había caracterizado alguna vez a nuestra operación se había apagado. La forma más efectiva de arreglar el problema era realizar un cambio desde arriba. Decidí que era tiempo para abordar a Andy para tomarle la oferta de retirarse.

La comprensión de esto fue penosa. Andy Card fue un hombre leal y honorable que había dirigido la Casa Blanca de manera efectiva a través de días difíciles. En un viaje a Camp David esa primavera, nos reunimos Andy y su esposa Kathi en el boliche. Son una de esas grandes parejas donde el amor del uno por el otro es obvio. Sabían que yo no estaba allí para jugar a los bolos. Mi rostro debió de haber proyectado mi angustia. Comencé a agradecer a Andy por sus servicios. Me cortó y dijo: —Señor Presidente, usted desea hacer un cambio. —Traté de explicar, pero él no me dejó. Nos abrazamos y me dijo que aceptaba mi decisión.

Me sentía incómodo creando cualquier vacante significativo, sin tener al reemplazo alineado para eso. Así que antes de mi conversación con Andy, le había pedido a Josh Bolten que viniera a verme. Respetaba mucho a Josh y sus colegas lo respetaban también. Desde aquellos días como director de política durante mi campaña, él se había desempeñado como subjefe del Estado Mayor de la Política y Director de la Oficina de Administración y Presupuesto. Él conocía mis prioridades mejor que nadie. Mi confianza en él era total.

Cuando le pregunté a Josh si él sería el próximo jefe del Estado Mayor, no mostró entusiasmo hacia la oferta. Como muchos de la Casa Blanca, él admiraba a Andy Card y sabía lo duro que podría ser asumir ese puesto. Después de pensarlo, aceptó que la Casa Blanca necesitaba ser reestructurada y renovada. Me dijo que, si aceptaba el puesto, esperaba luz verde para realizar cambios de personal y aclarar las líneas de autoridad y responsabilidad. Le dije que era precisamente lo que quería de él. Aceptó la posición y se quedó hasta el final, llegando a ser uno de los primeros empleados que contraté para mi campaña y el último que vi en la Casa Blanca, por diez años completos.

Poco después de tomar el mando, Josh se enfocó a realizar varios cambios, incluyendo remplazo de la Secretaria de Prensa de la Casa Blanca con Tony Snow, un antiguo e ingenioso locutor de televisión y radio, quien llegó a ser un gran amigo hasta que valientemente perdió su batalla contra el cáncer en el 2008. El movimiento más delicado fue redefinir la función de Karl. Después de la elección del 2004, Andy le había pedido a Karl que se hiciera subjefe de Estado Mayor de la política, la posición más importante en la Casa Blanca. Entendí su razonamiento. Karl es más que un asesor político, es un analista político con una pasión por el conocimiento y para poner las ideas en práctica. Aprobé su promoción porque quería beneficio de la experiencia de Karl y sus habilidades. Para evitar cualquier tipo de percepción errónea, Andy dejó claro que Karl no estaría incluido en juntas de seguridad nacional.

A mediados del 2006, los republicanos estuvieron en problemas con las próximas elecciones intermedias y la izquierda utilizó indebidamente el nuevo cargo de Karl para acusarnos de la politización en las decisiones políticas. Josh le pidió a Karl que se enfocara en las intermedias y continuara proporcionando aportaciones estratégicas. Para tomar el cargo de las operaciones de la política del día a día, Josh trajo a su diputado de la OMB, Joel Kaplan, un bien parecido y brillante graduado en derecho de Harvard, que había trabajado para mí desde el 2000.

Me preocupaba la manera de cómo Karl interpretaría el movimiento. Él había demostrado ser un hueso duro de roer en Washington, pero era un hombre orgulloso y sensitivo que había soportado ataques salvajes a mi persona. Fue un tributo a la lealtad de Karl y las habilidades gerenciales de Josh, el que ellos hicieron que el nuevo arreglo funcionara hasta que Karl dejó la Casa Blanca en agosto del 2007.

———

Mientras que los nombramientos de personal de la Casa Blanca y el Gabinete son cruciales para la toma de decisiones, son puestos temporales. Los nombramientos judiciales son de por vida. Yo sabía lo orgulloso que estaba mi padre de haber designado a Clarence Thomas, un hombre sabio, de principios, compasivo, pero estaba decepcionado de que su otro nominado,

David Souter, se había convertido en una especie de juez diferente a lo que él esperaba.

La historia está llena de relatos similares. John Adams hizo fama por decir que su nombramiento de John Marshall, Jefe de justicia —que se desempeñó en el estrado por treinta años más después de que Adams terminó su mandato— fue su legado más grande para los estadounidenses. Por otro lado, cuando a Dwight Eisenhower se le pidió que nombrara sus más grandes errores como presidente, contestó, —Cometí dos y ambos están asentados en la Corte Suprema. —Poco después de que las elecciones del 2000 fueron resueltas, le pedí a Alberto Gonzales, mi consejero en la Casa Blanca, y su equipo de abogados, que desarrollaran una lista de candidatos para la Corte Suprema.

Al era un impresionante estadounidense de segunda generación, que se abrió camino en Rice University y en la Facultad de Derecho de Harvard, y ganó mi confianza durante mi tiempo como gobernador. Le dije que la lista de la Corte Suprema debía incluir mujeres, minorías y personas sin previa experiencia en el estrado. Dejé claro que no debía haber prueba de fuego para la popularidad política. Las únicas pruebas concebidas en mi cabeza, debían ser integridad, habilidades intelectuales y comedimiento judicial. Me preocupaba lo relacionado a los jueces activistas que sustituían el texto de la ley por sus preferencias personales. Yo me suscribí a la escuela construccionista estricta: Quería jueces que tomaran el significado de la Constitución al pie de la letra.

Por más de once años, los mismos nueve jueces se sentaron juntos en la Corte, la temporada más larga de la historia moderna. El 30 de junio del 2005, Harriet Miers —quien reemplazó a Al Gonzales como Consejero de la Casa Blanca, cuando éste llegó a ser Fiscal General— fue informada de que la Corte Suprema estaría reenviando una carta para mí de parte de uno de los jueces. Todos asumimos que provenía del Jefe de Justicia William Rehnquist, que tenía ochenta años y estaba enfermo, pero la siguiente mañana, Harriet me llamó con una sorpresa. —Es O'Connor —dijo ella.

Yo me había reunido con la Juez Sandra Day O'Connor muchas veces a través de los años. Fue la primera Juez femenina en la historia de la Corte. Tenía una personalidad franca y encantadora. Apreciaba a Sandra. Le llamé inmediatamente después de recibir su carta. Me comentó que era el momento de irse y cuidar a su querido esposo, John, quien sufría de Alzheimer.

Aunque la vacante no era lo que yo esperaba, estábamos preparados para suplirla. El equipo de Harriet preparó una carpeta gruesa que contenía las biografías de once candidatos, como también análisis detallados de sus escritos, discursos y filosofías judiciales. Tuve un viaje a Europa programado para comienzos de julio, y las largas horas de viaje en el Air Force One, las utilicé para tener un buen tiempo de lectura. Después de estudiar la carpeta, resumí la lista a cinco jueces impresionantes: Samuel Alito, Edith Brown Clement, Michael Luttig, John Roberts y J. Harvie Wilkinson.

Me encontré con cada uno de ellos en la residencia de la Casa Blanca. Traté de que estuvieran cómodos, dándoles un recorrido por la sala de estar y después los llevé al salón familiar que tenía una vista hacia la Ala Oeste. Había leído los sumarios sobre sus opiniones legales, ahora quería conocerlos a ellos. Estaba buscando a alguien que compartiera mi filosofía judicial y cuyos valores no cambiarían a través del tiempo. Comencé las entrevistas con la esperanza de poder separar a alguien.

Fue John Roberts. Voló desde Londres, donde había estado dando lecciones de verano. Ya conocía el historial de Roberts: El primero en su clase en Harvard y la Facultad de Derecho de Harvard, ayudante legal del Juez Rehnquist, con docenas de casos discutidos ante la Corte Suprema. Roberts había sido nominado para la Corte de Apelaciones del Distrito de Columbia en 1992, pero no fue confirmado antes de la elección. Yo lo había nominado para un puesto en la misma corte en el 2001. Fue confirmado en el 2003 y había establecido un historial sólido.

Detrás del brillante currículo, había un hombre genuino con un alma amable. Sonreía fácilmente y hablaba con pasión acerca de los dos chicos que él y su esposa Jane habían adoptado. Su dominio del derecho era obvio así como su buen carácter. Hablé con Dick, Harriet, Andy, Al y Karl acerca de tomar la decisión.

Les gustó Roberts, aunque no era el primero de todas las listas. Dick y Al respaldaron a Luttig, opinaban que era el jurista más dedicado y conservador. Harriet apoyó a Alito, porque tenía el historial judicial más sólido. Andy y Karl compartían mi inclinación por Roberts. Solicité la opinión de otros, incluyendo a algunos de los abogados más jóvenes de la Casa Blanca. Uno de ellos fue Brett Kavanaugh, quien yo había nominado para la Corte de Apelaciones del Distrito de Columbia. Brett me dijo que Luttig, Alito y Roberts serían jueces sólidos. La pregunta del desempate, él sugirió, era cuál hombre sería el dirigente más efectivo de la Corte, el más capaz de convencer a sus colegas con persuasiones y pensamiento estratégico.

Pensaba que Roberts sería un líder natural. No me preocupaba de que él pusiera a un lado sus principios al paso del tiempo. El describió su filosofía de modestia judicial con una analogía del béisbol que me enganchó: «Un buen juez es como un árbitro y ningún árbitro cree ser la persona más importante en el campo».

El martes, 19 de julio, le llamé a John para ofrecerle a él la posición. Hicimos el anuncio esa noche en el Salón Este. Todo iba de acuerdo como había sido planeado, hasta que, durante mi discurso televisivo de horario estelar, Jack Roberts de cuatro años de edad, se zafó del abrazo de su madre y comenzó a bailar en el piso. Después nos enteramos que estaba imitando al hombre araña. Lo vi de reojo, distrayendo mi concentración sobre mis comentarios. Eventualmente Jane le reclamó al pequeño Jack. La audiencia rompió en risas y la familia de Jack obtuvo material de presentación de por vida.

A comienzos de septiembre, tres días antes de que la audiencia de confirmación de Roberts estaba programada para empezar, Karl me llamó ya tarde la noche del sábado. Laura y yo nos fuimos a acostar y nadie llama para dar buenas noticias a esa hora. Karl me dijo que el Presidente de la Suprema Corte acababa de fallecer. Rehnquist fue uno de los mejores; había prestado sus servicios durante treinta y tres años en la Corte Suprema, diecinueve de ellos en la silla principal. Había conducido la toma de posesión de mi padre en 1989 y la mía en el 2001. Cuando se acercaba mi segunda inauguración, Rehnquist ya estaba enfermo de cáncer de la tiroides. No había estado en público por semanas, pero cuando llegó el momento de leer el juramento del cargo, su voz resonó clara y fuerte: —Repita después de mi: Yo, George Walker Bush, juro solemnemente....

Ahora tenía dos vacantes en la Corte para llenar. Decidí que la habilidad de John Roberts encajaba perfectamente para el puesto de Presidente de la Corte Suprema. John sobresalió en su audiencia y fue confirmado por una gran mayoría. Regresamos al Salón Este de la Casa Blanca para su toma de posesión. La solemnidad del momento mostró los cambios insólitos que da la vida. John Roberts, que trece años antes asumió que su tiempo para ser juez se había ido, se convertía en este momento en el Presidente de la Corte Suprema de Justicia de los Estados Unidos.

———

Todavía con la vacante de la silla de O'Connor, sentí de verdad que debería reemplazarla con otra mujer. No me parecía la idea de que la Corte Suprema tuviera solo una mujer, La Jueza Ruth Bader Ginsburg. Laura estuvo de acuerdo y dio sus puntos de vista a la Prensa.

Esta fue una ocasión atípica en la que Laura compartiera su parecer de manera pública. Pero no fue la única vez que confiaba en su consejo reflexivo. Laura posee un sentimiento instintivo por el pulso del país. Ella no se involucraba en todos los asuntos y no quería hacerlo. Elegía áreas que le atrajeran —incluyendo educación, salud para la mujer, la reconstrucción de la Costa del Golfo después de Katrina, SIDA y malaria, así como la libertad para Burma y Afganistán.

Mandé a Harriet y al comité de búsqueda que elaboraran una nueva lista incluyendo más mujeres. Las candidatas que encontró eran impresionantes, pero había bloqueos frustrantes; cuando le pedí más investigación de antecedentes a fondo de una juez bien calificada, resultó que su esposo tenía un problema financiero que pondría en peligro su confirmación. La mejor de la lista era Priscilla Owen, una ex juez de la Corte Suprema de Texas. Priscilla fue una de las primeras personas que nominé para una posición en la Corte Federal de Apelaciones en el 2001. Desafortunadamente, los demócratas la hicieron su blanco. Ella fue finalmente confirmada en la primavera del

2005, como parte de un acuerdo mutuo bipartidista. Pensé que ella lograría ser un buen miembro de la Corte Suprema. No obstante, cierto número de senadores, incluyendo republicanos, me dijeron que la pelea sería a muerte y finalmente ella no sería confirmada.

Otros dos mensajes provinieron de nuestras consultas en Capitol Hill. El primero fue que debería pensar en elegir a un abogado de fuera de la banca. El segundo era que debería seriamente considerar a mi consejera de la Casa Blanca, Harriet Miers. Varios senadores habían estado muy impresionados con Harriet cuando guió a John Roberts con sus entrevistas en Capitol Hill.

Me agradaba la idea de la nominación de Harriet. Ella había sido una pionera legal en Texas, la primera mujer presidenta de una reconocida firma de abogados en Texas, la Dallas Bar Association, y el State Bar de Texas. Ella había sido electa en el Dallas City Council, dirigió la Texas Lottery Commission y prestó sus servicios durante casi cinco años en posiciones de alto nivel en la Casa Blanca. No había ninguna duda en mi mente de que ella compartiera mi filosofía judicial y de que su postura no cambiaría. Ella se desenvolvería como una magnífica juez.

Le pregunté a Harriet si estaba interesada en la posición. Se sorprendió, casi conmocionada, pero me respondió que ella serviría si yo así lo quería. Planteé la idea con otros miembros del grupo de búsqueda. Los colegas de Harriet la querían y respetaban y algunos consideraron que ella sería una excelente opción. Otros argumentaron que era demasiado riesgoso elegir a alguien sin un historial establecido en la banca, o de que podríamos ser acusados de favoritismo. Varios me comentaron francamente que ella no era la opción ideal. Ninguno me dijo que esperara la tormenta de fuego de la crítica que recibiríamos de nuestros partidarios.

La decisión se reducía a Harriet y Priscilla Owen. Decidí elegir a Harriet. La conocía mejor. Consideré que ella tendría una mejor oportunidad de ser confirmada y traería una perspectiva única a la Corte como alguien de afuera de la fraternidad judicial. Inicialmente, un número de senadores y jueces elogiaron la selección. Sus voces, sin embargo, se apagaron rápidamente. En la derecha, murmuraciones iniciales de incredulidad se convirtieron en un alarido de incredulidad. ¿Cómo podría yo nombrar a alguien con tan poca experiencia? ¿Cómo podrían confiar en la filosofía judicial de alguien que no conocían?

Me pareció que existía otro argumento en contra de Harriet, uno, en gran medida, implícito: ¿Cómo podría nombrar a alguien que no se desenvolvía en los círculos legales de la élite? Harriet no había ido a una escuela de derecho Ivy League. Su estilo personal agravaba las dudas. Ella no es de mucha labia ni de lujo; piensa mucho antes de hablar—un rasgo raro para Washington, que podría ser interpretado como lentitud intelectual. Tal como un crítico conservador lo puso de forma condescendiente: «Por muy amable, útil, rápida y ordenada que es, Harriet Miers no está calificada ni para jugar el papel de juez de la Corte Suprema en la serie *The West Wing*. Ni hablar de ser una de verdad».

Toda esa crítica vino de supuestos amigos. Cuando la izquierda comenzó a criticar a Harriet, también, supe que la nominación sería un desastre. Después de tres semanas terribles, recibí una llamada a mi oficina en el Salón de Tratados, donde trabajaba hasta tarde en la noche. La operadora de la Casa Blanca me dijo que Harriet estaba al teléfono. Con voz firme y serena me informó que ella pensaba que sería mejor que fuera excluida de la consideración para la Suprema Corte. Con el dolor del corazón, tuve que aceptar.

A pesar de que yo sabía que Harriet habría sido una excelente juez, no pensé lo suficientemente cómo la selección sería percibida por los otros. Puse a mi amiga en una situación imposible. Si tuviera que volverlo a hacer, no arrojaría a Harriet a los lobos de Washington.

La mañana después del anuncio, Harriet se reportó a trabajar como cualquier otro día. Ella estuvo de oficina en oficina en el West Wing, levantando los espíritus de muchos colegas, subordinados y de alto rango, que se entristecieron de ver a una persona que admiraban ser tratada tan equivocadamente. Cuando vino a la Oficina Oval le dije: —Gracias a Dios que te excluiste. Sigo teniendo una gran abogada. —Sonrió y respondió: —Señor Presidente, estoy lista para dirigir la búsqueda de su siguiente nominado.

———

Necesitaba hacer la siguiente elección de manera correcta. Mientras que la idea de elegir a una mujer me seguía atrayendo, no podía encontrar a alguien tan calificado como Sam Alito. Sam es tan reservado como el que más. Cuando nos sentamos por primera vez para la entrevista, parecía incómodo. Intenté el antiguo método de buscar terreno común para romper el hielo, en este caso, el béisbol. Sam es un gran fanático de los Philadelphia Phillies. Conforme hablábamos del juego, su lenguaje corporal cambió. Se abrió un poco acerca de su vida y el derecho. Era un erudito, pero práctico. Él había sido Fiscal Federal en New Jersey antes de cambiarse a la Corte de Apelaciones del Tercer Circuito en 1990. Sus opiniones eran bien fundamentadas y firmemente sostenidas. No había duda, él se adheriría estrictamente a la Constitución.

Cuatro días después de que Harriet se retiró, me encontré con Sam en la Oficina Oval y le ofrecí el puesto. Aceptó. Nuestros partidarios estaban entusiasmados. Nuestros críticos sabían que no podrían bloquear la confirmación de Sam; pero, de cualquier modo, lo sometieron a una audiencia desagradable. Trataron de pormenorizarlo como un racista, un radical, un fanático; todo lo que ellos pudieran imaginar—todo basado en cero evidencias. Yo estaba disgustado por la demagogia. Cuando un senador hizo un recuento de los falsos cargos, la esposa de Sam, Martha Ann, rompió en llanto. Su reacción fue tan genuina que incluso algunos demócratas reconocieron que habían ido muy lejos.

Después de que el Senado confirmó a Sam en la Corte, lo invité a él y a su familia a la Casa Blanca para su toma de posesión. Antes de salir para la ceremonia, tuve un momento a solas con Sam. Le agradecí por soportar a la audiencia y le deseé lo mejor en la Corte. Le dije: —Sam, tienes que agradecerle a Harriet Miers por hacer esto posible. —Contestó: —Señor Presidente, tiene usted toda la razón.

———

La decisión sobre el personal más emotiva que tuve que hacer fue la última de mi presidencia. La base de mi dilema me remontó al verano del 2003. Nuestras tropas en Irak no habían encontrado armas de destrucción masiva como se esperaba y la lucha con los medios por un chivo expiatorio había comenzado. En mi discurso al Estado de la Unión del 2003, había citado el reporte de inteligencia británica con la información de que Irak buscó comprar uranio de Nigeria. La sola oración de mi discurso de cinco mil palabras no fue un punto mayor en el caso en contra de Saddam. Los británicos se mantuvieron firmes en la inteligencia.*

Hasta hoy, esas dieciséis palabras siguen siendo una controversia y una distracción masiva. En julio del 2003, el ex embajador Joseph Wilson escribió una columna en el New York Times, alegando que la administración había ignorado sus hallazgos escépticos cuando él viajó a África a investigar la conexión de Irak y Nigeria.

Había preguntas muy serias acerca de la precisión y minuciosidad del reporte de Wilson. Sin embargo, su acusación se convirtió en un principal punto de discusión para la crítica sobre la guerra. Un poco después de lo que Wilson expresó, el columnista de mucho tiempo de Washington, Bob Novak, reporteó que Wilson había sido enviado a Nigeria, no por Dick Cheney o algún miembro del gabinete de la administración, como Wilson había sugerido; sino por recomendación de su esposa, Valerie Plame, quien trabajaba en la CIA.

Entonces resultó que la posición de la esposa de Wilson era clasificada. Los críticos alegaron que alguien en la administración había cometido un crimen al filtrar intencionalmente la identidad de un operativo de la CIA. El Departamento de Justicia nombró a un fiscal especial a investigar.

Me sentí, por naturaleza, escéptico a los fiscales especiales. Recordaba cómo Lawrence Walsh había politizado su investigación de Irán-Contras durante la campaña de 1992. Pero un filtro de inteligencia era un asunto

---

* En el 2004, El reporte de Butler no partidista concluyó que la presentación del caso estaba «bien fundamentada».

muy serio, por lo que dirigí mi gabinete para cooperar profundamente. El abogado Patrick Fitzgerald entrevistó a la mayoría del equipo, incluyéndome a mí. Al principio del proceso, el Secretario General Adjunto de Estado, Richard Armitage, informó a Fitzgerald que él había proporcionado a Novak la información acerca de Plame. Aún así, el fiscal especial continuó la investigación.

A través del curso de más dos años, Fitzgerald trajo un gran número de oficiales de la administración a comparecer ante el gran jurado, incluyendo a Scooter Libby, jefe del Estado Mayor de Dick. Después de dos apariciones de Scooter, Fitzgerald levantó una acusación por perjurio, obstrucción de la justicia y falso testimonio. Scooter fue a juicio y fue condenado. En junio del 2007, fue sentenciado a treinta meses en prisión.

Enfrenté una decisión agonizante. Podría dejar a Scooter ir a la cárcel. Podría usar mi poder bajo la Constitución para otorgarle el perdón, o podía conmutar su sentencia, lo que significaba que su culpabilidad estaba asentada, pero su sentencia a prisión no. Algo en la Casa Blanca, conducido por el vicepresidente, presionó de manera agresiva para un perdón. Su argumento era que la investigación no debía haber proseguido después de que Fitzgerald había identificado la fuente de Novak. Por otro lado, muchos asesores creían que el veredicto del jurado era correcto y que debía mantenerse.

Decidí de que estaría enviando un mensaje negativo al perdonar a un ex funcionario, convicto por obstruir la justicia, especialmente después de que instruí al personal que cooperaran con la investigación; pero el castigo que Scooter había recibido no se ajustaba al delito. La investigación prolongada y el juicio habían ocasionado daño financiero, profesional y personal a Scooter y a su familia. A comienzos de julio del 2007, anuncié mi decisión: —Respeto el veredicto del jurado, pero he concluido que la sentencia a prisión dada al Sr. Libby es excesiva. Por lo tanto, estoy conmutando la parte de la sentencia del Sr. Libby que le requiere pasar treinta meses en prisión.

La reacción de la izquierda fue abrasadora. —La acción de hoy del Presidente Bush les dice a los estadounidenses que está bien mentir, engañar y obstruir la justicia; siempre y cuando seas leal a su administración, —fue el comentario de un congresista. Otro dijo: —Hago un llamado a los demócratas de la cámara para que reconsideren el proceso de destitución. —No a todos en la Casa Blanca les gustaba la decisión, tampoco. Dick continuaba defendiendo un indulto pleno.

Una de las mayores sorpresas al final de mi presidencia, fue el flujo de solicitudes de indulto. No podía creer el número de personas que me llamaban a un lado para insinuarme que un amigo o un ex colega merecía un indulto. Al principio me frustró, después me disgusté. Llegué a ver injusticia masiva en el sistema. Si alguien tenía conexiones con el presidente, podía insertar su caso en el último minuto de frenesí. De otro modo, tendría que esperar a que el Departamento de Justicia condujera una revisión e hiciera una recomendación. En mis últimas semanas de gobierno, resolví que no perdonaría a nadie que estuviera fuera de los canales normales.

En los días de clausura de mi administración, Dick presionó sobre el caso de que Scooter debería ser perdonado. Scooter era un hombre decente y un servidor público dedicado, y entendí las consecuencias para su familia. Le pedí a dos abogados de confianza que revisaran el caso de arriba abajo, incluyendo la evidencia presentada durante el juicio a favor y en contra de Scooter. También los autoricé para que se reunieran con Scooter para escuchar su parte de la historia. Después de un cuidadoso análisis, ambos abogados me dijeron que no encontraban justificación para revocar el veredicto del jurado.

Pasé nuestro último fin de semana en Camp David lidiando con la decisión. —Solo toma la decisión —me dijo Laura—. Estás arruinando esto para todos. —En el fondo, llegué a la misma conclusión que tenía en el 2007: El veredicto del jurado debería ser respetado. En una de nuestras juntas finales, informé a Dick que no emitiría un indulto. El me vio con una mirada intensa. Dijo, —No puedo creer que va a dejar a un soldado en el campo de batalla. —El comentario dolió. En ocho años, nunca había visto a Dick de ese modo, ni siquiera cerca. Me preocupó que la amistad que habíamos construido estuviera a punto de ser severamente lastimada, en el mejor de los casos.

Algunos días después, hablé con otra persona acerca del proceso de perdón. En el trayecto a Pennsylvania Avenue, el día de la Inauguración, platiqué con Barack Obama con relación a mi frustración con el sistema de indulto. Le sugerí: Anuncia una política de indulto desde el principio y apégate a ella.

Después de la Ceremonia de Inauguración del Presidente Obama a la presidencia, Laura y yo fuimos llevados en helicóptero a la Base de la Fuerza Aérea Andrews. Nuestro evento final antes de abordar el avión a casa de regreso a Texas, fue una ceremonia de despedida en frente de tres mil amigos, familia y ex funcionarios. Dick estuvo de acuerdo en presentarme. Se había lastimado su espalda moviendo cajas, por eso Lynne tuvo que llevarlo hacia el estrado en silla de ruedas.

Dick tomó el micrófono. No tenía idea de lo que iba a decir. Esperaba que él hubiera dejado en el pasado la decepción que sentía. Sus palabras fueron muy sentidas y amables: —Hace ocho años y medio, comenzó mi colaboración con George Bush, que verdaderamente ha sido un gran honor.... Si tuviera una queja, sería solo que estos días han llegado a su fin y todos los miembros de este gran equipo, ahora deben seguir su propio camino.

El hombre que elegí aquel día caluroso de julio permaneció firme hasta el final. Nuestra amistad había sobrevivido.

4

CÉLULAS MADRE

En el corazón del centro de Londres, estaba situado un edificio gris de treinta y cuatro pisos. Uno de los pisos estaba diseñado con un largo espacio abierto, conocido como el Cuarto de Fertilización. Dentro, los técnicos meticulosamente mezclaban huevos y espermas en los tubos que producen las siguientes generaciones. La incubadora servía como la sangre vital de un nuevo gobierno mundial, que había dominado la fórmula de ingeniería de una sociedad estable y productiva.

Esa escena no era la creación de Jay Lefkowitz, el abogado brillante que me leía en voz alta en la Oficina Oval en el 2001. Provenía de la novela de Aldous Huxley de 1932, *Brave New World*. Con los recientes avances en biotecnología y genética, el libro se veía escalofriantemente relevante, como también su moraleja: Por toda su eficiencia, el mundo utópico de Huxley parecía estéril, triste y sin sentido. La búsqueda para la perfección humana terminaba con la pérdida de la humanidad.

En abril del mismo año, me llegó otro pequeño escrito a la Oficina Oval. Describiendo lo que ella llamaba un viaje familiar desgarrador, la autora me instó para estimular las posibilidades milagrosas de la investigación sobre células madre embrionarias para proporcionar la cura de personas como su esposo, que había estado padeciendo de Alzheimer. Cerró diciendo, «Señor Presidente, tengo algo de experiencia personal con relación a las muchas decisiones que usted enfrenta cada día.... Le estaría muy agradecida si usted tomara en consideración mis pensamientos y oraciones sobre este asunto tan crítico. Sinceramente, Nancy Reagan».

La dualidad entre la carta de la señora Reagan y la novela de Huxley enmarcaron la decisión que enfrentaba de realizar las investigaciones de células madre. El sentir de muchos era que el gobierno federal tenía la responsabilidad de financiar la investigación médica que podría ayudar a salvar vidas de personas como el Presidente Reagan. Otros argumentaban que apoyar la destrucción de embriones humanos podría conducirnos a un precipicio moral como una sociedad indiferente que desprecia la vida. El contraste era abismal y yo debía enfrentar una decisión difícil.

—Muchas veces nuestras diferencias están tan arraigadas que parece que lo que compartimos es un continente, y no un país —dije en mi discurso inaugural el 20 de enero del 2001—. No lo aceptamos y no lo permitiremos. Nuestra unidad, nuestra unión, es el trabajo serio de dirigentes y ciudadanos de cada generación. Esta es mi solemne promesa: Trabajaré para construir una sola nación de justicia y oportunidad.

Después de una comida con dignatarios del Capitolio, Laura y yo nos dirigimos a la Casa Blanca como parte del desfile inaugural oficial. La Avenida Pennsylvania estaba rodeada por simpatizantes, junto con algunos protestantes. Llevaban grandes anuncios con lenguaje soez, lanzando huevos al desfile de automóviles y gritaban a todo lo que daban sus pulmones. Pasé la mayor parte del paseo en la limosina presidencial, detrás de vidrios gruesos, así que sus gritos daban la impresión de una pantomima, no obstante, a pesar de no poder distinguir sus palabras, sus dedos medios se expresaban ruidosamente: La amargura de la elección del 2000 no iba a irse pronto.

Laura y yo vimos el resto del desfile desde la tribuna de la Casa Blanca. Saludamos a los marchistas de cada estado y nos quedamos encantados de ver las bandas de las preparatorias de Midland y Crawford. Después del festival, fui a revisar la Oficina Oval. En cuanto me aproximé a la oficina, el salón parecía como si brillara. Sus luces radiantes y sus cortinas doradas se destacaban en un vívido contraste del cielo obscuro de invierno.

Cada presidente decora la Oficina Oval con su propio estilo. Yo colgué varias pinturas tejanas, incluyendo la rendición del Álamo de Julian Onderdonk, un paisaje del Oeste de Texas y una pradera de lupinos tejanos; un recuerdo constante de nuestro rancho en Crawford. También traje una pintura llamada Rio Grande de un artista y amigo del Paso, Tom Lea; y una escena de un jinete dirigiéndose al servicio de algo muy grande de W.H.D. Koerner. El nombre de la pieza: *Una tarea por cumplir,* hace alusión al himno metodista de Charles Wesley, que cantamos en mi primera toma de posesión como gobernador. Tanto la pintura como el himno reflejan la importancia de servir una causa que es mayor que uno mismo.

Decidí conservar el retrato por Rembrandt Peale de George Washington que mi padre y Bill Clinton habían puesto sobre la chimenea. Agregué bustos de Abraham Lincoln, Dwight Eisenhower y Winston Churchill, un regalo en préstamo proveniente de la cortesía del gobierno británico por el Primer Ministro Tony Blair. Le había dicho a Tony que admiraba el valor de Churchill, sus principios y sentido del humor, todo lo cual pensaba que fue necesario para el liderazgo. (Mi ejemplo favorito del ingenio de Churchill fue su respuesta cuando Franklin Roosevelt lo vio saliendo de la tina, en una visita a la Casa Blanca en diciembre de 1941. Le dijo: —¡No tengo nada que esconderle al Presidente de los Estados Unidos!) —Después del 9/11, me di cuenta que los tres bustos tenían algo en común: Todos representaron líderes en tiempos de guerra. Ciertamente no tenía eso en mente cuando los elegí.

Un espacio en la pared estaba reservado para el presidente predecesor más influyente. Escogí a Lincoln. Él había tenido el trabajo más difícil que ningún otro presidente, al preservar la Unión. Algunos preguntaban porque no coloqué el retrato de mi papá en ese lugar. —El número cuarenta y uno pende de mi corazón —les comenté—, el dieciséis está en la pared.

La pieza central de la Oficina Oval era el escritorio *Resolute*. Había elegido el escritorio por su significado histórico. Su historia comenzó en 1852, cuando la Reina Victoria envió al HMS *Resolute* a buscar al explorador británico John Franklin, que había estado perdido mientras buscaba el Paso del Noroeste. El *Resolute* estaba atrapado en el hielo cerca del Ártico y fue abandonado por su tripulación. En 1855, fue descubierto por un barco de balleneros estadounidense, quien navegó el *Resolute* de regreso a Connecticut. El navío fue comprado por el gobierno de los Estados Unidos, reparado y devuelto a Inglaterra como un regalo de buena voluntad a la reina. Cuando el *Resolute* fue desarmado dos décadas después, Su Majestad mandó que varios escritorios ornamentados fueran tallados de su madera, uno de los cuales le dio al Presidente Rutherford B. Hayes.

La mayoría de los presidentes desde Hayes han usado el escritorio *Resolute*, de una forma u otra. Franklin Roosevelt encargó una puerta de panel frontal con el sello presidencial tallado, por lo que algunos historiadores creyeron que su intención era esconder su silla de ruedas. El pequeño John F. Kennedy Jr. asomó la cabeza por la puerta en la foto más famosa de la Oficina Oval jamás tomada. Mi papá había usado el *Resolute* en su oficina del piso de arriba de la residencia, mientras que Bill Clinton la regresó a la Oval. Sentado detrás del histórico escritorio, era un recordatorio—para ese primer día y todos los días—de que la institución de la presidencia es más importante que la persona que la posee.

Andy Card se encontraba conmigo cuando tomé mi lugar en el *Resolute* por primera vez. Mi primera decisión de la Oficina Oval fue remplazar la silla del escritorio, un extraño aparato que vibraba cuando se conectaba, con algo más práctico. Entonces, la puerta del Rose Garden se abrió, levanté la vista y vi a mi padre.

—Señor Presidente —dijo él. Vestía un traje oscuro, su pelo lucía húmedo, después del baño caliente que había tomado para tomar calor. Le contesté, —Señor Presidente.

Entró a la oficina y yo caminé alrededor del escritorio. Nos encontramos en medio del salón. No dijimos mucho, no lo necesitábamos. El momento era más emocionante de lo que podíamos expresar.

En mi noveno día como presidente, mi equipo de política interna se reunió en la Oficina Oval. Todo mundo estaba a tiempo que era lo que yo esperaba. La puntualidad es importante para asegurar que una organización no se desorganice. La informadora principal ese día era Margaret Spellings, una madre de dos hijos, lista y luchadora. Margaret había estado a mi servicio en Austin y se cambió a Washington como mi principal asesora de política interna. Cubría una variedad de asuntos ese día, incluyendo una nueva iniciativa para personas con discapacidades y una comisión de reforma electoral presidida por los ex presidentes Ford y Carter. Luego ella comenzó una discusión sobre la investigación de células madre embrionarias. —La administración Clinton emitió nuevas pautas legales que interpretan la Enmienda Dickey de tal manera que permite el uso de fondos federales para la investigación de células madre embrionarias. Tenemos varias opciones de aquí en adelante.

Eso fue lo más lejos que llegó cuando la interrumpí. —Primero que nada, —le pregunté—: ¿Qué es exactamente una célula madre? —Aprendo mejor al hacer preguntas. En algunos casos, sondeo para entender un tema complejo, en otras ocasiones, hago preguntas como una manera de probar el conocimiento de mis informadores. Si no pueden responder concisamente y en inglés simple, se levantaba una alerta roja de que ellos podrían no comprender completamente un tema. Como de costumbre, Margaret se había preparado bien. Comenzó explicando la ciencia. —Las células madre embrionarias son un recurso médico especial, porque se pueden transformar en una amplia variedad de diferentes tipos de células. Justo como los tallos de la vid se desplazan hacia diferentes ramas, las células madre embrionarias tienen la capacidad de crecer en las células nerviosas del cerebro, tejido muscular del corazón, y otros órganos.

Estas células ofrecen la posibilidad de tratar dolencias como la diabetes juvenil hasta Alzheimer o Parkinson. La tecnología estaba en su etapa inicial y la ciencia no estaba comprobada, pero el potencial era significativo. Sin embargo, la única forma de extraer células madre embrionarias era destruyendo al embrión.

Esto levantó un dilema moral: ¿Se podría justificar la destrucción de una vida humana con la esperanza de salvar otras vidas? La respuesta del Congreso parecía clara. Cada año desde 1995, La Cámara de Representantes y el Senado habían aprobado una legislación prohibiendo el uso de fondos federales para la investigación donde embriones humanos fueran destruidos. La Ley era conocida como la Enmienda Dickey, nombrada por su patrocinador, el Congresista Jay Dickey de Arkansas.

En 1998, un investigador de la Universidad de Wisconsin aisló por primera vez una célula madre embrionaria individual. En cuanto la célula fue dividida, creó una multitud de otras células—llamadas una línea—que podrían ser utilizadas para la investigación. Poco después, la administración Clinton adoptó una innovadora interpretación sobre la enmienda Dickey. Los abogados argumentaron que los dólares de los contribuyentes podrían ser utilizados para apoyar la investigación de las células madre, en las líneas derivadas de la destrucción de embriones, siempre y cuando la destrucción misma sea financiada por fuentes privadas. Los Institutos Nacionales de Salud prepararon subsidios bajo esos términos, pero el período del Presidente Clinton terminaba antes de que los fondos fueran distribuidos. La decisión inmediata que yo debía afrontar sería si debía permitir que esos subsidios continuaran.

Estaba claro que esto iría más allá de una disputa sobre el financiamiento. Los cuestionamientos morales eran profundos: ¿Es un embrión congelado una vida humana? ¿De ser así, qué responsabilidades habríamos de asumir para protegerlo?

Le dije a Margaret y al Subjefe del Estado Mayor, Josh Bolten, que lo consideraba una decisión de largo alcance. Realicé un planteamiento para llevarlo a cabo. Reflexionaría para aclarar mis principios rectores, escucharía a los expertos de todas partes del debate, llegaría a una conclusión tentativa y lo presentaría a gente con conocimientos. Después de tomar una decisión final, se lo explicaría a los estadounidenses. Finalmente, pondría en marcha un proceso para asegurar que mi política fuera implementada.

Para poner en marcha el proceso, Josh optó por Jay Lefkowitz, el abogado general de la Oficina de Administración y Presupuesto, la agencia que supervisaría la política de financiamiento. Jay era un abogado de Nueva York atento y vivaz, con un compromiso serio hacia su fe judía y un agudo sentido del humor. Me entusiasmé por él inmediatamente, sería bueno, porque íbamos a pasar mucho tiempo juntos.

Jay me encargó con lecturas de fondo. Incluyó artículos de revistas médicas, escritos sobre filosofía moral y análisis legales. La información que envió abarcaba toda la gama de puntos de vista. En la revista *Science*, el doctor en bioética, Louis Guenin argumentaba: «Si rechazamos la investigación sobre células madre embrionarias, ni uno más de los bebés es probable que nazca. Si llevamos a cabo la investigación, podríamos aliviar el sufrimiento».

Los que estaban del otro lado del debate, argumentaron que el apoyo del gobierno para la destrucción de la vida humana surcaría la línea de la moral. «La investigación sobre células madre embrionarias nos conduciría hacia un sendero que transformaría nuestra percepción sobre la vida humana en un recurso natural comercializable, parecido a los rebaños de ganado o la mina de cobre, para ser explotados para el beneficio de los que nacen y respiran», escribió el experto en Bioética, Wesley J. Smith, en el *National Review*.

En esencia, el cuestionamiento sobre las células madre procedían del choque filosófico entre ciencia y moral. Me sentía presionado en ambas direcciones. No tenía interés en unirme a la Sociedad de la Tierra Plana. Empatizaba con la esperanza de nuevas curas médicas. Había perdido a una hermana de leucemia durante la niñez. Había sido parte del consejo de administración de la Fundación de Parálisis Nacional Kent Waldrep, un grupo de apoyo dirigido por un ex jugador de fútbol de la Universidad

Cristiana de Texas, que había sufrido una lesión de la médula espinal. Confiaba en la promesa de que la ciencia y tecnología aliviaran el sufrimiento y las enfermedades. Durante mi campaña presidencial, había prometido dar continuidad al compromiso del Congreso realizado a finales de los 1990, de duplicar fondos para los Institutos Nacionales de la Salud.

Al mismo tiempo, sentía que la tecnología debería respetar los límites morales. Me afligía que sancionar la destrucción de embriones humanos para la investigación, diera paso a una pendiente resbaladiza de la ciencia ficción a la realidad médica. Visualicé investigadores clonando fetos para desarrollar piezas de partes del cuerpo en un laboratorio. Podría anticipar la tentación de un diseñador de bebés que le permitiera a los padres diseñar sus propios jugadores de baloncesto, de cabello rubio. No mucho más allá, yace la pesadilla de la clonación humana a gran escala. Sabía que estas posibilidades sonarían descabelladas para algunas personas, pero una vez que la ciencia se encaminara por esa vía, sería muy difícil volverla atrás.

———

La pregunta sobre las células madre se sobreponía con el debate sobre el aborto. Ahora parecía difícil de creer, pero el aborto no era un problema político mayor cuando yo era joven. No recuerdo que se planteara mucho durante el comienzo de la campaña de mi padre o en conversaciones en Andover o Yale. Eso cambió en 1973, cuando la Corte Suprema, en una decisión que el Juez Byron White llamó un ejercicio descarado del poder judicial, declaró el aborto un derecho protegido por la Constitución.

El tema del aborto es difícil, sensitivo y personal. Mi fe y conciencia me guiaron a concluir que la vida humana es sagrada. Dios creó al hombre a su imagen, por lo tanto, cada persona tiene valor ante sus ojos. Me parece que un niño que no ha nacido, mientras que depende de su madre, es un ser humano separado e independiente, digno de protección en su propio derecho. Cuando vi a Barbara y Jenna en el sonograma por primera vez, no hubo duda en mi mente, ellas eran distintas y estaban vivas. El hecho de que no pudieran hablar por sí mismas, solo aumentó el deber social para defenderlas.

Muchas personas decentes y consideradas no estaban de acuerdo, incluyendo miembros de familia. Yo entendía sus razones y respetaba sus puntos de vista. Como presidente, no tenía ningún deseo de condenar a millones como pecadores o dispersar nuevo combustible en furiosos incendios culturales. Pero sí sentía la responsabilidad de expresar mis convicciones de pro-vida y dirigir el país hacia lo que el Papa Juan Pablo II llamó una cultura de vida. Estaba convencido de que muchos estadounidenses estaban de acuerdo que estaríamos mejor sin tantos abortos. Uno de mis primeros actos en la Casa Blanca era reinstalar la llamada Política de la Ciudad de México, que impide fondos federales para agrupaciones que promueven el aborto en el extranjero. Apoyé leyes estatales que requerían notificación de los padres para menores que desean abortar. Y apoyé, firmé y defendí un proyecto de ley que prohíbe la espantosa práctica del llamado aborto por nacimiento parcial.

Laura y yo fuimos también fuertes partidarios de la adopción. Después de tener dificultad para concebir hijos, era difícil para nosotros imaginar a alguien rechazando lo que nosotros consideramos un regalo precioso. Sin embargo, como padre de mis hijas, pude imaginar el dilema de afrontar a mis adolescentes asustadas con un embarazo no planeado. La adopción era una alternativa positiva para el aborto, una forma de salvar una vida e iluminar dos más: aquéllas de los padres adoptivos. Me complació firmar la legislación e incrementar fondos para los centros de ayuda para embarazos en crisis, como también otorgar créditos fiscales para compensar los costos de adopción.

A largo plazo, esperaba que un cambio en los corazones condujera a un cambio en la ley, mientras nuevas tecnologías como ultrasonido 3-D ayudan a más estadounidenses a reconocer la humanidad en los bebés no nacidos. También esperaba que líderes políticos continuaran manifestando una cultura que valore a toda la vida humana inocente. Bob Casey, el difunto gobernador demócrata de Pennsylvania, lo dijo bien: —Cuando vemos a un niño no nacido, el problema real no es cuando la vida comienza, sino cuando comienza el amor.

———

Comenzando la primavera del 2001, Margaret, Jay y Karl Rove —quien estaba en constante contacto con grupos de apoyo de ambas partes del tema— invitaron a una distinguida serie de científicos, expertos en ética, pensadores religiosos y defensores para discutir la investigación de las células madre embrionarias.

Estuve fascinado con las conversaciones. Entre más aprendía más preguntaba. Cuando pronuncié el discurso en la ceremonia de graduación de Notre Dame, saqué el tema de la investigación de células madre embrionarias con el Padre Ed «Monk» Malloy, el presidente de la universidad. Cuando di un discurso en Yale el siguiente día, propuse el tema con el Dr. Harold Varmus del Memorial Sloan-Kettering Cancer Center. En una fiesta de cumpleaños para un doctor en la unidad médica de la Casa Blanca, les pregunté a todos los médicos presentes lo que pensaban. Como se corrió la voz de que estaba buscando opiniones, secretarios del gabinete, miembros del personal, asesores externos y amigos me bombardearon con comentarios.

Por supuesto que le pedí a Laura su consejo. Su padre había muerto de Alzheimer, su mamá había sufrido de cáncer de seno y ella tenía una gran esperanza para la posibilidad de nuevas curas, pero le preocupaba que los grupos de apoyo prometieran más de lo que se pudiera lograr con la investigación de células madre embrionarias, dejando a las familias desesperadas con promesas fallidas.

Miembros de la comunidad científica presentaron dos argumentos principales a favor del financiamiento para la investigación de células madre embrionarias. Lo primero era el potencial médico. Los investigadores me dijeron que había millones de estadounidenses sufriendo de enfermedades que podrían ser aliviadas a través de tratamientos derivados de células madre embrionarias. Los expertos creían que solo pocas líneas de células madre serían necesarias para explorar la ciencia y determinar su valor. «Si tuviéramos de diez a quince líneas, nadie se quejaría», lo dijo Irv Weissman, un investigador prominente de Stanford, para el *New York Times*.

Un equipo de investigadores de los Institutos Nacionales de Salud me dijo que varias docenas de líneas de células madre ya estaban en fase de desarrollo. También me reportaron que algunas investigaciones preliminares de formas alternativas originarían células madre sin destruir a los embriones. Su opinión unánime era que impedir el apoyo federal para la investigación de células madre embrionarias, daría como resultado una oportunidad fallida. Expusieron, que el dinero de los contribuyentes era importante, no solo como una fuente de financiamiento, sino como un sello de aprobación para la innovación científica.

El segundo punto de los científicos era práctico: Muchos de los embriones que se utilizarían para originar las células madre, probablemente serían descartadas de cualquier forma. La fuente primaria de estos embriones sería en clínicas de fertilización in vitro (IVF). Cuando una pareja firmaba para IVF, los doctores generalmente fertilizaban más huevos de los que implantaban en la futura madre. Como resultado, algunos embriones se quedaban después de que el tratamiento estaba terminado. Generalmente, eran congelados y guardados en las clínicas de fertilización. Como estos llamados embriones restantes, no iban a ser utilizados para concebir hijos, los científicos argumentaban, ¿no tendría caso utilizarlos para la investigación que podría potencialmente salvar vidas?

Uno de los grupos de apoyo más activo para la investigación de células madre embrionarias, era la Fundación para la Investigación de la Diabetes Juvenil. En julio del 2001, invité a representantes de la organización a la Oficina Oval. Dentro de la delegación estaban dos amigos míos, Woody Johnson y Mike Overlock. Ambos eren patrocinadores políticos y ambos tenían hijos que padecían de diabetes. Eran defensores persuasivos, apasionados con una indudable devoción hacia sus niños, pero su certeza con relación a un avance rápido de células madre embrionarias me sorprendió. Cuando puntualicé que la ciencia no estaba comprobada y que podría haber alternativas para la destrucción de embriones, fue obvio que para el grupo de apoyo no había ningún espacio de duda en sus mentes. La junta me permitió vislumbrar las pasiones que el tema podría generar.

Ese mismo día, también me reuní con representantes del Comité Nacional del Derecho a la Vida. Se oponían a cualquier investigación que destruyera embriones. Ellos señalaban que cada pequeño grupo de células madre, tenía el potencial de llegar a convertirse en una persona. De hecho, todos nosotros hemos comenzado nuestras vidas en este estado inicial. Como evidencia, señalaban hacia un nuevo programa dirigido por el Nightlight Christian Adoptions. La agencia había obtenido el permiso de los participantes de IVF para poner sus embriones congelados no utilizados en adopción. Se implantarían dentro de madres amorosas que se embarazarían de los bebés—conocidos con el término de copos de nieve—para el término del embarazo. El mensaje no dejaba lugar a equívocos: Entre cada embrión congelado, estaba el comienzo de un niño.

Muchos de los especialistas en bioética que conocí tomaron la misma posición. Ellos reconocían que muchos embriones congelados en las clínicas de IVF no llegarían a convertirse en niños; sin embargo, argumentaban que existía una diferencia moral entre permitir que los embriones murieran de manera natural y terminar proactivamente sus vidas. Argumentaron que sancionar la destrucción de vidas para salvar vidas es cruzar a un territorio moral peligroso. Como lo expuso uno de ellos: «El hecho de que un ser va a morir, no nos da el derecho de utilizarlo como un recurso natural para la explotación».

Escuché algunas opiniones sorprendentes. El Dr. Dan Callahan, un especialista en ética reflexivo, me dijo que estaba a favor de a libre elección acerca del aborto, pero en contra de la investigación de células madre embrionarias. El creía que existía una distinción moral entre el aborto de un bebé para el beneficio directo de su madre y destruir a un embrión por un propósito vago e indirecto para la investigación de la ciencia. El doctor Benjamin Carson, uno de los más respetados cirujanos a nivel mundial, me dijo que las investigaciones de las células madre podrían ser valiosas, pero que los científicos deberían enfocarse en alternativas para la destrucción de embriones, así como el almacenamiento de células madre que provengan de la sangre del cordón umbilical. Por otro lado, Orrin Hatch y Strom Thurmond, dos de los miembros más incondicionales pro-vida del Senado, estaban a favor de usar fondos federales para la investigación de células madre embrionarias, porque creían que el beneficio de salvar vidas compensaba el costo de la destrucción de embriones.

En julio del 2001, visité al Papa Juan Pablo II en su hermosa residencia veraniega, el Castel Gandolfo. Guardias suizos en trajes de gala nos escoltaron a través de una serie de habitaciones y hacia el área de recepción. El Papa Juan Pablo II era una de las grandes figuras de la historia moderna, un sobreviviente de los Nazis y del régimen comunista en su natal Polonia. Él había llegado a ser el primer papa no italiano en 455 años. Con su frase: «No Tengas Miedo», él repuntó la conciencia de Europa Central y del Este para derrumbar la Cortina de Hierro. Tal como lo escribió más tarde, el distinguido historiador acerca de la Guerra Fría, John Lewis Gaddis: «Cuando Juan Pablo II besó la tierra en el aeropuerto de Varsovia el 2 de junio de 1979, comenzó el proceso para que el comunismo en Polonia—y finalmente en todas partes de Europa—llegara a su fin».

En el 2001, el vigor del Padre Santo y su energía habían comenzado a debilitarse, sus movimientos eran deliberados, su discurso suave y lento; sin embargo, sus ojos brillaban. Estaba lleno de vitalidad espiritual. Nos condujo a Laura, a mi hija Barbara y a mí al balcón, donde quedamos maravillados con la vista del precioso Lago Albano. Él y yo nos retiramos a un sencillo salón de juntas, donde discutimos una variedad de temas, incluyendo la investigación de las células madre. Él comprendió la promesa de la ciencia— el propio Padre Santo estaba enfermo de Parkinson. Sin embargo, estaba firme en su convicción de que la vida humana debe ser protegida en todas sus formas. Le agradecí por el ejemplo de su liderazgo basado en principios. Le expliqué que el apoyo inquebrantable de la Iglesia Católica a favor de la vida, proporcionaba profundos fundamentos morales por lo que políticos pro-vida como yo podríamos tomar una postura. Le dije que esperaba que la Iglesia siempre fuera una roca en defensa de la dignidad humana.

Cuando el Santo Padre falleció en el 2005, Laura, mi papá, Bill Clinton y yo volamos juntos a su funeral en Roma. Era la primera vez que un presidente estadounidense había acudido al funeral de un Papa, y no digamos la llegada de sus predecesores. Poco después que llegamos, fuimos a presentar nuestros respetos al Santo Padre, mientras estaba de cuerpo presente. Cuando nos arrodillamos en el comulgatorio para orar sobre su cuerpo, Laura volteó y me dijo: —Ahora es tiempo de orar por un milagro. —Un impulso inesperado me invadió. Comencé a orar por Peter Jennings, el presentador del noticiero ABC, que estaba muriendo de cáncer.

La misa del funeral fue increíblemente emocionante. La multitud en la Plaza de San Pedro vitoreó, cantó y llevó pancartas celebrando la vida del Santo Padre. Después de una homilía por el Cardenal Joseph Ratzinger, quien once días después emergió del cónclave como Papa Benedicto XVI, un grupo de oficiales de la iglesia cargaron el ataúd del Santo Padre hacia la Basílica de San Pedro. Justo antes de entrar, ellos voltearon para hacer frente a la multitud y levantaron el féretro por última vez. Conforme lo hicieron, las nubes se abrieron y el sol brilló, iluminando la simple caja de madera.

—◆—

Después de varios meses de escuchar y reflexionar, me acercaba a tomar una decisión sobre la investigación de las células madre. El momento decisivo llegó durante una conversación con Leon Kass el 10 de julio. Leon era un médico y profesor de filosofía altamente respetado de la Universidad de Chicago. Él había escrito y enseñado en campos tan diversos como biología evolutiva, literatura y la Biblia. Me pareció un hombre reflexivo e inteligente.

Le dije a Leon que había estado luchando con la decisión. La investigación de células madre embrionarias parecía ofrecer mucha esperanza. Sin embargo, levantó preocupaciones morales angustiantes. Me preguntaba si era posible encontrar una política de principios que ayudara al avance de la ciencia, en tanto se respetara la dignidad de la vida.

La mente lógica de Leon comenzó a trabajar. Argumentó que los embriones—incluso aquellos congelados por mucho tiempo—tenían el potencial para la vida, por lo tanto; merecían alguna forma de respeto. —Uno queda con un corazón entristecido si usamos estas cosas —expresó—: Al menos nos merecen el respeto de no manipularlos para nuestros propios propósitos. Estamos tratando con las semillas de las siguientes generaciones.

Compartí una idea: ¿Qué tal si autorizaba fondos federales para la investigación de células embrionarias—pero solamente para líneas de células madre existentes? Los embriones utilizados para crear esas líneas habrían sido destruidos. No había manera de regresarlos. Sonaba lógico permitir a los científicos utilizarlos para buscar tratamientos que pudieran salvar otras vidas, pero eso llevaría a otro cuestionamiento: Si autorizaba fondos federales para la investigación que se utilizaría en embriones destruidos, ¿estaría tácitamente fomentando más destrucción?

Leon comentó que creía que esos fondos para la investigación en embriones ya destruidos serían éticos, con dos condiciones: Yo debía reafirmar el principio moral que había sido violado—en este caso, la dignidad de la vida humana—y debía dejar en claro que los fondos federales no serían utilizados en la destrucción futura de embriones. Él expuso que siempre y cuando hiciera ambas, la política pasaría la prueba ética. Y dijo: «Si tu financias investigación en líneas que ya han sido desarrolladas, no serás cómplice de su destrucción».

La conversación con Leon cristalizó mis pensamientos. Tomé la decisión de que el gobierno financiara la investigación sobre líneas de células madre provenientes de embriones que ya habían sido destruidos. Al mismo tiempo, le pediría al Congreso que incrementara fondos federales para fuentes alternativas de células madre que no implicaran controversia ética. Establecería una línea moral firme: El dinero del impuesto federal no sería utilizado para apoyar la destrucción de la vida para logros médicos. Crearía un nuevo consejo de bioética presidencial, constituido por expertos de todas las trayectorias profesionales y presidida por Leon Kass.

El siguiente paso sería dar la noticia sobre la decisión a los estadounidenses. Karen sugirió dar el discurso distinto a la nación a un horario estelar. Cuando el presidente se dirige a la nación en un horario estelar, generalmente habla como un comandante en jefe. En este caso, estaría hablando como un educador en jefe. Me gustaba la idea. La investigación de células madre era un tema serio para la nación, pero oscuro para muchos ciudadanos, como lo había sido para mí en enero. Explicar mi decisión sería casi tan importante como tomarla.

El 9 de agosto del 2001, me dirigí a una audiencia televisiva en red nacional desde Crawford, Texas, definitivamente una primicia en la historia presidencial. La noche anterior al discurso, Laura y yo cenamos con Jay, Karen, su hijo Robert y un amigo de la familia, Ken Blasingame, diseñador de interiores de Fort Worth. Le pedí a Jay que dijera una oración antes de comenzar a comer. Él dijo algunas palabras reflexivas, y cuando terminó, todos mantuvimos nuestras cabezas inclinadas esperando el amén. Después de unos segundos de espera, Jay nos dijo que las oraciones judías no siempre terminan en amén. Fue una conclusión adecuada para un proceso lleno de aprendizajes.

—Buenas noches —comencé mi discurso—, agradezco que me den unos minutos de su tiempo esta noche para poder discutir con ustedes un tema difícil y complejo, un tema que es de los más profundos de nuestro tiempo. —Reseñé el dilema—: En tanto debamos dedicar una enorme energía para vencer las enfermedades, es de igual importancia que pongamos atención a las preocupaciones morales que plantea la nueva frontera de la investigación de células madre embrionarias humanas. Incluso los términos más nobles, no justifican el medio. —Casi al final, hice saber mi decisión.

> La investigación de células madre embrionarias, ofrece tanto una gran promesa como un gran peligro. Por ello, yo he decidido que debemos proceder con gran cuidado…. He concluido que debemos permitir fondos federales para ser utilizados para la investigación en estas líneas de células madre existentes, donde la decisión de la vida y la muerte ya ha sido realizada. Destacados científicos dicen que la investigación de estas sesenta líneas ofrece grandes promesas que podrían conducir a terapias y curas de gran avance. Esto nos permite explorar la promesa y potencial de la investigación de células madre sin cruzar la línea moral fundamental, al proporcionar fondos de los contribuyentes que aprobarían o alentarían la destrucción futura de embriones humanos, que tienen al menos el potencial para la vida…. He tomado esta decisión con gran cuidado y oro porque sea lo correcto.

Durante las semanas antes del discurso, había tenido una sensación de ansiedad. Había estado cuestionando constantemente mis suposiciones y sopesando las opciones una y otra vez. Cuando tomé la decisión, sentí una sensación de calma. No sabía cuál sería la reacción. No habíamos comisionado a un grupo de enfoque o hecho una encuesta. Así como habíamos esperado por el amén al final de la oración de Jay, nos dispusimos a esperar la respuesta.

La reacción de mi decisión de células madre fluyó rápidamente. Muchos políticos y activistas de ambas partes, consideraron la política como razonable y equilibrada. Mientras que algunos científicos y grupos de apoyo respondieron con desilusión; muchos dieron la bienvenida a los fondos federales sin precedente como un voto de confianza en su trabajo. El jefe de la Fundación para la Investigación de la Diabetes Juvenil, emitió un comunicado diciendo: «Aplaudimos al presidente por apoyar la investigación de células madre embrionarias». Mi amigo Kent Waldrep, el jugador paralítico de fútbol del TCU, en cuyo consejo de apoyo solía participar, dijo a los reporteros: «Cumple con todas las necesidades de la comunidad científica y creo que un poco más».

En la medida en que enfrenté críticas, provenían de la derecha. Un activista conservador comparó mi decisión con la conducta Nazi durante la época del Holocausto. Otro dijo: —Estoy avergonzado de nuestro presidente, quien transige y da a mi generación la mentalidad de que la vida humana puede ser desmenuzada, abusada y destruida. —El portavoz de la Conferencia Católica Episcopal de los EE.UU, dijo: —Parezco ser el único hombre en los Estados Unidos que está en contra de la política del presidente.

Su soledad no duraría mucho. El tono del debate se volcó acalorado y hostil. Cuando miro al pasado, es claro que un par de factores tóxicos habían convergido: dinero y política. Muchos de los primeros en darle la espalda a esa política fueron los científicos. Al proveer algunos fondos federales, había despertado su apetito para mucho más. En la primavera del 2002, atendí una queja mayor permitiendo que el financiamiento privado para la investigación de células madre embrionarias fuera conducida en centros que recibían dinero federal. Fue un paso importante, pero no satisfizo a los científicos, quiénes constantemente demandaban más.

Siguieron rápidamente los grupos de ayuda. Sus grandes esperanzas por nuevas curas, los habían conducido a hacer promesas poco realistas. Parecía que sentían que limitar el número de células madre disponibles para la investigación retardaría los avances. Contrataron a estrellas de Hollywood bien intencionadas para tocar las fibras de los corazones. También descubrieron que el tema podría ayudarlos a recaudar grandes cantidades de dinero. Algunos que inicialmente habían apoyado mi decisión, se transformaron en fuertes críticos.

Los políticos reconocieron que ellos también podrían capitalizar sobre el tema. En el 2004, los demócratas habían concluido que la investigación de células madre era un juego político. Les permitiría a ellos abrir un nuevo frente en el debate del aborto, así como reclamar el manto de la compasión. Candidatos, a través del país, hacían anuncios de televisión que señalaban los beneficios de la investigación de células madre embrionarias, sin mencionar que la ciencia no estaba comprobada, la moralidad estaba en duda y existían alternativas éticas.

El nominado presidencial Demócrata, el Senador John Kerry, hizo una campaña fuerte sobre el tema. Kerry frecuentemente criticaba lo que él llamaba un entredicho en la investigación de células madre embrionarias. Yo puntualicé al país que no había tal entredicho. Al contrario, yo era el primer presidente en la historia que financiaba la investigación de células madre embrionarias. Además, no había restricción de fondos provenientes del sector privado.

Sin embargo, la campaña de Kerry utilizó la investigación de células madre como la fundación para un ataque más amplio, etiquetando mis posiciones de «anti ciencia». El cargo fue falso. Yo había apoyado a la ciencia financiando formas alternativas de investigación de células madre, fomentando el desarrollo de la energía limpia, incrementando gasto federal en la investigación de la tecnología y lanzando una iniciativa global del SIDA. Sin embargo, la demagogia continuó a todo lo largo de la elección.

El punto bajo llegó en octubre, cuando el candidato a la vicepresidencia, el Senador John Edwards, dijo en una campaña política en Iowa que, si Kerry llegaba a la presidencia, personas como Christopher Reeve* se levantarían de sus sillas de ruedas y caminarían nuevamente.

———

El debate de las células madre fue una introducción a un fenómeno del que fui testigo a través de mi presidencia: crítica personal severa. Adversarios y comentaristas partidistas cuestionaron mi legitimidad, mi inteligencia y mi sinceridad. Se burlaron de mi apariencia, de mi acento y de mis creencias religiosas. Me etiquetaron de Nazi, un criminal de guerra y el mismo Satán. Eso último provino de un líder extranjero, el presidente venezolano, Hugo Chávez. Un legislador me llamó tanto perdedor como mentiroso. Él llegó a ser el líder de la mayoría del Senado de los Estados Unidos.

De alguna forma, no estaba sorprendido. Había soportado mucha política hostil en Texas. Había visto a mi papá y a Bill Clinton ridiculizados por sus oponentes en los medios. A Abraham Lincoln lo compararon con un babuino. Incluso George Washington llegó a ser tan impopular que las caricaturas políticas mostraban al héroe de la Revolución Estadounidense marchando hacia la guillotina.

Sin embargo, la espiral de la muerte de la decencia durante mi tiempo en el cargo, exacerbada por la llegada de veinticuatro horas de noticias por cable y blogs políticos híper partidistas, fue profundamente decepcionante. La atmósfera tóxica en la política estadounidense desalienta a buenas personas a postularse para el cargo.

Con el tiempo, los pequeños insultos y los sobrenombres se transformaron en una sabiduría convencional. Algunos han dicho que yo debería haber

---

* *El famoso actor que estelarizó Superman, Reeve fue confinado a una silla de ruedas, después de un accidente montando a caballo. Tristemente, él murió en octubre del 2004, un día antes de la declaración de Edwards.*

presionado duramente en contra de las caricaturas, pero consideré que rebajarme al nivel de las críticas, degradaría a la presidencia. Había postulado con la promesa de cambiar el tono en Washington. Tomé ese voto seriamente y traté de hacer mi parte; pero escasamente tenía éxito. El debate estridente nunca afectó mis decisiones. Leí mucho de historia y estaba impresionado de cuántos presidentes habían soportado críticas duras. La medida de su carácter, y muchas veces de su éxito, fue cómo ellos respondieron. Aquéllos que basaron sus decisiones en principios, y no en imagen de opinión pública, fueron a menudo reivindicados con el tiempo.

George Washington escribió alguna vez que dirigir con convicción, le dio «un consuelo por dentro del cual ningún esfuerzo terrenal me puede privar . —Continuó—: Las flechas de la malevolencia, por más afiladas y mejor apuntadas que sean, nunca podrán alcanzar la parte más vulnerable de mi ser».

Leí esas palabras en el libro *El Valor Presidencial*, escrito por el historiador Michael Beschloss en el 2007. Tal como le dije a Laura, si todavía están evaluando el legado de George Washington a más de dos siglos después de que dejó el cargo, este George W. no tiene que preocuparse hoy de los encabezados.

———

Lejos de los gritos de los aparatos de televisión y la campaña electoral, mi política de células madre, calladamente, avanzó en los laboratorios. Por primera vez en la historia, los científicos recibieron subsidios federales para apoyar la investigación de las células madre embrionarias.

Los científicos también utilizaron nuevos fondos federales para la investigación de células madre alternativa para explorar el potencial de fuentes tales como médula ósea de adultos, placentas, líquido amniótico y otras no embrionarias. Su investigación permitió nuevos tratamientos para pacientes con docenas de enfermedades, libre de inconvenientes morales. Por ejemplo, los doctores descubrieron una forma de reunir células madre sin causar daños en la sangre de los cordones umbilicales para tratar a pacientes que padecen de leucemia y anemia falciforme.

Una gran parte de la investigación fue supervisada por el Dr. Elías Zerhouni, el talentoso argelino americano que designé para dirigir el NIH. Había puesto a Elías en una posición difícil; se sentía atrapado entre un presidente que él había prometido servir y la comunidad científica de la cual formaba parte. Él no estuvo de acuerdo con mi política de células madre embrionarias. Sin embargo, estaba más interesado en nuevas curas que en las cuestiones políticas. Él financió las fuentes de células madre alternativas con empuje y una buena parte del crédito para los avances en el campo pertenece al Dr. Zerhouni y su equipo de profesionales del NIH.

Desafortunadamente, la mayoría de los miembros del Congreso pusieron más atención a las políticas que a los descubrimientos científicos. Como las elecciones del 2006 se aproximaban, los demócratas dejaron claro que ellos utilizarían nuevamente el tema como arma política. Un candidato al Senado estadounidense de Missouri persuadió a Michael J. Fox, quien padece Parkinson para atacar a su oponente en anuncios de televisión a lo largo del estado. Algunos republicanos que inicialmente habían apoyado la política se atemorizaron por sus puestos y cambiaron de opinión. En julio del 2006, la Cámara de Representantes y el Senado consideraron un proyecto de ley que anularía mi política de células madre al permitir fondos federales para la investigación que destruye la vida humana.

A cinco años y medio en la presidencia, yo todavía no había vetado una parte de la legislación. Había trabajado muy de cerca con la mayoría en el Congreso para aprobar proyectos de ley que pudiera aceptar, pero a medida que el proyecto de ley de células madre estaba pasando de alguna manera a través del Congreso, dejé claro que lo vetaría. Cuando llegó a mi escritorio, lo hice. Fui apabullado con una infinidad de etiquetas: «obstinado» fue uno de los más corteses. Sin embargo, no cambiaría mi posición. Si abandonara mis principios con una cuestión como la investigación de células madre, ¿cómo podría mantener mi credibilidad en todo lo demás?

Pensé mucho acerca de cómo enviar la señal correcta con respecto al veto. Quería una manera vívida de mostrar que mi posición estaba basada en mi reverencia por la vida, sin ninguna aversión a la ciencia. Cuando Karl Zinsmeister, mi asesor de política nacional, me sugirió invitar a un grupo de bebés copo de nieve a la Casa Blanca, pensé que la idea era perfecta. Cada uno provenía de un embrión congelado que, en lugar de ser destruido para la investigación, fue implantado en una madre adoptiva.

Di mi discurso de veto en el salón del Este, con veinticuatro niños emocionados y sus padres sobre el escenario. Uno de los pequeños niños de probeta fue Trey Jones de catorce meses. Su vida comenzó como un embrión fertilizado por Dave y Heather Wright de Macomb, Michigan. La pareja se había sometido al tratamiento IVF, el cual los ayudó a traer tres hermosos niños al mundo. Ellos dieron el permiso para que los embriones congelados que quedaban fueran adoptados, en lugar de ser destruidos para la investigación.

En Cypress, Texas, J. J. y Tracy Jones oraban por un hijo. A través del Nightlight Christian Adoptions, fueron fertilizados con los embriones de la familia Wright. El resultado fue el niño sonriente de cabello rubio llamado Trey, a quien sostuve en mis brazos en la Casa Blanca. Gracias al milagro de la ciencia y a la compasión de dos familias, Trey tenía un hogar amoroso y una vida prometedora por delante.

Unas semanas después del evento, recibí una carta conmovedora de J. J. Jones. Describía la pena de la infertilidad y lo bendecidos que él y Tracy se sentían de tener a su precioso Trey, que estaba considerado como un residuo destinado a ser destruido o utilizado para la investigación. También me informó que Trey tendría un hermano pronto, el producto de otro embrión congelado que él y Tracy habían adoptado.

La respuesta del Congreso a mi veto no fue muy cálida. El patrocinador demócrata del proyecto de ley estalló con una declaración reclamando que mi veto fue basado en un cínico juego político. Era difícil ver cómo, puesto que la mayoría de las encuestas mostraban que mi postura sobre las células madre no era popular. Como castigo por mi veto, los demócratas se rehusaron a aprobar la legislación para el apoyo a la investigación hacia fuentes alternativas de las células madre. El mensaje era que si ellos no podían financiar la investigación de las células madre que destruyera embriones, preferían no financiar absolutamente nada. Hasta allí llegó su deseo apasionado de ver nuevas curas.

Cuando los demócratas ganaron el control de la Cámara y el Senado, decidieron hacer otra campaña para derrumbar mi política. La portavoz Nancy Pelosi anunció que era una de sus principales prioridades. Me enviaron otro proyecto de ley en el 2007. Se lo regresé con mi veto. Gracias al coraje de muchos republicanos del Capitolio, el veto se sostuvo.

———

Cinco meses más tarde, los estadounidenses despertaron con un encabezado inesperado en la primera plana del *New York Times*: «Los científicos omitieron la utilización de embriones para obtener células madre». El artículo describía cómo dos grupos de investigadores, uno en Wisconsin y el otro en Japón, habían reprogramado las células de la piel de un adulto para que se comportaran como células madre embrionarias. Agregando solo cuatro genes a la célula adulta, los científicos fueron capaces de reproducir la promesa médica de células madre embrionarias sin controversia moral.

El descubrimiento resonó a través de la comunidad científica. Los protectores fervientes de la investigación de células madre embrionarias calificaron el avance como «un avance espectacular y éticamente sin complicaciones». Ian Wilmut, el científico escocés que clonó a la oveja Dolly, anunció que él ya no continuaría con la clonación de embriones humanos, sino que utilizaría en su lugar esta técnica nueva.

Yo estaba contentísimo con la noticia. Era el avance científico que había estado anhelando, cuando hice mi comunicado en el 2001. Charles Krauthammer, uno de los columnistas más perspicaces de los Estados Unidos y un crítico respetuoso de mi decisión sobre las células madre en el 2001, escribió «El veredicto es claro: Pocas veces un presidente tan desprestigiado por una postura moral, ha sido tan completamente reivindicado».

En años por venir, nuestra nación enfrentará más dilemas con respecto a la bioética, de la clonación a la ingeniería genética. La historia juzgaría el carácter de nuestro país en gran parte por la forma que respondemos a estos desafíos a la dignidad humana. Tengo fe, como cuando anuncié mi decisión de células madre en el 2001, en que la ciencia y la ética pueden coexistir. Con política responsable, podemos marcar el comienzo de nuevas curas como la que Nancy Reagan esperaba, sin dirigirnos hacia el mundo que pronosticó Aldous Huxley.

———

Después de mi discurso a la nación sobre la investigación de células madre en agosto del 2001, muchos comentaristas lo llamaron: la decisión más importante de mi presidencia. Fue cierto en el momento, pero no por mucho tiempo.

5

DÍA DE FUEGO

El martes, 11 de septiembre del 2001, desperté antes del amanecer en mi suite del Centro Turístico, The Colony Beach and Tennis Resort, cerca de Sarasota, Florida. Comencé mi mañana leyendo la Biblia y luego me dirigí escaleras abajo para ejercitarme. Estaba oscuro como boca de lobo cuando empecé a trotar alrededor del campo de golf. Los agentes del Servicio Secreto estaban acostumbrados a mi rutina de ejercicios; los locales deben haber encontrado mi rutina en la oscuridad un poco rara.

De regreso en el hotel, tomé una ducha rápida, desayuné ligero y empecé a dar un vistazo a los diarios matutinos. La historia en titulares era que Michael Jordan regresaba después de su retiro a la NBA. Otros titulares se enfocaban en las primarias de la elección de la alcaldía de Nueva York y una sospecha de un caso de enfermedad de las vacas locas en Japón.

A eso de las 8:00 a.m., recibí el Informe Diario Presidencial. El PDB, que era una combinación de inteligencia altamente clasificada con un análisis profundo de geopolítica, era una de las partes más fascinantes de mi día. La sesión del 11 de septiembre, presentada por un brillante analista de la CIA, Mike Morell, cubría Rusia, China y el levantamiento palestino en la Ribera Occidental y la Franja de Gaza.

Poco después del PDB, salimos a visitar la Escuela Primaria Emma E Booker para enfatizar en la reforma educativa.

En la corta caminata del desfile de automóviles al salón de clase, Karl Rove mencionó que un avión se había estrellado en el World Trade Center. Eso sonaba extraño. Imaginé un pequeño avión de hélice horriblemente perdido; pero en ese momento, llamó Condi. Hablé con ella desde un teléfono seguro en el salón de clase que había sido convertido en un centro de comunicaciones para el personal de la Casa Blanca. Ella me dijo que el avión que se había estrellado en la torre del Trade Center no era una pequeña nave, era un jet comercial.

Quedé aturdido. Ese avión debe haber tenido el peor piloto del mundo. ¿Cómo pudo haber volado hacia un rascacielos en un día claro? Quizá le dio un paro cardiaco. Le dije a Condi que estuviera al pendiente de la situación y le pedí a mi director de comunicaciones, Dan Bartlett, que trabajara en un comunicado, prometiendo el completo apoyo de parte de los servicios federales de manejo de emergencias.

Saludé a la directora de Booker, una amigable señora, Gwen Rigell. Me presentó con la maestra Sandra Kay Daniels y su salón de clase lleno de niños de segundo año. La Señorita Daniels dirigía la clase a través de una práctica de lectura. Después de algunos minutos, les dijo a los estudiantes que recogieran sus libros de lectura. Sentí una presencia detrás de mí. Andy Card acercó su cabeza a la mía y murmuró en mi oído.

—Un segundo avión se estrelló en la segunda torre —exclamó, pronunciando cada palabra deliberadamente en su acento de Massachusetts—. Los Estados Unidos están bajo ataque.

———

Mi primera reacción fue de indignación. Alguien se había atrevido a atacar a los Estados Unidos. Pagarían por ello. Luego vi los rostros de los niños frente a mí. Pensé en el contraste entre la brutalidad de los atacantes y la inocencia de estos niños. Millones como ellos estarían contando conmigo de inmediato para protegerlos. Mi determinación era no decepcionarlos.

Vi a los reporteros en la parte trasera del salón, viendo las noticias en sus teléfonos celulares y localizadores. El instinto se activó. Supe que grabarían mi reacción y sería emitida en todo el mundo. La nación estaría en conmoción; el presidente no podía ser. Si me enfurecía precipitadamente, alarmaría a los niños y enviaría ondas de pánico a través del país.

Las lecciones de lectura continuaron, pero mi mente había volado muy lejos del salón de clase. ¿Quién pudo hacer esto? ¿Qué tan grave fue el daño? ¿Qué necesitaba hacer el gobierno?

Ari Fleischer, el portavoz oficial, se colocó entre los reporteros y yo. Sostuvo en alto un letrero que decía: «No diga nada todavía». Yo no planeaba hacerlo. Ya había ideado un plan de acción: Cuando terminara la clase, dejaría el salón de clases calmadamente, reuniría los hechos y hablaría a la nación.

Como siete minutos después de que Andy irrumpió en el salón de clases, regresé al salón de espera, en el que alguien traía un televisor sobre ruedas. Observé horrorizado cuando la grabación del segundo avión golpeando la segunda torre se reproducía en cámara lenta. La enorme bola de fuego y la explosión de humo era peor de lo que había imaginado. El país estaría en conmoción y yo necesitaba aparecer en televisión de inmediato. Garabateé mi declaración a mano. Quería asegurar al pueblo estadounidense que el gobierno estaba respondiendo y que llevaríamos a los perpetradores a manos de la justicia. Luego quería regresar a Washington de inmediato.

—Damas y caballeros, este es un momento muy difícil para los Estados Unidos —comencé—: dos aviones se han estrellado en el World Trade Center en un aparente ataque terrorista a nuestro país. —Se oyeron gritos sofocados de parte de la audiencia de padres y miembros de la comunidad, quienes esperaban un discurso sobre educación. —El terrorismo en contra de nuestra nación no será tolerado —dije. Cerré al pedir un minuto de silencio por las víctimas. Más tarde, supe que mis palabras habían hecho eco en la promesa de mi padre acerca de que —Esta agresión no será tolerada —después de que Saddam Hussein invadió Kuwait. La repetición no fue intencional. En mis notas, había escrito: «El terrorismo en contra de los Estados Unidos no triunfará». Las palabras de mi padre deben haber estado enterradas en mi subconsciente, esperando salir a la superficie durante otro momento de crisis.

El Servicio Secreto quería enviarme en la nave Air Force One y rápido. En el momento en que el desfile de automóviles corrió por la Ruta 41 de Florida, llamé a Condi desde mi teléfono privado de la limusina. Ella me dijo que había habido un tercer avión que se estrelló. Éste en el Pentágono. Me fui hacia atrás en mi asiento y absorbí sus palabras. Mis pensamientos se aclararon: El primer avión pudo haber sido un accidente, el segundo fue, definitivamente un ataque y el tercero; una declaración de guerra.

Mi sangre hervía. Íbamos a averiguar quién hizo esto y le íbamos a dar una paliza.

El desplazamiento de tiempo de Guerra era visible en el aeropuerto. Los agentes que llevaban rifles de asalto rodearon el Air Force One. Dos de las azafatas estaban de pie en lo alto de la escalera. Sus rostros denotaban miedo y tristeza. Sabía que millones de estadounidenses se estarían sintiendo de la misma forma. Abracé a las azafatas y les dije que todo estaría bien.

Ingresé a la cabina presidencial y pedí que me dejaran solo. Pensé acerca del terror en el que se vieron atrapados los pasajeros de esos aviones y el dolor que debían estar sintiendo las familias de los muertos. Tanta gente había perdido a los que amaba, sin ninguna advertencia. Le pedí a Dios que confortara el dolor de los que sufrían y guiara al país durante esta dura prueba. Me vino a la mente la letra de uno de mis himnos favoritos: «Dios de Gracia y Dios de Gloria, concédenos sabiduría, concédenos el valor para enfrentar este momento».

Mientras que mis emociones podían haber sido similares a la de la mayoría de los estadounidenses, mis deberes no lo eran. Ya habría tiempo después para estar de luto. Habría una oportunidad de buscar justicia; pero primero, debía manejar la crisis. Habíamos sufrido el ataque sorpresa más devastador desde Pearl Harbor. Un enemigo había golpeado nuestra capital por primera vez desde la guerra de 1812. En una sola mañana, el propósito de mi presidencia se había clarificado: proteger a nuestra gente y defender nuestra libertad que había sido vulnerada.

El primer paso para la respuesta exitosa a cualquier crisis es proyectar calma. Eso fue lo que intenté hacer en Florida. Luego, necesitábamos poner los hechos sobre la mesa, tomar acción para proteger la nación y asistir a las áreas afectadas para su recuperación. Con el tiempo, debíamos idear una estrategia para llevar a los terroristas a enfrentar la justicia para que no volvieran a atacar otra vez.

Llamé a Dick Cheney en el momento en el que Air Force One se elevó rápidamente a cuarenta y cinco mil pies, bien arriba de nuestra típica altitud de vuelo. Él había sido llevado al Centro Presidencial de Operaciones de Emergencia subterráneo—el PEOC—cuando el Servicio Secreto pensó que un avión podría estar llegando a la Casa Blanca. Le dije que yo tomaría decisiones desde el avión y contaba con él para implementarlas en tierra.

Tomé rápidamente dos importantes decisiones. La milicia había despachado Patrullas de Combate Aéreo—equipos de aviones de combate asignados para interceptar aviones que no respondieran—sobre Washington y Nueva York. Interceptar en el aire era para lo que a mí me entrenaron a hacer como piloto de un F-102 en la Guardia Nacional Aérea en Texas treinta años antes. En ese entonces, asumíamos que la nave objetivo sería un bombardero soviético. En la actualidad, sería un avión comercial lleno de gente inocente.

Necesitábamos poner en claro las reglas de intervención. Le dije a Dick que nuestros pilotos debían hacer contacto con aviones sospechosos y tratar de que bajaran a tierra de forma pacífica. Si eso no funcionaba, tenían mi autoridad para dispararles y derribarlos. Los aviones secuestrados eran armas de guerra. A pesar de la medida dolorosa, el sacar a uno, podría salvar incontables vidas en tierra. Acababa de tomar mi primera decisión como Comandante en jefe en tiempos de guerra.

Dick llamó unos minutos más tarde. Condi, Josh Bolden y los miembros superiores del equipo de seguridad nacional se le habían unido en el PEOC. Habían sido informados de que un avión que no respondía se dirigía hacia Washington. Dick me pidió que confirmara la orden de atacar que había dado. Lo hice. Más tarde supe que Josh Bolten había exigido clarificación para asegurarse que la cadena de comando se respetara. Pensé en mis días como piloto. —No puedo imaginar cómo sería recibir este tipo de orden —le dije a Andy Card. Tenía la esperanza, por seguro, de que nadie tuviera que ejecutarla.

La segunda decisión fue donde aterrizar el Air Force One. Sentía fuertemente que debíamos regresar a Washington. Quería estar en la Casa Blanca para dirigir la respuesta. Eso tranquilizaría a la nación al ver al presidente en la capital que había sido atacada.

Un poco después de que despegamos de Sarasota, Andy y Eddie Marinzel, el flaco y atlético agente del Servicio Secreto de Pittsburgh, quien encabezaba el grupo asignado a cuidarme en 9/11, comenzó a intentar cambiar la idea. Dijeron que las condiciones en Washington eran demasiado volátiles, el peligro de ataque demasiado alto. La FAA creía que seis aviones habían sido secuestrados; lo que significaba que tres más podían estar volando. Les dije que no permitiría que los terroristas me asustaran. —Yo soy el Presidente —dije con firmeza—y vamos a Washington.

Se mantuvieron firmes. Yo odiaba la imagen de los terroristas haciéndome correr; pero aun cuando deseaba tanto regresar, reconocí que parte de mi responsabilidad era asegurar la continuidad del gobierno. Sería una enorme victoria en propaganda para el enemigo si mataran al presidente. La ayuda militar y los agentes del Servicio Secreto recomendaron que desviáramos el avión a la Base de la Fuerza Aérea de Barksdale en Lousiana, donde podríamos cargar combustible. Yo cedí. Unos minutos más tarde, sentí al Air Force One dar un ángulo de giro hacia el oeste.

———

Una de mis mayores frustraciones el 11 de septiembre fue la lamentable tecnología de comunicaciones en el Air Force One. El avión no tenía televisión por satélite. Dependíamos de cualquier alimentación local que pudiéramos tomar. Después de algunos minutos en una estación dada, la pantalla quedaba anulada en la estática.

Capturé suficiente información fugaz de la cobertura para entender el horror que el pueblo estadounidense estaba observando. La gente atrapada estaba saltando a la muerte desde los pisos superiores de las torres del World Trade Center. Otros colgaban de las ventanas, con la esperanza de ser rescatados. Sentí su agonía y desesperación. Tenía el trabajo más poderoso del mundo y no me servía de nada sin poder para ayudarlos.

En un punto, la señal de televisión se mantuvo estable el tiempo suficiente para que yo pudiera ver la torre sur del Word Trade Center colapsar. La torre norte cayó en menos de treinta minutos más tarde. Había guardado la esperanza de que esas almas desesperadas en los pisos superiores tuvieran tiempo de escapar. La esperanza murió en ese momento.

El colapso de las torres magnificó la catástrofe. Cincuenta mil personas trabajaban en los edificios en un típico día de trabajo. Algunos habían sido evacuados, pero me pregunté cuántos quedaban dentro. ¿Miles? ¿Decenas de miles? No tenía idea, pero tenía la certeza de que acababa de ver más estadounidenses morir que ningún presidente en la historia.

Me mantuve informado de los últimos desarrollos al llamar a Dick y Condi en el PEOC. Tratamos de establecer una línea abierta, pero se nos caía. En los años por venir, el Subjefe del Estado Mayor, Joe Hagin supervisó mejoras en los sistemas de comunicación de PEOC, Sala de Situaciones y Air Force One.

Cuando recibimos información, era frecuentemente contradictoria y algunas veces, completamente errónea. Me encontraba experimentando la niebla de la guerra. Había reportes de una bomba en el Departamento de Estado, un incendio en el National Mall, un avión secuestrado de una Línea Coreana con destino a los Estados Unidos y una llamada de amenaza al Air Force One. Quien llamó había utilizado como nombre de código del avión Angel, que muy poca gente conocía. El reporte más extraño llegó cuando fui informado de un objeto volando a gran velocidad hacia nuestro rancho en Crawford. Toda esta información, más tarde, probó ser falsa, pero dadas las circunstancias, tomamos cada reporte con seriedad.

Un reporte que recibí resultó ser cierto. Un cuarto avión había caído en algún lugar de Pennsylvania. —¿Lo hicimos caer o solo se estrelló? —le pregunté a Dick Cheney. Nadie sabía. Me sentí mal del estómago. ¿Había ordenado la muerte de esos inocentes estadounidenses?

Cuando la niebla se disipó, supe acerca del heroísmo a bordo del Vuelo 93.

Después de escuchar acerca de los primeros ataques en llamadas a seres amados en tierra, los pasajeros decidieron asaltar la cabina. En algunas de las últimas palabras grabadas del desafortunado vuelo, se puede escuchar a un hombre llamado Todd Beamer haciendo un llamado a los pasajeros para tomar acción al decir: —Let's roll (ataquemos). —La Comisión del 9/11 más tarde concluyó que la revuelta de pasajeros a bordo del vuelo 93 pudo haber salvado el Capitolio o la Casa Blanca de la destrucción. Su acto de valentía está clasificado entre los más grandes de la historia estadounidense.

———

Había tratado de comunicarme con Laura toda la mañana. Estaba programada para testificar frente al comité del Senado en apoyo a nuestra iniciativa de educación casi a la misma hora que los aviones se estrellaron en las torres del World Trade Center. Hice varias llamadas, pero las líneas continuaban cayendo. No podía creer que el presidente de los Estados Unidos no podía hablar con su esposa en el edificio del Capitolio. —¿Qué demonios está pasando? —chasqué a Andy Card.

Finalmente, pude conectarme con Laura en el momento que el Air Force One descendió en Barksdale. La voz de Laura siempre es calmada, pero fue especialmente confortante escucharla ese día. Me dijo que había sido llevada a una ubicación segura por el Servicio Secreto. Me sentí muy aliviado cuando me dijo que había hablado con Barbara y Jenna y que las dos estaban bien. Laura me preguntó cuándo volvería a Washington. Le platiqué que todo mundo me estaba impidiendo que regresara, pero que sería pronto. No tenía idea de si era cierto; pero lo esperaba con todo el corazón.

El aterrizar en Barksdale se sintió como el caer sobre un set de películas. Los F-16 de mi vieja unidad en la Base de la Fuerza Aérea Ellington en Houston nos escoltaron a la entrada. La calle de rodaje estaba alineada con bombarderos. Era una escena sorprendente, el poder de nuestra poderosa Fuerza Aérea en todo su esplendor. Supe que era solo cuestión de tiempo antes de que yo pusiera ese poder en funcionamiento en contra de quienes hubieran ordenado este ataque.

No hubo un desfile presidencial de autos congregado en Barksdale, por lo tanto, el oficial al mando, General Tom Keck, tuvo que improvisar. Los agentes me llevaron de prisa por las escaleras del avión y hacia un vehículo que arrancó sobre la pista a una velocidad que sentí como de ochenta millas por hora. Cuando el conductor empezó a virar a esa velocidad, le grité —

Baje la velocidad, hijo, por favor. No hay terroristas en esta base. —Eso fue probablemente lo más cerca que estuve de la muerte ese día.

Me conecté con Don Rumsfeld en un teléfono asegurado en la oficina del General Keck en Barksdale. Había sido difícil localizar a Don porque se había convertido en uno de los primeros intervinientes en el Pentágono. Después de que el avión se estrelló, él corrió a la parte externa y ayudó a los trabajadores de emergencia a levantar víctimas y colocarlas en camillas.

Le dije a Don que yo consideraba los ataques como un acto de guerra y aprobé su decisión de aumentar el nivel de preparación de la milicia a DefCon Three, por primera vez desde el conflicto árabe-israelí en 1973. Las instalaciones militares estadounidenses alrededor del mundo incrementaron las precauciones de seguridad y se prepararon para responder inmediatamente a órdenes posteriores. Le dije a Don que nuestra primera prioridad era salir de la crisis inmediata. Después de eso, planeaba montar una respuesta militar seria. —La pelota estará en tu cancha y en la de Dick Myers [Presidente del Estado Mayor Conjunto] para responder —le dije.

Como a las 11:30, tiempo de Luisiana, habían pasado casi tres horas desde que había hablado al país. Estaba preocupado de que la gente tuviera la impresión de que el gobierno se estaba desvinculando. Laura había expresado la misma preocupación. Grabé un mensaje breve explicando que el gobierno estaba respondiendo y que la nación pasaría la prueba. El sentimiento estaba allí, pero el entorno—un estéril salón de conferencias en la base militar de Luisiana—no inspiraba demasiada confianza. El pueblo estadounidense necesitaba ver a su presidente en Washington.

Presioné a Andy en cuándo podríamos regresar a la Casa Blanca. Los agentes del Servicio Secreto sintieron que era todavía demasiado incierto. Dick y Condi estuvieron de acuerdo. Recomendaron que fuera hacia el Comando Estratégico de la Base de la Fuerza Aérea Offutt en Nebraska. Contaba con espacio de vivienda y comunicaciones confiables. Me resigné a retrasar mi regreso una vez más. En el momento en que abordamos el avión en Barksdale, la Fuerza Aérea cargó tarimas de comida extra y agua en el avión. Debíamos estar listos para cualquier percance.

Después de que arribamos en Offutt, fui conducido al centro de mando, que estaba lleno de oficiales militares que habían estado tomando parte en un ejercicio planeado. Repentinamente, una voz se escuchó en el sistema de sonido. «Señor Presidente, un avión que no responde está llegando de Madrid. ¿Tenemos autoridad para derribarlo?

Mi primera reacción fue ¿Cuándo terminará esto? Luego, estructuré las reglas del juego que había aprobado anteriormente. Mi mente se desplazaba hacia los peores escenarios. ¿Cuáles serían las consecuencias diplomáticas al derribar un avión extranjero? O ¿qué tal si fuera demasiado tarde y los terroristas ya hubieran dado en el blanco?

La voz en el altoparlante regresó. —El vuelo de Madrid —dijo con otro tono de voz— ha aterrizado en Lisboa, Portugal».

Gracias a Dios —pensé con alivio. Era otro ejemplo de la niebla de la Guerra. Nos movimos al centro de comunicaciones, donde había convocado una junta de seguridad nacional por videoconferencia. Había pensado cuidadosamente lo que quería decir. Comencé con una clara declaración: «Estamos en guerra en contra del terror. De este día en adelante, esta será la nueva prioridad de nuestra administración». Recibí una puesta al día sobre la respuesta de emergencia. Luego, me dirigí hacia George Tenet. ¿Quién hizo esto? inquirí.

George respondió con dos palabras: Al Qaeda.

———

Antes del 9/11, la mayoría de los estadounidenses jamás había escuchado acerca de Al Qaeda. Yo había recibido mi primer informe de la red terrorista como candidato presidencial. Árabe para «la base» Al Qaeda era una red de terror fundamentalista islámica, organizada y apoyada por el Gobierno Talibán en Afganistán. Su líder fue Osama Bin Laden, un radical saudí proveniente de una familia acaudalada, que había sido exiliado del reino cuando se opuso a las decisiones del gobierno al permitir que las tropas estadounidenses estuvieran allí durante la Guerra del Golfo. El grupo había ostentado puntos de vista extremistas y lo consideraba su deber asesinar a cualquiera que se interponga en su camino.

Al Qaeda había tenido una inclinación por ataques de gran envergadura. Tres años antes, los terroristas llevaron a cabo bombardeos simultáneos en dos embajadas estadounidenses en el Este de África que dejaron un saldo de muerte de doscientas personas e hirieron a más de cinco mil. También estuvieron detrás del ataque del USS Cole que tomó las vidas de diecisiete marinos estadounidenses fuera de la Costa de Yemen en octubre del 2000. Para la tarde del 9/11, los miembros de la inteligencia habían descubierto a conocidos operarios del Al Qaeda en los manifiestos de los pasajeros de los aviones secuestrados.

La CIA había estado preocupada acerca de Al Qaeda antes del 9/11; pero su información apuntó hacia un ataque extranjero. Durante finales de la primavera y principios del verano del 2001, habíamos extremado la seguridad en las embajadas del exterior, incrementamos la cooperación con los servicios de inteligencia extranjeros y emitimos advertencias a través de la FAA acerca de posibles secuestros en vuelos internacionales. En los primeros nueve meses de mi presidencia, habíamos ayudado a interrumpir amenazas de terrorismo a Paris, Roma, Turquía, Israel, Arabia Saudita, Yemén y otros lugares.

Durante el verano, yo le había pedido a la CIA que volviera a examinar las capacidades de al Qaeda para atacar dentro del territorio estadounidense. A principios de agosto, la agencia entregó un informe presidencial diario que reiteraba el intento de larga duración de Bin Laden de atacar a los Estados Unidos, pero no confirmaba cualquier plan concreto. «No hemos podido corroborar algunos de los reportes sensacionalistas de amenaza, tales como ... Bin Laden quería secuestrar un avión de los Estados Unidos», decía el PDB.*

El 9/11, era obvio que los servicios de inteligencia habían pasado por alto algo grande. Estaba alarmado por la falla y esperaba una explicación. Sin embargo, no creí que fuera apropiado acusar o buscar culpables en medio de la crisis. Mi preocupación inmediata era el que no hubiera más operarios de Al Qaeda en territorio estadounidense.

Observé la pantalla del video en el búnker de Offutt y le dije a George Tenet que mantuviera los oídos abiertos, un término que significa escuchar todo de parte de inteligencia y seguir cualquier pista.

También puse en claro que planeaba usar a la milicia en esta Guerra cuando el tiempo llegara. Nuestra respuesta no sería un ataque de misiles cruzados parecido a un pinchazo. Tal como lo ordené después, haríamos más que lanzar «un misil de un millón de dólares a una tienda de campaña de cinco dólares». Cuando los Estados Unidos respondieran a estos ataques, sería deliberado, contundente y efectivo.

Había otro problema que cubrir en la videoconferencia: Cuando regresar a Washington. El Director del Servicio Secreto, Brian Stafford me dijo que la capital todavía no estaba segura. Esta vez, me puse firme. Había decidido hablar a la nación y no había manera de que lo hiciera desde un búnker bajo tierra en Nebraska.

En el vuelo de regreso, Andy y el informador de la CIA, Mike Morell vinieron a verme al salón de conferencias. Mike me dijo que el servicio de inteligencia francesa había proporcionado informes de otros operarios — denominados células durmientes—en los Estados Unidos planeando una segunda ola de ataques. Era una frase escalofriante «segunda ola». Creía que los Estados Unidos podrían superar los ataques del 11 de septiembre sin más pánico. Sin embargo, un ataque siguiente sería muy difícil de soportar. Era uno de los momentos más oscuros del día que estaba viviendo.

Cuando estaba viendo la cobertura en televisión en el vuelo de regreso a casa, vi una foto de Barbara Olson. Barbara era una comentarista de televisión muy talentosa y la esposa del Fiscal General de Estado, Ted Olson, quien argumentó mi posición en el caso del recuento de votos en Florida ante la Suprema Corte. Ella había estado a bordo del vuelo 77 de American Airlines,

---

La fuente del reporte, un servicio de inteligencia foráneo, permanece clasificada.

el avión que se estrelló en el Pentágono. Ella fue mi primera conexión personal con la tragedia. Llamé a Ted por teléfono. Sonaba tranquilo, pero pude percibir el horror y la devastación en su voz. Le dije cuánto lo sentía. Él me dijo que Barbara le había llamado desde el avión secuestrado y tranquilamente había transmitido información. Fue una patriota hasta el final. Le juré a Ted que encontraríamos a los responsables de su deceso.

El vuelo de regreso a casa también me dio la oportunidad de saber si mis padres estaban bien. Mamá y papá habían pasado la noche del 10 de septiembre en la Casa Blanca y se fueron temprano por la mañana el día 11. Habían estado en el aire cuando empezaron a dar las noticias acerca de los ataques. La operadora me conectó con mi padre. Pude darme cuenta que sonaba ansioso. No estaba preocupado acerca de mi seguridad—confiaba que el Servicio Secreto me protegería—sino que su preocupación era la angustia que pudiera yo estar sintiendo. Traté de tranquilizarlo. —Estoy bien —dije.

Papá puso a mi madre al teléfono —¿Dónde están? —interrogué.

¿Estamos en un motel en Brookfield, Wisconsin —respondió ella.
—¿Qué es lo que están haciendo allí?

—Hijo —replicó—, ¡tú enviaste nuestro avión a tierra!

En una hazaña extraordinaria, El Secretario de Transporte, Norm Mineta y la FAA habían supervisado el aterrizaje seguro de cuatro mil vuelos en tan solo dos horas y pico. Tenía la esperanza de que el terror en el cielo hubiera concluido.

Comencé a pensar acerca de lo que debía decirle al país cuando hablara en la Oficina Oval esa noche. Mi primer instinto era decir al pueblo estadounidense que éramos una nación en guerra, pero observé la carnicería por televisión y me di cuenta de que el país estaba todavía conmocionado. El declarar la guerra podía, adicionalmente, contribuir a la ansiedad. Decidí esperar un día más.

Deseaba anunciar la decisión mayor que había tomado: Los Estados Unidos considerarían a cualquier nación que albergara terroristas como responsable de sus actos. Esta nueva doctrina derrumbaba el enfoque del pasado, el cual trataba a los grupos terroristas como diferentes a sus benefactores. Debíamos forzar a las naciones a elegir si ya fueran a atacar el terrorismo o compartir su destino. Por lo tanto, debíamos librar esta guerra en la ofensiva, al atacar a los terroristas fuera del territorio antes de que pudieran atacarnos otra vez en casa.

También quería que mi discurso transmitiera mi sentido de ultraje moral. El asesinato deliberado de gente inocente es un acto de maldad pura e indescriptible. Sobre todo, quería expresar consuelo y resolución consolarlos de que nos recuperaríamos de este golpe y resolución de que traeríamos a los terroristas a la justicia. El Air Force One aterrizó en la Base de la Fuerza Aérea de Andrews en Maryland justo después de las 6:30 p.m. Me moví rápidamente al Marine One, que despegó para un vuelo de diez minutos en helicóptero hacia el Jardín Sur. El helicóptero se movió de izquierda a derecha en un patrón evasivo. No sentí temor. Sabía que los pilotos Marines del HMX-1 me llevarían a casa.

La visión que tuve fue de un Washington abandonado y bloqueado. En la distancia, vi humo emergiendo del Pentágono. El símbolo de nuestra grandeza militar estaba ardiendo. Me sentí impactado ante la habilidad y lo implacable que el piloto de Al Qaeda debió haber sido para volar a baja altitud y dar directamente en el edificio. Mi mente se desplazó al pasado de la historia. Estaba viendo un Pearl Harbor en la actualidad. Tal como Franklin Roosevelt había reunido a la nación para defender la libertad, sería mi responsabilidad dirigir una nueva generación para proteger a los Estados Unidos. Me dirigí a Andy y dije: «Estás frente a la primera guerra del Siglo XXI».

Mi primera parada, después de aterrizar en el Jardín Sur, fue la Oficina Oval. Revisé un borrador de mi discurso y modifiqué unas cuantas líneas. Luego fui a la PEOC, parte de una estructura solidificada bajo tierra, construida durante los principios de la Guerra Fría para resistir un ataque sustancial. El búnker es manejado por personal militar las 24 horas del día y está suministrado por suficiente alimento, agua y energía eléctrica para sustentar al presidente y su familia por largos periodos de tiempo. En el centro de la instalación, hay un salón de conferencias con una gran mesa de madera—una sala subterránea de emergencias. Laura estaba esperándome allí. No tuvimos mucho tiempo para hablar, pero no lo necesitábamos. Su abrazo fue más poderoso que ninguna palabra.

Regresé escaleras arriba, practiqué mi discurso y luego me dirigí a la Oficina Oval.

«El día de hoy, nuestros conciudadanos, nuestra forma de vida y nuestra libertad estuvieron bajo ataque en una serie de deliberados y mortales ataques terroristas», comencé. Describí la brutalidad del ataque y el heroísmo de aquéllos que respondieron. Continué: «He dirigido los recursos completos de nuestra inteligencia y a las autoridades del cumplimiento de la ley para encontrar a aquéllos responsables y llevarlos a la justicia. No haremos ninguna distinción entre los terroristas que cometieron estos actos y aquéllos que los albergan».

El cierre fue con el Salmo 23: «Aun cuando camine por el valle de la sombra de la muerte, no temeré ningún mal, porque Tú estás conmigo». Sentí que el discurso fue mucho mejor que las declaraciones que hice en Florida y Luisiana. Sin embargo, supe que tendría que hacer más para levantar el ánimo de la nación en los días por venir. Después del discurso, regresé a la PEOC para reunirme con mi equipo de seguridad nacional. Deseaba ponerme al día en las últimas novedades y planear la respuesta del día siguiente. Les dije que teníamos una misión que ninguno de nosotros había buscado o esperado; pero el país resurgiría para estar a la altura del desafío.

«La libertad y la justicia prevalecerán» dije.

La reunión terminó hasta cerca de las diez de la noche. Había estado sin dormir desde antes del amanecer y sin parar todo el día. Carl Truscott, el encargado de la División de Protección Presidencial, nos dijo que dormiríamos en una pequeña habitación fuera del salón de conferencias de la PEOC. Contra la pared, estaba un viejo sofá con una cama plegable dentro. Parecía que el propio Harry Truman la hubiera puesto él mismo allí. Pude imaginar una noche sin descansar, batallando con el viejo colchón y las barras de acero de soporte. El siguiente día traería consigo importantes decisiones y necesitaba dormir para pensar con claridad. «No hay forma de que yo duerma allí» le dije a Carl.

Se dio cuenta de que yo no cambiaría de opinión. —Duerma en la residencia —dijo—. Le avisaremos si surgen problemas.

No pude conciliar el sueño fácilmente. Mi mente reproducía las imágenes del día: los aviones estrellándose sobre los edificios, las torres derrumbándose, el Pentágono en llamas. Pensaba en el dolor que tantas familias estarían experimentando. También pensé en el heroísmo —las azafatas de los aviones secuestrados que calmadamente llamaron a los supervisores para reportar su estatus y los primeros intervinientes que corrieron a ayudar a través de las llamas en el World Trade Center y el Pentágono.

Precisamente cuando estaba a punto de quedarme dormido, vi la silueta de una figura en la puerta de la habitación. Estaba respirando con dificultad y gritando: —Señor Presidente, Señor Presidente, la Casa Blanca está siendo atacada ¡Vámonos!

Le dije a Laura que necesitábamos movernos rápidamente. No tuvo tiempo de ponerse los lentes de contacto; por lo tanto, se sostuvo de mí. Tomé su bata y la guié con un brazo, mientras que levantaba a Barnie, nuestro terrier escocés con la otra. Llamé a Spot, nuestro springer spaniel inglés para que nos siguiera. Estaba descalzo y usaba shorts y una camiseta. Hemos de haber sido semejante visión.

El Servicio Secreto nos empujó fuera de la residencia y hacia el albergue bajo tierra. Escuché el golpe de una puerta pesada y el sonido de un cerrojo presurizado en cuanto entramos al túnel. Los agentes nos apresuraron a través de otra puerta. Golpes, silbidos. Nos apresuramos a lo largo del corredor final; pasamos al personal que estaba fuera y entramos en la PEOC.

Después de algunos minutos, un hombre militar se dirigió hacia el salón de conferencias —Señor Presidente —dijo sin rodeos— fue uno de los nuestros. —Un F-16 de combate había volado a lo largo del Potomac emitiendo la señal incorrecta con el transpondedor. Un día que comenzó con mi rutina de ejercicio matutino alrededor de un campo de golf, terminó con una refriega hacia el búnker para escapar de un posible ataque a la Casa Blanca.

Cuando desperté el 12 de septiembre, los Estados Unidos era un lugar distinto. Los vuelos comerciales estaban detenidos. Vehículos blindados patrullaban las calles de Washington. Un ala del Pentágono había sido reducida a escombros. La bolsa de valores de Nueva York estaba cerrada. Las Torres Gemelas de Nueva York habían desaparecido. El centro de mi mandato, el cual yo esperaba que fuera de política interna, ahora se expandía a un estado de guerra. Esa transformación mostró qué tan rápido puede cambiar el destino, y como —algunas veces—los deberes más desafiantes que un presidente enfrenta son inesperados.

La mentalidad de la nación había sido sacudida. Las familias se estaban abasteciendo de máscaras contra gases y agua embotellada. Algunos abandonaron las ciudades y se fueron al campo temiendo que los edificios de la ciudad pudieran ser blancos de ataque. Otros que trabajaban en los rascacielos no pudieron regresar a trabajar. Muchos se rehusaban a abordar un avión por semanas o meses. Había la impresión de que habría otro ataque.

No hay un libro de texto que enseñe como tranquilizar a una nación sacudida por un enemigo sin rostro. Confié en mis instintos y formación. Mi optimismo del Oeste de Texas me ayudó a proyectar confianza. Hablaba de forma un poco abrupta, tal como cuando dije que quería a Bin Laden «vivo o muerto». La gente a mi alrededor me ayudó mucho durante esos días aciagos. El equipo en la Casa Blanca era firme y una fuente de inspiración. Laura era una piedra de estabilidad y amor. Mi hermano Marvin y mi hermana Doro, ambos viviendo en el área de Washington, me visitaban frecuentemente para reunirnos a comer. Mis padres me ofrecieron apoyo constante. Mi familia me dio el confort y me ayudaron a esclarecer mi mente.

También mi fe y la perspectiva de la historia fueron recursos de fortaleza y como acostumbraba, encontré consuelo al leer la Biblia, que Abraham Lincoln llamaba: «El mejor regalo que Dios ha dado al hombre». Admiraba la claridad moral y resolución de Lincoln. El choque entre la libertad y la tiranía—decía él—era un caso que solo puede ser procesado por la guerra y decidido por la victoria. La guerra contra el terrorismo sería lo mismo.

Impuse tres metas para los días que siguieron de inmediato los ataques. Primero, impedir que los terroristas atacaran de nuevo. Segundo, dejar en claro al país y al mundo que nos habíamos embarcado en un nuevo tipo de guerra. Tercero, ayudar las áreas afectadas a recuperarse y asegurarnos que los terroristas no tuvieran éxito en devastar nuestra economía o dividir a nuestra sociedad.

Me dirigí a la Oficina Oval el 12 de septiembre en mi horario acostumbrado, alrededor de las 7:00 a.m. La primera orden de día era devolver llamadas de los muchos líderes mundiales que habían ofrecido solidaridad. Mi primera llamada fue para el Primer Ministro de Gran Bretaña, Tony Blair. Tony empezó diciendo que estaba «en un estado de conmoción» y que apoyaría a los Estados Unidos «al cien por ciento» en la guerra contra el terrorismo. No había vacilación en su voz. La conversación me ayudó a cimentar la amistad más cercana que hubiera creado con cualquier líder extranjero. Con el paso de los años, cuando las decisiones de la guerra se hicieron más difíciles, algunos de nuestros aliados vacilaron, Tony Blair nunca lo hizo.

Cada líder que llamó expresó apoyo. Jean Chrétien de Canadá, simplemente, dijo: «Estamos con ustedes», una promesa que había sido confirmada por los ciudadanos canadienses que dieron la bienvenida a miles de estadounidenses varados, después de que sus aviones fueron desviados. Silvio Berlusconi de Italia me dijo que «había llorado como un niño y no podía parar de hacerlo» y prometió cooperación. Jiang Zemin de China, Gerhard Schroeder de Alemania y Jacques Chirac de Francia prometieron ayudar en la forma que pudieran. Junichiro Koizumi, Primer Ministro de la nación que golpeó a los Estados Unidos en Pearl Harbor, llamó a los eventos del 11 de septiembre «no solo un ataque en contra de los Estados Unidos; sino un ataque en contra de la libertad y la democracia». Por primera vez en la historia de cincuenta y dos años de la OTAN, los miembros de la alianza votaron para invocar el Artículo 5 de la Carta: El ataque a uno, es el ataque a todos.

La coalición de los voluntarios en la guerra contra el terrorismo se estaba formando y—por el momento—todos deseaban unirse.

Después de mis llamadas, recibí un informe de la CIA y convoqué a una reunión NSC en el Salón del Gabinete. George Tenet confirmó que Bin Laden era el responsable de los ataques. Los puntos de intercepción de Inteligencia habían revelado que miembros de Al Qaeda se felicitaban unos a otros en el oriente de Afganistán. Puse en claro que éste sería un tipo de guerra diferente. Enfrentábamos a un enemigo que no tenía una capital que consideraran su casa y no tenía ejércitos para perseguir en el campo de batalla. El vencerlos requeriría de todos los recursos del poder de nuestra nación, desde reunir inteligencia, y congelar las cuentas bancarias de los terroristas hasta desplegar tropas.

La reunión me dio la oportunidad de hablar con la prensa. Estaba listo para hacer declaraciones que había pospuesto la noche anterior. «Los ataques deliberados y mortales que se llevaron a cabo ayer en contra de nuestra nación fueron más que actos terroristas» expresé. «Fueron actos de guerra».

Media hora más tarde, me reuní con los líderes del congreso de ambos partidos. Expuse dos preocupaciones. La primera era el exceso de confianza. Parecía difícil imaginar en ese momento en que el dolor del 9/11 estaba tan reciente; pero sabía que, en su momento, la gente seguiría adelante. Como líderes electos, teníamos la responsabilidad de mantenernos enfocados en la amenaza y pelear la guerra hasta que nos impusiéramos.

Mi segunda preocupación era acerca de la reacción en contra de estadounidenses árabes y musulmanes. Había escuchado reportes de hostigamiento verbal en contra de personas que tenían el aspecto de ser del Medio Este. Estaba consciente de los aspectos feos de la historia estadounidense durante la guerra. En la Primera Guerra Mundial, los estadounidenses de origen alemán eran rechazados y en algunos casos extremos, encarcelados. Durante la Segunda Guerra Mundial, el Presidente Roosevelt apoyó el colocar números enormes en ciudadanos estadounidenses de origen japonés en los campos de reclusión. Uno de ellos fue Norm Mineta, quién había sido recluido cuando tenía diez años de edad. El verlo en el Salón del Gabinete esa mañana fue un recordatorio poderoso de la responsabilidad del gobierno de proteger en contra de la histeria y hablar claro en contra de la discriminación. Hice planes para trasmitir ese mensaje al visitar una mezquita.

Los miembros del Congreso estaban unidos en su determinación de proteger al país. El Senador Tom Daschle, Líder de la Mayoría Demócrata emitió una nota precautoria. Dijo que debía ser cauteloso con la palabra guerra porque conllevaba implicaciones tan poderosas. Escuché su punto de vista, pero no estuve de acuerdo. Si cuatro ataques coordinados por una red terrorista que se había comprometido a matar a tantos estadounidenses como fuera posible no era un acto de guerra, entonces ¿qué era? ¿una violación del protocolo diplomático?

Una de las últimas personas que habló fue Robert Byrd, el Senador Demócrata de ochenta y tres años de Virginia del Oeste. Había trabajado a través de la Crisis de Misiles Cubanos, la Guerra de Vietnam, el final de la Guerra Fría e infinidad de otros retos. Sus palabras elocuentes inspiraron a la audiencia en el salón. —A pesar de Hollywood y la televisión —expresó— hay un ejército de gente que cree en la divina guía del Creador.... Fuerzas poderosas vendrán en su ayuda».

———

La tarde del día 12 de septiembre, hice un viaje corto a través del Potomac al Pentágono. El edificio estaba ardiendo y aún quedaban cuerpos en el interior. Don Rumsfeld y yo recorrimos el sitio del choque y le dimos las gracias a los equipos de trabajo por su devoción. En un momento, un equipo de trabajadores sobre el edificio desplegó una gigante bandera estadounidense. Era una señal de desafío y resolución, exactamente lo que la nación necesitaba ver. Uno de los últimos grupos con los que me reuní fue el grupo de la morgue. Joe Hagin los reunió. Estaban cubiertos de polvo después de cumplir con el deber más triste de todos. Les expresé cuánto apreciaba la dignidad con la que cumplían con su trabajo.

La experiencia en el Pentágono me convenció de que debía ir a Nueva York lo antes posible. Joe me dijo que había serios problemas con esa idea. El Servicio Secreto no tenía la seguridad de si el área era segura. Los equipos de avance no tuvieron tiempo de preparar un evento presidencial. Nadie tenía idea de cómo sería el ambiente en la Zona Cero. Eran preocupaciones genuinas, pero yo había tomado la decisión. Quería que los neoyorquinos supieran que no estaban solos. Tomé el ataque de forma tan personal como lo hicieron ellos. No había un sustituto para expresarlo de frente.

Decidí dar la noticia el jueves por la mañana. Ari Fleischer había sugerido que invitáramos a la prensa a la Oficina Oval para que fueran testigos de mi llamada por teléfono al Gobernador de Nueva York, George Pataki y al Alcalde Rudy Giuliani. —No tengo palabras para expresar lo orgulloso que estoy de los buenos ciudadanos en esa parte del país y el extraordinario trabajo que ustedes están haciendo —expresé y luego le di la sorpresa—. Ustedes me han extendido una gentil invitación para ir a la Ciudad de Nueva York y yo la acepto; llegaré mañana por la tarde.

Estuve de acuerdo en responder algunas preguntas de la prensa, después de la llamada. Me preguntaron acerca de la seguridad del sistema de aviación, dónde estaba Bin Laden y qué era lo que estaba yo pidiéndole al Congreso. La última pregunta vino de un reportero del *Christian Science Monitor*: «¿Podría usted darnos una idea de qué tipo de plegarias le vienen a la mente y dónde está su corazón...?».

Había logrado suprimir mis emociones en público por los dos últimos días, pero esta pregunta desnudó mi interior. Había estado pensando en la voz afligida de Ted Olson. Visualicé al exhausto equipo de la morgue. Pensé acerca de los niños inocentes que habían muerto, y los que habían perdido a sus madres o padres. El dolor acumulado que había estallado. Mis ojos se llenaron de lágrimas y tenía un nudo en la garganta. Hice una breve pausa, mientras las cámaras hacían clic por todos lados. Recuperé la compostura, posé mis manos sobre el escritorio de la Oficina Oval y me incliné hacia adelante: «Por ahora, no pienso en mi persona, pienso acerca de las familias, los niños. Soy un hombre amoroso, pero también alguien con una misión que cumplir y que cumpliré».

———

Más tarde ese día, Laura y yo acudimos al Washington Hospital Center a visitar a las víctimas del Pentágono. Algunos tenían quemaduras sobre enormes porciones de sus cuerpos. Le pregunté a uno si era un Guardabosques del Ejército. Sin ninguna interrupción, respondió: «No, Señor, pertenezco a Fuerzas Especiales. Mi coeficiente intelectual es muy alto para ser un guardabosque». Todos en la habitación—su esposa, sus médicos, Laura y yo—soltamos la carcajada. Se sintió bien poder reír. Salí del hospital inspirado por el coraje de los heridos y la compasión de los doctores y enfermeras.

Andy Card se encontraba esperándome en la entrada de autos del Jardín Sur cuando regresé del hospital. Antes de que pudiera dar un paso fuera de la limusina, abrió la puerta y se me unió. Me dijo que había habido una amenaza de bomba a la Casa Blanca. El Servicio Secreto había reubicado al Vicepresidente y querían evacuarme también. Le pedí a los agentes que revisaran otra vez el trabajo de inteligencia y enviaran a casa a todos los miembros del personal de la Casa blanca que fuera posible; pero yo permanecería allí. No iba a darle el placer al enemigo de verme desplazándome de prisa en diferentes ubicaciones de nuevo. El Servicio Secreto extendió el perímetro de seguridad de la Casa Blanca. Sobrevivimos al día. Cuando fuimos a dormir, pensé: «Otro día sin ataques, gracias a Dios».

Casi tres mil hombres, mujeres y niños inocentes fueron asesinados el 11 de septiembre. Sentí que era importante para el país el que lamentáramos a nuestros muertos juntos; por lo tanto, aparté el viernes como el Día Nacional de la Plegaria y la Memoria. Supe que el 14 de septiembre sería un día agotador y emotivo, pero no esperaba que fuera el día más inspirador de mi vida.

Un poco antes de las siete de la mañana, Andy Card se reunió conmigo en la Oficina Oval para mi reporte de seguridad nacional. La CIA creía que había más operarios de Al Qaeda en los Estados Unidos y que querían atacarnos con armas biológicas, químicas y nucleares. Era difícil imaginar algo más devastador que 9/11, pero un ataque terrorista con armas de destrucción masiva calificaría.

Pedí a Bob Mueller, Director del FBI y John Ashcroft, Fiscal General que me pusieran al día en el progreso de las investigaciones del FBI acerca de los secuestradores. Bob me dijo que habían sido identificados la mayoría de los terroristas y se había determinado cuándo habían ingresado al país, dónde se habían quedado y cómo habían ejecutado el plan. Era una pieza impresionante de investigación, pero no era suficiente.

—¿Qué es lo que están haciendo para detener el siguiente ataque? —inquirí. Se movieron nerviosos en sus asientos. Le dije a Bob que quería que el Buró adoptara una mentalidad de tiempo de guerra. Necesitábamos interrumpir ataques antes de que ocurrieran; no solamente investigarlos después de que se hubieran llevado a cabo. Al final de la reunión, Bob afirmó —Esa es nuestra nueva misión, el prevenir ataques. —A través de los años por venir, él cumplió su promesa y se ha hecho cargo de la más esencial transformación del FBI que se ha dado en toda su historia de un siglo.

Después de una llamada por teléfono con el Primer Ministro de Israel, Ariel Sharon, un líder que entendió lo que significa atacar el terrorismo, empecé mi primera reunión de Gabinete desde los ataques terroristas. En cuanto puse un pie dentro del salón, el equipo empezó a aplaudir. Quedé sorprendido y conmocionado ante su apoyo tan sentido. Las lágrimas brotaron por segunda vez en dos días.

Comenzamos la reunión de Gabinete con una plegaria. Le pedí a Don Rumsfeld que la dirigiera. Ofreció palabras conmovedoras acerca de las víctimas de los ataques y pidió «paciencia para medir nuestro deseo para la acción». El momento de silencio después de la plegaria me dio tiempo para poner en orden mis emociones. Pensé acerca del discurso que pronto daría en la National Cathedral. Aparentemente, Colin Powell lo hizo también. El secretario de estado me envió una nota.

—Estimado Señor Presidente —escribió—, cuando tengo que dar un discurso como éste, evito esas palabras que sé que me causarán un nudo en la garganta, tales como: mamá y papá. —Fue un gesto considerado. Colin había visto el combate; él entendía las poderosas emociones que estábamos sintiendo y deseaba consolarme. En cuanto empecé la reunión, levanté la nota y bromeé: —Permítanme decirles lo que el secretario de estado acaba de decirme.... *Estimado Señor Presidente, no rompe a llorar.*

La National Cathedral es una estructura asombrosa, con techos a 102 pies (31 metros) por encima del piso, arbotantes elegantes y brillantes vidrieras. El 14 de septiembre, las bancas estaban a toda su capacidad. Los anteriores presidentes Ford, Carter, Bush y Clinton estaban presentes con sus esposas. Así también casi cada miembro del Congreso, el Gabinete en su totalidad, los Jefes de Estado Mayor Conjunto, los miembros de la Suprema Corte, los Cuerpos Diplomáticos y las familias de las víctimas. Una persona que no se encontraba allí era Dick Cheney. Estaba en el Camp David para asegurar la continuidad del gobierno, un recordatorio de la amenaza latente.

Le había pedido a Laura y Karen Hughes que diseñaran el programa e hicieron un trabajo excelente. Los expositores incluían a líderes religiosos de muchas religiones: Imam Muzammil Siddiqi de la Sociedad Islámica de Norte América, Rabino Joshua Haberman, Billy Graham, el Cardenal Teodoro McCarrick y Kirbyjon Caldwell. Casi al final del servicio, llegó mi turno. En el momento que ascendí los escalones hacia el atril, murmuré una plegaria: «Señor, permite que tu luz brille a través de mí».

El discurso en la Catedral fue el más importante de mi incipiente mandato. Les había dicho a los escritores de mi discurso —Mike Gerson, John McConnell y Matthew Scully— que deseaba cumplir tres objetivos: lamentar la pérdida de vidas, recordar a la gente que había un Dios amoroso y poner en claro que aquéllos que atacaron nuestra nación, se verían frente al rostro de la justicia.

—Estamos aquí en medio de una hora de aflicción —fue el inicio—. Cuántos han sufrido pérdidas tan grandes y este día expresamos el dolor de nuestra nación. Venimos ante Dios para orar por los perdidos y los fallecidos; y por aquéllos que los aman.... A los niños, padres y cónyuges, así como a las familias y amigos de los perdidos, ofrecemos nuestra más profunda condolencia de parte de la nación y les aseguro que no están solos.

Observé a la multitud. Tres soldados sentados a mi derecha tenían lágrimas que rodaban por sus mejillas. También la mujer que era mi líder de avanzada, Charity Wallace. Estaba determinado en no caer presa del contagio del llanto. Había un lugar dónde no me atreví a mirar: La banca donde estaban sentados mis padres y Laura. Continué:

> *Solo tres días han transcurrido de estos eventos; los estadounidenses aún no vislumbran la distancia de la historia; no obstante, nuestra responsabilidad con la historia ya es diáfana: Responder a estos ataques y librar al mundo del mal. La guerra ha sido declarada en contra de nosotros a hurtadillas, con engaño y asesinato. Esta es una nación pacífica, pero fiera cuando le avivan la indignación. Este conflicto ha comenzado en el tiempo y términos de otros. Va a terminar de una forma y en un momento, en que elijamos...*
>
> *Las señales de Dios no siempre son las que buscamos. Aprendemos en la tragedia que Sus propósitos no siempre son los nuestros. Sin embargo, las plegarias del sufrimiento íntimo, ya sea en nuestros hogares o en esta gran catedral, son conocidas, escuchadas y entendidas.... Este mundo que Él creó es de un diseño en apego a la moral. El dolor, la tragedia y el odio son solo por una temporada. La bondad, la memoria y el amor no tienen límite. Y el Señor de la vida sostiene a todos aquéllos que mueren y a todos aquéllos que lamentan.*

En el momento en que tomé asiento junto a Laura, papá se atravesó y apretó mi brazo. Algunos han dicho que el momento marcó un simbólico paso de la antorcha de una generación a otra. Yo lo vi como el toque tranquilizador de un padre que conocía los retos de la guerra. Obtuve fuerza de su ejemplo y su amor. Necesitaba esa fuerza para la siguiente etapa de la jornada: la visita al punto de ataque: el bajo Manhattan.

El vuelo hacia el norte fue tranquilo. Le había pedido a Kirbyjon Caldwell que me acompañara en el viaje. Había visto las escenas de Nueva York en televisión y sabía que la devastación era aterradora. Fue confortante el tener un amigo y hombre de fe a mi lado.

El Gobernador Pataki y el Alcalde Giuliani me saludaron en la Base Aérea McGuire en Nueva Jersey. Se veían gastados. El gobernador había estado trabajando sin descanso desde la mañana del martes, asignando recursos del gobierno y uniendo a las tropas bajo su mando y rara vez, un hombre fue capaz de conocer su momento en la historia de forma tan natural como Rudy

Giuliani lo hizo el 11 de septiembre. Era desafiante en el momento preciso, afligido ante la tragedia de la que fue testigo y al mando en todo momento.

Abordé el helicóptero con George y Rudy. En el vuelo hacia la ciudad, los pilotos Marines volaron sobre la Zona Cero. Mi mente voló hacia el vuelo en helicóptero durante la noche del 11 de septiembre. El Pentágono había sido herido, pero no destruido. Ese no fue el caso de las torres gemelas. Habían desaparecido. No quedaba nada más que una pila de escombros. La devastación era espantosa y total.

La vista desde el aire era nada comparada con lo que vi estando en tierra. George, Rudy y yo nos amontonamos en una Suburban. Apenas habíamos empezado a conducir hacia la zona de desastre cuando algo en el lado del camino atrapó mi atención. Parecía haber una torpe masa gris. Di un segundo vistazo. Era un grupo de personas de primeros auxilios cubiertos de cenizas de pies a cabeza.

Pedí al conductor que se detuviera. Caminé hacia ellos y empecé a estrechar manos y agradecer a los hombres por todo lo que habían hecho. Habían estado trabajando sin parar. De los rostros de algunos de ellos, corrían lágrimas que rompían la ruta del hollín como riachuelos en un desierto. La emoción del encuentro fue el presagio de lo que estaba por venir.

En el momento en que nos aproximamos a la Zona Cero, me sentí como entrando a una pesadilla. Había poca luz. El humo estaba en el aire y se mezclaba con pequeñas partículas de escombros, creando una escalofriante cortina gris. Chapoteamos a través de los charcos que se habían formado por la lluvia matutina y el agua utilizada para apagar los incendios. Había algunas charlas entre los oficiales locales: —Aquí es donde estaba la sede.... Allá es donde la unidad se reagrupó. —Intenté escuchar, pero mi mente continuaba regresando a la devastación y a aquéllos que ordenaron los ataques. Nos habían herido aún peor de lo que yo había comprendido.

Habíamos estado caminando por algunos minutos cuando George y Rudy nos dirigieron hacia un hoyo donde los trabajadores de rescate estaban cavando a través de los escombros para encontrar sobrevivientes. Si el resto del lugar era una pesadilla, esto era un verdadero infierno. Se veía más oscuro que el área de arriba. Además del pesado hollín en el aire, habían pilas de vidrio y metal destrozados.

Cuando los trabajadores me vieron, se formaron en línea. Estreché la mano de cada uno. Sus rostros y ropa estaban muy sucios. Sus ojos estaban enrojecidos y sus voces enronquecidas. Había una completa gama de emociones. Había dolor y cansancio, preocupación y esperanza, coraje y orgullo. Varios tranquilamente dijeron: —Gracias —o— Dios lo bendiga —o— Estamos orgullosos de usted. —Le dije que eso era precisamente lo que yo sentía por ellos: Me sentí orgulloso de esos valientes trabajadores.

Después de algunos minutos, los ánimos dieron un giro. Un bombero cubierto de hollín me dijo que su estación había perdido un buen número de hombres. Traté de confortarlo, pero eso no era lo que él quería. Me miró directamente a los ojos y dijo: —George, encuentra a los bastardos que hicieron esto y mátalos. —No es muy frecuente que la gente llame al presidente por su primer nombre, pero no me molestó. Esto era personal.

Cuanto más tiempo pasaba con los trabajadores, más se elevaron las emociones puras a la superficie. Para la mayoría de estos hombres y mujeres, yo no era más que un rostro que ellos habían visto en la televisión. No me conocían. No me habían visto pasar la prueba. Querían asegurarse de que yo compartía su determinación. Un hombre gritó —¡No me decepcione! —y otro directo a mi rostro—: ¡Haz lo que sea necesario! —La sed de sangre era palpable y entendible.

Andy Card preguntó si deseaba decirle algo a la multitud. Decidí que debía hacerlo. No había un escenario, un micrófono ni comentarios preparados. Andy me colocó en un montículo de metal. Miré al agente del Servicio Secreto, Carl Truscott, quien asintió de que era seguro para escalar. Un viejo bombero estaba de pie encima del montón. Estiré la mano y el me ayudó a subir junto a él. Su nombre era Bob Beckwith.

Nina Bishop, una miembro del equipo de avanzada, había encontrado un megáfono que podía utilizar para dirigirme a los que estaban reunidos. Lo puso en mis manos. La audiencia podía verme encima del montículo; que después me enteré que era un camión de bomberos destrozado. Mi primer instinto fue consolar. Les dije que los Estados Unidos estaban arrodillados en oración por las víctimas, los rescatistas y las familias.

La gente gritó: —No lo oímos —y yo les respondí—: Yo los oigo y esa respuesta recibió un aplauso. Estaba esperando reanimar a los trabajadores y expresarles la resolución del país. De repente, supe cómo hacerlo: —Yo puedo oírlos y el resto del mundo también —dije, incitando un estruendoso rugido—. ¡Y la gente que derribó estos edificios nos oirán a todos muy pronto! —La concurrencia explotó. Fue una liberación de energía que nunca había sentido antes. Comenzaron un canto de «¡ESTADOS UNIDOS, ¡ESTADOS UNIDOS, ESTADOS UNIDOS!»

———

Había pasado mucho tiempo en Nueva York a través de los años, pero no fue hasta el 14 de septiembre del 2001, en que adquirí un sentido del carácter real de la ciudad. Después de la visita a la Zona Cero, condujimos tres millas al norte hacia el Javits Center. Me sorprendí ante la cantidad de gente sobre la carretera West Side, ondeando sus banderas y dando vivas. —Odio hacérselo saber, Señor Presidente —bromeó Rudy—pero ninguna de estas personas votó por usted.

En el Javits Center, me dirigí hacia una área de preparación para los primeros intervinientes de todo el país. Saludé a los bomberos y rescatistas de estados tan lejanos como Ohio y California. Sin que se les pidiera, habían venido a la ciudad para ayudar como refuerzos. Les agradecí a nombre de la nación y les pedí que continuaran con su buena labor.

El garaje para estacionamiento del edificio había sido convertido en un lugar de reuniones para cerca de doscientos familiares de personas de primeros auxilios desaparecidas. La gente en el salón era de todas las edades; desde abuelas de edad avanzada a bebés recién nacidos. Muchos estaban viviendo la misma pesadilla: Sus seres queridos habían sido vistos la última vez o se había oído de ellos cerca del World Trade Center. Querían saber si habían sobrevivido.

Acababa de ver los escombros de las torres. Sabía que sería un milagro si encontraban sobrevivientes. Aun así, las familias se negaban a darse por vencidas. Oramos juntos y lloramos juntos también. Mucha gente me pedía fotografías o autógrafos. Me sentí extraño firmando autógrafos en un momento de dolor; pero quería hacer algo que mitigara un poco su dolor. Le pedí a cada familia que me platicara un poco de su familiar perdido. Luego dije: —Voy a firmar esta tarjeta y luego cuando tu papá [mamá, hijo o hija] vuelva a casa, te creará que en verdad conociste al presidente».

En cuanto me dirigí a la última esquina del lugar, vi a una familia reunida alrededor de una dama que estaba sentada. Me senté junto a ella y me dijo que su nombre era Arlene Howard. Su hijo era oficial de policía de la Autoridad Portuaria, quien había tenido el día 11 de septiembre de descanso; pero fue como voluntario a ayudar en cuanto escuchó acerca de los ataques. La última vez que fue visto, se desplazaba con prisa entre el polvo y el humo tres días antes.

Mientras me estaba preparando para despedirme, Arlene buscó en su bolso y extendió la mano. Contenía un objeto de metal. —Esta es la placa de mi hijo. Su hombre es George Howard, por favor, recuérdelo, —me dijo en el momento en que presionaba la insignia en mi mano. Le prometí que lo haría.

———

Serví 2,685 días como presidente después de que Arlene me dio esa placa. La conservé conmigo cada uno de esos días. Con el paso los años, la mayoría de los estadounidenses volvieron a sus vidas normales. Eso era natural y aconsejable.

Significaba que el país estaba sanando y las personas se sentían más seguras. En el momento en que estoy grabando estos pensamientos, ese día de Apocalipsis es una memoria lejana para algunos de nuestros ciudadanos. Los estadounidenses más jóvenes no tienen un conocimiento de primera mano de lo que ocurrió. Con el tiempo, el 11 de septiembre pasará a sentirse más como el día de Pearl Harbor—una fecha de honor en el calendario y un importante momento de la historia, pero no una cicatriz en el corazón o una razón para luchar.

Para mí, la semana del 11 de septiembre siempre será algo más. Todavía veo el Pentágono ardiente, las torres en llamas y la pila de acero retorcido. Aún escucho las voces de los seres queridos buscando sobrevivientes y de los trabajadores gritando: —¡No nos decepcione! —y— ¡Lo que sea necesario!. —Aún siento la tristeza de los niños, la agonía de las víctimas quemadas y el tormento de las familias destrozadas. Aún me maravillo de la valentía de los bomberos, de la compasión de los extraños y del valor sin parangón de los pasajeros que forzaron el avión a su caída.

El 11 de septiembre replanteó el sacrificio. Replanteó el deber y replanteó mi trabajo. La historia de esa semana es la clave para entender mi mandato como presidente. Hubo tantas decisiones que siguieron, muchas de ellas controversiales y complejas. Sin embargo, después del 9/11, sentí que mi responsabilidad era clara. Por el tiempo en que estuve en la oficina, nunca pude olvidar lo que ocurrió a los Estados Unidos ese día. Pondría mi corazón y mi alma en la protección del país, como fuera necesario.

6

EN PIE DE GUERRA

El 17 de octubre del 2001, abordé el Air Force One para mi primer viaje fuera del país desde 9/11. Íbamos a Shanghai para la Cumbre de Cooperación Económica Asia-Pacífico, una reunión de veintiún líderes de naciones de la Costa del Pacífico. El Servicio Secreto estaba angustioso acerca del viaje. Por semanas, habíamos recibido escalofriantes reportes de inteligencia acerca de potenciales ataques subsecuentes. Sin embargo, fortalecer la relación de los Estados Unidos con el Lejano Oriente era una de mis más altas prioridades y deseaba que mis compañeros líderes mundiales vieran, de primera mano, mi determinación para luchar contra los terroristas.

En cuanto el Air Force One tocó tierra en el aeropuerto de Shanghai, mi memoria voló hacia la ciudad polvorienta y llena de bicicletas que había visitado con mamá en 1975. En esta ocasión, condujimos por cuarenta y cinco minutos hacia el centro de Shanghai por una moderna carretera. Pasamos rápidamente una brillante nueva sección de la ciudad llamada Pudong. Más tarde, supe que el gobierno había mudado aproximadamente a cien mil personas de esas tierras para permitir la construcción. Los rascacielos y luces de neón me recordaron Las Vegas. Para Shanghai, el Gran Avance finalmente había llegado.

La mañana siguiente, me apretujé en una tienda de campaña azul en el Ritz-Carlton con Colin Powell, Condi Rice, Andy Card y el informante de la CIA. La estructura estaba diseñada para proteger los reportes de seguridad de potenciales intercepciones. Encendimos un monitor de video y apareció el rostro de Dick Cheney en la Ciudad de Nueva York. Llevaba corbata y frac blanco para su discurso de la Cena en la Alfred E. Smith Memorial Foundation, un evento anual de caridad organizado por la Arquidiócesis Católica.

En cuanto vi a Dick, pude darme cuenta que algo andaba mal. Su cara estaba tan pálida como el color de su corbata.

—Señor Presidente —dijo— uno de los bio-detectores disparó en la Casa Blanca. Encontraron rastros de toxina botulínica. Las probabilidades son de que todos hayamos estado expuestos.

La CIA me había dado un reporte de la toxina botulínica. Era una de las sustancias más venenosas del mundo. Nadie dijo una palabra. Finalmente, Colin interrogó —¿Cuál es el tiempo de exposición? —¿Estaba haciendo matemática mental, intentando figurar cuánto tiempo había pasado desde que él estuvo en la Casa Blanca? El Vice Asesor de Seguridad Nacional, Steve Hadley, explicó que el FBI estaba haciendo pruebas con la sustancia sospechosa en ratones. Las siguientes veinticuatro horas serían cruciales. Si los

Mis abuelos, Prescott y
Dorothy Walker Bush, candidateando
en Connecticut para el Senado de
Estados Unidos.

El oficial de la Armada y su
bella y joven novia.
Cuando Papá se fue a la
guerra, pintó "Barbara" en el
fuselaje de su avión.

Sobre los hombros de Papá en la Universidad de Yale, a la edad de nueve meses.

Haciendo un viaje en el desierto con Mamá.

Un día típico en Midland, jugando béisbol hasta la puesta del sol.

Con mi hermana, Robin, en su última Navidad, 1952.

En casa en Houston de licencia de Andover. Debido a la diferencia de edad, me sentía más como un tío que como un hermano de mis hermanos en aquellos días.

Laura y yo nos casamos tres meses después de la parrillada en la casa de Joe y Jan O'Neill en Midland. Fue la mejor decisión de mi vida.

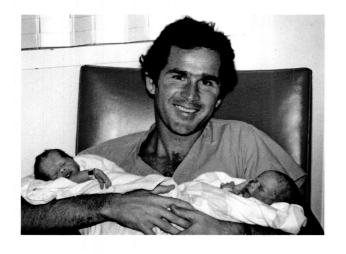

Nos estábamos preparando para adopción cuando supimos que Laura estaba embarazada con gemelas.

Barbara Bush y Jenna Welch cargando sus tocayas.

En la caseta de los Rangers con nuestras hijas. Ser dueño de un equipo de béisbol fue mi sueño, y estaba seguro de que fue el mejor puesto que jamás tendría.

Antes de mi inauguración como gobernador, Papá me regaló los gemelos que sus padres le habían regalado cuando consiguió sus alas como piloto de la Armada.
Dallas Morning News/David Woo

Con el Teniente Gobernador Bob Bullock, mi improbable socio demócrata en Austin.
Associated Press/Harry Cabluck

Besando la Primera Dama de Texas durante mi segunda inauguración como gobernador.
Dallas Morning News/ David Woo

Haciendo campaña en viaje relámpago con Dick Cheney, una adición valiosa a la candidatura y un vice presidente firme y de principios. *Associated Press/Eric Draper*

Con mi hermano Jeb, la noche de elecciones del 2000, cuando las cosas parecían andar bien.
Time Magazine/Brooks Kraft

Karl Rove era como un científico loco de la política—intelectual, gracioso y lleno de energía e ideas.
White House/Eric Draper

Andando con mis dos consejeros de política exterior más cercanos, el Asesor de Seguridad Nacional Steve Hadley y la Secretaria de Estado Condi Rice.
White House/Paul Morse

Junto con mi equipo de comunicaciones, *(de izquierda a derecha)* Dan Bartless, Dana Perino y Tony Snow.
White House/Eric Draper

Tomando café con John Roberts en la Sala de Estar Oeste la mañana después de su nominación en 2005.
White House/Eric Draper

Hablando con el Reverendo Billy Graham, quien me ayudó a profundizar mi comprensión de la fe.

White House/Paul Morse

Visitando al Papa Juan Pablo II en Castel Gandolfo en el 2001. El Santo Padre me instó a que defendiera la santidad de la vida.

White House/Eric Draper

Cargando a Trey Jones, un bebé copo de nieve nacido de un embrión congelado que de otra manera podría haber sido destruido para investigaciones.

White House/ Kimberlee Hewitt

Durante un ejercicio de lectura a un curso de segundo grado el 11 de septiembre, 2001, el Jefe de Personal, Andy Card, susurró en mi oído, «Un segundo avión se ha estrellado en la segunda torre. America está bajo ataque.» *Associated Press/ Doug Mills*

Hablando por teléfono con Dick Cheney abordo del Air Force One el 9/11. Autoricé derribar cualquier avión de pasajeros comercial secuestrado, pero recé para que nuestros pilotos no tuviesen que ejecutar mi orden. *White House/Eric Draper*

En la Casa Blanca nuevamente el 9/11, redactando mi discurso a la nación con (de izquierda a derecha) el Consejero de la Casa Blanca Al Gonzales, Condi Rice, Consejera Karen Hughes, el Secretario de Prensa Ari Fleisher y Andy Card.
White House/Paul Morse

Visitando el Pentágono el 12 de septiembre del 2001, con el Secretario de Defensa Don Rumsfeld.

White House/Eric Draper

En la Catedral Nacional el 14 de septiembre del 2001. «Este conflicto fue iniciado en el momento y bajo los términos que otros escogieron —dije—. Se concluirá de un manera y en una hora que nosotros elegimos.»

White House/Eric Draper

Apiñado con el Alcalde de la Ciudad de Nueva York Rudy Giuliani (a izquierda) y el Gobernador de Nueva York George Pataki, en la Base McGuire de la Fuerza Aérea justo antes de trasladarnos en helicóptero a la Zona Cero.

White House/Paul Morse

Con personal de rescate en medio de los escombros de las torres. —George, encuentra a las canallas que hicieron esto y mátalos —gritó uno. Otro gritó: —¡Haz lo que sea necesario! *White House/Eric Draper*

Llevando la placa de George Howard, policía de la Dirección Portuaria, quien murió en el World Trade Center. *White House/Eric Draper*

Abriendo el Juego Tres de la Serie Mundial del 2001 en Yankee Stadium. —No la bote o lo abuchearán —me había advertido Derek Jeter, shortstop de los Yankees.
White House/Eric Draper

En reunión con Dick Cheney, Colin Powell, Don Rumsfeld y el equipo de seguridad nacional en Camp David el sábado después del 9/11. *White House/Eric Draper*

En la Sala Azul, informando al Primer Ministro Británico Tony Blair que íbamos a desplegar tropas terrestres a Afganistán. *White House/Eric Draper*

Trabajando en el Salón de Tratados, donde anuncié la etapa inicial de la guerra en Afganistán el 7 de octubre del 2001. *White House/Joyce Boghosian*

En el 2006, el Presidente Pervez Musharraf del Pakistán (a izquierda) y el Presidente Afgano Hamid Karzai no se llevaban bien. Intenté juntarlos por medio de diplomacia personal.
White House/Eric Draper

En Fort Drum en el 2002, dirigiéndome al Tenth Mountain Division, que ayudó a sacar a Al Qaeda y el Talibán del poder en Afganistán. *White House/Paul Morse*

Presentando a Dan y Maureen Murphy la Medalla de Honor que se ganó su hijo, Michael Murphy, Teniente SEAL de la Armada, quien sacrificó su vida para llamar ayuda para sus hombres en Afganistán. *White House/Joyce Boghosian*

En el rancho con el General Tommy Franks, comandante de las liberaciones de Afganistán e
Irak. *White House/Susan Sterner*

—Tienes que hacer todo lo posible
para evitar guerra —me dijo mi
Papá en una conversación acerca
de Irak a fines del 2002—. Pero si
el hombre no cumple, no tienes
alternativa. *White House/Eric Draper*

ratones estuvieran todavía corriendo alrededor y de pie, estaríamos bien; pero si estuvieran sobre sus espaldas y sus patas hacia arriba, adiós mundo cruel. Condi intentó levantar los ánimos. —Bueno —expresó— ésta es una forma de morir por nuestro país.

Acudí a las reuniones de la cumbre y esperé por los resultados de las pruebas. El siguiente día, Condi recibió un mensaje de que Steve estaba tratando de localizarla. —Supongo que ésta es la llamada —expresó. Después de algunos minutos, Condi regresó con noticias. —Patitas abajo, no arriba —dijo. Fue una falsa alarma.

Años después, el temor a incidentes como la toxina botulínica pueden parecer imaginarios y exagerados. Es fácil reírse ante la imagen de los más altos funcionarios de los Estados Unidos orando para que ratas de laboratorio se mantengan erguidas. No obstante, en el momento, las amenazas eran urgentes y reales. Seis mañanas a la semana, George Tenet y la CIA me reportaban lo que ellos llamaban la Matriz de Amenazas, un resumen de ataques potenciales en la patria. Los domingos, recibía un reporte de inteligencia por escrito. Entre 9/11 y la mitad del 2003, la CIA me reportó un aproximado de 400 amenazas específicas cada mes. La CIA rastreaba más de veinte presuntos complots de ataques a larga escala separados, que iban desde posibles operaciones en Europa de armas químicas y biológicas a potenciales ataques en la patria que involucraban operarios inactivos. Algunos reportes mencionaban blancos específicos, incluyendo puntos de referencia mayores, bases militares, universidades y centros comerciales. Por meses después del 9/11, despertaba a mitad de la noche, preocupado por lo que había leído.

Acribillaba a mis informadores con preguntas. ¿Qué tan creíble era la amenaza? ¿Qué habíamos hecho para seguir una pista? Cada pieza de información era como una pieza de azulejo en un mosaico. A finales de septiembre, Bob Mueller, Director de FBI colocó un gran azulejo cuando me dijo que había 331 operarios potenciales de Al Qaeda dentro de los Estados Unidos. La imagen en general era inequívoca: La perspectiva de una segunda ola de ataques terroristas en contra de los Estados Unidos era muy real.

Antes del 9/11, muchos habían visto el terrorismo básicamente como un crimen que debía perseguirse, tal como el gobierno lo había hecho después de las bombas en el World Trade Center en 1993. Después del 9/11, era claro que los ataques a nuestras embajadas en el Este de África y en el *USS Cole* fueron más que crímenes aislados. Era un entrenamiento para el 11 de septiembre, parte de un plan maestro orquestado por Osama Bin Laden, quién había emitido un edicto religioso, conocido como fatwa, catalogando el asesinato de los estadounidenses «un deber individual para cada musulmán que pueda hacerlo en cualquier país en que sea posible hacerlo».

En 9/11, era obvio que el enfoque del cumplimiento de la ley con respecto al terrorismo había fracasado. Hombres suicidas con la voluntad de volar aviones de pasajeros hacia edificios no eran criminales comunes. No podían ser persuadidos con la amenaza de enjuiciamiento. Habían declarado la guerra a los Estados Unidos. Para proteger el país, tuvimos que hacer la guerra contra los terroristas.

La guerra sería diferente de cualquiera que los Estados Unidos hubiera peleado en el pasado. Debíamos descubrir los complots terroristas. Debíamos rastrear sus movimientos e interrumpir sus operaciones. Debíamos cortar su suministro de dinero y privarlos de sus refugios seguros y teníamos que hacerlo todo bajo la amenaza de otro ataque. Los terroristas habían convertido nuestro ámbito interno en un campo de batalla. Poner a los Estados Unidos en pie de guerra fue una de las más importantes decisiones de mi mandato.

Mi autoridad para conducir la guerra contra el terrorismo provino de dos fuentes: Uno fue el Artículo II de la Constitución, el cual da al presidente poderes de Comandante en Jefe en tiempos de guerra. El otro era una resolución de guerra del congreso pasada tres días después del 9/11. Por una votación de 98 a 0 en el Senado y 420 a 1 en la Casa Blanca, el Congreso declaró:

> *Que el Presidente queda autorizado para utilizar toda la fuerza necesaria y apropiada contra aquéllas naciones, organizaciones o personas que él determine que planearon, autorizaron, cometieron o ayudaron en los ataques terroristas que ocurrieron el 11 de septiembre del 2001 o albergaron tales organizaciones y personas, para prevenir cualesquiera actos futuros de terrorismo internacional en contra de los Estados Unidos por tales naciones, organizaciones o personas.*

En los años por venir, algunos en el Congreso olvidarían esas palabras. Yo nunca lo hice. Despertaba cada mañana, pensando en el peligro que enfrentábamos y las responsabilidades que tenía. También estaba profundamente consciente de que los presidentes tenían una historia de extralimitación durante la guerra. John Adams firmó las Leyes sobre Extranjeros y Sedición, que prohibieron el disentimiento público. Abraham Lincoln suspendió *habeas corpus* [institución jurídica que persigue evitar arrestos y detenciones arbitrarias] durante la Guerra Civil. Franklin Roosevelt ordenó apresar a los japoneses americanos durante la Segunda Guerra Mundial. Cuando hice el juramento para tomar posesión del cargo, juré «preservar, proteger y defender la Constitución». Mi deber más solemne, el propósito de mi mandato, fue proteger a los Estados Unidos—dentro de la autoridad que se me otorgó por la Constitución.

El deber inmediato después del 9/11, era fortalecer las defensas de nuestra nación contra un segundo ataque. El emprendimiento era abrumador. Para detener al enemigo, debíamos acertar el 100 por ciento del tiempo. Para causarnos daños, solo necesitaban tener éxito una vez.

Implementamos una ráfaga de nuevas medidas de seguridad. Aprobé el desplazamiento de fuerzas de la Guardia Nacional a los aeropuertos, puse más oficiales en aviones, requerí a las líneas aéreas que fortalecieran las puertas de las cabinas y reforcé los procedimientos para otorgar visas y monitorear los pasajeros. Trabajando con los gobiernos estatales y locales, así como el sector privado, incrementamos la seguridad en puertos marítimos, puentes, plantas de poder nuclear y otras infraestructuras vulnerables.

Poco después de 9/11, nombré al Gobernador Tom Ridge de Pennsylvania a una nueva posición de alto rango en la Casa Blanca, supervisando los esfuerzos de seguridad de nuestra patria. Tom aportó una experiencia valiosa en gestión, pero en los principios del 2002, se hizo claro que el trabajo era demasiado grande para ser coordinado en una pequeña oficina de la Casa Blanca. Docenas de diferentes agencias federales compartieron la responsabilidad por la seguridad del país. El enfoque de un conjunto fragmentario era ineficiente y había demasiado riesgo de que algo se deslizara de las uniones. Un ejemplo egregio ocurrió en marzo del 2002, cuando el Servicio de Migración y Naturalización (INS) envió una carta por correo a una escuela de vuelo de Florida notificando que habían otorgado visas de estudiante a Mohamed Atta y a Marwan al Shehhi. La persona que abrió la carta debe de haber quedado conmocionada. Esos fueron los dos pilotos que habían estrellado los aviones sobre las Torres Gemelas en 9/11.

Yo estaba aterrado también. Tal como lo expresé a la prensa durante ese tiempo: «Apenas pude tragar mi café». El error garrafal ejemplificaba la necesidad de una reforma más amplia. El INS, una rama del Departamento de Justicia, no era la única agencia que luchaba con sus nuevas responsabilidades de seguridad del país. El Servicio de Aduanas, que reporta al Departamento del Tesoro, enfrentaba una enorme tarea de asegurar los puertos de la nación. Compartían la responsabilidad con la Guardia Costera, que era parte del Departamento de Transporte.

Joe Liberman, el Senador Demócrata de Connecticut, había estado construyendo un caso fuerte para crear un nuevo departamento federal que unificara nuestros esfuerzos de seguridad en el país. Me agradaba y sentía respeto por Joe. Era un legislador sólido, que había dejado atrás la amargura en la elección del 2000 y entendió la urgencia de la guerra contra el terrorismo. Al principio, yo sentía cautela de su idea de un nuevo departamento. Una enorme burocracia sería engorrosa. También me sentía angustioso acerca de una reorganización masiva en medio de la crisis. Tal como lo planteó J. D. Crouch, más tarde mi vice asesor de seguridad nacional: —Cuando estás en el proceso de convertir espadas en rejas de arado, no puedes pelear y tampoco puedes arar.

Con el tiempo, cambié de parecer. Reconocí que tener un departamento dedicado a la seguridad del país alinearía la autoridad y la responsabilidad. Con las agencias responsables de proteger el país bajo un mismo techo, habría menos brechas y menos redundancia. También sabía que había un precedente exitoso de restructurar el gobierno en el tiempo de guerra. Al principio de la Guerra Fría en 1947, el Presidente Harry Truman había fusionado los departamentos de Armada y Guerra en un nuevo Departamento de Defensa. Sus reformas fortificaron la milicia por décadas por venir.

Decidí que la reorganización valía el riesgo. El junio del 2002, me dirigí a la nación desde la Casa Blanca para recurrir al Congreso para crear el nuevo Departamento de Seguridad Nacional de los Estados Unidos.

A pesar del apoyo de muchos legisladores, el proyecto de ley enfrentó un severo revés. Los Demócratas detuvieron la legislación para insistir que el nuevo departamento otorga a sus empleados extensos derechos de negociación de derechos colectivos que no aplicaban en ninguna otra agencia gubernamental. Me sentí frustrado de que los demócratas dilataran una medida de seguridad urgente para apaciguar a los sindicatos.

Los candidatos republicanos llevaron la cuestión a los votantes en las elecciones de mitad del periodo en el 2002 y yo me uní a ellos. El día de las elecciones, nuestro partido retomó seis asientos en la Cámara de Representantes y dos en el Senado. Karl Rove me recordó que el único otro presidente que retomó asientos en la Cámara y en el Senado en sus primeras elecciones de mitad de periodo fue Franklin Roosevelt.

En unas semanas de la elección, pasó el proyecto de ley. No tuve que buscar mucho a mi primer secretario del nuevo departamento. Nominé a Tom Ridge.

El 2 de octubre del 2001, un editor de fotografías de tabloide, Bob Stevens, fue admitido en un hospital de Florida con fiebre alta y vomitando. Cuando los médicos lo examinaron, descubrieron que había inhalado una bacteria letal, ántrax. Murió tres días más tarde.

Más empleados en el tabloide se enfermaron, así como personas que abrieron el correo en las noticias de NBC, ABC y CBS. Sobres espolvoreados con polvo blanco arribaron a la oficina del Senado de Tom Daschle. Varios empleados de Capitol Hill y empleados postales se enfermaron. También un trabajador de un hospital de la Ciudad de Nueva York y una mujer de noventa y cuatro años de edad en Connecticut. Al final, diecisiete personas estaban infectadas. Trágicamente, cinco de ellas murieron.

Una de las cartas que contenían ántrax decía:

09-11-01
NO PUEDES DETENERNOS
TENEMOS ESTE ÁNTRAX.
AHORA MUERES.
¿TIENES MIEDO?
MUERTE A AMERICA
MUERTE A ISRAEL
ALÁ ES GRANDE

Estaba impactado por un pensamiento enfermizo: ¿Era esta la segunda ola, un ataque biológico?

Me habían reportado de las horrendas consecuencias de un ataque con armas biológicas. Una evaluación concluía que un «bien ejecutado ataque de viruela por un agente terrorista en el área metropolitana de Nueva York» podría infectar 630.000 personas inmediatamente y de 2 a 3 millones de personas antes que el brote fuera contenido. Otro escenario contemplaba la liberación de armas biológicas en las líneas del metro en cuatro ciudades importantes durante la hora pico. Unos 200.000 quedarían infectados inicialmente, con un millón de víctimas en general. Los costos económicos «podrían ser de $60 billones a varios cientos de billones o más, dependiendo de las circunstancias del ataque».

En cuanto corrieron las noticias sobre el ántrax, el pánico se extendió a través del país. Millones de estadounidenses estaban aterrados de abrir sus buzones de correo. Las oficinas de clasificación de correspondencia cerraron. Las madres corrían al hospital a pedir exámenes de ántrax para niños que sufrían de un resfrío común. Trastornados farsantes enviaban paquetes espolvoreados con talco o harina, lo que exacerbaba los miedos de las personas.

El Servicio Postal examinó muestras de correo para ántrax en más de doscientos sitios a través del país. El correo en la Casa Blanca cambiaba de ruta y fue irradiado por el resto de mi mandato. Miles de empleados de gobierno, incluyéndonos a Laura y a mí, nos aconsejaron tomar Cipro, un antibiótico poderoso.

La cuestión mayor durante el ataque de ántrax era de dónde provenía. Uno de los mejores servicios de inteligencia en Europa nos dijo que sospechaba que de Irak. El régimen de Saddam Hussein era uno de los pocos en el mundo con un récord de uso de armas de destrucción masiva y había reconocido la posesión de ántrax en 1995. Otros sospechaban que Al Qaeda estaba involucrado. Era tan frustrante el no tener evidencia concreta y muy pocas pistas.* Un mes después del 9/11, sostuve una conferencia de prensa televisada en horario estelar desde la

---

En el 2010, después de una exhaustiva investigación, el Departamento de Justicia y el FBI concluyeron que el Dr. Bruce Ivins, un científico del gobierno estadounidense, quien cometió suicidio en 2008, había ejecutado el ataque de ántrax él solo.

Casa Blanca. Antes ese día, habíamos levantado la alerta de terror en respuesta a los reportes acerca de un alto funcionario talibán advirtiendo acerca de otro ataque mayor en los Estados Unidos.

—Usted habla acerca de la amenaza general hacia los estadounidenses —dijo Ann Compton de ABC News—.... ¿Qué es lo que supuestamente deben buscar los estadounidenses? —Un reporte de la CIA en la amenaza de terroristas fumigando con ántrax una ciudad desde un pequeño avión estaba en mi mente. —Ann —expresé— si usted encuentra a una persona que nunca ha visto antes metiéndose en un avión fumigador que no le pertenece a [él], repórtelo.

Mi comentario arrojó una carcajada, pero detrás del humor había una realidad malsana: Creíamos que venían más ataques, pero no sabíamos cuándo, dónde y de quién. Encontrar el balance correcto entre alertar y alarmar al público permaneció como un reto por el resto de la administración. A medida que el tiempo transcurría, algunos críticos nos atacaban diciendo que nosotros inflamos la amenaza o manipulamos los niveles de alerta para beneficio político. Estaban tan equivocados. Tomamos la inteligencia con seriedad e hicimos lo mejor que pudimos para mantener a los estadounidenses informados y a salvo.

—Esto es lo peor que hemos visto desde 9/11, —dijo George Tenet en un tono grave, mientras se retiraba su puro a medio masticar durante un reporte de inteligencia tarde en octubre. Citó una advertencia de un altamente confiable recurso de que habría un ataque entre el 30 y 31 de octubre que sería más grande que los ataques al World Trade Center.

Después de varias falsas alarmas, creímos que esto podría ser algo real. Dick Cheney y yo estuvimos de acuerdo en que él debería mudarse a un lugar seguro fuera de Washington —la famosa ubicación secreta— para asegurar la continuidad del gobierno. El Servicio Secreto recomendó que yo me fuera también. Les dije que me quedaría. Quizá esto era un poco de osadía de mi parte. Mayormente era fatalismo. Había hecho las paces conmigo mismo. Si era la voluntad de Dios el que muriera en la Casa Blanca, lo aceptaría. Laura se sentía de la misma forma. Teníamos la confianza de que el gobierno sobreviviría un ataque, aun si nosotros no.

Sí tenía una buena razón para dejar Washington por algunas pocas horas. Los Yankees de Nueva York me habían invitado a lanzar el primer lanzamiento en el tercer juego de la serie mundial. Siete semanas después del 9/11, enviaría una señal poderosa: ver al presidente aparecer en el estadio de los Yankees. Esperé que mi visita ayudara a levantar el ánimo de los neoyorquinos.

Volamos a Nueva York en el Air Force One y en helicóptero hacia un campo junto al estadio de béisbol. Fui hacia una jaula de bateo para aflojar mi brazo. Un agente del Servicio Secreto me ató con correas un chaleco a prueba de balas sobre el pecho. Después de algunos lanzamientos para calentar, el gran Derek Jeter, shortstop de los Yankees, llegó de sorpresa para hacer algunos virajes. Platicamos un poco. Luego preguntó: —Oiga, Señor Presidente, ¿va usted a lanzar del montículo o desde enfrente?

Le pregunté qué sugería. —Lance desde el montículo —dijo Derek—, De otra manera, lo van a abuchear. —Estuve de acuerdo. Cuando ya se retiraba, me miró por arriba del hombro y dijo: —Pero no la bote o lo abuchearán.

Tras nueve meses en la presidencia, estaba acostumbrado a que me presentaran ante multitudes. Sin embargo, nunca había sentido una emoción como la que sentí cuando Bob Sheppard, el anunciador legendario de los Yankees, vociferó: —Por favor reciban al Presidente de los Estados Unidos. —Subí al montículo, di un saludo y un pulgar arriba, di una mirada al cátcher, Todd Greene. Se veía mucho más lejos de los sesenta pies y seis pulgadas (18,44 metros). La adrenalina surgía en mí. La bola se sentía como un peso que esperaba ser lanzado. Giré el brazo y la lancé a volar.

El ruido en el estadio era como un golpe de sonido: —¡USA, USA, USA! —Pensé entonces en los trabajadores en la zona cero. Estreché la mano de Todd Greene, posamos para una foto con los managers, Joe Torre de los Yankees y Bob Brenly de los Diamondbacks de Arizona; me abrí paso entonces hacia la caja de George Steinbrenner. Fui la definición de un pitcher aliviado. Estaba emocionado de ver a Laura y a nuestra hija Bárbara. Ella me dio un abrazo y dijo: —¡Papá, lanzaste un strike!

Volamos de vuelta a Washington más tarde esa noche y esperamos al día siguiente. El 31 de octubre pasó sin ataques.

———

Colocar al país en pie de guerra, requería más que ajustar nuestras defensas físicas. Necesitábamos mejores herramientas legales, financieras y de inteligencia para encontrar a los terroristas y detenerlos antes de que fuera demasiado tarde.

Una gran brecha en nuestras capacidades para la lucha contra el terrorismo era lo que muchos llamaban «El muro». Con el paso del tiempo, el gobierno había adoptado una serie de procedimientos que prevenían que el personal de agencias del orden público y el personal de inteligencia compartieran información clave entre sí.

—¿Cómo podríamos asegurar a nuestros ciudadanos que los estamos protegiendo, si nuestra propia gente no puede, por lo menos, dialogar internamente? —dije en una reunión poco después de los ataques—. Tenemos que resolver este problema.

El Fiscal General, John Ashcroft tomó la iniciativa de redactar una propuesta legislativa. El resultado fue la «USA PATRIOT ACT».* El

---

* El congreso nombró a la ley «Uniting and Strengthening America by Providing Appropriate Tools Required to Intercept and Obstruct Terrorism Act» («América unida y fortalecida al proporcionar las herramientas requeridas para interceptar y obstruir terroristas»).

proyecto de ley eliminaba «el muro», y permitía que el personal de agencias del orden público y el personal de inteligencia compartieran información. Modernizaba nuestras capacidades en la lucha contra el terrorismo al proporcionar a investigadores acceso a herramientas como inteligencia telefónica dinámica, lo que les permitía rastrear objetivos que cambiaran de número de celular—una autoridad que había sido muy utilizada para atrapar a traficantes de drogas y jefes revoltosos. Autorizaba medidas financieras agresivas para congelar los bienes terroristas e incluía una supervisión judicial y del congreso para proteger las libertades civiles.

Una disposición creó una pequeña molestia en casa. El PATRIOT ACT, permitía al gobierno buscar órdenes para examinar los registros de negocios de sospechosos de terrorismo; tales como recibos de tarjetas de crédito, rentas de apartamentos y registros de biblioteca. Como ex bibliotecaria, a Laura no le gustaba la idea de agentes federales metiéndose en bibliotecas, a mí tampoco. Sin embargo, la comunidad de inteligencia tenía serias preocupaciones sobre terroristas utilizando computadoras de bibliotecas para comunicarse. Los registros de bibliotecas habían jugado un papel importante en varios casos prominentes, tales como los asesinatos del tirador del Zodiaco en California. Lo que yo menos quería era permitir que la libertad y acceso a la información que brindan las bibliotecas estadounidenses fuera utilizada en nuestra contra por Al Qaeda.

Los legisladores reconocieron la urgencia de la amenaza y pasaron el PATRIOT ACT 98 a 1 en el Senado y 357 a 66 en la Casa. Firmé la petición a Ley el 26 de octubre del 2001. —Tomamos tiempo para revisarlo, tomamos tiempo para leerlo, tomamos el tiempo para remover las partes que eran inconstitucionales y aquellas partes que habrían, de hecho, lastimado las libertades de todos los estadounidenses —dijo el Senador Demócrata de Vermont, Patrick Leahy. Su colega demócrata, el Senador Chuck Schumer de Nueva York, agregó: —Si existe una palabra clave que enfatiza esta propuesta de ley es "balance". En la nueva sociedad posterior al 11 de septiembre que enfrentamos, "balance" será una palabra clave.... El balance y la razón han prevalecido.

Durante los próximos cinco años, el PATRIOT ACT nos ayudó a desmantelar potenciales células terroristas en Nueva York, Oregon, Virginia y Florida. Por ejemplo, autoridades de inteligencia y del orden público compartieron información que condujo al arresto de seis yemeno-americanos en Lackawanna, Nueva York, quienes habían viajado a un campamento de entrenamiento terrorista en Afganistán y se habían reunido con Osama bin Laden. Cinco se declararon culpables de proporcionar material para apoyar a Al Qaeda. El otro admitió transacciones ilegales con Al Qaeda. Algunos reclamaron que los seis de Lackawanna y otros arrestos eran apenas unos «incautos pueblerinos» con complotes imaginarios que «no tenían intención de proceder con actos terroristas». Siempre me pregunté como los no informados intentaban deducir y pudieran estar tan seguros. Después de todo, en agosto de 2001, la idea de que terroristas comandados desde cuevas en Afganistán atacarían el World Trade Center y el Pentágono en aviones comerciales estadounidenses, hubiera parecido algo bastante improbable. Para mí, la lección del 9/11 fue simple: no tomar riesgos. Cuando nuestros profesionales de orden público e inteligencia encontraron personas con nexos con redes terroristas dentro de los Estados Unidos, preferiría que me critiquen por tomarlos en custodia demasiado pronto antes que esperar hasta que sea demasiado tarde.

Una vez que la frescura de 9/11 se dispersaba, también lo hizo el apoyo abrumador del congreso para el PATRIOT ACT. Los defensores de las libertades civiles y comentadores en las alas de ambos partidos disfrazaron la ley como una multipropósito con el objeto de atacar todo lo que no aprobaban acerca de la guerra contra el terrorismo. Cláusulas Clave del PATRIOT ACT, tales como la autoridad de conducir intervenciones telefónicas dinámicas estaban por expirar en 2005. Yo presioné fuertemente para su reautorización. Le dije al congreso que si la amenaza no había expirado, tampoco debería hacerlo la ley.

Los legisladores se retrasaron y se quejaron, pero cuando finalmente votaron, renovaron el PATRIOT ACT por un margen de 89 a 10 en el Senado y 251 a 174 en la Cámara. A principios de 2010, las cláusulas clave del PATRIOT ACT fueron autorizadas nuevamente por un congreso ampliamente democrático.

Mi único arrepentimiento sobre el PATRIOT ACT era el nombre. Cuando mi administración envió la propuesta de ley al capitolio, se llamaba originalmente la Ley Antiterrorismo del 2001. El congreso se puso creativo y lo rebautizó; como resultado, se creó una implicación de que la gente que se oponía a la ley era antipatriótica. Eso no era lo que yo tenía en mente. Debí de haber presionado al Congreso para cambiar el nombre de la propuesta de ley antes de firmarla.

Como parte de las investigaciones del 9/11, descubrimos que dos secuestradores que se habían infiltrado en los Estados Unidos, Khalid al Mihdhar y Nawaf al Hazmi, se habían comunicado con los líderes de Al Qaeda fuera de las costas en más de una docena de ocasiones antes del ataque. Mi duda inmediata era: —¿Porqué no habíamos interceptado las llamadas?. —Si hubiéramos escuchado lo que Mihdhar y Hazmi estaban diciendo, tal vez habríamos sido capaces de detener los ataques del 9/11.

El hombre con las respuestas era Mike Hayden, el General de tres estrellas de la Fuerza Aérea, que lideró la Agencia Nacional de Seguridad. Si la comunidad de inteligencia es el cerebro de seguridad nacional, la NSA es parte de la materia gris. La agencia está llena de inteligentes expertos técnicos y descifradores de códigos, junto con analistas y lingüistas. Mike me dijo que la NSA tenía la capacidad de monitorear las llamadas de Al Qaeda a los Estados Unidos antes de 9/11. Sin embargo, no tenía la autoridad legal para hacerlo sin contar con una orden judicial, y ese proceso pudiera haber sido lento y difícil.

La razón era una ley llamada: la Vigilancia para Inteligencia Internacional (FISA). Escrita en 1978, antes del uso tan común de los teléfonos celulares y el internet, FISA le prohibía a la NSA monitorear las comunicaciones que involucraban a personas dentro de los Estados Unidos, sin contar con una orden judicial de FISA. Por ejemplo, si un terrorista en Afganistán contactaba a un terrorista en Pakistán, la NSA podría interceptar su conversación, pero si el mismo terrorista llamaba a alguien en los Estados Unidos o enviaba un correo electrónico a una computadora en un servidor estadounidense, la NSA hubiera tenido que solicitar una orden judicial.

Eso no tenía sentido. ¿Por qué debería ser más difícil monitorear las comunicaciones de Al Qaeda con terroristas dentro de los Estados Unidos que con sus asociados en su propio continente? En las palabras de Mike Hayden, estábamos «volando a ciegas sin un sistema de alerta temprana».

Después de 9/11, no podíamos permitirnos «volar a ciegas». Si los agentes de Al Qaeda fueran llamando hacia o desde los Estados Unidos, sin lugar a dudas, necesitábamos saber a quién llamaban y que decían y dada la urgencia de las amenazas, no podíamos permitirnos quedarnos enterrados en el proceso de aprobación de la corte. Le solicité a la oficina del consejero de la Casa Blanca y del Departamento de Justicia estudiar la posibilidad de que yo pudiera autorizar a la NSA a monitorear las comunicaciones de Al Qaeda desde y hacia el país sin contar con órdenes de FISA.

Ambos me dijeron que podía hacerlo. Ellos concluyeron que el llevar a cabo vigilancia en contra de nuestros enemigos en guerra, cae dentro de las autoridades garantizadas por la resolución del Congreso para la guerra y la autoridad constitucional del comandante en jefe. Abraham Lincoln hubía interceptado máquinas de telégrafo durante la guerra civil. Woodrow Wilson ordenó la intercepción de prácticamente cada llamada y cada mensaje de telégrafo que salía o entraba a los Estados Unidos durante la Primera Guerra Mundial. Franklin Roosevelt permitió a la milicia leer y censurar comunicaciones durante la Segunda Guerra Mundial.

Antes de que aprobara el programa de vigilancia a terroristas, quería asegurarme de que hubiera suficientes garantías para prevenir abusos. No tenía intenciones de convertir la NSA en un Big Brother Orwelliano. Yo sabía que los hermanos Kennedy se habían unido con J. Edgar Hoover para escuchar ilegalmente las conversaciones de personas inocentes, incluyendo a Martin Luther King Jr. Lyndon Johnson continuó con la práctica. Yo pensaba que ese había sido un capítulo triste en nuestra historia y no pensaba repetirlo.

La mañana del 4 de octubre del 2001, Mike Hayden y el equipo legal llegaron a la Oficina Oval. Ellos me aseguraron que el programa de vigilancia al terrorismo había sido cuidadosamente diseñado para proteger los derechos civiles y las libertades de las personas inocentes. El propósito del programa era monitorear los llamados números sucios, los cuales los profesionales de inteligencia tuvieran razones para sospechar que pertenecieran a agentes de Al Qaeda. Muchos habían sido encontrados en los teléfonos celulares o computadoras de terroristas capturados en el campo de batalla. Si nosotros, inadvertidamente, interceptáramos cualquier porción de puras comunicaciones domésticas, la violación sería reportada al Departamento de Justicia para investigación. Para asegurarse de que el programa fuera únicamente utilizado tanto como fuera necesario, debía ser regularmente reevaluado y reaprobado.

Di la orden para proceder con el programa. Habíamos considerado ir al Congreso para obtener legislación, pero miembros clave de cada partido, quienes habían recibido reportes altamente clasificados acerca del programa, acordaron que la vigilancia era necesaria y que un debate legislativo no era posible sin exponer nuestros métodos al enemigo.

Yo sabía que el Programa de Vigilancia Terrorista resultaría ser controversial algún día; aun así, lo consideré necesario. Los escombros en el World Trade Center aún estaban humeando. Cada mañana, recibía reportes de inteligencia respecto a otro posible ataque. Monitorear comunicaciones terroristas hacia dentro de los Estados Unidos era esencial para mantener al pueblo estadounidense seguro.

El 22 de diciembre, un pasajero británico llamado Richard Reid intentó hacer estallar un vuelo de American Airlines con 197 pasajeros que iba de Paris a Miami al detonar explosivos en sus zapatos. Afortunadamente, una azafata alerta se percató de su comportamiento sospechoso y los pasajeros lo abrumaron antes de que pudiera encender la mecha. El avión fue desviado a Boston, donde Reid fue escoltado y esposado. Más tarde él mismo dijo a interrogadores que su objetivo era lesionar la economía estadounidense con un ataque durante la temporada navideña. Se declaró culpable de ocho cargos de actividad terrorista, lo cual le bastó para una sentencia de por vida en una presión de máxima seguridad en Florence, Colorado.

El ataque frustrado tuvo un gran impacto en mí. Tres meses después de 9/11, fue un vívido recordatorio que las amenazas que nos temíamos eran reales. Los vigilantes de los aeropuertos empezaron a solicitar a los pasajeros que removieran su calzado en puntos de revisión. Reconocía que se crearon inconvenientes, pero consideré que era importante prevenir un ataque réplica. Supe que mi política se estaba llevando a cabo por completo cuando la madre de Laura de ochenta y dos años tuvo que quitarse los zapatos antes de su vuelo de Navidad desde Midland a Washington. Sin lugar a duda, esperaría no estar cerca si le pidieran a mi madre que hiciera lo mismo.

El casi error del Atlántico resaltó una brecha más amplia en nuestro enfoque a la guerra contra el terrorismo. Cuando Richard Reid fue arrestado, fue rápidamente colocado dentro del sistema judicial estadounidense, el cual lo acogía con las mismas protecciones constitucionales que a cualquier otro criminal; sin embargo, el bombardero del zapato no era un ladrón de bancos o un criminal común; era un soldado establecido en la guerra de Al Qaeda en contra de los Estados Unidos. Él envió un correo electrónico a su madre, dos días antes del ataque, que decía: «Lo que estoy haciendo es parte de una guerra constante entre el islam y la incredulidad». Al darle a este terrorista el derecho de permanecer en silencio, nos privamos de la oportunidad de recolectar inteligencia vital para conocer sus planes y los de sus manipuladores.

El caso de Reid dejó en claro que necesitábamos una nueva política para tratar con terroristas capturados. En este nuevo tipo de guerra, no hay una fuente mas valiosa de información de inteligencia sobre posibles ataques que los mismos terroristas. En medio del flujo constante de amenazas después de 9/11, lidié con tres de las más críticas decisiones que tomaría en la guerra contra el terrorismo: dónde resguardar a enemigos activos capturados, cómo determinar su situación legal y asegurar que eventualmente se enfrentaran a la justicia y cómo conocer lo que sabían acerca de futuros ataques, de manera que pudiéramos proteger al pueblo estadounidense.

Al principio, la mayoría de los activos de Al Qaeda capturados fueron retenidos para interrogatorio en prisiones en el campo de batalla en Afganistán. En noviembre, oficiales de la CIA fueron a interrogar a prisioneros talibanes y de Al Qaeda, detenidos en una primitiva fortaleza afgana del siglo XIX llamada Qala-i-Jangi. Un motín se desató. Utilizando armamento de contrabando en el complejo, enemigos activos acabaron con la vida de uno de nuestros oficiales, Johnny "Mike" Spann, convirtiéndolo en el primer estadounidense muerto en batalla en la guerra contra el terrorismo.

La tragedia resaltó la necesidad de un complejo de seguridad que resguarde a terroristas capturados. Había pocas opciones, ninguna particularmente atractiva. Durante algún tiempo, mantuvimos a los detenidos de Al Qaeda en naves de la Marina en el Mar Arábigo; sin embargo, esa no era solución viable a largo plazo. Otra posibilidad, era enviar a los terroristas a una base asegurada en tierras distantes o en territorio estadounidense; por ejemplo, Guam. Sin embargo, retener terroristas capturados en suelo estadounidense podría activar las protecciones constitucionales que de otra forma no recibirían, tales como el derecho a permanecer en silencio. Eso haría mucho más difícil recibir información urgente de inteligencia.

Decidimos retener a los detenidos en una estación naval lejana en la punta sur de Cuba, la Bahía de Guantánamo. La base estaba en territorio cubano; sin embargo, los Estados Unidos la controlaban bajo un acuerdo de arrendamiento adquirido después de la guerra española-estadounidense. El Departamento de Justicia me notificó que los prisioneros enviados ahí no tendrían derecho de acceder al sistema de justicia criminal estadounidense. El área que rodea Guantánamo era inaccesible y escasamente poblada; retener a los terroristas en la Cuba de Fidel Castro era, difícilmente, un proyecto atractivo. En las palabras de Don Rumsfeld, era «la mejor de las peores opciones disponibles». En Guantánamo, los detenidos recibían un resguardo limpio y seguro, tres comidas al día, una copia del Corán por persona, la oportunidad de orar cinco veces al día y los mismos cuidados médicos que reciben los guardias. Tenían acceso a espacios deportivos y una biblioteca equipada con libros y DVDs, uno de los más populares era la traducción al árabe de *Harry Potter*.

Con el paso de los años, invitamos a miembros del Congreso, periodistas y observadores internacionales a visitar Guantánamo y ver las condiciones con sus propios ojos. Muchos salieron sorprendidos con lo que encontraron. Un oficial belga inspeccionó Guantánamo cinco veces y la llamó una «prisión modelo» que ofrece a los detenidos un mejor tratamiento que las prisiones belgas. —Nunca observé actos de violencia o cosas que me escandalizaran en Guantánamo —dijo—. Este centro no debe ser confundido con Abu Ghraib.

A pesar de que el tratamiento humano de los detenidos en Guantánamo era consistente con los convenios de Ginebra, Al Qaeda no comulgaba con las características de la protección de Ginebra como un tema legal. El propósito de Ginebra era ofrecer incentivos para que las naciones peleen guerras a través de reglas acordadas para proteger la dignidad humana y la vida de inocentes—y el de castigar a guerreros que no lo hicieran. Sin embargo los terroristas no constituyen un estado nacional; ellos no habían firmado los acuerdos de Ginebra. Todo su modo de operación—matar a inocentes intencionalmente—desacataba los principios de Ginebra. Por otro lado, si Al Qaueda capturaba un estadounidense, había muy pocas posibilidades de que lo trataran humanamente.

Esto fue confirmado con terrible claridad a finales de enero del 2002, cuando los terroristas en Pakistán secuestraron al reportero del *Wall Street Journal*, Daniel Pearl. Ellos alegaron que se trataba de un espía de la CIA y trataron de extorsionar a los Estados Unidos para que negociaran su liberación. Los Estados Unidos tienen una antigua política de no negociar con terroristas y yo continué con ella. Sabía que, si aceptaba las demandas de un terrorista, únicamente alentaría a más secuestros. Nuestros bienes militares y de inteligencia estaban buscando con urgencia a Pearl, pero no lo lograron a tiempo. En sus últimos momentos, Danny Pearl dijo: —Mi padre es judío, mi madre es judía y yo soy judío. —Después, sus captores de Al Qaeda le rebanaron la garganta.

Cuando tomé la decisión respecto a la protección de Ginebra, decidí también crear un sistema legal para determinar la inocencia o culpabilidad de los detenidos. George Washington, Abraham Lincoln, William McKinley, y Franklin Roosevelt habían enfrentado dilemas similares sobre cómo traer a enemigos combatientes capturados a la justicia en tiempos de guerra. Todos llegaron a la misma conclusión: una corte operada por la milicia.

El 13 de noviembre del 2001, firmé una orden ejecutiva para establecer tribunales militares para enjuiciar terroristas capturados. El sistema estaba cercanamente basado en el creado por FDR en 1942, el cual enjuició y condenó a ocho espías nazis que se habían infiltrado en los Estados Unidos. La Corte Suprema había apoyado de manera unánime la legalidad de dichos tribunales.

Tenía la certeza de que los tribunales militares proporcionarían un juicio justo. Los detenidos tenían derecho a la presunción de inocencia, ser representados por un abogado calificado y el derecho a presentar evidencia que «tuviera valor probatorio para una persona razonable». Para efectos prácticos de seguridad nacional, no tenían acceso a información clasificada que hubiera expuesto fuentes y métodos de inteligencia. Para condenar a un detenido se requería que dos tercios del tribunal estuvieran de acuerdo. El detenido podría apelar la decisión de los tribunales o la sentencia al Secretario de Defensa y al presidente. Inherente a mi decisión sobre los tribunales—y muchas otras en la guerra—se encontraba la tensión entre proteger al pueblo estadounidense y mantener las libertades civiles. Mantener nuestros valores era algo crítico para nuestra posición en el mundo. No podríamos liderar el mundo libre ni reclutar nuevos aliados a nuestra causa si no poníamos en práctica lo que manifestamos. Creí que los tribunales militares, trajeron el balance exacto al mantener el respeto a la ley y al mismo tiempo, proteger al país.

El 28 de marzo del 2002, pude escuchar la emoción en la voz de George Tenet. Él reportó que la policía Paquistaní—con ayuda del FBI y la CIA— había lanzado un operativo de captura en contra de varias casas de seguridad de Al Qaeda en la ciudad paquistaní de Faisalabad. Ellos pillaron más de dos docenas de agentes, incluyendo Abu Zubaydah.

Yo había estado escuchando reportes de Zubaydah durante meses. La comunidad de inteligencia sostenía que él era un asociado de confianza de Osama bin Laden y principal reclutador y operador que manejaba un campamento en Afganistán donde algunos de los secuestradores de 9/11 fueron entrenados. Era sospechoso de haber estado involucrado en complots previos para destruir objetivos en Jordania y de explotar el Aeropuerto Internacional de Los Ángeles. La CIA creía que estaba planeando atacar a los Estados Unidos nuevamente.

Zubaydah había sido herido seriamente en un tiroteo antes de su arresto.

La CIA trajo un médico especializado, quien le salvó la vida; fue entonces cuando los paquistaníes lo entregaron a nuestra custodia. El FBI empezó a cuestionar a Zubaydah, quien claramente había recibido entrenamiento sobre como resistir un interrogatorio. Él reveló pedazos de información que pensó que ya conocíamos. Espantosamente, no conocíamos mucho de eso; por ejemplo, recibimos información definitiva sobre un nuevo alias para Khalid Sheikh Mohammed, quien, bajo confirmación adicional de Zubaydah, fue la mente maestra de los ataques del 9/11.

Entonces Zubaydah dejó de contestar preguntas. George Tenet me dijo que los interrogadores creían que Zubaydah tenía más información para revelar. Si es que estaba escondiendo algo más, ¿qué pudiera ser? Zubaydah era nuestra mejor pista para evitar otro ataque catastrófico. —Tenemos que descubrir qué es lo que sabe —les dije al equipo—. ¿Cuáles son nuestras opciones?

Una opción era que la CIA tomara control del interrogatorio para Zubaydah y moverlo a una ubicación segura en otro país en donde la agencia pudiera tener control absoluto sobre el ambiente que lo rodea. Expertos de la CIA enlistaron una serie de técnicas de interrogatorio que variaban respecto a aquellas que Zubaydah ya había resistido exitosamente. George me aseguró que todos los interrogatorios serían ejecutados por profesionales de inteligencia experimentados que han concluido entrenamiento extensivo. Equipo médico estaría presente para asegurar que el detenido no fuera abusado física o mentalmente.

A mi cargo, el Departamento de Justicia y los abogados de la CIA condujeron una revisión legal exhaustiva. Concluyeron que el programa de interrogatorio mejorado estaba acorde a la constitución y todas las leyes aplicables, incluyendo aquellas que prohibían la tortura.

Di un vistazo a la lista de técnicas. Había dos que sentí iban demasiado lejos, a pesar de que eran legales. Indiqué a la CIA que no las ocuparan. Otra técnica era el «submarino», un proceso que simulaba el ahogamiento. Sin duda, el procedimiento era duro, pero expertos médicos aseguraron a la CIA que éste no causaba daños permanentes.

Yo sabía que un proceso de interrogación tan delicado y controversial, algún día se volvería público. Cuando lo hiciera, nosotros nos abriríamos a las críticas de que los Estados Unidos habían comprometido nuestros valores morales. Yo hubiera preferido que obtuviéramos información de alguna otra forma, pero la elección entre seguridad y valores era real. De no haber autorizado «el submarino» para líderes de alto nivel de Al Qaeda, hubiera tenido que aceptar un riesgo mayor de que el país fuera atacado. Después de la experiencia del 9/11, esto era un riesgo que no estaba dispuesto a correr. Mi más solemne responsabilidad como presidente era proteger al país. Aprobé el uso de las técnicas de interrogación.

Las nuevas técnicas demostraron altos niveles de eficiencia. Zubaydah reveló grandes cantidades de información en la estructura de Al Qaeda y sus operaciones. También proporcionó pistas que ayudaron a revelar la ubicación de Ramzi bin al Shibh, el planeador de la logística de los ataques del 9/11. La policía paquistaní lo atrapó en el primer aniversario del 9/11.

Zubaydah explicó después a sus interrogadores porqué empezó a responder nuevamente. Su entendimiento del islam era que debía resistir el interrogatorio solo hasta cierto punto. «El submarino» fue la técnica que le permitió alcanzar dicho umbral, cumplir con su deber religioso y después cooperar. —Deben hacer esto con todos los demás hermanos —dijo.

———

El 1 de marzo del 2003, George Tenet contó una historia de espías apta para una novela de John le Carré. La información sacada de los interrogatorios de Abu Zubaydah y Ramzi bin al Shibh, combinados con otras fuentes de inteligencia, fue de gran ayuda para identificar y apuntar a un líder de alto nivel de Al Qaeda. Después un valiente agente extranjero reclutado por la CIA nos dirigió a la puerta principal de un complejo de apartamentos en Paquistán. —Quiero que mis hijos estén libres de estos hombres locos que distorsionan nuestra religión y matan a gente inocente —dijo el agente más tarde.

Las fuerzas paquistaníes invadieron el complejo y extrajeron a su objetivo. Se trataba del jefe oficial de operaciones de Al Qaeda, el asesino de Danny Pearl y la mente maestra del 9/11: Khalid Sheikh Mohammed.

Me sentí aliviado de tener uno de los líderes de más alto nivel de Al Qaeda fuera del campo de batalla; sin embargo, mi alivio no duró mucho tiempo. Los agentes que investigaban el domicilio de Khalid Sheikh Mohammed descubrieron lo que un oficial después llamó «una fuente madre» de inteligencia valiosa. Khalid Sheikh Mohammed se encontraba evidentemente planeando más ataques. No parecía que tuviera ninguna intención de darnos nada de información sobre ellos. —Hablaré con ustedes —confirmó— después de llegar a Nueva York y consultar a mi abogado.

George Tenet preguntó si tenía autorización para utilizar métodos mejorados de interrogatorio, incluyendo «el submarino», con Khalid Sheikh Mohammed. Recordé mi reunión con la viuda de Danny Pearl, quien estaba embarazada con su hijo cuando él fue asesinado. Pensé en las 2,973 personas que fueron arrebatadas de sus familias por Al Qaeda en 9/11 y pensé en mi responsabilidad de proteger al país de otro acto de terror.

—Por supuesto —exclamé.

Khalid Sheikh Mohammed resultó ser hueso duro de roer, pero cuando lo hicimos, nos dio mucho. Dio a conocer planes para atacar objetivos estadounidenses con ántrax y nos dirigió a tres personas involucradas con el programa de armas biológicas de Al Qaeda. Nos proporcionó información que llevó a la captura de Hambali, líder de la filial más peligrosa de Al Qaeda en el Sudeste Asiático y el arquitecto del ataque terrorista de Bali, que mató a 202 personas. Proporcionó más detalles que llevaron a los agentes al hermano de Hambali, quien empezaba a desarrollar agentes para llevar a cabo otro ataque dentro de los Estados Unidos, posiblemente una versión para la costa oeste del 9/11, en la cual los terroristas volarían un avión secuestrado contra la torre de la biblioteca de Los Ángeles.

Años después, el *Washington Post* sacó una historia en primera página acerca de la transformación de Khalid Sheikh Mohammed. El encabezado era «Cómo un detenido se convierte en un bien». Describía cómo es que Mohammed «parecía disfrutar las oportunidades, a veces por horas y horas, para discutir el funcionamiento interno de Al Qaeda, los planes, ideología y agentes del grupo.... En ocasiones inclusive utilizaba un pizarrón.» El informe de inteligencia que él proporcionó resultó ser vital para salvar vidas estadounidenses; es casi 100% seguro que no habría salido a la luz sin la ayuda del programa mejorado de interrogatorio de la CIA.

De los miles de terroristas que capturamos en los años posteriores al 9/11, cerca de cien fueron puestos en el programa de la CIA. Cerca de un tercio de ellos fueron interrogados utilizando las técnicas mejoradas. Tres fueron sujetos al «submarino». La información revelada por los detenidos en el programa de la CIA representaba más de la mitad de lo que la CIA conocía de Al Qaeda. Sus interrogatorios sirvieron para frustrar complots para atacar bases militares y diplomáticas estadounidenses fuera del país, el aeropuerto de Heathrow y Canary Wharf en Londres y múltiples objetivos en los Estados Unidos. Expertos en la comunidad de inteligencia, me dijeron que sin el programa de la CIA, hubiera habido otro ataque en los Estados Unidos.

Después de que implementamos el programa de la CIA, informamos a un pequeño grupo de legisladores de ambos partidos sobre su existencia. En ese momento, algunos estaban preocupados de que no estuviéramos presionando lo suficiente. Años más tarde, una vez que la amenaza se percibía menos urgente y los vientos políticos habían cambiado, muchos legisladores se convirtieron en feroces críticos. Ellos alegaron que los estadounidenses habían cometido torturas ilegales. Eso no era cierto. Había solicitado a los más altos oficiales legales en el gobierno de Estados Unidos que revisaran los métodos de interrogatorio y ellos me aseguraron que éstos no constituían tortura. El sugerir que nuestro personal de inteligencia violó la ley al seguir la guía legal que recibieron, es insultante e incorrecto.

El programa de interrogación de la CIA salvó vidas. Si hubiéramos capturado más agentes de Al Qaeda con suficiente valor informativo, hubiera aplicado el programa para ellos también.

La mañana del 10 de marzo del 2004, Dick Cheney y Andy Card me recibieron con un anuncio alarmante: El Programa de Vigilancia a Terroristas expiraría al finalizar el día.

—¿Cómo puede ser que lo den por terminado? —interrogué—. Es vital para proteger al país. —Dos años y medio habían pasado desde que autoricé el Programa de Vigilancia Terrorista TSP en octubre del 2001. En ese tiempo, la NSA había utilizado el programa para descubrir detalles esenciales sobre complots terroristas y su ubicación. El Director de la NSA Mike Hayden más tarde hizo público que el programa había sido «exitoso en detectar y prevenir ataques dentro de los Estados Unidos» y que, según su «juicio profesional, habríamos detectado algunos de los agentes de Al Qaeda del 9/11 en los Estados Unidos» si hubiéramos contado con el programa antes de los ataques.

Andy explicó la situación. Mientras que John Ashcroft había recomendado regularmente la renovación del TSP desde 2001, el Departamento de Justicia había encontrado una objeción legal para uno de los componentes del programa.

—¿Por qué yo no tenía conocimiento de esto? —inquirí. Andy compartía mi incredulidad. Me dijo que se había enterado sobre la objeción la noche anterior. El equipo legal debió de haber creído que el desacuerdo podría haber sido arreglado sin involucramiento presidencial. Le dije a Andy que trabajara con Ashcroft y con el consejero de la Casa Blanca, Alberto Gonzales, para resolver el problema. Mientras tanto, debía volar a Cleveland para dar un discurso sobre política comercial.

Cuando regresé, chequé con Andy. Muy poco progreso se había logrado. El Departamento de Justicia se mantenía en su objeción. Mis abogados no estaban retrocediendo, tampoco. Ellos estaban convencidos de que el programa era legal.

—¿Dónde demonios está Ashcroft? —interrogué enfurecido. —Está en el hospital —respondió Andy.

Ésta era información nueva para mí. Llamé a John, y descubrí que estaba recuperándose de una cirugía de vesícula biliar de emergencia. Le dije que enviaría a Andy y a Al para hablar con él sobre un asunto urgente. Condujeron hasta el hospital con la orden de reautorización del TSP. Cuando regresaron, me informaron que Ashcroft no había firmado. La única manera de permitir que el programa continuara era anular la objeción del Departamento de Justicia. No me gustaba la idea, pero no pude ver otra alternativa. Firmé una orden para mantener vivo el TSP basado en mi autoridad, como jefe del Poder Ejecutivo. Me fui a dormir irritado y con un sentimiento de que no conocía la historia completa. Tenía la firme intención de obtenerla.

———

—Sr. Presidente, tenemos un gran problema —dijo Andy cuando llegué a la Oficina Oval la mañana del 12 de marzo. —Jim Comey es el fiscal general activo y va a renunciar porque usted extendió el TSP, y también un montón de otros oficiales del Departamento de Justicia.

Estaba aturdido. Nadie me había dicho que Comey, el delegado de John Ashcroft, había tomado control de las responsabilidades de Ashcroft cuando éste se ausentó por la cirugía. De haber sabido eso, nunca hubiera enviado a Andy y Al a ver a John al hospital.

Pedí hablar con Comey en privado, después de la reunión matutina del FBI, a la cual asistió en lugar de John Ashcroft. No había pasado mucho tiempo con Jim, pero sabía que tenía un récord distinguido como fiscal en Nueva York. Empecé por explicar que tenía la obligación de hacer lo que era necesario para proteger al país. Sentí que el TSP era esencial para ese esfuerzo. Él explicó sus preocupaciones sobre los aspectos problemáticos del programa. —Simplemente no entiendo por qué está exponiendo esto de último minuto —dije. Se mostró sorprendido, —Sr. Presidente —objetó— su equipo sabía esto desde hace semanas. —Después soltó otra bomba, no era el único que planeaba renunciar. También pensaba hacerlo el Director del FBI, Bob Mueller. Estaba a punto de testificar la más grande renuncia en masa de la historia presidencial moderna y estábamos en medio de una guerra.

Llamé a Bob a la Oficina Oval. Había llegado a conocerlo bastante bien durante los pasados dos años y medio. Él era un hombre bueno y decente, antiguo estrella del hockey de Princeton, quien sirvió con los Marines y dirigió la fiscalía de los Estados Unidos en San Francisco. Sin vacilación, él estaba de acuerdo con Comey. Si yo continuaba el programa a pesar de la objeción del Departamento de Justicia, dijo él, ya no podía servir en mi administración.

Tuve que tomar una gran decisión y rápido. Algunos en la Casa Blanca creían que debía mantenerme en mis poderes bajo el artículo II de la Constitución y soportar la salida. Otros aconsejaban que aceptara las objeciones del Departamento de Justicia, modificara el programa y mantuviera la administración intacta.

Yo estaba dispuesto a defender los poderes de la presidencia bajo el artículo II, pero no a cualquier costo. Pensé en la masacre de la noche del sábado, en octubre de 1973, cuando el presidente Richard Nixon al despedir al fiscal de Watergate, Archibald Cox, condujo a la renuncia de su fiscal general y su delegado. Esa fue una crisis histórica que no estaba entusiasmado por repetir. No me habría llenado de satisfacción saber que estaba en lo correcto en los principios legales, mientras mi administración hacía implosión y nuestros programas clave en la guerra contra el terror fueran expuestos en la tormenta mediática que sin duda seguiría. Decidí atender las preocupaciones del Departamento de Justicia modificando las partes del programa que encontraban problemáticas, mientras mantenía el TSP en vigor. Comey y Mueller abandonaron sus amenazas de renunciar.

El programa de vigilancia continuaba dando resultados y eso era lo más importante.

Estaba aliviado de que la crisis hubiera pasado, pero estaba molesto porque no debió ocurrir desde un principio. Dejé claro a mis consejeros que nunca más quería quedar desprevenido así. No sospeché de malas intenciones por parte de nadie. Una de las preguntas más grandes que cada Casa Blanca enfrenta es cómo manejar el tiempo del presidente y cuándo presentar disputas políticas a su escritorio. La problemática del programa de vigilancia fue un caso de mal juicio. No hubo escasez de desacuerdos en los años venideros, pero nunca más ocurrió nada como esto.

———

Uno de mis libros favoritos es la biografía del presidente Harry Truman, del excelente historiador David McCullough. Admiraba la fortaleza de Truman, sus principios y su visión estratégica. —Sentía que la luna, las estrellas y todos los planetas caían sobre mi —dijo cuando tomó el puesto, súbitamente, en los meses finales de la Segunda Guerra Mundial. Aun así, el hombre de Missouri sabía cómo tomar decisiones difíciles y apegarse a ellas. Él hizo lo que creía correcto y no le importaba mucho lo que dijeran las críticas. Cuando dejó el puesto en 1953, sus índices de aprobación estaban en los veintes. Hoy es visto como uno de los más grandes presidentes de los Estados Unidos.

Después de convertirse en secretaria de estado, Condi me dio una biografía del secretario de estado de Truman, Dean Acheson. Ambos libros me recordaban que las decisiones de Truman a finales de la década de los 1940 y principios de 1950 asentaron las bases para la victoria de la guerra fría y ayudó a formar el mundo que me fue legado como presidente. Truman forjó la alianza OTAN; firmó el acto de seguridad de 1947, el cual creaba la CIA, el consejo nacional de seguridad, y el Departamento de Defensa; luchó una guerra impopular que permitió el surgimiento de un aliado democrático en Corea del Sur. Comprometió la asistencia a todos los países que resisten toma de poder comunista, la Doctrina Truman.

Como en la era de Truman, estábamos en los primeros años de una larga lucha. Habíamos creado una variedad de herramientas para lidiar con las amenazas. Convertí en una prioridad principal de mi segundo mandato, convertir esas herramientas en instituciones y leyes que estuvieran disponibles para mis sucesores.

En algunas áreas, estábamos arrancando con un buen inicio. A pesar de encontrarse vulnerable a las ineficiencias de cualquier gran burocracia, el Departamento de Seguridad Nacional, fue una gran mejora sobre las otras 22 agencias sin coordinación. El FBI había creado una nueva Rama de Seguridad Nacional encargada de prevenir ataques terroristas. El Departamento de Defensa había establecido un nuevo comando del norte con la única responsabilidad de defender a la patria. El Departamento del Tesoro había adoptado un nuevo enfoque agresivo para trastocar el financiamiento terrorista. Habíamos reclutado a más de noventa países a una nueva Iniciativa de Proliferación de Seguridad orientada a detener el tráfico internacional de materiales relacionados con armas de destrucción masiva. Basados en parte por la recomendación de la comisión del 9/11, habíamos creado un nuevo Centro Nacional Contraterrorismo y nombrado un Director de Inteligencia Nacional—la reforma más grande de la comunidad de inteligencia desde que Truman creó la CIA.

En otras áreas, teníamos trabajo que hacer. Algunas de nuestras herramientas más importantes en la guerra contra el terrorismo, incluyendo el TSP y el programa de interrogación de la CIA, estaban basados en la amplia autoridad del artículo II y la resolución de guerra del Congreso. La manera más eficiente de asegurar que dichas herramientas quedaran disponibles después de que yo abandonara el puesto, era trabajar con el Congreso para codificar estos programas como leyes. Como el juez Robert Jackson explicó en una opinión de referencia en 1952, un presidente tiene la máxima autoridad cuando está actuando con el apoyo explícito del Congreso.

El reto era cómo presentar el TSP y el programa de interrogatorio de la CIA al Congreso sin exponer detalles al enemigo. Yo creía que era posible, pero tendríamos que trabajar muy de cerca con miembros del Congreso para estructurar un debate, de una manera que no revelaría secretos críticos. Fuimos desarrollando una estrategia para lograr eso; entonces dos eventos forzaron nuestra mano.

—El *New York Times* está con la historia de la vigilancia otra vez —me dijo Steve Hadley en diciembre del 2005. El año anterior, el *Times* había considerado publicar una historia exponiendo el TSP. Condi y Mike Hayden habían convencido al periódico de no revelar elementos clave del programa.

Les pedí al editor del *Times*, Arthur Sulzberger, Jr., y al editor, Bill Keller, que me vinieran a ver el 5 de diciembre del 2005. Era una solicitud poco común y aprecié su voluntad de hablar cara a cara. Llegaron alrededor de las 5:00 pm. Steve Hadley, Andy Card, Mike Hayden y yo los recibimos en la Oficina Oval. Nos sentamos cerca de la chimenea debajo del retrato de George Washington. Les dije que la nación se encontraba aún en peligro y su periódico estaba a punto de incrementar ese peligro al revelar el TSP en una forma que pudiera dar pistas a nuestros enemigos. Después autoricé al General Hayden que les explicara el programa con detalles.

Mike tiene una personalidad tranquilizadora. No es un tipo macho que intente intimidar a las personas con las estrellas en sus hombros. Él habló de su larga carrera en la inteligencia y su sospecha natural acerca de cualquier programa que pudiera resultar en recopilar información de ciudadanos estadounidenses. Describió las salvaguardas en vigor, las numerosas revisiones legales y el resultado que el programa había obtenido.

El resumen de Mike duró aproximadamente treinta minutos. Observé detenidamente a los hombres del *Times*. Estaban con la cara firme. Les dije que podían preguntarle a Mike cualquier duda que tuvieran; no preguntaron nada. Miré fijamente a Sulzberger y firmemente lo invité a que retuviera la historia por razones de seguridad nacional. Dijo que consideraría mi solicitud.

Diez días después, Bill Keller llamó a Steve para decir que el *Times* iba a continuar con la historia. No tuvimos oportunidad de cerrar el argumento. Ya habían posteado la información en su página de internet antes de que Keller pudiera hacer la llamada.

Estaba desilusionado con el *Times* y molesto con quién fuera que hubiera traicionado a su país al filtrar la historia. El Departamento de Justicia abrió una investigación criminal por divulgar información clasificada. Al cabo del verano del 2010, nadie había sido procesado.

La izquierda respondió con histeria. —Él es el presidente George Bush, no el rey George Bush —vociferó un Senador. —La administración de Bush parece creer que se encuentra por encima de la ley —objetó otro. Uno de los efectos inmediatos de la filtración fue el descarrilamiento de la renovación del PATRIOT ACT, el cual estaba listo para ser reautorizado por el Congreso. —Matamos al PATRIOT ACT —alardeó en una reunión política el líder de la minoría del Senado, Harry Reid, quien había votado por la ley en 2001.

Al final, el PATRIOT ACT fue renovado, pero la filtración de información creó un problema aún más grande. Las compañías de telecomunicaciones sospechosas de colaborar con el gobierno para operar el TSP enfrentaban demandas legales colectivas. Eso era injusto. Las compañías que habían accedido a su deber patriótico de ayudar al gobierno a mantener al país seguro merecían ser elogiadas, no demandadas. Una cosa era segura: cualquier esperanza de contar con apoyo por parte de la industria de las telecomunicaciones estaba perdida, a menos que pudiéramos ofrecer inmunidad legal.

A principios del 2006, comencé a buscar a legisladores clave en un proyecto de ley de modernización de la ley de Vigilancia de Inteligencia Exterior. La nueva legislación proporcionaba autoridad explícita para el tipo de vigilancia que habíamos manejado bajo el TSP, así como también protección confiable para las compañías de telecomunicaciones.

El debate continuó con altas y bajas por dos años. Afortunadamente, tuve dos defensores persuasivos: el Director de Inteligencia Nacional, Mike McConnell, un ex Almirante Naval de pensamiento claro y el Fiscal General, Mike Mukasey, un determinado Juez Federal de Nueva York. Ellos pasaron horas en la colina del Capitolio explicando la necesidad de cerrar esas brechas en nuestras capacidades de inteligencia, así como las salvaguardias que teníamos implementadas para prevenir abusos.

Finalmente, ambas casas del Congreso sostuvieron votaciones en el verano del 2008. La Cámara pasó la propuesta de Ley 293 a 129. En el Senado recibió 69 votos. La legislación esencialmente terminaba con el debate sobre la legalidad de nuestras actividades de vigilancia. El Congreso había mostrado apoyo bipartidista para la ley que proporcionaba aún más flexibilidad de la que ya teníamos con el Programa de Vigilancia a Terroristas.

——

El segundo evento que forzó nuestra mano, llegó en junio del 2006, cuando la Corte Suprema falló en el caso de *Hamdan v. Rumsfeld*.

La decisión fue la culminación de más de cuatro años de litigio, involucrando a tribunales militares que yo había autorizado en noviembre del 2001. Había tomado dos años y medio para el Departamento de Defensa elaborar los procedimientos y dar inicio al primer juicio. Sin duda, era un emprendimiento de alta complejidad legal y logística; sin embargo, detecté cierta falta de entusiasmo por el proyecto. Con todas las presiones en Irak y Afganistán, nunca parecía que los tribunales fueran una gran prioridad.

Los abogados defensores de los detenidos se movieron con mayor urgencia. En el 2004, el abogado que la Marina había asignado a Salim Hamdan—el chofer de Osama bin Laden, quien había sido capturado en Afganistán— desafió la legalidad del tribunal. La Corte de Apelaciones sostuvo la validez de los tribunales como un sistema de justicia para tiempos de guerra. No obstante, en junio del 2006, la Corte Suprema anuló esa decisión. La corte decidió que, a diferencia de Franklin Roosevelt y otros predecesores, yo necesitaba autorización explícita del Congreso para establecer los tribunales.

La decisión también afectó el programa de interrogación de la CIA. En su opinión mayoritaria, el juez John Paul Stevens, dictaminó que una parte de los Convenios de Ginebra conocido como Artículo Común III—redactado exclusivamente para «conflictos armados sin carácter internacional»—de alguna manera aplicó a la guerra de Estados Unidos con Al Qaeda. La cláusula prohibía «atentados en contra de la dignidad personal», una frase ambigua que pudo haber sido interpretada para significar prácticamente cualquier cosa. Como resultado, los abogados de la CIA se preocuparon de que el personal de inteligencia que cuestionó a los terroristas pudiera de pronto enfrentarse a un riesgo legal. La CIA me informó que tuvo que suspender el programa de interrogación que había dado tanta información utilizada para salvar vidas.

Estuve en absoluto desacuerdo con la resolución de la corte, la cual consideraba un ejemplo de activismo judicial. Sin embargo, acepté el rol de la Corte Suprema en nuestra democracia constitucional. No pensaba repetir el ejemplo del Presidente Andrew Jackson, quien dijo: —John Marshall ha tomado una decisión, ¡ahora déjenlo aplicarla! —Ya sea que los presidentes las acepten o no, las decisiones de la Corte son las leyes del país.

Similar a la filtración que ocurrió con el TSP, la decisión de la Corte Suprema dejó en claro que era el momento para buscar la legislación para codificar el sistema de tribunales militares y el programa de interrogatorios de la CIA. Llevé el caso al pueblo a través de una serie de discursos y declaraciones. El momento más dramático vino en el Salón Este de la Casa Blanca en septiembre de 2006. Con el objeto de resaltar que mucho estaba en juego con la decisión de pasar la propuesta de ley, anuncié que íbamos a transferir a Khalid Sheikh Mohammed y a otros trece prisioneros de alto nivel de Al Qaeda de la custodia de la CIA a Guantánamo, en donde enfrentarían juicio bajo los nuevos tribunales que el Congreso crearía.

—Esta propuesta de ley convierte al presidente en un dictador —proclamó un congresista. Otros legisladores compararon la conducta de nuestra milicia y profesionales de la CIA con los talibanes y Saddam Hussein.

Yo tenía confianza de que el pueblo estadounidense tendría mejor juicio. La mayoría de los estadounidenses entendía la necesidad de que profesionales de inteligencia contaran con las herramientas para obtener la información de terroristas que planean ataques en nuestro país y no querían que los prisioneros de Guantánamo fueran transferidos a los Estados Unidos y fueran enjuiciados con los mismos derechos constitucionales de los criminales comunes.

Dentro de un mes de mi discurso en la Sala Este, el Congreso pasó la Ley de las Comisiones Militares del 2006, por una cómoda mayoría bipartidista. Contenía todo lo que requeríamos, incluyendo la autoridad para que los tribunales reiniciaran y que el presidente pudiera utilizar técnicas mejoradas de interrogatorio, si así lo considerara adecuado.

———

Mientras escuchaba mi último resumen matutino de la CIA el día antes de la inauguración del Presidente Obama, reflexioné sobre todo lo que había ocurrido desde 9/11: las alertas rojas y las falsas alarmas, la toxina botulínica que pensamos que nos mataría; los complots que logramos desmantelar. Años habían pasado, pero la amenaza continúa. Los terroristas habían atacado Bali, Jakarta, Riyadh, Estanbul, Madrid, Londres, Amman y Mumbai. Mis reportes matutinos dejaron en claro que planeaban atacar Estados Unidos de nuevo.

Después del impacto de 9/11, no había ninguna propuesta de proyecto legal, militar o político, para enfrentar a un nuevo enemigo que rechazaba todas las reglas tradicionales de la guerra. Para cuando dejé la presidencia, habíamos puesto en función un sistema efectivo de programas contra el terrorismo, basados en un sólido fundamento legal y legislativo. Por supuesto, hay cosas que hubiera deseado que salieran diferentes. Quedé frustrado de que los tribunales militares se movieran tan lentamente. Aun cuando la Ley de la Comisión Militar ya había sido aprobada, una nueva demanda retrasó el proceso de nuevo. Al punto en que dejé el cargo, habíamos sostenido únicamente dos juicios.

La dificultad de conducir los juicios complicó las metas que había trazado a principios de mi segundo mandato: Cerrar la prisión de Guantánamo de una forma responsable. Mientras que creo que abrir Guantánamo después de 9/11 era necesario, las instalaciones de detención se convirtieron en una herramienta de propaganda para nuestros enemigos y una distracción para nuestros aliados. Trabajé para encontrar una manera de cerrar la prisión sin comprometer la seguridad. Para cuando dejé la presidencia, el número de detenidos en Guantánamo se había reducido de cerca de 800 a menos de 250. Mi esperanza es que varios de ellos aún enfrentarán juicios por sus crímenes. Algunos de los más duros y más peligrosos terroristas en Guantánamo podrían resultar difíciles de procesar. Sabía que si los liberaba y mataban estadounidenses, su sangre estaría en mis manos. Decidir cómo manejarlos, era la parte más difícil de cerrar Guantánamo.

En retrospectiva, probablemente pude haber evitado algo de la controversia y los reveses legales buscando una legislación para los tribunales militares, el TSP y el programa de interrogatorio mejorado de la CIA tan pronto como habían sido creados. Se hubiera requerido la decisión de los miembros del Congreso al mismo tiempo en que yo la tomé—durante las secuelas inmediatas del 9/11—estoy convencido de que hubieran aceptado, de inmediato, cualquier solicitud que tuviéramos. Sin embargo, en el caso del TSP y el programa de la CIA, el riesgo de exponer detalles operacionales al enemigo era uno que yo no podía correr hasta tener un mejor manejo de la situación de seguridad.

He estado preocupado por el efecto bumerán en contra de la comunidad de inteligencia y el Departamento de Justicia por su rol en los programas de interrogación y vigilancia.

Nuestros oficiales de inteligencia desempeñaron sus órdenes con habilidad y coraje y merecen nuestra gratitud por proteger a la nación. Oficiales legales de mi administración hicieron su mejor esfuerzo para resolver asuntos complejos en un momento de increíble peligro para nuestro país. Sus sucesores tienen el derecho de no estar de acuerdo con sus conclusiones, pero criminalizar las diferencias de opinión legal, sería un terrible precedente para nuestra democracia.

Desde el principio, supe que la reacción pública respecto a mis decisiones, estaría teñida con base a si existiera otro ataque. Si nada ocurría, lo que fuera que hice hubiera parecido una exageración. Si hubiéramos sido atacados otra vez, la gente exigiría saber por qué no hice nada más.

Esa es la naturaleza de la presidencia. Las percepciones son formadas con base en la claridad de la comprensión retrospectiva. En el momento de tomar decisiones, no se cuenta con esa ventaja. El 9/11, prometí que iba a hacer lo necesario para proteger a los Estados Unidos, con base en la Constitución y las leyes de nuestra nación. La historia podrá debatir las decisiones que tomé, las políticas que elegí y las herramientas que dejé a mi paso, pero no podrán debatir un simple hecho: Después de la pesadilla de 9/11, Estados Unidos pasó siete años y medio sin un ataque terrorista exitoso en suelo estadounidense. Si tuviera que resumir mi logro más significativo como presidente, sería ése.

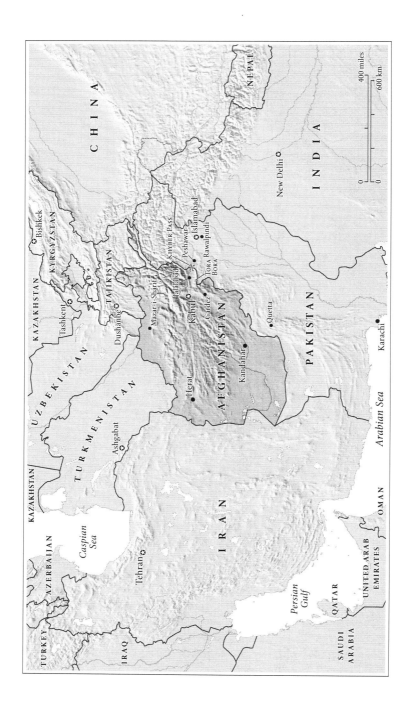

7

AFGANISTÁN

E l Salón de Tratados era uno de mis lugares favoritos en la Casa Blanca. Es espacioso y de gran majestuosidad; se encuentra en el segundo piso entre la Recámara de Lincoln y la Sala Oval Amarilla. Antes de la construcción del Ala Oeste, el Salón de Tratados era la oficina presidencial. Su nombre data desde 1898, cuando el Presidente William McKinley lo eligió para firmar el tratado para concluir la Guerra hispano-estadounidense.

La pieza que domina el espacio es un escritorio grande, de madera de nogal oscuro, donde se firmó el tratado y el Gabinete del Presidente Ulysses S. Grant se reunía. Yo usaba el escritorio para corregir discursos, leer documentos de reportes y hacer llamadas; regularmente por la noche, después de que regresaba de la Oficina Oval.

Del otro lado del escritorio, estaba una gran pintura al óleo, *The Peacemakers*. Muestra al Presidente Lincoln a bordo del vapor River Queen con el General Grant, General William Tecumseh Sherman y el Contraalmirante David Porter en el último mes de la Guerra Civil. Lincoln está consultando con sus comandantes militares la estrategia a seguir para vencer a los Confederados y establecer justicia y paz duradera. Antes del 9/11, observaba la escena como un momento fascinante de la historia. Después del ataque, tomó un significado más profundo. La pintura me recordaba la claridad del propósito de Lincoln: Hizo la guerra por una causa noble y necesaria.

Poco después del mediodía del domingo, 7 de octubre del 2001, me dirigí al Salón de Tratados para hablar a la nación. Horas antes, bombarderos de largo alcance habían despegado de la Base de la Fuerza Aérea Whiteman en Missouri. Submarinos estadounidenses y británicos en el Golfo Árabe habían lanzado sus misiles Tomahawk y los aviones de combate de la Marina habían despegado de las cubiertas del portaviones de los *USS Carl Vinson* y el *USS Enterprise*.

—A mis órdenes —expresé— la milicia de los Estados Unidos ha comenzado los ataques en contra de los campamentos de entrenamiento de terrorismo de Al Qaeda y las instalaciones militares del régimen Talibán en Afganistán.

Sentía la gravedad de la decisión. Sabía que la guerra traería muerte y dolor. Cada vida perdida devastaría a una familia para siempre. Al final de mi discurso, cité una carta que había recibido de una niña de cuarto grado con un padre en la milicia. «Aun cuando no quiero que mi papá vaya a la guerra —escribió— estoy dispuesta a dárselo a usted».

Mi ansiedad acerca del sacrificio se mitigó por la necesidad urgente de la causa. El desmontar el cielo seguro de Al Qaeda en Afganistán era esencial para proteger al pueblo estadounidense. Habíamos planeado la misión muy cuidadosamente. Estábamos actuando por necesidad y defensa; no por venganza.

Miré a través de la ventana del Salón de Tratados. A la distancia, pude ver el Monumento a Jefferson, donde las palabras de la Declaración de Independencia están talladas en el muro: «Sostenemos que estas verdades son evidentes por sí mismas; que todos los hombres han sido creados iguales». A través del Potomac, se encontraba el cicatrizado Pentágono. Por veintiséis días después del 9/11, habíamos hecho el plan y nos habíamos preparado. La espera había terminado. El contraataque de los Estados Unidos estaba en marcha. La liberación de Afganistán había comenzado.

———

El enviar a estadounidenses a la guerra es la decisión más difícil que un presidente puede hacer. Vi eso en 1989, cuando Laura, las niñas y yo celebramos navidad en el Camp David. El 20 de diciembre, mi padre había desplegado veintisiete mil tropas a Panamá para derrocar al dictador Manuel Noriega y restaurar la democracia.

La operación "Just Cause" fue un éxito. El dictador fue depuesto rápidamente. Las pérdidas estadounidenses fueron pocas. La mayoría estaba en un humor de celebración, pero no mi padre. Para los heridos y las familias de los caídos—y para su comandante en jefe—el costo de la batalla fue dolorosamente alto.

Yo me encontraba a un lado de mis padres en una sesión de villancicos navideños la noche anterior a la Navidad, cuando el capellán de la Marina se aproximó. Expresó: —Señor, acabo de regresar de Wilford Hall en San Antonio, donde yacen las tropas heridas. Le dije a los chicos que lo vería a usted esta noche. Les pregunté si tenían un mensaje para usted.

Continuó: —Ellos dijeron: por favor, dígale al presidente que estamos orgullosos de servir a un gran país y que estamos orgullosos de servir a un gran hombre como George Bush. Los ojos de papá se llenaron de lágrimas.

Ese momento conmovedor me brindó una mirada cercana del costo personal de enviar tropas a combate. Sin embargo, nada me preparó para ese sentimiento cuando yo fui el presidente y di la orden.

———

Lo que yo sabía de mis visitas durante el mandato de mi padre, es que el Camp David es uno de los más grandes privilegios que puede tener un presidente. Enclavado en las Montañas Catoctin de Maryland, aproximadamente a setenta millas (113 km) de Washington, el sitio de 200 acres es un viaje en helicóptero de 30 minutos de la Casa Blanca.

Se siente mucho más remoto que eso. La Armada está a cargo del refugio y es protegido por los infantes de marina. Consiste en cabañas rústicas, un gimnasio, una piscina, un salón para boliche, un campo de golf y senderos escénicos a través del bosque para caminata y bicicleta. La atmósfera fomenta la reflexión y la claridad de pensamiento. La cabaña presidencial es conocida como Aspen. Su interior es simple, pero cómodo. La estructura de madera tiene tres habitaciones, un tamaño perfecto para nuestra familia; una sala iluminada por el sol donde veía fútbol con mi hermano Marvin y amigos, y una chimenea de piedra junto a la cual, nos gustaba leer por la noche a Laura y a mí.

Aproximadamente a un cuarto de milla bajando la colina está Laurel, una gran posada, con una espaciosa área para comidas, una oficina presidencial pequeña y una sala de conferencias con paneles de madera que utilizó Jimmy Carter cuando negoció los Acuerdos de Paz del Camp David. Allí fue dónde mi equipo de seguridad nacional se reunió el sábado por la mañana del 15 de septiembre para comenzar a desarrollar el plan de batalla para Afganistán. Los ánimos eran sombríos, serios y enfocados. Conmigo, reunidos alrededor de la gran mesa de roble, estaban los más altos oficiales de seguridad nacional del gobierno.* Juntos contaban con décadas de experiencia en el manejo de crisis.

La primera presentación clave esa mañana provino del Director de la CIA, George Tenet. Seis meses antes, a mi orden, George y el Consejo de Seguridad Nacional habían empezado a desarrollar una estrategia exhaustiva para destruir la red de Al Qaeda. En los cuatro días entre el 9/11 y la reunión en el Camp David, el equipo de la CIA había reforzado su plan. George propuso que le otorgara autoridad más amplia para acciones en encubierto, incluyendo permiso para la CIA para matar o capturar a los agentes de Al Qaeda sin tener que pedir mi permiso cada vez. Decidí otorgar el permiso.

La parte fundamental del plan de la CIA, era una nueva ofensiva en Afganistán, donde se planeó el 9/11. Las raíces de la presencia del terrorismo en Afganistán databan de 1979, cuando la Unión Soviética invadió e instaló un régimen comunista títere. Las tribus afganas, junto con una banda de fuertes combatientes islámicos conocidos como Muyahidín, se levantaron contra la ocupación extranjera. Con la ayuda de los Estados Unidos, Pakistán y Arabia Saudita, los rebeldes infligieron quince mil pérdidas y expulsaron a los soviéticos en 1989. Dos años más tarde, el súper poder colapsó.

Libres de la ocupación comunista, el pueblo afgano tuvo la oportunidad de reconstruir su país, pero el gobierno estadounidense ya no encontró un interés nacional en Afganistán; por lo tanto, cortaron el apoyo. El no

---

*El Vicepresidente, Dick Cheney; el Secretario de Estado, Colin Powel; el Secretario de Defensa, Don Rumsfeld y Subsecretario Paul Wolfowitz; Fiscal General; John Ashcroft y el Director del FBI, Bob Mueller; Secretario del Tesoro, Paul O'Neill; Director de la CIA, George Tenet y Director Adjunto, John McLaughlin; el Jefe de Estado Mayor Conjunto, Hugh Shelton y Subjefe Dick Myers; el Jefe de Gabinete de la Casa Blanca, Andy Card; Asesora de Seguridad Nacional, Condi Rice y el Vice Asesor de Seguridad Nacional Steve Hadley; Consejero de la Casa Blanca, Alberto Gonzales y el Jefe de Personal del Vicepresidente, I. Lewis "Scooter" Libby.

involucramiento de los Estados Unidos ayudó a crear un vacío. Guerreros tribales que habían derrotado a los soviéticos empezaron a matarse unos a otros. Finalmente, el Talibán, un grupo de fundamentalistas islámicos, tomó el poder. Impusieron una bárbara rama del islam que prohibía a las muchachas ir a la escuela, requerían que los hombres se dejaran crecer la barba a una cierta extensión e impedían a las mujeres que dejaran sus hogares, sin ser escoltadas por un familiar masculino. Los placeres más simples—cantar, aplaudir y volar cometas—estaban prohibidos.

Las reglas del Talibán se hicieron cumplir por policías religiosas brutales. Un reporte del Departamento de Estado de 1998, describió a una mujer luchando por llevar en sus brazos a dos pequeños niños y una carga de víveres en una calle de Mazar-i-Sharif. Cuando su burqa que cubría todo el cuerpo se le deslizó de la cara, la golpearon con la antena de un auto. Unos ladronzuelos fueron llevados al estadio nacional de fútbol para cortarles las extremidades.

Los homosexuales eran apedreados hasta morir; tal como aquéllos de quienes se sospechara adulterio. Un poco después de que el Talibán se apoderó de Kabul, secuestraron al anterior presidente de Afganistán de su complejo de la ONU. Después de que lo golpearon y castraron, colgaron su cuerpo de un poste de luz. En la provincia de Bamiyan, hogar de las minorías Hazaras, el Talibán masacró al menos a 170 civiles inocentes en enero del 2001. Más adelante ese mismo año, dinamitaron dos esculturas queridas de Buda de 1.500 años de permanecer en pie.

Hubo algunos que recibieron una hospitalidad cálida de parte del Talibán. Un poco después de tomar el poder, los radicales mullahs ofrecieron asilo a Osama Bin Laden, el fundador de Al Qaeda. Entre 1996 y 2001, Bin Laden estableció campamentos en Afganistán que entrenaban un estimado de diez mil terroristas. En cambio, Bin Laden tomó de su propia fortuna para financiar el Talibán. Por el 9/11 Afganistán no era solamente un estado patrocinador del terrorismo, sino un estado patrocinado por el terrorismo.

Mientras que la ideología Talibán era rígida, su control del país no lo era. En una pequeña sección del norte de Afganistán, un grupo de comandantes tribales instauraron la alianza del Norte, sostenida por la lealtad de la población local. El 9 de septiembre del 2001, los operarios de Bin laden asesinaron al amado líder de la Alianza del Norte, Ahmad Shah Massoud. Su asesinato galvanizó a la Alianza para cooperar con los Estados Unidos. Compartíamos a un enemigo y una determinación para terminar con la dictadura Talibán.

El plan de George era desplegar equipos de la CIA para armar, financiar y unirnos a las fuerzas de la Alianza del Norte. Juntos formarían el primer impulso de ataque. Al unir nuestras fuerzas con la oposición local, evitaríamos vernos como conquistadores u ocupantes. Los Estados Unidos ayudarían al pueblo afgano a liberarse.

No actuaríamos solos, Colin Powell había hecho un impresionante trabajo reuniendo naciones a nuestra coalición. Algunos, tales como Gran Bretaña y Australia, ofrecieron desplegar fuerzas. Otros, incluyendo Japón y Corea del Sur, prometieron ayuda humanitaria y apoyo logístico. Corea del Sur envió tropas después. Socios árabes clave, tales como Jordania y Arabia Saudita, compartieron inteligencia confidencial en las operaciones Al Qaeda.

La nación más crucial que reclutamos fue Pakistán. Ningún país ejercía más influencia en Afganistán que su vecino oriental. En 9/11, Pakistán fue uno de solo tres países que reconocieron el Talibán. Arabia Saudita y los Estados Emiratos Árabes fueron los otros dos.

Algunos en Pakistán pueden haber simpatizado con la ideología Talibán, pero el motivo básico era neutralizar India, el resentido archienemigo de Pakistán. Siempre que Pakistán mantuviera la lealtad del gobierno afgano, nunca sería cercado.

Pakistán tenía una historia de problemas con los Estados Unidos. Después de nuestra cercana cooperación en la Guerra Fría, el Congreso suspendió la ayuda a Pakistán—incluyendo codiciados F-16 que los Estados Unidos había prometido venderles—debido a la preocupación sobre el programa del gobierno de armas nucleares. En 1998, Pakistán condujo una prueba nuclear secreta, incurriendo en mayores sanciones. Un año más tarde, el General Pervez Musharraf derrocó al gobierno electo democráticamente en un golpe de estado. En el 2001, los Estados Unidos tuvieron que cortar, virtualmente, toda la ayuda a Pakistán.

El 13 de septiembre, Colin llamó al Presidente Musharraf y dejó en claro que debía decidir de qué lado estaba. Le presentó una lista de demandas no negociables; incluyendo la condena a los ataques del 9/11, negar abrigo a Al Qaeda en Pakistán, compartir inteligencia, otorgarnos derechos de vuelo y romper relaciones diplomáticas con el Talibán.

Musharraf enfrentó intensa presión interna. Ponerse en contra del Talibán era impensable por los políticos de línea dura de su gobierno y el servicio de inteligencia. Llamé a Musharraf del Camp David durante un descanso en las reuniones de consejo de guerra. —Deseo agradecerle por escuchar las solicitudes de nuestra triste nación y espero trabajar con usted para traer a esta gente a enfrentar la justicia —expresé.

—Las apuestas son altas —me dijo Musharraf— pero estamos con ustedes.

Nuestra relación con Pakistán resultaría ser compleja; pero en cuatro días, habíamos convertido al vecino clave de Afganistán de un auspiciador del Talibán a un socio para removerlos del poder.

———

La siguiente presentación vino de la milicia. Don Rumsfeld recurrió al Jefe del Estado Mayor Conjunto Hugh Shelton, un ranger del ejército en su mes final en el trabajo y al Subjefe Dick Myers, el general de la Fuerza Aérea que yo había nominado para tomar su lugar. Me instruyeron sobre tres opciones:

La primera era el plan de contingencia del Pentágono, la estrategia pre-existente para ser utilizada en una emergencia. Se trataba de ataques de misiles cruzados sobre los campamentos de Al Qaeda en Afganistán. El plan podría ejecutarse de inmediato, sin riesgos para las tropas estadounidenses.

La segunda opción era combinar ataques de misiles cruzados con ataques de bombardeos dirigidos. Esto nos permitiría darle a más blancos, con un riesgo de exposición limitado para nuestros pilotos.

La tercera opción y la más agresiva era utilizar a misiles cruzados, bombarderos y soldados en tierra. Esta era casi una opción teórica; la milicia tendría que desarrollar detalles desde cero.

El General Shelton destacó que llevaría tiempo y diplomacia delicada para insertar nuestras fuerzas en un país montañoso y sin litorales. Necesitaríamos derechos de utilización de bases, permiso para sobrevolar y capacidad para buscar y rescatar—sin mencionar un clima amistoso y la buena suerte.

Lo que siguió fue una extensa discusión. George Tenet advirtió que podría ocurrir un ataque vengativo en nuestra patria —No podremos detenerlos, si ya han planeado una segunda ronda —expresó—. Creo que tienen algunas armas químicas y biológicas —agregó ominosamente.

Dick Cheney se preocupó de que la guerra pudiera desbordarse hacia Pakistán, causando al gobierno perder control del país y potencialmente su arsenal nuclear. Como el Vice Asesor de Seguridad Nacional, Steve Hadley, lo expresó con acierto, eso sería «un escenario de pesadilla».

En un momento dado, el Sub Secretario de la Defensa, Paul Wolfowitz, sugirió que consideráramos confrontar Irak, así como al Talibán. Antes del 9/11, la brutal dictadura de Saddam Hussein era ampliamente considerada como el país más peligroso del mundo. El régimen tenía un largo registro de apoyar el terrorismo, incluyendo el pago a familiares de bombarderos suicidas palestinos. Las fuerzas de Saddam disparaban rutinariamente a pilotos estadounidenses y británicos que patrullaban las zonas de vuelo prohibido impuestas por las Naciones Unidas, e Irak había desafiado por más de una década el poder de las resoluciones de las Naciones Unidas, demandando que probara que había destruido sus armas de destrucción masiva.

—Hacer frente a Irak demostraría un compromiso mayor para el antiterrorismo —dijo Don Rumsfeld.

Colin advirtió en contra de eso. —Perseguir Irak ahora sería visto cómo usar tácticas engañosas —dijo— Perderíamos a las Naciones Unidas, a los Países Islámicos y a OTAN. Si queremos ir contra Irak, deberíamos hacerlo en un momento que elijamos, pero no deberíamos hacerlo ahora porque no tenemos una vinculación con este evento.

George Tenet estuvo de acuerdo —No demos un golpe ahora, sería un error —expresó—. El primer blanco necesita ser Al Qaeda.

Dick Cheney entendió la amenaza de Saddam Hussein y creyó que debíamos solucionarlo. —Pero ahora no es un buen momento para hacerlo —dijo—. Perderíamos nuestro impulso. En este momento, la gente tiene que elegir entre los Estados Unidos y los chicos malos.

Di la bienvenida al vigoroso debate. Escuchar la discusión y los puntos de vista divergentes me ayudó a poner en claro mis opciones. No iba a tomar una decisión en el momento. Eso vendría el siguiente día.

—

El domingo del 16 de septiembre fue un día de reflexión. Laura y yo fuimos a los servicios de la hermosa Capilla Evergreen en el Camp David. Iniciada durante la administración de Reagan y acabada durante el mandato de mi padre, la capilla era un lugar especial para la familia. La primera boda que se llevó a cabo allí fue la de mi hermana Doro con su buen esposo, Bobby Koch.

A las 10:00 de la mañana, ese primer domingo después del 9/11, la última luz del verano se derramaba a través del bosque sereno y hacia la capilla. Personal de la Armada y Cuerpo de Marines, así como familiares, se unieron a nosotros en oración; asimismo, lo hicieron los miembros del equipo de seguridad nacional que se habían quedado después de las reuniones del día anterior.

El Camp David estaba bendecido de tener a un buen pastor; el Capellán de la Armada, Bob Williams. Su sermón ese domingo fue sensato y confortante. Hizo las preguntas por las que muchos de nosotros luchábamos: «¿Por qué? ... ¿Dios, cómo pudo pasar esto?»

Bob dijo que la respuesta estaba más allá de nuestra facultad de entendimiento. —La vida es, algunas veces, un laberinto de contradicciones e incongruencias —reconoció—. Sin embargo, debíamos sentirnos confortados de que el plan de Dios prevalecerá. Citó un pasaje de Ignacio de Loyola: «Ora como si todo dependiera de Dios, porque así es, pero trabaja como si todo dependiera de nosotros, porque así es».

Después del servicio, Laura y yo abordamos el Marine One para el vuelo de regreso a Washington. Esa tarde, había llegado a uno de los puntos más decisivos de mi presidencia: Pelearíamos la guerra contra el terrorismo a la ofensiva y el primer lugar de batalla sería Afganistán.

Mi decisión fue una desviación de las políticas de los Estados Unidos de las últimas dos décadas. Después de que los terroristas de Hezbollah bombardearon nuestros cuarteles de los Marines y la Embajada en Líbano en 1983, el Presidente Reagan retiró nuestras fuerzas. Cuando los caudillos de los terroristas en Somalia derribaron un helicóptero estadounidense Black Hawk en 1993, el Presidente Clinton retiró nuestras tropas. En 1998, el bombardeo de Al Qaeda de dos embajadas estadounidenses en el Este de África apremiaron al Presidente Clinton a lanzar misiles cruzados en los sitios de Al

Qaeda en Afganistán, pero los campamentos de entrenamientos habían sido mayormente abandonados y el ataque a larga distancia terminó siendo tanto impotente como ineficiente. Cuando Al Qaeda voló el *USS Cole* cerca de la costa de Yemén, los Estados Unidos casi no respondieron. Mis predecesores tomaron sus decisiones en una era diferente. Después de que Al Qaeda mató casi tres mil personas en los Estados Unidos, era claro que el terrorismo había interpretado nuestra falta de una respuesta seria como una señal de debilidad y una invitación para intentar más ataques descarados. Los mensajes de Al Qaeda, frecuentemente, citaban nuestras retiradas como evidencia de que los estadounidenses éramos—en las palabras de Bin Laden—*tigres de papel*, que podían ser forzados a correr en menos de veinticuatro horas.

Después del 9/11, yo estaba determinado a cambiar esa impresión. Decidí emplear la opción más agresiva de las tres opciones que el General Shelton había expuesto. Ataques por misiles cruzados y bombarderos tripulados serían parte de nuestra respuesta, pero no eran suficientes. Lanzar armas costosas en campamentos escasamente poblados no rompería el control del Talibán en el país ni destruiría el asilo de Al Qaeda. Solamente consolidaría la creencia de los terroristas de que podrían atacarnos y salirse con la suya sin pagar un alto costo.

Esta vez, enviaríamos soldados y los mantendríamos allí hasta que el Talibán y Al Qaeda fueran expulsados y pudiera emerger una sociedad libre. A menos de que recibiera evidencia definitiva de la vinculación de Saddam Hussein al complot del 9/11, trabajaría para resolver el problema de Irak diplomáticamente. Esperaba que presión unificada del mundo entero obligaría a Saddam a cumplir con sus obligaciones internacionales. La mejor forma de mostrarle que estábamos hablando en serio era triunfar en Afganistán.

La mañana siguiente, convoqué al Consejo de Seguridad Nacional en el Salón del Gabinete. —El propósito de esta reunión es asignar tareas para la primera ola de la guerra del terrorismo —dije—. Empieza hoy.

———

Un poco después del 9/11, Denny Hastert, el confiable y firme Presidente de la Cámara, había sugerido que dirigiera yo una sesión conjunta del Congreso, tal como el Presidente Franklin Roosevelt lo había hecho después de lo de Pearl Harbor. Me gustó la idea, pero quería esperar hasta que tuviera algo que decir. Ahora lo tenía. Programamos el discurso para el 20 de septiembre.

Sabía que el pueblo estadounidense tenía muchas preguntas: ¿Quién nos atacó? ¿Por qué nos odian? ¿Qué tipo de guerra será? ¿Qué se espera del ciudadano común? Las respuestas formarían el esquema de mi discurso.

Decidí tener un invitado especial a que se uniera a mi discurso, el Primer Ministro Británico, Tony Blair. Unas cuantas horas antes de que salí para Capitol Hill, Tony vino a la Casa Blanca para la cena. Lo instalé en una esquina tranquila del Piso de Estado para ponerlo al día en los planes de guerra, incluyendo mi decisión de desplegar tropas en tierra. Él reiteró que Gran Bretaña estaría de nuestro lado. El aliado más cercano de los Estados Unidos en las guerras del último siglo estaría con nosotros en esta primera guerra del nuevo siglo.

Cuando el momento de dar el discurso llegó, Tony dijo —No te ves para nada nervioso, George. ¿No necesitas algún tiempo solo? —No había pensado acerca de ello hasta que él lo mencionó. No necesitaba estar solo. Me había tomado mi tiempo para tomar una decisión cuidadosa y sabía lo que quería decir. Además, apreciaba la compañía de mi amigo.

El ambiente en la Cámara de Representantes se sentía diferente al ambiente de la Catedral Nacional el 14 de septiembre. Había una mezcla de energía, enojo y desafío. Más tarde, supe que más de ochenta y dos millones de personas estaban viendo todo en televisión, la más grande audiencia, alguna vez, para un discurso presidencial.

—En el curso normal de los eventos, los presidentes vienen a esta Cámara a reportar sobre el Estado de la Unión —comencé—. Esta noche, no se necesita tal reporte. Ya ha sido entregado por el pueblo estadounidense.... Mis conciudadanos, hemos visto el estado de nuestra Unión—y es fuerte.

Pasé a la fase de las preguntas y respuestas—la identidad de los terroristas, su ideología y el nuevo tipo de guerra que íbamos a hacer. —Nuestra respuesta incluye mucho más que represalias instantáneas y golpes aislados —expresé—. El pueblo estadounidense no debe esperar una batalla, sino una larga campaña, diferente a cualquier otra que hubiéramos visto. Puede incluir ataques dramáticos, visibles en televisión y operaciones cubiertas, secretas aun cuando triunfemos.... Cada nación, en cada región, tiene ahora una decisión que tomar: o están con nosotros, o están con los terroristas.

Expuse un ultimátum al Talibán: —Entregarán a los terroristas o compartirán su destino. —Teníamos muy poca esperanza de que los líderes afganos prestaran atención, pero el exponer su desafío al mundo afirmaría nuestra justificación para un golpe militar. Cuando estaba a punto de concluir, expresé:

[En] nuestro dolor y rabia, hemos encontrado nuestra misión y nuestro momento.... Convocaremos al mundo a unirse a esta causa con nuestros esfuerzos y nuestro coraje. No nos agotaremos, no vacilaremos y no fracasaremos.

Es mi esperanza, durante los meses y años por venir, que la vida vuelva casi a la normalidad. Regresaremos a nuestras vidas y a nuestra rutina y eso es bueno. Aún el dolor se desvanece con el tiempo y por la gracia; pero nuestra resolución no debe desvanecerse. Cada uno de nosotros recordará lo que ocurrió ese día y a aquéllos que fueron lastimados. Recordaremos el momento en que recibimos las noticia—dónde estábamos y qué hacíamos. Algunos recordarán la imagen de un fuego o la historia de un rescate. Algunos llevarán memorias de un rostro o una voz que se lleva el viento. Yo siempre llevaré esto en mi memoria: Es la placa de un oficial de policía de nombre George Howard, quien murió en el World Trade Center intentando salvar a otros. Me la dio su madre Arlene, como una orgullosa memoria de su hijo. Es mi recordatorio de las vidas que se perdieron y de un deber que no termina.

No olvidaré esta herida a nuestro país y aquéllos que la infligieron. No cederé ni descansaré; No daré marcha atrás en llevar a cabo esta lucha para la libertad y seguridad del pueblo estadounidense.

———

El siguiente día, 21 de septiembre, me encontraba inmerso en la planeación de la guerra. El trabajar en conjunto con la milicia como Comandante en Jefe era una nueva experiencia. Los uniformes de los oficiales con sus franjas de galardones destacaban su experiencia, la cual era mucho más extensa que la mía.

Siete meses antes, Laura y yo habíamos ofrecido una cena en la Casa Blanca para los líderes militares y sus esposas. Esperaba romper algo de la formalidad y poder conocer a los generales y almirantes a nivel más personal para que se sintieran en libertad de ofrecerme opiniones sinceras y yo me sintiera más cómodo al preguntarles.

Uno de los comandantes que conocí era el General Tommy Franks, quien vino a la Casa Blanca con su esposa, Cathy. Tommy tenía el pecho lleno de medallas, incluyendo múltiples estrellas de bronce y Corazones Púrpura de Vietnam. Como general de una estrella, él había comandado tropas en la Guerra del Golfo. En el 2000, asumió el puesto más alto en el Comando Central, un campo de operaciones desde el Cuerno de África a Asia Central, incluyendo Afganistán.

—General, entiendo que usted es de Midland, Texas —dije.

—Sí, Señor Presidente, lo soy —expresó con una sonrisa cálida y un acento tejano.

—Escuché que usted estudió el bachillerato con Laura —agregué.

—Sí, Señor, me gradué un año antes —respondió—. Pero no se preocupe, Señor Presidente, nunca tuve una cita con ella.

Me reí con ganas. Esa era una cosa interesante que decir a tu nuevo Comandante en Jefe. Tuve el sentimiento de que Tommy y yo íbamos a llevarnos bien.

Tommy puso en claro que la misión en Afganistán no sería fácil. Todo acerca del país anunciaba problemas. Es remoto, escabroso y primitivo. Su parte al norte es el hogar de etnias como tayikos, uzbekos, hazaras, turcomanos y otros. La parte sureña está dominada por pastunes. Las rivalidades tribales, étnicas y religiosas datan de siglos. Aún con todas sus diferencias, la gente de Afganistán tiene una forma de unirse en contra de los extranjeros. Sacaron a los británicos en el siglo diecinueve. Sacaron a los soviéticos en el siglo veinte. Aún Alejandro Magno falló en conquistar el país. Afganistán se ha ganado un apodo: El cementerio de los Imperios.

El plan de guerra de Tommy, más tarde codificado con el nombre Operación para la Paz Duradera, incluía cuatro fases. La primera consistía en conectar a las Fuerzas Especiales con los equipos de la CIA para abrir el camino que debían seguir las tropas convencionales. Seguido, montaríamos una campaña masiva por aire para sacar los blancos talibanes y de Al Qaeda y conducir lanzamientos aéreos para dar alivio a la gente afgana. La tercera fase era enviar tropas en tierra de parte de tanto tropas estadounidenses como de nuestros socios de coalición para entrar al país y cazar tropas talibanes y también de Al Qaeda que quedaran. Finalmente, estabilizaríamos el país y ayudaríamos al pueblo afgano a construir una sociedad libre.

Yo entendí que mi papel era asegurarme que el plan era exhaustivo y consistente con la visión estratégica—en este caso, remover al Talibán, negarle refugio a Al Qaeda y ayudar a que surgiera un gobierno democrático. Le hice a Tommy muchas preguntas: ¿Cuántas tropas necesitaríamos? ¿Qué tipo de emplazamiento estaría disponible? ¿Cuánto tiempo se llevaría mover a todos? ¿Qué nivel de resistencia enemiga se esperaba?

No intenté manejar la logística o las decisiones tácticas. Mi instinto era el confiar en el buen juicio del liderazgo militar. Ellos eran los profesionales entrenados; yo era un nuevo Comandante en Jefe. Recordé las fotos de la era de Vietnam de Lyndon Johnson y el Secretario de Defensa, Robert McNamara, analizando mapas para elegir blancos de bombardeo para misiones rutinarias. Su microgestión tuvo un impacto a través de la cadena de comando. Cuando estuve en la escuela de vuelo, uno de mis instructores que había volado en Vietnam, se quejaba de que la Fuerza Aérea estaba tan restringida que el enemigo podía adivinar exactamente cuándo y dónde volarían. La razón, tal como él la explicó, era que «los políticos no querían hacer enojar a la gente».

———

Un área dónde Tommy necesitaba ayuda era en obtener el apoyo de los vecinos de Afganistán. Sin cooperación logística de parte de Uzbekistán y Tayikistán, no podríamos mover nuestras tropas hacia Afganistán. No conocía a los líderes de estas antiguas repúblicas soviéticas, pero Rusia aún tenía una tremenda influencia en la región y conocía a Vladimir Putin.

Putin y yo nos conocimos la primera vez ese junio en un palacio esloveno, una vez utilizado por el líder comunista Tito. Mi meta en la cumbre había sido romper cualquier tensión y forjar una conexión con Putin. Me impuse una alta prioridad en la diplomacia personal. El llegar a conocer la personalidad, el carácter y las preocupaciones de un compañero líder mundial, hacía más fácil encontrar un común denominador y lidiar con problemas contenciosos. Esa fue una lección que aprendí de mi padre, quién era uno de los más grandes practicantes de la diplomacia personal. El otro era Abraham Lincoln. —Si quisieras atraer a un hombre a tu causa —Lincoln dijo una vez—, primero convéncelo de que eres su amigo.

La cumbre con Putin comenzó con una junta pequeña—solo Vladimir y yo, nuestros asesores en seguridad nacional y los intérpretes. Se veía un poco tenso. Abrió comenzando a hablar de un montón de tarjetas con notas. El primer tópico era la deuda de la era soviética de la Federación Rusa.

Después de unos minutos, interrumpí su presentación con una pregunta: —¿Es verdad que su madre le dio una cruz que usted hizo bendecir en Jerusalén?

El rostro de Putin se cambió en una cara de asombro cuando Peter, el intérprete, tradujo la línea en ruso. Expliqué que la historia había captado mi atención en algo que había leído—no le dije que fue por medio de un reporte de inteligencia—y tenía curiosidad de saber más. Putin se recuperó rápidamente y me platicó la historia. Su rostro y voz se suavizaron y explicó que había colgado la cruz en su casa de campo, la cual, con el tiempo, se incendió. Cuando llegaron los bomberos, les dijo que todo lo que le importaba era la cruz. Dramáticamente, recreó el momento en que un trabajador extendió su mano y reveló la cruz. —Fue —dijo él— como si estuviera destinado a suceder. —Vladimir —comenté— esa es la historia de la cruz. Las cosas están destinadas a ocurrir. —Sentí cómo la tensión se desvaneció en el cuarto de conferencias.

Después de la reunión, un reportero preguntó si «Putin era un hombre en el que los estadounidenses pudieran confiar». Dije que sí. Pensé en la emoción que emitía su voz cuando compartió la historia de la cruz. —Lo vi a los ojos —le dije—. Pude tener un sentido de lo que había en su alma. —En los años por venir, Putin me daría razones para cambiar mi opinión.

Tres meses más tarde, después de nuestra reunión en Eslovenia, Putin fue el primer líder en llamar a la Casa Blanca el 11 de septiembre. No pudo contactarme en el Air Force One, por lo tanto, Condi habló con él desde el PEOC. Le aseguró a ella que Rusia no incrementaría su preparación militar como respuesta a nuestro movimiento a DefCon Three, tal como la Unión Soviética lo habría hecho automáticamente durante la Guerra Fría. Cuando hablé con Vladimir el siguiente día, me dijo que había firmado un tratado declarando un minuto de silencio para mostrar solidaridad con los Estados Unidos. Terminó diciendo: —El bien triunfará sobre el mal. Quiero decirle que, en esta lucha, estaremos a su lado.

El 22 de septiembre, llamé a Putin desde el Camp David. En una larga conversación de sábado en la mañana, él estuvo de acuerdo en abrir espacio aéreo ruso para los aviones de la milicia estadounidense y utilizar su influencia con las antiguas repúblicas soviéticas para que apoyaran a nuestras tropas a entrar a Afganistán. Sospeché que estaría preocupado acerca de que

Rusia quedara cercada, pero estaba aún más preocupado por el problema del terrorismo en su territorio. Hasta ordenó a sus generales rusos el que reportaran a sus homólogos estadounidenses sobre su experiencia durante su invasión a Afganistán durante los 1980.

Fue una conversación asombrosa. Le dije a Vladimir que apreciaba su voluntad de avanzar más allá de las sospechas del pasado. Pronto, obtuvimos nuestros arreglos con las antiguas repúblicas soviéticas.

———

A finales de septiembre, George Tenet reportó que los primeros de los equipos de la CIA habían entrado en Afganistán y se habían enlazado con la Alianza del Norte. Tommy Franks me dijo que pronto estaría listo para desplazar nuestras Fuerzas Especiales. Lancé una pregunta al equipo que había estado en mi mente: —Por lo tanto ¿quién va a gobernar el país?.

Se hizo el silencio.

Yo necesitaba asegurarme de que el equipo había pensado en la estrategia de la posguerra. Sentí fuertemente que el pueblo afgano debería elegir a su nuevo líder. Habían sufrido demasiado—y la gente estadounidense estaba arriesgando demasiado—para dejar que el país regresara a la tiranía. Le pedí a Colin que trabajara en un plan de transición a la democracia.

El viernes 5 de octubre, el General Dick Myers me dijo que la milicia estaba lista para lanzarse. Yo estaba listo también. Le habíamos dado al Talibán más de dos semanas para responder al ultimátum que les di. El Talibán no había cumplido con ninguna de nuestras demandas. Su tiempo se había terminado.

Don Rumsfeld estaba de regreso del Medio Este y Asia Central, donde había finalizado importantes arreglos de emplazamiento. Lo esperé a que regresara, antes de dar la orden oficial. El sábado en la mañana, del día 6 de octubre, hablé con Don y Dick Myers por medio de videoconferencia segura del Camp David. Pregunté por última vez si tenían todo lo que necesitaban. Dijeron que sí.

—Vayan —expresé—. Esto es correcto y debe hacerse.

Supe en mi corazón que dar un golpe a Al Qaeda, remover el Talibán y liberar a la gente que sufría en Afganistán era necesario y justo, pero me preocupaba de todo lo que pudiera salir mal. Los planeadores militares habían expuesto los riesgos: Inanición masiva, un brote de guerra civil, el colapso del gobierno paquistaní, un levantamiento de los musulmanes alrededor del mundo y lo que más yo temía—un ataque de venganza a la patria estadounidense.

Cuando abordé el Marine One, la siguiente mañana para regresar a Washington, Laura y unos cuantos asesores clave sabían que había dado la orden, pero virtualmente nadie más. Para preservar la operación en secreto, seguí con mi programación anunciada previamente, la cual incluía asistir a una ceremonia al Monumento de los Bomberos Caídos en Emmitsburg, Maryland. Hablé acerca de los 343 bomberos neoyorquinos que habían sacrificado sus vidas en el 9/11, de lejos el día peor en la historia estadounidense de combatir incendios. Las bajas iban desde el jefe del departamento, Pete Ganci, a nuevos reclutas en sus primeros meses en el trabajo.

El monumento era un vívido recordatorio del por qué los Estados Unidos entrarían pronto en combate. Nuestra milicia lo entendió también. A siete mil millas de lejanía, cayeron las primeras bombas. En varias de ellas, nuestras tropas habían escrito las letras FDNY.

———

Los primeros informes de Afganistán fueron positivos. En dos horas de bombardeo aéreo, nosotros junto con nuestros aliados británicos habíamos aniquilado el pobre sistema de defensa aéreo del Talibán y varios campamentos de entrenamiento conocidos de Al Qaeda. Seguido de las bombas, lanzamos más de treinta y siete mil raciones de comida y suplementos de alivio para la gente afgana, la entrega más rápida de ayuda humanitaria de la historia de la guerra.

Después de varios días, tuvimos un problema. La campaña aérea había destruido la mayoría de la infraestructura del Talibán y al Qaeda, pero estábamos teniendo dificultad en insertar nuestras Fuerzas Especiales. Estaban en una antigua base Soviética en Uzbekistán de donde no podían despegar, separados de la zona de aterrizaje en Afganistán por una zona de montañas de quince mil pies (4.572 metros) de altura, temperaturas congelantes y tormentas de nieve cegadoras.

Presioné para que se tomaran medidas. Don y Tommy me aseguraron que se estaban movilizando lo más pronto posible, pero a medida que pasaban los días, empecé a sentirme más y más frustrado. Nuestra respuesta se parecía demasiado como la guerra impotente por aire de los Estados Unidos en la ya que había participado en el pasado. Mi preocupación era que estuviéramos enviando el mensaje incorrecto al enemigo y al pueblo estadounidense. Tommy Franks llamó después a esos días como el periodo «del infierno». Yo sentí lo mismo.

Doce días después de que anuncié el inicio de la guerra, los primeros equipos de Fuerzas Especiales, finalmente, aterrizaron. En el norte, nuestras fuerzas se enlazaron con la CIA y los combatientes de la Alianza del Norte. En el sur, un pequeño grupo de Fuerzas Especiales asaltaron el cuartel general del líder Talibán Mullah Omar en Kandahar.

Algunos meses más tarde, visité el Fuerte Bragg en Carolina del Norte donde me reuní con miembros del equipo de Fuerzas Especiales que habían dirigido el asalto. Me dieron un ladrillo de los restos del recinto de Mullah Omar. Lo conservé en el estudio privado junto a la Oficina Oval, como un recordatorio de que estuvimos peleando esta guerra con soldados en tierra—y que esos estadounidenses eran valientes y experimentados.

———

El arribo de las tropas no acalló las dudas en casa. El 25 de octubre, Condi me informó que el ritmo lento de las operaciones, el cual estaba produciendo una ola de críticas en los medios, estaba afectando al equipo de seguridad nacional. La guerra llevaba apenas dieciocho días, pero algunos ya estaban hablando acerca de estrategias alternativas.

En tiempos de incertidumbre, cualquier indicación de duda del presidente causa un efecto dominó a través del sistema. En una reunión con el Consejo de Seguridad Nacional la siguiente mañana, expresé: —Solo quiero asegurarme de que todos estuvimos de acuerdo en este plan, ¿verdad? —Fui alrededor de la mesa y pregunté a cada miembro del equipo. Todos estuvieron de acuerdo.

Le aseguré al equipo el que teníamos la estrategia correcta. Nuestro plan fue bien concebido. Nuestra milicia era capaz, nuestra causa justa. No debíamos darnos por vencidos a cuestionamientos *a posteriori* y permitir que la prensa nos hiciera entrar en pánico. —Nos vamos a mantener confiados y pacientes, tranquilos y firmes —dije.

Pude sentir el sentimiento de alivio en la sala. La experiencia me recordó que aún la gente más exitosa y poderosa algunas veces necesita que la tranquilicen. Tal como después le dije al periodista Bob Woodward: el presidente tiene que ser «el calcio en el hueso».

Me sentí satisfecho de haber fortalecido nuestra determinación cuando leí el *New York Times* el 31 de octubre. El reportero Johnny Apple había escrito un artículo titulado «El recuerdo de un atolladero militar: Afganistán como Vietnam». Su oración de apertura decía: «Como un espectro que no es bienvenido del triste pasado, la palabra ominosa 'cenagal' ha empezado a acechar las conversaciones entre los oficiales del gobierno y estudiantes de política extranjera, tanto dentro como fuera del país».

De alguna forma, esto era predecible. Los reporteros de mi generación tenían la tendencia de observar todo bajo el prisma del Watergate o Vietnam. Aún con eso, me sentí sorprendido de que el *Times* no pudo esperar ni siquiera un mes para etiquetar Afganistán con la etiqueta de Vietnam.

Las diferencias entre los dos conflictos eran notables. El enemigo en Afganistán acababa de asesinar a tres mil personas inocentes en tierra estadounidense. En el momento, no teníamos casi ningunas fuerzas convencionales en Afganistán, comparadas con los cientos de miles que se habían enviado a Vietnam. Los Estados Unidos estaban unificados en el apoyo a nuestras tropas y su misión y teníamos una coalición creciente de nuestro lado.

Ninguna de estas distinciones importó a los medios. El debate acerca del tan llamado cenagal continuó en las páginas editoriales y televisión por cable. Me encogí de hombros ante eso. Sabía que la mayoría de los estadounidenses serían pacientes y de apoyo; siempre y cuando diéramos resultados.

———

A principios de noviembre, llegaron los resultados. Con el apoyo de los oficiales de la CIA y las Fuerzas Especiales, los generales de la Alianza del Norte avanzaron hacia las posiciones talibanes. Los guerreros afganos dirigieron los ataques por tierra, mientras que nuestras Fuerzas Especiales usaron unidades GPS y sistemas láser de guía para dirigir los ataques por aire. Los combatientes de la Alianza del Norte y nuestras Fuerzas Especiales montaron un ataque de caballería y liberaron la ciudad estratégica de Mazar-i-Sharif. Los residentes corrieron a las calles celebrando. La más moderna artillería del siglo veintiuno, combinada con ataques a caballo que eran una reminiscencia del siglo diecinueve, habían sacado al Talibán de su poderosa fortaleza al norte.

Me sentí aliviado. Mientras que me sentía confiado en nuestra estrategia y descartaba las conversaciones del cenagal, me había sentido algo inquieto. No había forma de saber por seguro si nuestro enfoque sería victorioso. La caída de Mazar me tranquilizó. —Esta cosa puede desintegrarse como la tela de un traje barato —le dije a Vladimir Putin.

Se desintegró rápidamente. Dentro de dos días, casi cada ciudad mayor en el norte cayó. El Talibán escapó de Kabul a escondites en las montañas en el este y el sur. Las mujeres salían de sus casas. Los niños volaban cometas. Los hombres se rasuraron la barba y bailaban en las calles. Un hombre escuchaba música—prohibida durante el Talibán—con un reproductor de casetes pegado a su oído. —Somos libres —gritó. Una maestra dijo: —Me siento feliz porque creo que ahora las puertas de la escuela se abrirán para las niñas.

Me sentí colmado de alegría ante las escenas de liberación y Laura también. El sábado después de que cayó Kabul, ella dio la charla semanal de radio, la primera vez que una primera dama hacía eso. —El Régimen Talibán —expresó ella— se encuentra ahora en retirada a través del país y la gente de Afganistán, especialmente mujeres, están de plácemes. Las mujeres afganas saben, por medio de la dura experiencia, lo que el resto del mundo está descubriendo.... La lucha contra el terrorismo también es una lucha por los derechos y dignidad de la mujer.

Las palabras de Laura atrajeron respuestas positivas de todo el mundo. La más significativa vino de las mujeres afganas. Expandir la oportunidad en Afganistán, especialmente para mujeres y niñas, se convirtió en una misión para Laura. En los años por venir, se reunió con maestras y empresarias afganas, facilitó la entrega de libros de texto y medicinas, apoyó al nuevo Consejo de Mujeres EE.UU.–Afgano que movilizó más de 70 millones de dólares en fondos privados para el desarrollo e hizo tres viajes al país. De la misma manera que yo empezaba a sentirme a gusto como comandante en jefe, ella se estaba sentando bases como la Primera Dama.

———

Con el norte de Afganistán liberado, nuestra atención se desbordó al sur. George Tenet reportó que un movimiento anti-Talibán se estaba uniendo alrededor de un líder pastún, Hamid Karzai. Karzai no era el típico comandante militar. Creció cerca de Kandahar, obtuvo un título universitario en India, hablaba cuatro lenguas y sirvió en el Gobierno Afgano antes de que el Talibán tomara posesión de él.

Dos días después de que nuestra campaña de bombas empezó, Karzai se montó en una motocicleta en Pakistán, cruzó la frontera y reunió varios cientos de hombres para tomar Tarin Kot, una pequeña ciudad cerca de Kandahar. El Talibán descubrió la presencia de Karzai y envió tropas a eliminarlo. Con su posición a punto de ser invadida, la CIA despachó un helicóptero para recogerlo. Después de un corto tiempo, Karzai regresó a dirigir la resistencia. Se unió a finales de noviembre con un contingente de Marines. Los oficiales del Talibán que quedaban huyeron de Kandahar. La ciudad cayó el 7 de diciembre del 2001, el sesenta aniversario de Pearl Harbor, dos meses después del día de mi discurso en el Salón de Tratados.

———

Expulsados de sus fortalezas, el remanente del Talibán y Al Qaeda huyeron hacia la escabrosa frontera oriental de Afganistán con Pakistán. Al principio del 2002, Tommy Franks montó un asalto mayor llamado Operación Anaconda. Nuestras tropas, unidas con nuestros socios de la coalición y fuerzas afganas, cercaron a los combatientes restantes del Talibán y Al Qaeda en el oriente de Afganistán. Los oficiales de la CIA y las Fuerzas Especiales se arrastraron por las cuevas, atrayendo ataques aéreos en los escondites terroristas y haciendo una seria mella en todo el ejército de Al Qaeda.

Tenía la esperanza de recibir una llamada de que Osama Bin Laden estuviera entre los muertos o capturados. Estábamos buscándolo constantemente y recibíamos frecuente, pero conflictiva información de su paradero. Algunos reportes lo colocaban en Jalalabad. Otros lo tenían en Peshawar o en un lago cerca de Kandahar o el complejo de cuevas de Tora Bora. Nuestras tropas perseguían cada pista. Varias veces, pensamos que lo habíamos pillado, pero la inteligencia nunca tuvo éxito.

Años más tarde, los críticos dijeron que le habíamos permitido a Bin Laden que se escabullera en Tora Bora. Yo, por seguro, no lo veía de esa manera. Pregunté a nuestros comandantes y oficiales de la CIA frecuentemente por Bin Laden. Estaban trabajando las 24 horas del día para localizarlo y me aseguraron que tenían el nivel de tropas y los recursos que necesitaban. Si alguna vez hubiéramos sabido dónde estaba, hubiéramos movido cielo y tierra para llevarlo a la justicia.

La Operación Anaconda marcó el final de la fase de apertura de la batalla. Como cualquier guerra, nuestra campaña en Afganistán no había ido a la perfección; pero en seis meses, habíamos removido al Talibán del poder, destruido los campamentos de entrenamiento de Al Qaeda, liberado a más de veintiséis millones de personas de la brutalidad indescriptible. Permitimos a las niñas afganas que regresaran a la escuela y colocamos la fundación para que emergiera una sociedad democrática. No había habido hambruna, ni brotes de guerra civil, ni colapso en el gobierno de Pakistán, ni ningún levantamiento global de musulmanes, ni ataques de represalia en nuestra patria.

Las ganancias fueron a un precio altísimo. Entre el principio de la guerra y la Operación Anaconda, veintisiete estadounidenses valientes fueron asesinados. Leí cada nombre, generalmente en mis reportes matutinos que llegaban a mi escritorio *Resolute*. Imaginé el dolor que sintieron sus familias cuando apareció un oficial militar ante sus puertas. Le rogué a Dios que los confortara en medio del dolor.

A principios de la guerra, decidí enviar cartas a los miembros de la familia de los estadounidenses caídos en batalla. Deseaba honrar su sacrificio, expresar mi pena y extender la gratitud del país. Cuando me senté a escribir el 29 de noviembre del 2001, recordé una carta que Abraham Lincoln había escrito en 1864 a Lydia Bixby, una dama de Massachusetts de la que se creía que había perdido cinco hijos en la Guerra Civil.

«Siento qué tan débil e infructuosa debe de ser cualquiera de mis palabras para intentar mitigar su dolor de una pérdida tan abrumadora», escribió Lincoln. «Pero no puedo contenerme de extenderle el consuelo que pueda encontrarse en el agradecimiento de la República por la que murieron para salvar. Rezo porque nuestro Padre Celestial pueda calmar la angustia de su duelo y le deje solamente la amada memoria de su amado perdido y el orgullo solemne que deberá ser suyo por haber hecho tan costoso sacrificio por el altar de la libertad».

Mi carta estaba dirigida a Shannon Spann, la esposa de Mike Spann, el oficial de la CIA asesinado en el levantamiento de la prisión en Mazar-i-Sharif y la primera muerte en batalla durante la guerra:

Estimada Shannon:

A nombre de una nación agradecida, Laura y yo le enviamos nuestras condolencias a usted y su familia por el fallecimiento de Mike. Sé que su corazón sufre. Nuestras oraciones están con todos ustedes.

Mike murió en una lucha contra el mal. Dio su vida por una noble causa—la libertad. Sus hijos deben saber que su servicio a nuestra nación fue heroico y valiente.

Dios la bendiga, Shannon, y a sus hijos, así como a todos los que están en duelo
por la pérdida de un hombre bueno y valiente.

Sinceramente,
George W. Bush

Envié cartas a las familias de cada miembro del servicio que había dado
su vida en la guerra contra el terrorismo. Al final de mi mandato, había escrito
casi a cinco mil familias.

Además de mi correspondencia, me reuní frecuentemente con miembros de
la familia de los caídos. Sentí que era mi responsabilidad confortar a aquéllos
que habían perdido a un ser amado. Cuando viajé a Fort Bragg en marzo del
2002, me reuní con las familias de los hombres del servicio asesinados durante
la Operación Anaconda. Estaba preocupado. ¿Estarían enojados? ¿Estarían
resentidos? Estaba listo para llorar con ellos, para escuchar, platicar—lo que
fuera que yo pudiera hacer para aminorar el dolor. Una de las viudas que
conocí fue Valerie Chapman. Su esposo, el Sargento Técnico de la Fuerza
Aérea John Chapman, había atacado valientemente dos bunkers de Al Qaeda
en remotas montañas durante una emboscada enemiga, ayudando a salvar a
sus compañeros, antes de entregar su propia vida. Valerie me dijo que John
amaba la Fuerza Aérea. Se había enlistado cuando tenía diecinueve y había
servido por diecisiete años.

Me incliné para quedar a la altura visual de las dos hijas de Valerie,
Madison de cinco años y Brianna, de tres. Imaginé a mis dos hijas a esa edad.
Mi corazón se hundió ante el pensamiento de que crecerían sin su padre. Les
dije que él había sido un buen hombre que había servido con valentía. Luché
por no llorar. Si las niñitas recordaran algo de la reunión, quería que fuera
cuánto respetaba yo a su padre, no a un llorón comandante en jefe.

Cuando la reunión terminó, Valerie me pasó una copia del folleto
memorial de su esposo: —Si alguien alguna vez te dice que esto es incorrecto
hacerlo —dijo ella con intención— observa esto. —Ella había escrito una
nota en el folleto:

«John hizo su trabajo, ahora usted haga el suyo».

Recordé sus palabras y otras como esas cada momento en que tomé
decisiones acerca de la guerra.

Con el tiempo, la emoción de la liberación dio lugar a una desalentadora tarea
de ayudar al pueblo afgano a reconstruir o—de forma más exacta—construir

desde un principio. Afganistán, en el 2001, era el tercer país más pobre del mundo. Menos del 10 por ciento de la población tenía acceso a cuidado de salud. Más de cuatro de cinco mujeres eran analfabetas. Mientras que el área de tierra de Afganistán y su población eran similares a Texas, su producción económica era comparable con la de Billings, Montana. La expectativa de vida era sombrío, de unos cuarenta y seis años.

Años después, Afganistán sería, frecuentemente, comparada con Irak, pero los dos países empezaron desde dos puntos muy diferentes. En el momento de su liberación, el PIB per cápita de Afganistán era menos de un tercio comparado con el de Irak. La mortalidad de infantes en Afganistán era dos veces más alta. El ayudar a los afganos a unirse al mundo moderno, sería, claramente, una larga y ardua tarea.

Cuando me postulé como presidente, nunca anticipé una misión como ésta. En el otoño del 2000. Al Gore y yo debatimos los problemas más difíciles que enfrentaban los Estados Unidos. Nunca las palabras: *Afganistán, Bin Laden o Al Qaeda* estuvieron en nuestra mesa de discusiones. Sí discutíamos cómo edificar naciones. —El vicepresidente y yo tenemos un desacuerdo acerca del uso de las tropas —dije una vez en el primer debate—. Tendría mucho cuidado de utilizar nuestras tropas como constructores de naciones.

En ese momento, mi preocupación era extralimitar a la milicia al emprender misiones para mantener la paz, tales como las que habíamos tenido en Bosnia y Somalia; pero después del 9/11, cambié de idea. Afganistán se convirtió en la misión de construcción de una nación más definitiva. Habíamos liberado el país de una dictadura primitiva y teníamos una obligación moral de reemplazarla con algo mejor. También teníamos un interés estratégico en ayudar a la gente afgana a construir una sociedad libre. Los terroristas tomaron refugio en lugares de caos, desesperación y represión. Un Afganistán democrático sería una alternativa de esperanza ante la visión de los extremistas.

El primer paso era llevar al poder a un líder legítimo. Colin Powell trabajó con oficiales de las Naciones Unidas en un proceso para que la gente afgana seleccionara un gobierno interino. Decidieron llevar a cabo una reunión afgana llamada *loya jirga* o gran consejo. Afganistán no era un lugar suficientemente seguro para convocar la reunión, por lo tanto, el Canciller Gerhard Schroeder de Alemania, generosamente, ofreció organizar el concilio en Bonn.

Después de nueve días de deliberaciones, los delegados seleccionaron a Hamid Karzai para servir como Presidente de la autoridad interina. Cuando Karzai llegó a Kabul para su inauguración el 22 de diciembre—102 días después del 9/11—algunos de los líderes de la Alianza del Norte y sus guardaespaldas lo saludaron en el aeropuerto. En el momento en que Karzai caminó a través de la pista él solo, un aturdido jefe militar tayik le preguntó dónde estaban todos sus hombres. Karzai respondió —Pues, General, ustedes son mis hombres. Todos ustedes, como afganos, son mis hombres.

Cinco semanas después, vi a Hamid Karzai directamente a los ojos por primera vez. Un hombre de cuarenta y cuatro años, con características definidas y una barba entre cana; Karzai era una figura singular. Llevaba una reluciente capa verde sobre su túnica gris, así como un sombrero hecho de piel de cabra que es tradicional en su tribu sureña afgana.

—Señor Presidente, bienvenido a los Estados Unidos —expresé—, y bienvenido también a la Oficina Oval. —Experimenté algunos momentos fascinantes en esa oficina a través de los años. El abrir la puerta al líder de un Afganistán libre, cuatro meses después del 9/11, clasifica entre ellos.

—A nombre mío y de mi gente, gracias, Señor Presidente —expresó Karzai—. Los Estados Unidos liberaron Afganistán de la Unión Soviética en los 1980 y ahora nos han liberado del Talibán y de Al Qaeda.

—Somos independientes y nos mantendremos de pie —dijo—, pero necesitamos su ayuda. La pregunta más común que escuché de mis ministros y otros en Afganistán es si los Estados Unidos continuarán trabajando con nosotros.

Le aseguré a Karzai que podía contar con los Estados Unidos como socio y que no abandonaríamos a su país otra vez. Hablamos de cazar a los agentes que quedaran del Talibán y de Al Qaeda, la necesidad de entrenar un ejército y una fuerza policial afganos, así como la importancia de construir caminos, clínicas de salud y escuelas.

La siguiente noche, vi a Karzai otra vez en la Cámara de Representantes para mi discurso sobre el Estado de la Unión. Laura se sentó junto a él. Una fila atrás estaba el vicepresidente de Karzai—y la nueva Ministra de Asuntos para las Mujeres—Dra. Sima Samar.

La tarea inmediata de Karzai era mostrar que la vida mejoraría con el Talibán fuera. Para apoyarlo, envié a Zalmay Khalilzad, un talentoso afgano-americano en el Personal del Consejo de Seguridad Nacional para servir como mi enviado especial y más tarde, embajador estadounidense. Zal y Karzai hicieron uso de miles de millones de dólares de ayuda estadounidense para construir infraestructura, capacitar a maestros, imprimir libros de texto y extender la luz eléctrica y agua limpia hacia la población rural de Afganistán. Un programa, con fondos de la Agencia de los Estados Unidos para el Desarrollo Internacional, USAID, ayudó a más de tres millones de niños afganos para que regresaran a la escuela. Eso era tres veces el número de los que habían asistido durante la ocupación talibán. Cerca de un millón de los nuevos estudiantes eran niñas.

Desde el principio, procuramos traer todas las naciones que fueran posibles hacia este esfuerzo de reconstrucción. Una ayuda multilateral sufragaría la carga financiera y concientizaría a las naciones alrededor del mundo acerca de la lucha ideológica en contra de los extremistas. El Primer Ministro, Junichiro Koizumi de Japón organizó una conferencia internacional de donadores en enero del 2002. La reunión en Tokio benefició con $4,5 billones en compromisos. Los Estados Unidos y varios aliados clave decidieron repartir la responsabilidad de ayudar a construir la sociedad civil afgana. Tomamos la delantera en entrenar al nuevo Ejército Nacional Afgano. Alemania se enfocó en entrenar a la policía nacional. Gran Bretaña adoptó una misión en contra del narcotráfico. Italia trabajó para reformar el sistema de justicia. Japón lanzó una iniciativa para desarmar y desmovilizar a los caudillos de la guerra y sus milicias.

La seguridad básica era una condición previa para que hubiera resultados políticos y económicos. Por lo tanto, como parte del proceso Bonn, apoyamos la creación de una Fuerza de Asistencia de Seguridad Internacional conocida como ISAF, bajo el auspicio de las Naciones Unidas. En el otoño del 2002, OTAN estuvo de acuerdo en tomar el liderazgo de ISAF, que contenía cerca de cinco mil tropas de veintidós países. También teníamos ocho mil tropas estadounidenses bajo el mando de Tommy Franks, entrenando a las fuerzas de seguridad afgana y conduciendo operaciones en contra del remanente de Al Qaeda y el Talibán.

En ese momento, trece mil tropas parecían como la cantidad adecuada. Habíamos derrotado al Talibán mucho menos de de esa cantidad y parecía que el enemigo estaba huyendo. Estuve de acuerdo con nuestros líderes militares en que no necesitábamos traer más tropas. Todos estábamos precavidos para no repetir la experiencia de los soviéticos y los británicos, quiénes terminaron pareciendo como usurpadores.

Esta estrategia funcionó bien al principio, pero en retrospectiva, nuestro éxito rápido con bajo nivel de tropas creó una tranquilidad falsa y nuestro deseo de mantener una huella militar precaria nos dejaba cortos de los recursos que necesitábamos. Llevaría varios años para que estas deficiencias fueran aparentes.

—

En junio del 2002, los afganos se reunieron en una segunda *loya Jirga* para seleccionar el gobierno de transición. Esta vez, la seguridad era suficiente para llevar a cabo la reunión en Kabul. Los delegados eligieron a Karzai para que encabezara el nuevo gobierno y él nombró ministros de gabinete de una variedad de orígenes étnicos y religiosos. Convertí una prioridad el mantenerme con Karzai regularmente. Sabía que él tenía una abrumadora tarea y quería alentarlo y asegurarle de nuestro compromiso. Le ofrecí consejo y le hacía solicitudes, pero siempre fui cuidadoso de no darle órdenes. La mejor manera de ayudarlo a crecer como un líder era tratarlo como tal.

El incipiente gobierno progresó. En septiembre del 2003, el Presidente Karzai me dijo que el ingreso del afgano promedio había incrementado de un dólar a tres dólares al día—un mejoramiento mayor, pero también un recordatorio de qué tan primitivo el país había permanecido. El logro más grande del gobierno fue redactar una nueva constitución que fuera ratificada por un tercer *loya jirga* en enero del 2004. Un país que tres años antes había forzado a las mujeres a pintar las ventanas de sus hogares en color negro, ahora protegía los derechos básicos como la libertad de hablar y de reunirse. La constitución estableció un poder judicial independiente y una legislatura bicameral y ordenaba que las mujeres contaran en un porcentaje del 25 por ciento de la Casa de la Gente.

El próximo paso era celebrar la primera elección presidencial libre en la historia de Afganistán, que estaba programada para el 9 de octubre del 2004. El Talibán y Al Qaeda juraron matar a los votantes, candidatos y funcionarios electorales. Funcionarios de EE.UU, OTAN y las Naciones Unidas ayudaron a entrenar a los trabajadores electorales y aseguraron las estaciones de los votos. Tenía la esperanza de que Afganistán expresara su deseo de libertad para votar. En la realidad, nadie sabía qué esperar.

Cuando llegó el amanecer, el mundo pudo atestiguar una señal asombrosa. A través del país, los afganos se habían puesto en línea, listos para votar. Al frente de la línea, fuera de la primera estación para votar que aún no abría sus puertas, estaba una chica de diecinueve años. —No puedo explicar mis sentimientos, ni cuán feliz estoy —exclamó—. Nunca pensé que podría votar en esta elección.

A través del país, resultó que la votación había excedido ocho millones, casi el 80 por ciento de la población con edad para votar. Cada etnia mayor o grupo religioso participó, tal como lo hicieron millones de mujeres. La votación se quedó abierta dos horas más para atender a las grandes multitudes.

Condi me dio las noticias temprano en la mañana en Missouri, donde había debatido a John Kerry la noche anterior. Me sentí complacido con los resultados, pero no sorprendido. Yo creo que el deseo humano por la libertad es universal. La historia muestra que, cuando se da la oportunidad, las personas de cualquier raza y religión toman riesgos extraordinarios para lograr la libertad. En una aldea, un hombre sin dientes, con un turbante negro, dijo: —Es como el día de la Independencia o el día de la libertad. Estamos trayendo seguridad y paz a este país.

Cuando las votaciones se acumularon, Hamid Karzai se convirtió en el presidente electo democráticamente. La historia tiene una forma de enervar las memorias. Sin embargo, yo siempre recuerdo el gozo y el orgullo que sentí ese primer día de elecciones cuando la gente de Afganistán —el territorio donde fue concebido el 9/11— votó para un futuro de libertad.

En septiembre del 2005, el pueblo afgano fue a las casillas otra vez, en esta ocasión para elegir a la legislatura nacional. Más de 2.700 candidatos se inscribieron para los 249 asientos. Casi 7 millones de votantes acudieron a votar, a pesar de las amenazas del Talibán y llamamientos a boicotear. La nueva Asamblea Nacional incluyó 68 mujeres y representantes de casi todos los grupos étnicos.

Dick Cheney representó a los Estados Unidos en la sesión inaugural de la asamblea en diciembre del 2005. La ceremonia abrió con un emotivo discurso de parte del antiguo rey de la nación, Zahir Shah de noventa y un años de edad. —Le doy las gracias a Dios porque el día de hoy, estoy participando en una ceremonia que es un paso hacia la reconstrucción de Afganistán, después de décadas de disputas —expresó—. Los afganos triunfaremos.

Compartí su optimismo. Cuatro años más tarde de la caída del Talibán, el país había elegido un presidente y un parlamento; no obstante, reconocí que las elecciones eran solo un primer paso. La Democracia es una jornada que requiere que una nación construya instituciones de gobierno, tales como cortes de ley, fuerzas de seguridad y sistema de educación, una prensa libre y una vibrante sociedad civil. Afganistán había hecho algo de progreso esperanzador. Como cinco millones de niños, incluyendo un millón y medio de niñas, habían regresado a la escuela. La economía estaba creciendo en un porcentaje de más del 15 por ciento por año. Se terminó la tan anticipada carretera de Kabul a Kandahar. Cuatro de siete millones de refugiados habían regresado a casa.

En la superficie, parecía que estábamos progresando, pero los problemas yacían bajo esa misma superficie. En junio del 2005, un equipo SEAL de cuatro hombres de la Armada Estadounidense, operando en lo alto de las montañas, fue emboscado por el Talibán. El líder del equipo, teniente Michael Murphy se movió hacia una posición expuesta para pedir ayuda para sus tres compañeros marines heridos. Se mantuvo en línea el tiempo suficiente para transmitir la ubicación de sus compañeros, antes de sufrir heridas fatales. Cuando arribó un helicóptero de las Fuerzas Especiales para extraer a los marines, el Talibán lo derribó a tiros. Fueron muertos diecinueve estadounidenses, convirtiendo ese día en el más mortífero de la guerra en Afganistán y el peor para los SEAL desde la Segunda Guerra Mundial. Un SEAL, el contramaestre de Primera Clase, Marcus Luttrell sobrevivió para narrar la historia en su fascinante libro *Lone Survivor*.

Dos años más tarde, entregué la Medalla de Honor a los padres del Teniente Michael Murphy en el Salón Este de la Casa Blanca. Hablamos acerca de su hijo, un talentoso atleta y graduado con honores de Penn State, quien una vez se metió en problemas, cuando intervino en una pelea en el patio de la escuela para proteger a un chico incapacitado. En nuestra reunión, antes de la ceremonia, me dieron una placa de identificación dorada con el nombre de Mike, su fotografía y su grado grabados en ella. Me la puse bajo la camisa y la usé durante la ceremonia.

Cuando el ayudante militar leyó la distinción de la Medalla de Honor, observé a la audiencia. Vi a un grupo de oficiales de los SEAL de la Armada en sus trajes azules. Estos duros combatientes estaban derramando lágrimas. Tal como más tarde les dije a Daniel y Maureen Murphy, me fortalecí al tener un recuerdo de Mike cerca de mi corazón.

———

El devastador ataque a los SEAL fue un presagio de problemas por venir. Durante el 2005 y el 2006, los militantes del Talibán asesinaron a equipos de construcción, encendieron fuego a las escuelas y mataron a maestros en las provincias cerca de la frontera de Pakistán. En septiembre del 2006, un bombardero talibán suicida asesinó al gobernador de la provincia de Paktia, cerca de su oficina en Gardez.

El siguiente día, otro bombardero suicida atacó el funeral del gobernador, asesinando a seis dolientes. Mis reportes de la CIA y la milicia incluían, cada vez más, espantosos reportes acerca de la influencia Talibán. El problema se cristalizaba por una serie de mapas con códigos de color que vi en noviembre del 2006.

Donde el sombreado de los mapas era más oscuro, eran las partes donde la mayoría de los ataques habían ocurrido en esa parte de Afganistán. El mapa del 2004 estaba ligeramente sombreado. El del 2005, tenía áreas más oscuras en las partes sureste y este del país. Para 2006, el cuadrante completo del sudeste estaba en negro. En tan solo un año, el número de bombas detonadas de forma remota se había duplicado. El número de ataques armados se había triplicado. El número de bombardeos suicidas se había más que cuadriplicado.

Era claro que necesitábamos hacerle cambios a nuestra estrategia. El enfoque multilateral de reconstrucción, elogiado por tantos en la comunidad internacional, estaba fracasando. Había poca coordinación entre los países y nadie dedicaba suficientes recursos para el esfuerzo. La iniciativa alemana para construir la fuerza policial nacional no estaba a la altura de las expectativas. La misión italiana para reformar el sistema de justicia había fallado también. La campaña británica contra narcotráfico mostró resultados en algunas áreas, pero la producción de drogas había florecido en las provincias fértiles sureñas como Helmand. El Ejército Nacional Afgano que los Estados Unidos entrenó había mejorado, pero en un intento por evitar al gobierno afgano un gasto insostenible, habíamos mantenido el ejército muy pequeño.

La misión militar multilateral resultó ser una decepción también. Cada miembro de OTAN había enviado tropas a Afganistán y también más de una docena de otros países, pero muchos parlamentos imponían fuertes restricciones—conocidas como reservas nacionales—en lo que sus tropas tenían permitido hacer. A algunos no se les permitía patrullar por la noche. Otros no podían participar en combates. El resultado fue una fuerza desorganizada e inefectiva, con tropas peleando bajo diferentes reglas y muchos sin pelear en absoluto.

Las fallas dentro del gobierno afgano agravaron el problema. Aunque apreciaba y respetaba al Presidente Karzai, había demasiada corrupción. Los caudillos de la guerra se metían al bolsillo grandes cantidades de ingresos de aduanas que deberían haber ido a Kabul. Otros se llevaban su tajada en el comercio de las drogas. El resultado fue que los afganos perdieron fe en su gobierno. Sin saber a dónde acudir, muchos afganos dependían en el Talibán y los brutales comandantes extremistas como Gulbuddin Hekmatyar y Jalaluddin Haqqani. Un reporte de la CIA citaba a un afgano diciendo: —No me importa quién esté en el poder, siempre y cuando brinden seguridad. La seguridad es todo lo que importa.

Había demasiado en juego como para dejar a Afganistán caer de nuevo en las manos de los extremistas. Decidí que los Estados Unidos debían tomar más de la responsabilidad, aunque estábamos a punto de emprender un nuevo compromiso mayor con Irak también.

—¡Maldición, podemos hacer más de una cosa a la vez! —le dije al equipo de Seguridad Nacional—. No podemos perder Afganistán.

En el otoño del 2006, ordené un incremento de tropas que impulsaría nuestros niveles de fuerza de 21.000 a 31.000 en los siguientes dos años. Llamé al incremento del cincuenta por ciento «la oleada silenciosa».* Para ayudar al gobierno de Afganistán a extender su alcance y efectividad, hicimos más que duplicar los fondos para la reconstrucción. Incrementamos el número de equipos de reconstrucción en las provincias, que estaban compuestos tanto de personal militar como expertos civiles para asegurar que las garantías de seguridad se tradujeran en significativos mejoramientos en la vida cotidiana. También incrementamos el tamaño del Ejército Nacional Afgano, expandimos el esfuerzo contra narcotráfico, mejoramos los esfuerzos de inteligencia a través de la frontera de Pakistán y enviamos expertos civiles del gobierno de los Estados Unidos para ayudar a los ministros afganos a reforzar su capacidad y reducir la corrupción.

Pedí a nuestros aliados de OTAN el que igualaran nuestro compromiso al eliminar restricciones en sus tropas y agregar más fuerzas. Varios líderes respondieron, incluyendo a Stephen Harper de Canadá, Anders Fogh Rasmussen de Dinamarca y Nicolás Sarkozy de Francia. Los británicos y los canadienses combatieron con especial valentía y sufrieron pérdidas

---

*La oleada en Irak atrajo mucha más atención.

significativas. Los Estados Unidos fuimos afortunados de tenerlos de nuestro lado y honramos su sacrificio como si fuera nuestro.

Otros líderes me dijeron, sin rodeos, que sus parlamentos nunca cederían. Era enloquecedor. Afganistán se suponía que era una guerra en la que el mundo había estado de acuerdo en que era necesaria y justa y, aun así, muchos países estaban enviando tropas tan fuertemente restringidas que nuestros generales se quejaron de que solo estaban ocupando el espacio. OTAN se había convertido en una alianza escalonada, con algunos países con la voluntad de combatir y muchos no.

—

Los ajustes en nuestra estrategia mejoraron nuestra habilidad de controlar la insurgencia; sin embargo, la violencia continuaba. La causa principal del problema no se originó en Afganistán o —como algunos sugirieron— en Irak. El origen venía de Pakistán.

Por casi toda mi presidencia, Pakistán estaba dirigido por el Presidente Pervez Musharraf. Admiré su decisión de unirse a los Estados Unidos después del 9/11. Sostuvo elecciones parlamentarias en el 2002, las cuales ganó su partido y habló acerca de «moderación ilustrada» como una alternativa al extremismo islámico. Tomó serios riesgos para combatir a Al Qaeda. Los terroristas intentaron asesinarlo cuatro veces.

En los meses después de que liberamos Afganistán, le dije a Musharraf que estaba preocupado con los reportes de las fuerzas de Al Qaeda y el Talibán infiltrándose en las provincias tribales de Pakistán sin gobierno rígido —un área frecuentemente comparada al Salvaje Oeste. —Estaría más que feliz de enviar nuestras Fuerzas Especiales a través de la frontera para limpiar estas áreas —le dije.

Él me dijo que enviar tropas estadounidenses a combatir en Pakistán sería visto como una violación a la soberanía del país. Era posible que se levantaran revueltas. Su gobierno probablemente caería. Los extremistas podrían apoderarse del país, incluyendo su arsenal nuclear.

En ese caso —le dije— sus soldados necesitaban tomar la delantera. Por varios años ese arreglo funcionó. Las fuerzas paquistaníes cazaron cientos de terroristas, incluyendo líderes de Al Qaeda como Khalid Sheikh Mohammed, Abu Zubaydah y Abu Faraj al Libbi. Musharraf también arrestó a A.Q. Khan, el padre reverenciado de la bomba nuclear paquistaní, por vender componentes del programa del país al mercado negro. Tal como Musharraf frecuentemente me recordaba, las fuerzas paquistaníes pagaron un alto precio por combatir a los extremistas. Más de mil cuatrocientos fueron asesinados en la guerra contra el terrorismo.

Como agradecimiento a la cooperación de Pakistán, levantamos las sanciones, designamos a Pakistán un aliado mayor de no pertenencia a OTAN y ayudamos con fondos para sus operaciones antiterroristas. También trabajamos con el Congreso para proveer 3 mil millones de dólares en ayuda económica y abrimos nuestros mercados hacia más bienes y servicios paquistaníes.

Con el tiempo, se hizo claro que Musharraf no quiso o no pudo cumplir con todas sus promesas. Parte del problema era la obsesión de Pakistán con India. En casi todas las conversaciones que sosteníamos, Musharraf acusaba a India de acciones erróneas. Cuatro días después del 9/11, me dijo que los hindús estaban «intentando equipararnos con los terroristas e influenciando su mente». Como resultado, la milicia paquistaní gastó la mayoría de sus recursos para preparar una guerra contra India. Sus tropas estaban entrenadas para pelear una guerra convencional con su vecino, no operaciones antiterroristas en las áreas tribales. La lucha contra el extremismo venía en segundo lugar.

Un problema relacionado era que las fuerzas paquistaníes perseguían al Talibán mucho menos agresivamente que como perseguían a Al Qaeda. Algunos en el servicio de inteligencia paquistaní, el ISI, sostenían lazos cercanos con los oficiales talibanes. Otros querían una política de seguridad en el caso de que los Estados Unidos abandonaran Afganistán e India intentara ganar influencia allí. Cualquiera que fuera la razón, los combatientes del Talibán que escaparon de Afganistán, tomaron refugio en regiones tribales y ciudades pobladas de Pakistán como Peshawar y Quetta. En el 2005 y 2006, estos refugios fueron el nido del levantamiento insurgente.

En marzo del 2006, visité al Presidente Musharraf en Islamabad. Nuestra reunión sucedió después de una parada en India, donde el Primer Ministro Manmohan Singh y yo firmamos un acuerdo para abrir el paso de la cooperación nuclear entre los dos países. El acuerdo fue la culminación de nuestros esfuerzos para mejorar las relaciones entre la más vieja democracia del mundo y la más grande. Yo creo que India, el hogar de más o menos mil millones de personas y una clase media educada, tiene el potencial de ser uno de los más cercanos socios de los Estados Unidos. El Acuerdo Nuclear fue un paso histórico porque señaló la nueva actuación del país en el escenario mundial.

El acuerdo nuclear, naturalmente, levantó preocupaciones en Pakistán. Nuestro Embajador, un notable Oficial veterano del Servicio Exterior de nombre Ryan Crocker, argumentó con fuerza que deberíamos pasar la noche en Islamabad como señal de respeto. Ningún presidente había hecho eso desde Richard Nixon, treinta y siete años antes. El Servicio Secreto estaba ansioso, especialmente, después de un bombardeo cerca del Consulado Americano en Karachi un día antes de que llegáramos. Sin embargo, la simbología cuenta en la diplomacia y quería señalar que valoraba nuestra relación. En el aeropuerto, un desfile de automóviles como señuelo condujo a la embajada casi vacío. Mi jefe de protocolo, el Embajador Don Ensenat tomó mi lugar en la limosina presidencial, mientras que Laura y yo volábamos en secreto en el helicóptero Black Hawk.

En contraste con las rígidas precauciones de seguridad, el Presidente Musharraf organizó una visita relajada y agradable. Él y su esposa, Sehba, nos recibieron cálidamente en su versión de la Casa Blanca, conocida como Aiwan-e-Sadr. Nos reunimos con sobrevivientes del terremoto de 7,6 grados de magnitud de octubre del año anterior, que mató a más de 73.000 personas, en el norte de Pakistán. Los Estados Unidos habían proporcionado $500 millones en ayuda. Nuestros helicópteros Chinook llegaron a ser conocidos como «ángeles de misericordia». La experiencia fortaleció una lección: Una de las formas más efectivas de la diplomacia es mostrar el buen corazón de los Estados Unidos al mundo.

Más tarde, ese día, fui al patio de la Embajada a observar el juego de cricket, el pasatiempo nacional de Paquistán. Allí conocí al capitán del equipo nacional, Inzamam-ul-Haq, el equivalente paquistaní de Michael Jordan. Para el deleite de los niños de escuela que se encontraban, di algunos golpes con el bate de cricket. No conseguí dominar el juego, pero sí aprendí algo de la jerga. En la elegante cena de estado esa noche, abrió el brindis diciendo: —Fui vencido por una bola con efecto,* de otra manera, hubiera sido un mejor bateador.

Mis reuniones con el Presidente Musharraf se enfocaban en dos prioridades primordiales. Una era la insistencia en servir como ambos: presidente y general máximo, una violación a la constitución paquistaní. Lo insté a que se desprendiera de su afiliación militar y gobernara como un civil. Prometió hacerlo, pero no tenía mucha prisa.

También manifesté la importancia de la lucha en contra de los extremistas. —Debemos evitar que estos tipos se deslicen por su país y otra vez hacia Afganistán, —dije.

—Le doy nuestras garantías de que cooperaremos con usted en contra del terrorismo —expresó Musharraf—. Estamos totalmente a bordo.

La violencia continuó creciendo. A medida que empeoraba la insurgencia, Hamid Karzai se puso furioso con Musharraf. Acusó al presidente paquistaní de desestabilizar Afganistán. Musharraf se sintió insultado por el alegato. En el otoño del 2006, casi no se hablaban. Decidí intervenir con algo de diplomacia personal seria. Invité a Karzai y a Musharraf a cenar en la Casa Blanca en septiembre del 2006. Cuando les di la bienvenida en el Rose Garden, se negaron a darse la mano o siquiera cruzar miradas. El estado de ánimo no mejoró cuando nos sentamos a la mesa para cenar en el Old Family Dining Room. Dick Cheney, Condi Rice, Steve Hadley y yo observábamos a Karzai y a Musharraf intercambiar puyas.

Un tiro que es difícil de batear, similar a una bola tirada en dirección opuesta en el béisbol.

En un momento dado, Karzai acusó a Musharraf de dar refugio al Talibán.

—Dígame dónde están —respondió Musharraf, muy irritado.

—Usted sabe dónde están —Karzai contraatacó.

—Si lo supiera, los atraparía —dijo Musharraf.

—Vaya y hágalo —persistía Karzai.

Comencé a preguntarme si esta cena había sido un error.

Le dije a ambos que había demasiado en juego para dimes y diretes personales. Mantuve la cena por dos horas y media, intentando ayudarles a que reconciliaran sus diferencias. Después de un rato, el desfogue se detuvo y la reunión resultó ser productiva. Los dos líderes estuvieron de acuerdo en compartir más informes de inteligencia, reunirse con las tribus en ambos lados de la frontera para exigir la paz y que dejaran de estarse agrediendo el uno al otro en público.

Como una forma de contener la afluencia de combatientes talibanes, Musharraf nos informó que recientemente había hecho una serie de acuerdos con las tribus del área de la frontera. Bajo los acuerdos, las fuerzas paquistaníes dejarían esas áreas en paz, siempre y cuando los líderes tribales se comprometieran a detener al Talibán del reclutamiento de agentes o de infiltrarse en Afganistán.

A pesar de ser bien intencionada, la estrategia fracasó. Las tribus no tenían la voluntad o la capacidad de controlar a los extremistas. Algunos estimados indicaban que la afluencia de combatientes talibanes hacia Afganistán incrementó cuatro veces.

Musharraf nos había prometido a Karzai y a mí—ambos escépticos ante la estrategia—que él enviaría tropas de nuevo a las áreas tribales si los acuerdos fallaban. Sin embargo, en lugar de enfocarse en ese problema, Musharraf y la milicia paquistaní estaban cada vez más distraídos por una crisis política. En marzo del 2007, Musharraf suspendió al Presidente de la Corte Suprema, del cual temía que decretara que estaba violando la ley al continuar sirviendo en dos papeles, como presidente y como jefe del ejército. Los abogados y defensores de la democracia marcharon en las calles. Musharraf respondió al declarar un estado de emergencia, suspendió la constitución, removió más jueces y arrestó a miles de oponentes políticos.

Me pusieron presión para que cortara relaciones con Musharraf. Me preocupé de que el lanzarlo por la borda agregara caos. Tuve una serie de conversaciones francas con él en el otoño del 2007. —Se ve feo desde aquí. La imagen aquí es que usted tiene abogados a los que golpean y meten a prisión —le dije—. Me preocupa el hecho de que no hay un aparente camino para salir adelante. —Con firmeza sugerí—: Ponga una fecha para elecciones libres, renuncie de la milicia y levante estado de emergencia.

Musharraf hizo cada uno de esos compromisos y los cumplió. Cuando programó las elecciones parlamentarias, la anterior Primera Ministra Benazir Bhutto regresó del exilio para competir. Se postuló en una plataforma pro-democracia, lo que la convirtió en un blanco para los extremistas. Trágicamente, fue asesinada el 27 de diciembre del 2007, en una reunión política en Rawalpindi. En febrero del 2008, sus seguidores ganaron las elecciones sólidamente. Formaron un gobierno y Musharraf salió pacíficamente. Asif Ali Zardari, el viudo de Bhutto, tomó su lugar como presidente. La democracia en Pakistán había sobrevivido la crisis.

Con el tiempo, el gobierno paquistaní aprendió la lección del asesinato de Bhutto. Las fuerzas paquistaníes regresaron al combate en las áreas tribales—no solo en contra de Al Qaeda, sino en contra del Talibán y otros extremistas también. Sin embargo, se había perdido más de un año, mientras la atención paquistaní se enfocaba en sus crisis políticas internas. El Talibán y otros extremistas explotaron esa ventana de oportunidad para incrementar su ritmo de operaciones en Afganistán, lo cual conllevó a más violencia y condujo a muchos afganos a darle la espalda a su gobierno y a nuestra coalición. Era esencial que encontráramos una manera de retomar la ofensiva.

———

A mediados del 2008, me encontraba cansado de leer reportes de inteligencia acerca de los refugios extremistas en Pakistán. Me recordó una reunión que había tenido con las Fuerzas Especiales en Afganistán en el 2006.

—Muchachos ¿tienen todo lo que necesitan? —interrogué. Un SEAL levantó la mano y dijo: —No, Señor.

Yo me preguntaba cuál podría ser el problema.

—Señor Presidente —expresó—, necesitamos permiso para patear algunos traseros dentro de Paquistán.

Comprendí la urgencia de la amenaza y quise hacer algo al respecto, pero en esta cuestión, el juicio de Musharraf había sido bien fundado. Cuando nuestras fuerzas encontraron resistencia inesperada, entraron en un combate a tiros e hicieron noticia internacionalmente: «Comandos estadounidenses atacan la soberanía de Paquistán» decía un titular. Islamabad explotó de indignación. Ambas casas del parlamento presentaron quejas unánimes, condenando nuestra acción. Ninguna democracia puede tolerar violaciones a su soberanía.

Busqué otras formas para alcanzar las áreas tribales. El Depredador, un vehículo aéreo no tripulado, tenía la capacidad para conducir video vigilancia y disparar bombas dirigidas por láser. Autoricé a la comunidad de inteligencia a aumentar la presión a los extremistas. Muchos de los detalles de nuestras acciones permanecen clasificados; pero pronto después de que di la orden, la prensa comenzó a reportar más ataques del Depredador. El hombre número cuatro de Al Qaeda, Khalid-al-Habib resultó muerto y también los líderes de Al Qaeda responsables de la propaganda, el reclutamiento, relaciones religiosas y planeación de ataques fuera del país. Uno de los últimos reportes que recibí describía a Al Qaeda como «en orden de batalla y erosionando» en la región de la frontera.

También escalamos nuestro apoyo al gobierno democrático de Paquistán. Proveímos dinero, entrenamiento y equipo, así como la propuesta de operaciones anti-terrorismo conjuntas—todas dirigidas para ayudar a incrementar las habilidades paquistaníes. Cuando la crisis financiera nos golpeó en el otoño del 2008, tomamos medidas para asegurarnos que Paquistán recibiera la ayuda que necesitaba para mitigar los efectos de la recesión y mantenerse enfocados en la lucha contra los extremistas.

Uno de los últimos proyectos de mi equipo de seguridad nacional fue la revisión de nuestra estrategia en Afganistán. Fue dirigida por Doug Lute, un brillante general de tres estrellas, quien coordinó la ejecución, día con día, de nuestras operaciones en Afganistán e Irak. El reporte recomendaba un esfuerzo más robusto para pelear contra la insurgencia, incluyendo más tropas y recursos civiles en Afganistán y una cooperación más cercana con Paquistán para perseguir a los extremistas. Debatimos si anunciábamos nuestros descubrimientos públicamente durante las últimas semana de mi presidencia. Steve Hadley checó con su homólogo de la administración entrante, quien prefirió que pasáramos nuestro reporte calladamente. Decidí que la nueva estrategia tendría una mejor oportunidad de éxito, si dábamos al nuevo equipo la oportunidad de revisarlo y, si lo consideraban conveniente, adoptarlo como suyo.

———

En diciembre del 2008, hice un viaje de despedida a Afganistán. El Air Force One aterrizó en la Base Aérea de Bagram alrededor de las 5:00 a.m., justo antes del amanecer. —Tengo un mensaje para ustedes y para todos aquéllos que sirven a nuestro país —dije frente a un hangar lleno de tropas—: Gracias por tomar la noble elección de servir y proteger a sus conciudadanos estadounidenses. Lo que están haciendo en Afganistán es importante y es valiente, así como desinteresado. Es parecido a lo que las tropas estadounidenses hicieron en lugares como Normandía, Iwo Jima y Corea. Su generación es tan grande, en todos los sentidos, como las que les antecedieron y el trabajo que ustedes realizan día con día está moldeando la historia para las generaciones por venir.

Estreché las manos del personal de las tropas y abordé el helicóptero Black Hawk para el vuelo de cuarenta minutos a Kabul. Afganistán es uno de esos lugares que hay que ver para entender. Las montañas son gigantescas y escabrosas; el terreno es hostil y desnudo, el paisaje se siente desolado e inhóspito. Como muchos estadounidenses, algunas veces me pregunté cómo cualquiera podría esconderse de nuestra milicia por siete años.

Cuando observé la topografía de Afganistán, fue fácil de entender.

Cuando nos acercábamos a Kabul, me llegó un olor acre. Me di cuenta de que venía de llantas en llamas—tristemente, una forma afgana de mantenerse caliente. La calidad del aire no era mejor en tierra. Estuve tosiendo por una semana cuando llegué a casa, un recordatorio de que el país tenía un camino largo por recorrer.

Cuando aterrizamos en el palacio presidencial, el Presidente Karzai dio zancadas para reunirse conmigo en su característica bata y gorro. Me presentó con sus ministros de gabinete y me dirigió a un gran espacio para sentarnos y tomar té. Como siempre, era energético y exuberante. Sonreía con orgullo cuando me mostró fotos de su pequeño hijo, Mirwais, su único heredero. Habló de sus planes de incrementar el rendimiento agrícola de Afganistán y estimular su sector de negocios en áreas como las telecomunicaciones. Después de las reuniones, me condujo a un patio polvoriento. Partimos con un apretón de manos y un abrazo. No había duda de que él había cometido errores, pero a pesar de todas las fuerzas en su contra, nunca perdió la determinación de dirigir a su país hacia un mejor futuro. Él ayudó a dar al pueblo afgano esperanza, algo que no habían tenido por muchos años. Por eso, él siempre tendrá mi admiración y respeto.

En el momento en que abordé el helicóptero, pensé en esa tarde de octubre del 2001, cuando anuncié la apertura de la guerra desde el Salón de Tratados. Un país dominado por uno de los regímenes más crueles de la historia estaba siendo gobernado ahora por líderes electos democráticamente. Las mujeres que habían sido aprisionadas en sus lugares, ahora servían en el parlamento. Aun cuando Al Qaeda todavía representaba un peligro, había perdido los campamentos que utilizaba para entrenar a miles de terroristas y planear 9/11.

El pueblo afgano había dado sus votos en múltiples elecciones libres y había edificado un ejército, cada vez más capaz, de setenta y nueve mil soldados. La economía de Afganistán se había duplicado. El registro en las escuelas había subido de 900.000 a más de seis millones, incluyendo más de 2 millones de niñas. El acceso al cuidado de salud había subido de 8 a 80 por ciento. En el 2010, el Pentágono reveló que los geólogos habían descubierto casi un millón de millones de dólares en depósitos minerales en Afganistán, un recurso potencial de riqueza para el pueblo afgano que el Talibán nunca hubiera encontrado.

También supe que estaba dejando atrás un asunto sin terminar. Quería desesperadamente llevar a Bin Laden a la justicia. El hecho de que no lo logramos era uno de mis más grandes pesares. Ciertamente, no fue por falta de esfuerzos. Por siete años, mantuvimos la presión. Mientras que nunca encontramos al líder de Al Qaeda, sí lo forzamos a cambiar la forma en que viajaba, se comunicaba y operaba. Eso nos ayudó a negarle su más grande deseo después del 9/11: Atacar a los Estados Unidos otra vez.

En este momento que escribo en el año 2010, la guerra en Afganistán continúa. El Talibán permanece activo y el gobierno afgano está luchando para lograr el control completo de su país. Desde el principio, supe que llevaría tiempo para ayudar a los afganos a construir una democracia funcional, consistente con su cultura y tradiciones. La tarea resultó ser mucho más desalentadora de lo que anticipé. Nuestro gobierno no estaba preparado para construir una nación. Con el tiempo, cambiamos nuestra estrategia y ajustamos nuestras capacidades. Todavía, la pobreza es tan profunda en Afganistán y con tanta falta de infraestructura, que llevará muchos años para terminar el trabajo.

Tengo la fuerte creencia de que la misión vale la pena. Afortunadamente, no soy el único. En el otoño del 2009, el Presidente Obama tuvo que soportar críticas por desplegar más tropas, anunciar un nuevo compromiso para contraatacar a la insurgencia en Afganistán e incrementar la presión en Paquistán para combatir a los extremistas en las áreas tribales.

Finalmente, la única manera de que el Talibán y Al Qaeda retomen Afganistán es si los Estados Unidos abandonan al país. El permitir a los extremistas reclamar poder forzaría a las mujeres afganas a regresar al servilismo, sacaría a las niñas de las escuelas y traicionaría todos los triunfos de los últimos nueve años. También pondría en peligro nuestra seguridad. Después de la Guerra Fría, los Estados Unidos abandonaron Afganistán. El resultado fue caos, guerra civil y el apoderamiento del Talibán, asilo para Al Qaeda, así como la pesadilla del 9/11. El olvidar esa lección sería un error terrible.

Antes de despegar de la Base Aérea de Bagram para el vuelo de regreso a casa en diciembre del 2008, regresé al hangar para la reunión final de mi último viaje extranjero como presidente. De pie en el recinto, estaba un grupo de Fuerzas Especiales. Muchos habían servido en múltiples viajes, cazando terroristas y talibanes en las montañas gélidas. Tenían uno de los trabajos más difíciles y peligrosos del mundo. Estreché sus manos y les dije cuán agradecido estaba por su servicio.

Entonces, un pequeño grupo de soldados del 75 Regimiento Ranger entró al recinto. Su líder de tropa, el Capitán Ramón Ramos, preguntó si yo querría participar en una breve ceremonia. Se aproximó a una bolsa y desenvolvió una gran bandera estadounidense, luego levantó su mano derecha. Varios de sus hombres se pararon frente a él e hicieron lo mismo. Hizo un juramento que los hombres repitieron: —Juro solemnemente que apoyaré y defenderé la Constitución de los Estados Unidos en contra de sus enemigos, ya sean nacionales o extranjeros...

Allí, en ese solitario hangar, en la nación donde había sido planeado el

9/11, en el octavo año de guerra para proteger a los Estados Unidos; estos hombres de primera línea, eligieron re-enlistarse.

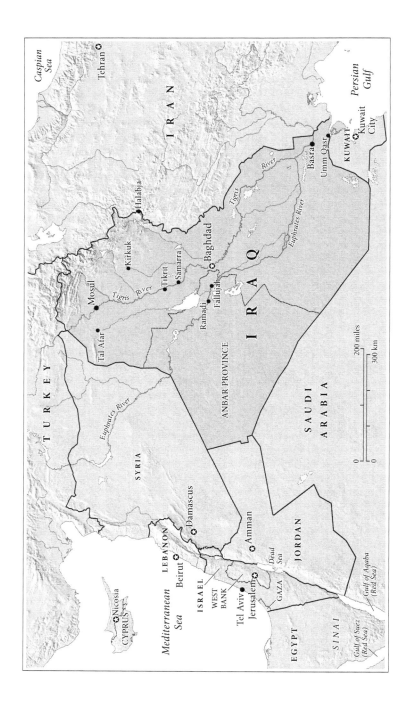

8

IRAK

El miércoles 19 de marzo del 2003, asistí a una reunión que me hubiera gustado que no fuera necesaria.

El Consejo Nacional de Seguridad se había reunido en la Sala de Situaciones de la Casa Blanca, un centro neurálgico de los equipos de comunicaciones y los oficiales de guardia de la planta baja del ala oeste. El cuadro central superior de la pantalla de vídeo de seguridad mostró al General Tommy Franks sentado con sus delegados de mayor jerarquía en la base aérea de Prince Sultan en Arabia Saudita. En los otros cinco cuadros estaban nuestros comandantes del Ejército, la Armada, los Marines, la Fuerza Aérea y de Operaciones Especiales. Sus homólogos de las Fuerzas Armadas Británicas y las Fuerzas de Defensa de Australia también se unieron.

Le hice a cada hombre dos preguntas: —¿Tiene todo lo que necesita para ganar? y ¿se siente cómodo con la estrategia?

Cada comandante respondió afirmativamente.

Tommy habló al último. —Señor presidente —dijo el general en jefe— las fuerzas están listas.

Me volteé hacia Don Rumsfeld. —Señor Secretario —dije— para la paz del mundo y en beneficio de la libertad del pueblo iraquí, doy la orden de ejecutar la operación para la libertad iraquí. Que Dios bendiga a las tropas.

Tommy hizo un saludo enérgico: —Señor presidente —dijo— que Dios bendiga a los Estados Unidos.

Cuando le devolví el saludo, la gravedad del momento me golpeó. Desde hace más de un año, había intentado hacer frente a la amenaza de Saddam Hussein sin librar una guerra. Habíamos reunido una coalición internacional para ejercer presión sobre él para que aclarara sus programas de armas de destrucción masiva. Habíamos obtenido una resolución unánime del Consejo de Seguridad de las Naciones Unidas en la que eran claras las serias consecuencias de continuar su rebeldía. Nos habíamos acercado a las naciones árabes para convencerlas del exilio de Saddam. Le había dado a Saddam y a sus hijos cuarenta y ocho horas para evitar la guerra. El dictador rechazó cada oportunidad. La única conclusión lógica era que estaba ocultando algo, algo tan importante que estaba dispuesto a ir a la guerra por ello.

Sabía las consecuencias que mi orden traería consigo. Había llorado con las viudas de los soldados caídos en Afganistán. Había abrazado niños que habían perdido a su padre o a su madre. No quería enviar estadounidenses a combate de nuevo. Pero después de la pesadilla del 9/11 me había comprometido a hacer lo necesario para proteger al país. Dejar que un enemigo declarado de los Estados Unidos se negara a rendir cuentas por sus armas de destrucción masiva era un riesgo y no podía permitirme el lujo de tomarlo.

Necesitaba tiempo para absorber las emociones del momento. Salí de la Sala de Situaciones, subí las escaleras hacía la Oficina Oval, y me di una lenta y silenciosa vuelta alrededor del Jardín Sur. Recé por nuestras tropas, por la seguridad del país, y por la fuerza en los días que vendrían. Spot, nuestro «springer spaniel», saltó fuera de la Casa Blanca hacia mí. Era reconfortante ver a un amigo. Su felicidad contrastó con lo pesado de mi corazón.

Había un hombre que entendería lo que yo estaba sintiendo. Me senté en mi escritorio de la Sala de Tratados y escribí una carta:

Querido papá, ...

Alrededor de las 9:30 de la mañana, le di la orden al secretario de defensa para ejecutar el plan de guerra para la operación de libertad iraquí. A pesar del hecho de que había decidido hace unos meses usar la fuerza si era necesario, para liberar a Irak y librar al país de armas de destrucción masiva, la decisión fue muy emocional...

Sé que he tomado la decisión correcta y rezo para que pocos pierdan la vida. Irak será libre, el mundo será más seguro. La emoción del momento ha pasado y ahora espero recibir noticias acerca de la acción encubierta que está tomando lugar. Comprendo lo que sufriste.

Con amor,
George

Unas horas después llegó su respuesta por fax:

Querido George,

Tu carta escrita a mano, que acabo de recibir, me llegó al corazón. Estás haciendo lo correcto. La decisión que acabas de tomar, es la decisión más difícil que has tenido que tomar hasta ahora. Pero la tomaste con fuerza y con compasión. Es correcto preocuparse por las vidas inocentes, ya sean iraquíes o estadounidenses. Pero hiciste lo que había que hacer.

Tal vez ayuden un poco estas palabras mientras enfrentas muchos de los problemas más difíciles que ha enfrentado cualquier presidente desde Lincoln: Llevas la carga en tus hombros con fuerza y gracia...

Recuerda las palabras de Robin: «Te amo más de lo que la lengua puede decir».

Con devoción,
Papá

Las bombas que cayeron sobre Bagdad esa noche marcaron la primera parte de la liberación de Irak. Pero ese no fue el primer ataque aéreo sobre Irak que hizo noticia durante mi presidencia.

En febrero del 2001, visité al presidente Vicente Fox en San Cristóbal, México. Mi primer viaje al extranjero como presidente fue diseñado para resaltar nuestro compromiso con la expansión de la democracia y el comercio en América Latina. Por desgracia, las noticias de Irak se entrometieron. Mientras admirábamos las vistas serenas en el rancho de Vicente, bombarderos estadounidenses atacaron a la defensa aérea de Irak. Fue una misión relativamente rutinaria para fortalecer zonas de exclusión aérea que habían sido creadas después de que Saddam masacrara a miles de inocentes chiitas y kurdos después de la Guerra del Golfo.*

Saddam lanzó un bombardeo que iluminó el cielo de Bagdad y llamó la atención de la CNN. Cuando Vicente y yo salimos de su casa para dar una conferencia de prensa, un reportero mexicano me abordó: —Tengo una pregunta para el presidente Bush... ¿Es este el comienzo de una nueva guerra?

El estallido fue un recordatorio de la deteriorada situación que Estados Unidos enfrentaba en Irak. Más de una década antes, en agosto de 1990, los tanques de Saddam Hussein estallaron la frontera con Kuwait. Papá declaró que no soportaría la agresión no provocada de Saddam y le dio un ultimátum para retirarse de Kuwait. Cuando el dictador desafió sus demandas, papá reunió una coalición de treinta y cuatro países, incluyendo naciones árabes, para obligarlo a cumplir.

La decisión de enviar tropas estadounidenses a Kuwait angustiaba a papá y su puesta en práctica estuvo a punto de frustrarse. El senado votó para autorizar la fuerza militar por un estrecho margen, de 52 a 47. Un grupo de legisladores presentaron a papá una carta que contenía una predicción de diez mil a cincuenta mil muertes estadounidenses. El ex presidente Jimmy Carter instó a los miembros del consejo de seguridad para oponerse a la guerra. La ONU votó a favor de todos modos.

La Operación Tormenta del Desierto demostró ser un éxito impresionante. Las fuerzas de la coalición sacaron al ejército iraquí de Kuwait en menos de 100 horas. En fin, 149 estadounidenses murieron en acción. Yo estaba orgulloso de la decisión de papá. Me preguntaba si iba a enviar tropas a Bagdad. Tuvo la oportunidad de librar al mundo de Saddam de una vez por todas. Pero se quedó únicamente con la liberación de Kuwait. Así fue como se había definido la misión. Eso fue lo que el congreso había votado y lo que la coalición había estado de acuerdo en hacer. Comprendí plenamente su razonamiento.

Los chiitas, una secta musulmana, representa alrededor del 60 por ciento de la población iraquí. Los kurdos, que en su mayoría son musulmanes, pero se identifican principalmente por su grupo étnico, comprenden alrededor del 20 por ciento. Los árabes sunitas, la secta musulmana que gozaba de una condición privilegiada con Saddam, representan el 15 por ciento. Cristianos, yazidíes, mandeístas, judíos y otros, conforman el resto.

Como condición para poner fin a la guerra del golfo, la resolución 687 de la ONU requirió a Saddam destruir sus armas de destrucción masiva y misiles con alcance de más de noventa millas. La resolución prohibió a Irak poseer armas biológicas, químicas, nucleares o los medios para producirlos. Para garantizar su cumplimiento, Saddam estaba obligado a un sistema de seguimiento y verificación de la ONU.

Al principio, Saddam afirmó que sólo tenía una reserva limitada de armas químicas y misiles Scud. Con el tiempo, los inspectores de la ONU descubrieron un vasto e inquietante arsenal. Saddam había llenado miles de bombas, proyectiles y ojivas con agentes químicos. Tenía un programa de armas nucleares que faltaba aproximadamente dos años para producir una bomba, mientras que la CIA había estimado antes de la guerra que tardaría de ocho a diez años. Cuando su yerno desertó en 1995, Saddam reconoció que el régimen había estado ocultando un programa de armas biológicas que incluía ántrax y toxina botulínica.

Para mantener controlado a Saddam, la ONU le impuso estrictas sanciones económicas. Pero a medida que la indignación por la invasión de Kuwait se fue olvidando, la atención del mundo cambió. Saddam desvió casi dos mil millones de dólares del programa petróleo por alimentos, que la ONU había creado para atender las necesidades humanitarias básicas de los iraquíes inocentes, para enriquecer a sus amigotes y reconstituir su fuerza militar, incluyendo programas relacionados con armas de destrucción masiva. Mientras los niños mueren de inanición, lanzó una campaña de propaganda que culpaba a las sanciones de la ONU de todo el sufrimiento que había en Irak.

En 1998, Saddam había convencido a sus socios comerciales clave como Rusia y Francia para presionar a la ONU para disminuir las restricciones. Luego obligó a los inspectores de armas de la ONU a abandonar el país. El problema era claro: Nunca se verificó que Saddam hubiera destruido todas sus armas de la guerra del golfo. Con los inspectores fuera del país, el mundo se quedaba sin visión sobre si hubiese reiniciado sus programas.

La administración Clinton respondió con el lanzamiento de la operación Desert Fox, una campaña de bombardeos de cuatro días llevada a cabo conjuntamente con Gran Bretaña, cuyo objetivo era degradar la capacidad de armas de destrucción masiva de Saddam. En un discurso en horario estelar desde la Oficina Oval en diciembre de 1998, explicó el presidente Clinton:

La dura realidad es que mientras Saddam permanece en el poder, pone en peligro el bienestar de su pueblo, la paz de su región, la seguridad del mundo. La mejor manera de poner fin a la amenaza de una vez por todas es con un nuevo gobierno iraquí, un gobierno listo para vivir en paz con sus vecinos, un gobierno que respete los derechos del pueblo...

Los costos de la acción son altos, pero deben ser sopesados contra el precio de no actuar. Si Saddam desafía el mundo y nosotros no respondemos, vamos a hacer frente a una amenaza mucho mayor en el futuro. Saddam atacará otra vez a sus vecinos. Hará la guerra a su propio pueblo. Y recuerden mis palabras, va a desarrollar armas de destrucción masiva. Va a desplegarlas y a utilizarlas.

El mismo año, el congreso aprobó, por abrumadora mayoría, y el presidente Clinton firmó la ley de liberación de Irak. La ley declaró una nueva política oficial de los Estados Unidos: Para apoyar los esfuerzos de eliminar del poder en Irak al régimen encabezado por Saddam Hussein y para promover la emergencia de un gobierno democrático.

A principios del 2001, Saddam Hussein estaba librando una guerra ligera en contra de Estados Unidos. En 1999 y 2000, sus fuerzas habían disparado setecientas veces a nuestros pilotos que patrullaban las zonas de exclusión aérea.

En mis primeros ocho meses de gobierno, mi política se centró en el endurecimiento de las sanciones, o como Colin Powell dijo, en mantener a Saddam en su caja. Después el 9/11 nos golpeó, y tuvimos que mirar de otra forma a todas las amenazas en el mundo. Había países patrocinadores del terrorismo. Había enemigos declarados de los Estados Unidos. Había gobiernos hostiles que amenazaban sus vecinos. Había naciones que violaban las demandas internacionales. Había dictadores que reprimían a sus pueblos. Y había regímenes en busca de armas de destrucción masiva. Irak combinaba todas esas amenazas.

Saddam Hussein no sólo simpatizaba con los terroristas. Había pagado a familias de suicidas palestinos y le había dado asilo a terroristas como Abu Nidal, que dirigió los ataques en los que murieron diecinueve personas en los mostradores de una aerolínea israelí en Roma y Viena, y Abu Abbas, que secuestró el crucero italiano *Achille Lauro* y asesinó a una señora de edad, estadounidense, en silla de ruedas.

Saddam Hussein no sólo era un enemigo jurado de los Estados Unidos. Había disparado a nuestros aviones, había emitido una declaración elogiando el 9/11, y había hecho un intento de asesinato de un ex presidente, mi padre.

Saddam Hussein no se limitó a amenazar a sus vecinos. Había invadido a dos de ellos, a Irán en los 1980 y a Kuwait en los 1990.

Saddam Hussein no sólo violaba las demandas internacionales. Había desafiado dieciséis resoluciones de la ONU de la época de la guerra del golfo.

Saddam Hussein no sólo gobernaba brutalmente. Él y sus secuaces habían torturado a personas inocentes, habían violado a oponentes políticos frente a sus familias, habían escaldado a disidentes con ácido, y habían arrojado decenas de miles de iraquíes en fosas comunes. En 2000, el gobierno de Saddam decretó que a las personas que criticaran al presidente o a su familia les cortaría la lengua. Más tarde ese año, una obstetra iraquí fue decapitada por cargos de prostitución. Su verdadero crimen fue haber denunciado la corrupción en el ministerio de salud iraquí.

Saddam Hussein no sólo se dedicó a buscar armas de destrucción masiva. Las había utilizado. Desplegó agentes nerviosos y gas mostaza contra los iraníes y masacró a más de cinco mil civiles inocentes en un ataque químico de 1988 sobre el pueblo kurdo de Halabja. Nadie sabía lo que Saddam había hecho con sus arsenales biológicos y químicos, especialmente después de que sacó a los inspectores de la ONU del país. Pero después de revisar la información, prácticamente todos los servicios de inteligencia del mundo habían llegado a la misma conclusión: Saddam tenía armas de destrucción masiva en su arsenal y la capacidad para producir más. Un informe de inteligencia resumió el problema: «Desde el fin de las inspecciones en 1998, Saddam ha mantenido sus esfuerzos en armas químicas, ha endurecido el programa de misiles, ha hecho una inversión más grande en armas biológicas, y ha comenzado a tratar de impulsar el desarrollo de armas nucleares».

Antes del 9/11, Saddam era un problema que los Estados Unidos podríamos haber gestionado. A través de la óptica del mundo después del 9/11, mi opinión cambió. Acababa de presenciar el daño infligido por diecinueve fanáticos armados con navajas. Sólo podía imaginar la posible destrucción si un dictador enemigo pasaba sus armas de destrucción masiva a los terroristas. Con amenazas fluyendo en la Oficina Oval cada día, muchas de ellas sobre armas químicas, biológicas o nucleares, todo parecía una posibilidad terriblemente real. Los riesgos eran demasiado altos para confiar en la palabra del dictador y no en el peso de la evidencia y el consenso mundial. La lección del 9/11 era que si esperábamos a que un peligro se materializara plenamente, sería demasiado tarde. Llegué a una decisión: Teníamos que hacer frente a la amenaza de Irak, de una manera u otra.

Mi primera opción era usar la diplomacia. Por desgracia, nuestra experiencia con Irak no fue alentadora. Mantuvimos una relación bilateral con Bagdad en los 1980. Obtuvimos la resolución del consejo de seguridad de la ONU en los 1980. A pesar de nuestro intercambio, Saddam se volvió más beligerante.

Si queríamos que la diplomacia tuviera éxito, necesitábamos un enfoque fundamentalmente diferente. Creíamos que la debilidad de Saddam era que le gustaba el poder y haría cualquier cosa para mantenerlo. Si lo podíamos convencer de que teníamos serias intenciones de eliminar su régimen, había una posibilidad de que renunciara a sus armas de destrucción masiva, pusiera fin a su apoyo al terrorismo, dejara de amenazar a sus vecinos, y con el tiempo, respetara los derechos humanos de su pueblo. Las probabilidades de éxito eran adversas. Sin embargo, valió la pena el esfuerzo. El enfoque se llama diplomacia coercitiva.

La diplomacia coercitiva con Irak consistía en dos partes: Una era reunir una coalición de naciones para dejar claro que el hecho de que Saddam desafiara sus obligaciones internacionales era inaceptable. La otra parte fue el desarrollo de una opción militar creíble que pudiera ser utilizada si él no cumplía. Estas partes se ejecutarían en paralelo en un primer momento. A medida que la opción militar se hiciera más visible y más avanzada, las partes convergerían. Nuestro máximo apalancamiento vendría justo antes de que se cruzaran las dos partes. Ese sería el momento de la decisión. Y en última instancia, sería la decisión de Saddam Hussein.

En febrero de 2001, el primer ministro británico, Tony Blair y su esposa, Cherie, vinieron a visitarnos a Laura y a mí en Camp David. Tony era el primer líder extranjero que invitamos, un homenaje a la relación especial entre los Estados Unidos y Gran Bretaña.

No estaba seguro qué esperar de Tony. Yo sabía que era un primer ministro de centro izquierda del partido del trabajo y amigo cercano de Bill Clinton. Rápidamente me di cuenta que era sincero, amable e interesante. No hubo nade de tieso en Tony y Cherie. Después de la cena, decidimos ver una película. Cuando estuvieron de acuerdo en *Meet the Parents*, una comedia protagonizada por Robert De Niro y Ben Stiller, Laura y yo sabíamos que los Bush y los Blair nos llevaríamos bien.

Tony y yo hablamos de los principales temas del día. Él me dio un breviario sobre la política de Europa. Hablamos de nuestros objetivos comunes para expandir el libre comercio, aliviar el sufrimiento en África y hacer frente a la violencia en la Tierra Santa. No perdimos mucho tiempo en las cuestiones sociales. Eso quedó entre Cherie y yo.

En el verano de 2001, los Blair nos invitaron a Laura y a mí a Chequers, la célebre finca de campo del Primer Ministro británico. Chequers es una casa grande, con muebles rústicos y cómodos y retratos de los ex primeros ministros. En lugar de darnos una recepción formal, los Blair nos ofrecieron una cena íntima de familia con sus cuatro hijos, incluyendo al pequeño Leo de catorce meses.

Hacia la mitad de la comida hablamos de la pena de muerte. Cherie dejó claro que no estaba de acuerdo con mi posición. Tony parecía un poco incómodo. Escuché sus puntos de vista y luego defendí el mío. Le dije que creía que la pena de muerte, cuando se administra correctamente, podría salvar vidas porque le ponía alto al crimen. Cherie, como una talentosa abogada a

quien llegué a respetar, refutó mis argumentos. En un momento, Laura y yo escuchamos a Euan, el brillante hijo de diecisiete años de los Blair, diciendo:
—Dale al hombre un descanso, Madre.

Cuanto más tiempo pasábamos juntos, más respetaba a Tony. Con los años, se convirtió en mi compañero más cercano y mi mejor amigo en el escenario mundial. Fue a reuniones a los Estados Unidos más de treinta veces durante mi presidencia. Laura y yo lo visitamos en Irlanda del Norte, Escocia, y Londres. En noviembre del 2003, Tony y Cherie nos invitaron a su casa en Trimdon Colliery, una antigua zona minera en el campo. Nos sirvieron una taza de té en su casa de ladrillo rojo y nos llevaron a un pub de la ciudad, el Dun Cow Inn. Comimos pescado y papas con chícharos, que acompañé con una cerveza Bitburger no alcohólica. Después del almuerzo, fuimos a una escuela local y vimos una práctica de soccer, conocido como fútbol por nuestros anfitriones. La gente era decente y acogedora, salvo por una manifestante que llevaba un cartel que decía: «enfermedad del vaquero enojado».

Tony tenía una risa rápida y un ingenio agudo. Después de nuestra primera reunión, un reportero británico le preguntó que teníamos en común. Yo dije en broma: —Los dos usamos pasta de dientes Colgate. —Tony contraatacó: —Ellos van a preguntar cómo lo sabes, George. —Cuando se dirigió a una sesión conjunta del congreso en 2003, Tony habló de la guerra de 1812, cuando las tropas británicas quemaron la casa blanca. —Sé que esto es un poco tarde —dijo— pero ... lo siento.

A diferencia de muchos políticos, Tony era un pensador estratégico que podía ver más allá del horizonte inmediato. Como yo aprendería, él y yo éramos almas gemelas en nuestra fe por el poder transformador de la libertad. En la última semana de mi presidencia, yo estaba orgulloso de haberlo convertido en uno de los pocos líderes extranjeros en recibir la medalla presidencial de la libertad.*

Por encima de todo, Tony Blair tenía coraje. Ningún asunto lo demostró más claramente que Irak. Al igual que yo, Tony consideraba a Saddam una amenaza que el mundo no podía tolerar después del 9/11. Los británicos fueron blanco de los extremistas. Tenían extensa información de inteligencia sobre Saddam. Y entendieron de manera personal la amenaza que representaba. Saddam también les estaba disparando a sus pilotos.

Si quitábamos a Saddam del poder, Tony y yo tendríamos la obligación de ayudar al pueblo iraquí a reemplazar la tiranía de Saddam con una democracia. La transformación tendría un impacto más allá de las fronteras de Irak. El Medio Oriente fue el centro de una lucha ideológica mundial. Por un lado, había personas decentes que querían vivir en paz y con dignidad. Por otro lado, había extremistas que trataron de imponer sus puntos de vista radicales a través de la violencia y la intimidación. Explotaron las condiciones

* *En la misma ceremonia, otorgué la medalla de la libertad al primer ministro de Australia, a quien llamé «hombre de acero» y al presidente Álvaro Uribe, el valiente líder de Colombia.*

de desesperanza y represión para reclutar y difundir su ideología. La mejor manera de proteger a nuestros países en el largo plazo era contrarrestar esa visión oscura con una alternativa más convincente.

Esa alternativa era la libertad. Las personas que podían elegir a sus líderes en las urnas serían menos propensas a recurrir a la violencia. Los jóvenes que crecían con la esperanza del futuro no buscarían su sentido en la ideología del terror. Una vez que la libertad echaba raíces en una sociedad, podría extenderse a otras.

En abril del 2002, Tony y Cherie nos visitaron a Laura y a mí en Crawford. Tony y yo hablamos de diplomacia coercitiva como una manera de hacer frente a la amenaza de Irak. Tony sugirió que buscáramos una resolución del consejo de seguridad de la ONU que presentara un ultimátum claro a Saddam: permitir a los inspectores de armas de nuevo en Irak, o enfrentar graves consecuencias. Yo no tenía mucha fe en las Naciones Unidas. El consejo de seguridad había pasado dieciséis resoluciones contra Saddam en vano, pero yo estaba de acuerdo en considerar su idea.

Discutí sobre Irak con otros líderes mundiales a lo largo del 2002. Muchos compartieron mi opinión sobre la amenaza, incluyendo a John Howard de Australia, José María Aznar de España, Junichiro Koizumi de Japón, Jan Peter Balkenende de los Países Bajos, Anders Fogh Rasmussen de Dinamarca, Aleksander Kwasniewski de Polonia, y la mayor parte de los demás líderes de Europa central y oriental. Fue revelador que algunos de los más fuertes oponentes de Saddam eran aquellos con los recuerdos más frescos de la tiranía. —A finales de la década de 1930, las democracias occidentales dudaron frente al peligro, —me dijo el primer ministro Siim Kallas de Estonia, una ex república soviética. —Como consecuencia, caímos bajo dictaduras y muchas personas perdieron sus vidas. La acción es a veces necesaria.

Otros líderes tenían una perspectiva diferente. Vladimir Putin no consideró a Saddam como una amenaza. Me parecía que parte de la razón era que Putin no quería poner en peligro lucrativos contratos petroleros de Rusia. Francia también tenía intereses económicos importantes en Irak. No me sorprendió cuando Jacques Chirac me dijo que apoyaría las inspecciones de armas, pero advirtió contra un ataque de la fuerza militar. El problema con su lógica era que, sin una amenaza creíble de la fuerza, la diplomacia estaría sin dientes una vez más.

Uno de los líderes más difíciles de entender era el canciller Gerhard Schroeder de Alemania. Me reuní con Gerhard cinco veces en el año 2001. Él era relajado, amable, y estaba interesado en el fortalecimiento de nuestra relación bilateral. Aprecié su liderazgo en Afganistán, en especial su disposición de acoger la *loya jirga* en Bonn.

Discutí el tema de Irak con Gerhard durante su visita a la Casa Blanca el 31 de enero de 2002. En mi discurso del estado de la unión, dos días antes, había esbozado las amenazas planteadas por Irak, Irán y Corea del Norte. —Estados como estos y sus aliados terroristas, constituyen un eje del mal, armados para amenazar la paz del mundo —dije. Los medios de comunicación hicieron énfasis en la frase «eje del mal». Entendieron la frase en sentido de que los tres países habían formado una alianza. Perdieron el punto. El eje al que yo me refería era el enlace entre los gobiernos que buscaban armas de destrucción masiva y los terroristas que podrían utilizar esas armas. Hubo un punto más importante en el discurso que nadie pudo omitir: yo hablaba en serio sobre lidiar con el problema de Irak.

En una pequeña reunión en la Oficina Oval, junto a Condi Rice y Andy Card, le dije al canciller alemán que estaba decidido a hacer funcionar la diplomacia. Tenía la esperanza de que me ayudaría. También le aseguré que nuestras palabras no iban a ser vacías. La opción militar era mi última opción, pero la utilizaría de ser necesario.

—Lo que es cierto de Afganistán lo es para Irak —dijo él—. Los países que patrocinan el terrorismo deben enfrentar las consecuencias. Si lo haces rápido y con decisión, estaré contigo.

Lo tomé como una declaración de apoyo, pero cuando llegaron las elecciones alemanas más tarde ese año, Schroeder tuvo una opinión diferente. Denunció la posibilidad de utilizar la fuerza contra Irak. Su ministro de justicia dijo: —Bush quiere desviar la atención de los problemas políticos internos... Hitler también lo hizo. —Quedé conmocionado y furioso. Me costó trabajo pensar en algo más insultante que ser comparado por un oficial alemán con Hitler. Seguí trabajando con Gerhard Schroeder en áreas de interés mutuo. Pero como alguien que valora la diplomacia personal, puse mucha importancia a la confianza. Una vez que se había violado la confianza, era difícil tener una relación constructiva otra vez.

———

Dos meses después del 9/11, le pedí a Don Rumsfeld que revisara los planes existentes de batalla contra Irak. Necesitábamos desarrollar la parte coercitiva de la diplomacia coercitiva.

Don le encargó al general Tommy Franks la actualización de los planes. Justo después de la navidad de 2001, Tommy llegó a Crawford para informarme sobre Irak. El plan que teníamos requería para su construcción seis meses y cuatrocientos mil soldados. Teníamos muy fresca la experiencia de Afganistán en nuestras mentes. Gracias a las nuevas tecnologías y a una planificación innovadora, habíamos destruido al Talibán y cerrado los campos de Al Qaeda usando muchas menos tropas. No fuimos vistos como invasores por el pueblo afgano.

Tommy le dijo al equipo de seguridad nacional que estaba trabajando para aplicar el mismo concepto de invasión ligera con Irak. Tuvo la visión de una invasión rápida desde Kuwait al sur, desde Arabia Saudita y Jordania al oeste y desde Turquía al norte. —Si tenemos varias fuerzas de operación especial altamente calificadas, identificando los objetivos para guiar con precisión las municiones, necesitaremos menos fuerzas terrestres convencionales —dijo—. Esa es una importante lección que aprendimos de Afganistán.

Yo tenía muchas preocupaciones. Quería saber qué tan rápido nuestras tropas podrían moverse y qué tipo de instalaciones necesitaríamos. Al igual que en Afganistán, estaba preocupado por el hambre de la población local y pregunté qué podíamos hacer para proteger las vidas inocentes. Me preocupaba por los planes de Saddam para sabotear los yacimientos de petróleo o para disparar misiles contra Israel. Mi mayor temor era que usara armas biológicas o químicas contra nuestras tropas, nuestros aliados o contra civiles iraquíes.

Le pedí al equipo seguir trabajando en el plan. —Debemos mantener el optimismo sobre el éxito de la diplomacia y la presión internacional para el desarme del régimen —dije al final de la reunión—. Pero no podemos permitir que las armas de destrucción masiva caigan en manos de terroristas. No voy a permitir que eso suceda.

Entre diciembre del 2001 y agosto del 2002, me reuní o hablé con Tommy más de una docena de veces. El plan estaba mejorando, pero yo no estaba satisfecho. Quería asegurarme de que habíamos pensado en todas las contingencias posibles. Le pregunté a Don y a Tommy una gran cantidad de preguntas que empezaban con —¿Qué pasa si Saddam decide...? —Un escenario que traje a colación frecuentemente era que Saddam consolidara sus fuerzas en Bagdad y llevara a nuestras tropas a un combate sangriento en la ciudad. Recordé la batalla de Somalia en 1993 y no quería que eso se repitiera en Irak. Tommy y su equipo no tenían todas las respuestas de inmediato, y no esperaba que lo hicieran. Pero ellos estaban trabajando duro para perfeccionar el plan, y cada versión que me dieron fue una mejora respecto a la versión anterior.

El plan actualizado que Tommy presentó en la Sala de Situaciones en agosto de 2002, resolvió varios problemas clave. Habíamos arreglado nuestras instalaciones y permisos de sobrevuelo de los líderes del golfo. Tommy había ideado un plan de operaciones especiales para asegurar los sitios sospechosos de ocultar armas de destrucción masiva, los yacimientos de petróleo al sur de Irak, y los lanzamisiles Scud. También había diseñado un bombardeo masivo aéreo que haría más costoso para las unidades de la guardia republicana de élite de Saddam permanecer en la capital, lo que reducía las posibilidades de un escenario de combate en Bagdad. —Señor. Presidente —dijo Tommy con su acento tejano— esto va a causar conmoción y pavor.

Había muchos asuntos por resolver. A todos nos preocupaba la posibilidad de que Saddam lanzara un ataque biológico o químico a nuestras tropas, por lo que iniciamos un proceso de adquisición de trajes especiales para los militares. Habíamos ido aumentando gradualmente el nivel de tropas y equipos en Kuwait bajo el pretexto de la formación y otros ejercicios de rutina, lo cual haría posible comenzar las operaciones de combate rápidamente si yo daba la orden de hacerlo. El Presidente del Estado Mayor Conjunto Dick Myers habló de la importancia de persuadir a Turquía para abrir su territorio y así pudiéramos establecer un frente en el norte. George Tenet expresó su preocupación por una guerra regional más amplia en la que Siria atacaría a Israel, o Irán mandaría a su grupo de terroristas, Hezbolá, para romper la estabilidad. Don Rumsfeld señaló que una guerra podría desestabilizar a Jordania y Arabia Saudita, que Estados Unidos podría quedar atascado en la cacería de Saddam, y que Irak podría fracturarse después de la liberación.

Esos posibles escenarios eran alarmantes, pero también lo fueron las sesiones informativas que estábamos recibiendo. Un informe de julio decía: «Irak ha sabido conservar y en algunos casos, incluso mejorar la infraestructura y conocimientos necesarios para la producción de armas de destrucción masiva».

Otro informe advirtió que el régimen de Saddam estaba «casi con toda seguridad trabajando para producir el agente causante del ántrax, junto con toxina botulínica, aflatoxina y ricina» Continuaba diciendo: «Los vehículos aéreos no tripulados dan a Bagdad un medio más letal para esparcir armas... biológicas» y proseguía ominosamente: «La experiencia demuestra que Saddam produce armas de destrucción masiva para usar, no sólo para disuadir».

En el verano del 2002, recibí una noticia alarmante. Abu Musab al-Zarqawi, un terrorista afiliado a Al Qaeda que había experimentado con armas biológicas en Afganistán, estaba operando un laboratorio en el noreste de Irak. «La instalación sospechosa del laboratorio en esta zona puede estar produciendo venenos y toxinas para uso terrorista» decía el informe. «Al-Zarqawi es un activo planificador terrorista que tiene como blanco a los intereses estadounidenses e israelíes: Un informe confidencial de un servicio [clasificado] indica que al-Zarqawi ha estado dirigiendo esfuerzos para contrabandear un material químico no especificado, originado en el norte de Irak, hacia los Estados Unidos».

No podíamos saber con seguridad si Saddam sabía que Zarqawi estaba en Irak. Sí teníamos reportes de inteligencia que indicaban que Zarqawi había estado dos meses en Bagdad recibiendo tratamiento médico y que otros agentes de Al Qaeda se habían trasladado a Irak. La CIA había trabajado con un importante servicio de inteligencia árabe para conseguir que Saddam encontrara y extraditara a Zarqawi. Él se negó. La pregunta era si bombardear el laboratorio durante el verano del 2002. Se llevó a cabo una serie de reuniones

del consejo de seguridad nacional sobre el tema. El general Dick Myers habló
de las opciones: misiles Tomahawk, un ataque con bombardero B-2, o una
incursión encubierta. Dick Cheney y Don Rumsfeld vieron a Zarqawi como
una amenaza clara y argumentaron que sacarlo del plano reforzaría la doctrina
de que Estados Unidos no toleraría refugios seguros para el terrorismo.

Colin y Condi sintieron que el ataque al laboratorio crearía una tormenta
internacional e interrumpiría nuestros esfuerzos para construir una coalición
para hacer frente a Saddam; interrumpiría sobre todo nuestro intento de
reclutar a Turquía, que era altamente sensible sobre cualquier actividad en
el noreste de Irak. —Esto podría ser visto como un comienzo unilateral de la
guerra en Irak —dijo Colin.

Me enfrentaba a un dilema. Si Estados Unidos fuese golpeado por un
ataque biológico de Irak, yo sería responsable de no haber terminado con la
amenaza cuando tuvimos la oportunidad. Por otro lado, el bombardeo del
laboratorio podría socavar la diplomacia y desencadenar un conflicto militar.

Le pedí a la comunidad de inteligencia mantener una estrecha vigilancia
sobre la instalación. Por el momento, decidí continuar por la vía diplomática.
Pero una cosa era clara para mí: Irak era una seria amenaza que se volvía más
peligrosa cada día.

———

Pasé gran parte de agosto del 2002 en Crawford, un buen lugar para reflexionar
sobre la próxima decisión que enfrentaría: cómo avanzar en la vía diplomática.

Una opción era buscar una resolución de la ONU que solicitara a Saddam
la reinstalación de los inspectores de armas. La otra opción era emitir un
ultimátum demandándole el desarme y reunir una coalición para removerlo
si no obedecía.

Desde el punto de vista legal, una resolución no era necesaria. Tres años
antes, el presidente Clinton y nuestros aliados de la OTAN habían removido
al dictador Slobodan Milosevic en Serbia sin una resolución explícita de la
ONU. Dick y Don argumentaron que tampoco necesitábamos una para Irak.
Después de todo, ya existían dieciséis resoluciones. Creyeron que ir a la ONU
daría lugar a un largo proceso burocrático que permitiría a Saddam volverse
aún más peligroso.

Yo compartía esa preocupación. Por otra parte, casi todos los aliados a
los que consulté, incluso los acérrimos defensores de una confrontación con
Saddam como John Howard, el primer ministro de Australia, me dijeron
que una resolución de la ONU era esencial para ganar el apoyo del público
en sus países.

Colin estuvo de acuerdo. El día antes de irme a Crawford, le pedí reunirse
conmigo en privado en el Salón de Tratados. Colin era más pasional de lo que
yo le había visto en cualquier reunión del Consejo Nacional de Seguridad. Me

dijo que una resolución de la ONU era la única manera de conseguir apoyo del resto del mundo. Llegó a decir que, si lográbamos sacar a Saddam, el ataque militar sería la parte fácil. Entonces, como Colin lo dijo: Estados Unidos sería «el dueño» de Irak. Seríamos responsables de ayudar a reconstruir un país fracturado. Escuché con atención y compartí la preocupación de Colin. Fue otra de las razones por las que esperaba que la diplomacia funcionara.

Ese verano, la posibilidad de una guerra se había convertido en una noticia muy obsesiva en Washington. Los reporteros preguntaban más frecuentemente si tenía un plan de guerra en mi escritorio.

El 15 de agosto, abrí el *Wall Street Journal* y encontré una columna de Brent Scowcroft, asesor de seguridad nacional de papá. Se titulaba: «No atacar a Saddam». Brent argumentó que la guerra con Irak podría distraer la atención de la guerra contra el terrorismo y podría desatar «un apocalipsis en Medio Oriente». Su conclusión fue que debíamos «presionar al consejo de seguridad de la ONU para insistir en un régimen efectivo de inspección para Irak sin previo aviso».

Esa fue una buena recomendación. Sin embargo, estaba enojado de que Brent había optado por publicar su consejo en el periódico en lugar de compartirlo conmigo. Llamé a papá. —Hijo, Brent es un amigo —me aseguró. Eso puede ser cierto. Pero sabía que los críticos utilizarían el artículo de Brent a su favor si el camino diplomático fallaba.

Algunos especularon en Washington que el artículo de opinión de Brent era la manera en que papá me enviaba un mensaje sobre Irak. Eso era ridículo. De entre todas las personas, papá era el que entendía mejor lo que estaba en juego. Si él pensaba que yo estaba manejando mal el tema de Irak, seguramente me lo habría dicho él mismo.

———

El sábado 7 de septiembre del 2002, convoqué al equipo nacional de seguridad a una reunión en Camp David para finalizar mi decisión sobre la resolución. Cincuenta y una semanas antes, nos habíamos reunido para planear la guerra en Afganistán. Ahora nos sentábamos en la misma habitación tratando de encontrar una manera de eliminar la amenaza de en Irak sin ir a la guerra.

Les di oportunidad a todos los miembros del equipo para exponer sus argumentos. Dick Cheney recomendó que volviéramos a plantear el caso contra Saddam para darle de treinta a sesenta días para aclarar la situación y en caso de que se rehusara a cumplir, desarmarlo por la fuerza. —Es el momento de actuar —dijo Dick— no podemos aplazar un año más... Un régimen de inspección no resuelve nuestro problema.

Colin presionó por la resolución de la ONU. —Si llevamos el caso a la ONU, podemos conseguir la unión de más aliados. Si no, va a ser difícil actuar unilateralmente. No vamos a tener el apoyo internacional que necesitamos para ejecutar el plan militar.

Después de escuchar las opciones por última vez, tomé una decisión: Buscaríamos la resolución. —Hay ambigüedad en la opinión de la comunidad internacional sobre Saddam —dije— y tenemos que esclarecer el tema. Que se deshaga de sus armas, o habrá guerra.

Le dije al equipo que entregaría ese mensaje en un discurso ante las Naciones Unidas la siguiente semana. Le recordaría a la ONU que la rebeldía de Saddam sería una amenaza para la credibilidad de la institución. O bien las órdenes del consejo de seguridad se harían cumplir, o la ONU se convertiría en un organismo internacional tan inútil como la Sociedad de Naciones.

Tony Blair vino a cenar esa noche a Camp David. Se mostró contento cuando le dije que tenía la intención de acudir a la ONU para solicitar la resolución. —Muchos oponentes desean que seamos unilaterales, entonces podrían quejarse —expresó—, pero de esa forma los obligas a revelar sus intenciones.

Ambos entendimos lo que significaba la decisión. Una vez que expusimos nuestra posición en la ONU, teníamos que estar dispuestos a seguir adelante con las consecuencias. Si la diplomacia fallaba, habría sólo una opción más. —No quiero ir a la guerra —le dije a Tony— pero lo haré.

Tony estuvo de acuerdo. Después de la reunión, le dije a Alastair Campbell, uno de los principales colaboradores de Tony: —Tu hombre tiene cojones. No estoy seguro de cómo la traducción de esa frase cayó a los oídos refinados de la gente que trabajaba en la residencia oficial del número 10 de la calle Downing. Sin embargo, para cualquier persona de Texas, el significado era claro.

———

—Todo el mundo se enfrenta en este momento a una prueba —le dije a los delegados de la ONU el 12 de septiembre de 2002—, y las Naciones Unidas tienen un momento difícil y determinante. ¿Las resoluciones del consejo de seguridad deben ser atendidas y aplicadas, o desechadas sin consecuencias? ¿Las Naciones Unidas honrarán el propósito de su fundación, o será irrelevante?

Dar ese discurso fue una experiencia surrealista. Los delegados se sentaron silenciosos, casi congelados en su lugar. Era como hablar en un museo de cera.

La respuesta fuera de la cámara fue alentadora. Varios aliados me dieron las gracias por respetar a la ONU y aceptar sus consejos para buscar una resolución. Muchos en Estados Unidos apreciaron que yo hubiese desafiado a la ONU. Una columna en el *Washington Post* decía: —Si las Naciones Unidas permanecen pasivas ante esta antigua y flagrante violación de autoridad en un asunto relacionado con armas de destrucción masiva, sin duda van a correr el riesgo de la irrelevancia que el Sr. Bush advirtió.

———

Mientras el debate en la ONU se desarrollaba, fuimos a trabajar en otra resolución, una autorización de guerra del congreso. Como parte del debate, los líderes del capitolio pidieron a la comunidad de inteligencia que preparara una estimación nacional de inteligencia para analizar los programas de armas de destrucción masiva de Saddam. La CIA compiló la estimación nacional de inteligencia utilizando gran parte de la misma inteligencia que me había estado mostrando durante los últimos dieciocho meses. En una frase de resumen que fue desclasificada más tarde, la estimación nacional de inteligencia llegó a la conclusión siguiente: «Bagdad tiene armas químicas y biológicas, así como misiles con un alcance que excede las restricciones de la ONU; si no se ejerce control, es probable que obtenga un arma nuclear durante esta década».

La inteligencia tuvo impacto en los miembros del congreso. El senador John Kerry dijo: —Cuando yo vote para dar al presidente de los Estados Unidos la autoridad para usar la fuerza, en caso de ser necesario, para desarmar a Saddam Hussein, es porque creo que un arsenal de armas de destrucción masiva en sus manos es una amenaza, una grave amenaza.

El senador Jay Rockefeller, un respetado demócrata en el comité de inteligencia, afirmó: —Las capacidades existentes de Saddam sobre armas biológicas y químicas suponen una amenaza real para Estados Unidos hoy, mañana.... Podría poner estas armas a disposición de muchos grupos terroristas, terceras partes, que tienen contacto con su gobierno. Esos grupos, a su vez, podrían llevar esas armas a los Estados Unidos y desencadenar un devastador ataque contra nuestros ciudadanos. Mi temor es grande al respecto.

El senador Chuck Hagel, un republicano de Nebraska, apoyó la resolución. Dijo: —Los riesgos de no actuar son demasiado altos. Fuimos elegidos para resolver problemas, no sólo debatirlos. Ha llegado el momento de trazar un nuevo rumbo en Irak y el Medio Oriente.

El 11 de octubre del 2002, el Senado aprobó una resolución con un margen de 77 a 23. La Cámara de Representantes la aprobó 296 a 133. Ambos márgenes eran más grandes que los de la Guerra del Golfo. La resolución obtuvo los votos de demócratas prominentes, incluyendo al líder de la minoría de la Cámara de Representantes Dick Gephardt, el Líder de la Mayoría del Senado Tom Daschle, y los Senadores Hillary Clinton, Joe Biden, John Kerry, John Edwards y Harry Reid.

Algunos miembros del Congreso declararían más tarde que no votaron para autorizar la guerra, únicamente votaron para continuar con la diplomacia. Tal vez no leyeron la resolución. La resolución no dejaba lugar a dudas: «Se autoriza al presidente para utilizar las Fuerzas Armadas de los Estados Unidos si lo determina necesario y apropiado con el fin de defender la seguridad nacional de los Estados Unidos contra la continua amenaza que representa Irak y hacer cumplir todas las resoluciones pertinentes del Consejo de Seguridad de las Naciones Unidas en relación con Irak».

———

El voto decisivo de la ONU llegó el 8 de noviembre. Colin había cedido en cuestiones de menor importancia, pero se mantuvo firme con las disposiciones para presionar a Saddam. La pregunta era si la resolución tendría los votos. Necesitábamos nueve votos de los quince miembros del consejo de seguridad, sin ningún veto de Francia, Rusia o China. Habíamos insistido mucho por la vía telefónica, tratando de convencer a todos. Poco después de la votación del Consejo de Seguridad, el teléfono de la Oficina Oval sonó. —Hey, jefe —dijo Colin—, lo conseguimos.

La votación fue unánime, 15 a 0. No sólo conseguimos el voto a favor de la resolución de Francia, sino también el de Rusia, China y Siria. El mundo estaba ahora unido: Saddam tenía una «última oportunidad para cumplir» con su obligación de revelar información y desarmar. Si no lo hacía, se enfrentaría a «serias consecuencias». Bajo los términos de la resolución 1441 del Consejo de Seguridad de la ONU, Irak tenía treinta días para presentar una «declaración exacta, completa y actualizada» de todos sus programas relacionados con armas de destrucción masiva. La resolución puso de manifiesto que la carga de la prueba le correspondía a Saddam. Los inspectores no tenían que demostrar que tenía armas. Él tenía que demostrar que no las tenía.

Cuando llegó la fecha límite el 7 de diciembre, Saddam presentó su informe. Lo vi como una prueba clave. Si él se presentaba un informe honesto, enviaría una señal de que comprendía el mensaje que el mundo le estaba enviando. En vez de eso, envió montones de papeles irrelevantes claramente diseñados para engañar. Hans Blix, el diplomático sueco de modales suaves que dirigió el equipo de inspecciones de la ONU, más tarde lo llamó: «rico en volumen, pero pobre en información». Joe Lieberman fue más preciso. Dijo que la declaración era «doce mil páginas y cien libras de mentiras».

Si Saddam continuaba con sus engaños, la única manera de mantener la presión sobre Irak sería presentar algunas de las evidencias nosotros mismos. Les pedí a George Tenet y a John McLaughlin, su competente delegado, que me elaboraran un informe sobre la inteligencia que podríamos desclasificar para explicar los programas de armas de destrucción masiva de Irak.

Unos días antes de Navidad, John me entregó su primer esfuerzo. No fue muy convincente. Recordé informes de la CIA que había recibido, la Estimación Nacional de Inteligencia que concluyó que Saddam tenía armas biológicas y químicas, y los datos que la CIA había proporcionado para mi discurso para la ONU en septiembre. —Sin duda, podemos hacer un mejor trabajo para explicar la evidencia en contra de Saddam —dije. George Tenet estuvo de acuerdo.

—Es pan comido —respondió.

Le creí. Había estado recibiendo informes de inteligencia sobre Irak durante casi dos años. La conclusión de que Saddam tenía armas de destrucción masiva era casi un consenso universal. Mi predecesor lo creyó. Republicanos y demócratas del capitolio lo creyeron. Las agencias de inteligencia de Alemania, Francia, Gran Bretaña, Rusia, China y Egipto lo creyeron. Como el embajador alemán en Estados Unidos, que no era partidario de la guerra, más tarde lo dijo: —Creo que todos nuestros gobiernos piensan que Irak ha producido armas de destrucción masiva y tenemos que asumir que todavía tienen... armas de destrucción masiva. —En todo caso, nos preocupaba que la CIA subestimara a Saddam, como lo había hecho antes de la Guerra del Golfo.

En retrospectiva, es claro que todos debimos haber presionado más a la comunidad de inteligencia y revisado nuestras suposiciones. Pero en ese momento, la evidencia y la lógica señalaban en otra dirección. *Si Saddam en realidad no tiene armas de destrucción masiva,* me pregunté, *¿por qué iba a someterse a una guerra que perdería casi con total seguridad?*

———

Cada navidad durante mi presidencia, Laura y yo invitamos a nuestra familia extendida con nosotros a Camp David. Estábamos contentos de continuar con la tradición iniciada por mamá y papá. Nos abrigaba la oportunidad de relajarnos con ellos, la madre de Laura, Bárbara y Jenna, y mis hermanos y hermana y sus familias. Nos encantaba ver el belén viviente de los niños en la capilla de Camp David y cantar villancicos con militares y sus familias. Uno de nuestros momentos favoritos era el intercambio de regalos anual, en el que mis sobrinas y sobrinos adolescentes recibían el último iPod u otro artículo codiciado del presidente de los Estados Unidos.

En años posteriores, empezamos una tradición de hacer donaciones a nombre de otro miembro de la familia. Jeb y Doro donaron libros a la biblioteca a bordo del portaviones *George H. W. Bush*. Marvin y su esposa Margaret donaron un cáliz de comunión a la capilla de Camp David, a nombre mío y de Laura. Nosotros dimos un regalo al pabellón Dorothy Walker Bush del Centro Médico del Sur de Maine, en nombre de mamá y papá.

En medio de las celebraciones de navidad en 2002, papá y yo hablamos de Irak. La mayor parte de veces yo no busqué el consejo de papá sobre temas importantes. Los dos entendíamos que yo tenía acceso a más y mejor información que él. La mayor parte de nuestras conversaciones eran para asegurarle de que yo estaba bien y para que él me expresara su confianza y amor.

Irak era una cuestión sobre el cual yo quería saber lo que él pensaba. Le dije a papá que estaba orando para que pudiéramos lidiar en paz con Saddam, pero estaba preparando una alternativa. Le expliqué mi estrategia de la diplomacia, le conté sobre el apoyo firme de Blair, Howard, y Aznar; la incertidumbre con Chirac y Schroeder; y mis esfuerzos para reunir a los saudíes, jordanos, turcos y otros en Medio Oriente.

Papá compartió mi esperanza de que la diplomacia tuviera éxito. —Sabes lo duro que es la guerra, hijo y tienes que intentar todo lo posible para evitarla —expresó—, pero si el hombre no cumple, no tienes ninguna otra opción. — Poco después de año nuevo, envié a Bárbara y Jenna una carta a la universidad. «Estoy trabajando duro para mantener la paz y evitar la guerra», escribí. «Rezo para que ese hombre en Irak se desarme de forma pacífica. Estamos haciendo presión en él y gran parte del mundo está con nosotros».

———

A principios de 2003, se hizo cada vez más claro que mi oración no sería escuchada. El 27 de enero, Hans Blix dio un informe oficial a las Naciones Unidas. Su equipo de inspección había descubierto ojivas que Saddam no había declarado ni destruido, indicaciones del agente nervioso VX altamente tóxico, y precursores químicos para el gas mostaza. Además, el gobierno iraquí estaba desafiando al proceso de inspección. El régimen había violado la resolución 1441 al bloquear los vuelos del U-2 y ocultar tres mil documentos en la casa de un funcionario nuclear iraquí. —Irak no parece haber aceptado de forma genuina, hasta la fecha, el desarme que se le exigía —dijo Blix.

Pude ver lo que estaba sucediendo: Saddam estaba tratando de mandar la carga de la prueba hacia nosotros. Recordé a nuestros socios que la resolución de la ONU indicaba claramente que era responsabilidad de Saddam su cumplimiento. A finales de enero, Mohamed ElBaradei, director de la Agencia Internacional de Energía Atómica, explicó: —El balón está completamente en la cancha de Irak... Irak ahora tiene que demostrar su inocencia... Tienen que demostrar a través de la forma en que sea posible, que no tienen armas de destrucción masiva.

A finales de enero, Tony Blair vino a Washington para una sesión de estrategia. Estuvimos de acuerdo en que Saddam había violado la resolución 1441 del Consejo de Seguridad de la ONU mediante la presentación de una declaración falsa. Tuvimos una amplia justificación para llevar a cabo las «graves consecuencias», pero Tony quería volver a la ONU para una segunda resolución que aclarara que Irak había «dejado pasar la última oportunidad que tenía.

—No es que la necesitemos —dijo Tony—.Una segunda resolución nos da protección militar y política.

No me gustaba la idea de volver a la ONU. Dick, Don y Condi se opusieron. Colin me dijo que no necesitábamos otra resolución y que probablemente no podríamos conseguir otra. Pero si Tony quería una segunda resolución, nos gustaría intentarlo. —Desde mi punto de vista, el asunto de la segunda resolución es la mejor manera de ayudar a nuestros amigos —dije.

La mejor manera de obtener una segunda resolución era presentar las pruebas contra Saddam. Le pedí a Colin que hiciera la presentación ante la ONU. Él tenía credibilidad como un diplomático muy respetado y era conocido por ser reacio a la posibilidad de una guerra. Yo sabía que iba a hacer un trabajo minucioso y cuidadoso. A principios de febrero, Colin pasó cuatro días y cuatro noches en la CIA revisando personalmente los informes de inteligencia para garantizar que se sintiera cómodo con cada palabra de su discurso. El 5 de febrero tomó el micrófono en el Consejo de Seguridad.

—Los hechos sobre el comportamiento de Irak —dijo—, demuestran que Saddam Hussein y su régimen no han hecho ningún esfuerzo —en absoluto— para el desarme, tal como le fue requerido por la comunidad internacional. En efecto, los hechos y el comportamiento de Irak muestran que Saddam Hussein y su régimen están ocultando sus esfuerzos para producir más armas de destrucción masiva.

La presentación de Colin fue exhaustiva, elocuente y persuasiva. En el contexto de la oposición de Saddam a las inspecciones de armas, su discurso tuvo un profundo impacto en el debate público. Más tarde, se probaría que muchas de las afirmaciones del discurso de Colin eran incorrectas. Pero en ese momento, sus palabras reflejaron la opinión de los servicios de inteligencia en el país y en todo el mundo.

—Los dos somos hombres con moral —me dijo Jacques Chirac después del discurso de Colin. —Pero en este caso, vemos la moral de forma distinta. —Le respondí diplomáticamente, pero pensé: *Si un dictador que tortura y lanza gases a su pueblo no es inmoral, entonces, ¿quién lo es?*

Tres días más tarde, Chirac se puso frente a las cámaras y dijo: —Nada justifica hoy la guerra. —Él, Gerhard Schroeder y Vladimir Putin emitieron un comunicado conjunto de oposición. Los tres se sentaron en el Consejo de Seguridad. Las probabilidades de una segunda resolución parecían sombrías.

Tony me incitó a seguir adelante. «Las apuestas son ahora mucho más altas —me escribió el 19 de febrero—. Es evidente para mí desde la cumbre de la Unión Europea que Francia quiere responder con esto una pregunta crucial: ¿Europa es un socio o un competidor de los Estados Unidos?» Me recordó que teníamos el apoyo de una coalición fuerte de países europeos, incluyendo a España, Italia, Dinamarca, los Países Bajos, Portugal y toda Europa del este. En una reciente votación de la OTAN, quince miembros de la alianza habían apoyado la acción militar en Irak, únicamente Bélgica y Luxemburgo estuvieron de acuerdo con Alemania y Francia. El primer ministro portugués José Barroso habló por muchos líderes europeos cuando preguntó con incredulidad: —Nos enfrentamos a una elección, los Estados Unidos o Irak, ¿vamos a elegir a Irak?

Tony y yo estuvimos de acuerdo en una estrategia: Íbamos a solicitar la segunda resolución en la ONU, con el apoyo del visionario líder de España, el primer ministro José María Aznar. Si alineábamos suficientes votos a favor, podríamos ser capaces de persuadir a Francia y Rusia a abstenerse en lugar de ejercer su veto. Si no, tendríamos que renunciar a la resolución, e iba a ser claro que ellos habían bloqueado el último esfuerzo diplomático.

La segunda resolución, que se solicitó el 24 de febrero del 2003, fue importante por otra razón. Tony estaba enfrentando una intensa presión interna sobre el tema de Irak, y era importante para él mostrar que había agotado todas las alternativas posibles a la fuerza militar. Algunas facciones del partido del trabajo se habían rebelado contra él. A principios de marzo no estaba claro si su gobierno podría sobrevivir.

Llamé a Tony y le expresé mi preocupación. Le dije que yo prefería tenerlo fuera de la coalición para mantener su gobierno que intentar seguir en la coalición y perder el gobierno.

—He dicho que estoy contigo —respondió Tony. Insistí en mi punto nuevamente.

—Lo entiendo, y es bueno que lo digas —respondió—. Yo creo absolutamente en esto. Voy a llevarlo hasta lo último.

Oí un eco de Winston Churchill en la voz de mi amigo. Fue un momento de coraje que se quedará conmigo para siempre.

———

A petición de Tony, hice un último esfuerzo para persuadir a México y Chile, dos miembros indecisos del Consejo de Seguridad, para apoyar la segunda resolución. Mi primera llamada fue a mi amigo, el presidente Vicente Fox. La conversación tuvo un comienzo desfavorable. Cuando le dije a Vicente que estaba llamando acerca de la resolución de la ONU, me preguntó a cuál me refería. —Si puedo darte un consejo —dije— no debes ser visto haciendo equipo con los franceses. —Dijo que iba a pensarlo y me regresaría la llamada. Pasó una hora. Entonces Condi traía un mensaje de la embajada. Vicente había entrado al hospital para una cirugía de la espalda. Nunca volví a escuchar nada de él sobre el tema.

Mi conversación con el Presidente Ricardo Lagos de Chile no fue mucho mejor. Él era un distinguido hombre con trayectoria académica y un líder efectivo. Habíamos negociado un acuerdo de libre comercio que esperaba que el congreso aprobara pronto. Pero la opinión pública en Chile inclinaba en contra de la potencial guerra, y Ricardo se mostró reacio a apoyar la resolución. Propuso dar a Saddam un tiempo adicional de dos o tres semanas. Le dije unas cuantas semanas más no harían ninguna diferencia. Saddam ya había tenido varios años para cumplir. —Es triste que haya llegado a esto —dije. Le pregunté una vez más cómo planeaba votar. Él contestó No.

A medida que el proceso diplomático siguió su curso, la presión para la acción había ido en aumento. A principios de 2003, el presidente de la reserva federal Alan Greenspan me dijo que la incertidumbre estaba haciendo daño a la economía. El príncipe Bandar de Arabia Saudita, embajador del reino en Washington desde toda la vida, que era amigo mío desde la presidencia de papá, llegó a la Oficina Oval y me dijo que nuestros aliados en el Medio Oriente querían una decisión.

Cada vez que escuchaba a alguien afirmar que apresuramos la guerra, pienso en este período. Había pasado más de una década desde que las resoluciones de la guerra del golfo habían exigido el desarme de Saddam, más de cuatro años desde que había expulsado a los inspectores de armas, seis meses desde que yo había emitido mi ultimátum en la ONU, cuatro meses desde que la resolución 1441 había dado a Saddam su «última oportunidad» y habían pasado tres meses de la fecha límite que tenía para divulgar plenamente sus armas de destrucción masiva. La diplomacia no tenía prisa y parecía que tardaría para siempre.

Mientras tanto, las amenazas continuaron. El presidente Hosni Mubarak de Egipto le había dicho a Tommy Franks que Irak tenía armas biológicas y estaba seguro de que las utilizaría sobre nuestras tropas. Se negó a hacer la denuncia en público por temor a incitar a los árabes. Pero la inteligencia de un líder de Medio Oriente que conocía bien a Saddam tuvo un impacto en mi pensamiento. Del mismo modo que existían riesgos de actuar, había riesgos para la no actuación: Saddam con un arma biológica era una seria amenaza para todos.

———

En el invierno de 2003, busqué opiniones sobre Irak a partir de una variedad de fuentes. Pedí consejo a académicos, a disidentes iraquíes en el exilio, y a otros expertos fuera de la administración. Una de las personas más fascinantes que conocí fue Elie Wiesel, el escritor, sobreviviente del holocausto y merecido ganador del Premio Nobel de la Paz. Elie es un hombre sobrio y apacible. Pero había pasión en sus ojos de setenta y cuatro años de edad cuando comparó la brutalidad de Saddam Hussein con la brutalidad del genocidio nazi. —Señor presidente —dijo—, usted tiene una obligación moral de actuar contra el mal. —La fuerza de su convicción me afectó profundamente. Aquí estaba un hombre que había dedicado su vida a la paz instándome a intervenir en Irak. Como más tarde explicó en un artículo de opinión: «A pesar de que me opongo a la guerra, estoy a favor de la intervención cuando, como en este caso debido a equivocaciones y demoras de Hussein, no quedan otras opciones».

Siempre me he preguntado por qué muchos críticos de la guerra no reconocen un argumento moral hecho por gente como Elie Wiesel. Muchas de las personas que se manifestaron en contra de la acción militar en Irak eran devotos defensores de los derechos humanos. Sin embargo, me condenaron por usar la fuerza para eliminar al hombre que había lanzado gases a los kurdos, cercenado a los chiitas con helicópteros de combate, masacrado a los árabes de las marismas, y enviado a decenas de miles a las fosas comunes. Entendí por qué las personas podrían estar en desacuerdo sobre la amenaza que Saddam Hussein representaba para los Estados Unidos. Pero no vi cómo alguien podía negar que liberar a Irak fue un avance por la causa de los derechos humanos.

Con la diplomacia vacilando, nuestras sesiones de planificación militar se habían centrado en lo que ocurriría después de la eliminación de Saddam. En los últimos años, algunos críticos afirman que obviamos la preparación para el período de posguerra. Eso no es como yo lo recuerdo.

Comenzando en el otoño del 2002, un grupo liderado por el Diputado Asesor de Seguridad Nacional Steve Hadley realizó planes detallados para el Irak después de Saddam.

Dos de nuestras mayores preocupaciones eran el hambre y los refugiados. El sesenta por ciento de los iraquíes dependían del gobierno como fuente de alimento. Se estima que unos dos millones de iraquíes podrían verse desplazados de sus hogares durante la guerra. El 15 de enero, Elliott Abrams, un experimentado asesor del Consejo Nacional de Seguridad, pronunció una conferencia detallada sobre nuestros preparativos. Se planificaron alimentos, mantas, medicinas, tiendas de campaña y otros suministros para la ayuda. Hicimos mapas de los lugares donde podríamos proteger a los refugiados. Desplegamos experimentados expertos en ayuda humanitaria en Irak junto a nuestras tropas. Habíamos establecido claramente la ubicación de más de cincuenta y cinco mil puntos de distribución de alimentos en Irak e hicimos arreglos con organizaciones internacionales, incluyendo el Programa Mundial de Alimentos, para asegurarnos de que la comida estuviera disponible. También desarrollamos planes para la reconstrucción a largo plazo. Nos concentramos en diez áreas: educación, salud, agua y saneamiento, electricidad, vivienda, transporte, gobierno y estado de derecho, agricultura, comunicaciones y política económica. Para cada una de las áreas reunimos datos, formulamos estrategias, y establecimos objetivos precisos. Por ejemplo, la USAID determinó que Irak tenía 250 hospitales generales no militares, 20 hospitales militares, 5 hospitales universitarios y 995 centros de atención sanitaria civiles. Nuestro plan requería llevar una oleada de suministros médicos hacia el país, reclutar a los médicos y enfermeras iraquíes que vivían en el extranjero para que regresaran a sus hogares, la formación de nuevo personal médico, y, en última instancia, entregar el control a un nuevo ministerio de salud iraquí.

Una de las preguntas más difíciles se refería a la forma de planificar un sistema político post-Saddam. Algunos en la administración sugirieron entregar el poder inmediatamente a un grupo de exiliados iraquíes. No me gustaba la idea. Mientras que los exiliados tenían estrechas conexiones en Washington, sentí fuertemente que el primer líder de los iraquíes debería ser alguien que ellos seleccionaran. Era consciente de la experiencia británica en Irak en la década de 1920. Gran Bretaña había instalado un rey que no era iraquí, Faisal, quien fue visto como ilegítimo y cuyo nombramiento avivó el resentimiento y la inestabilidad. No íbamos a repetir ese error.

El otro gran reto era cómo proporcionar seguridad después de Saddam. Algunos informes de inteligencia predijeron que la mayor parte del ejército de Saddam y su policía cambiarían de lado una vez que el régimen se hubiera ido. Los comandantes supremos, que tenían las manos llenas de sangre inocente, no serían invitados a unirse. Pero utilizaríamos al resto de las fuerzas de la era de Saddam para formar la base del nuevo ejército y la policía iraquí.

En enero de 2003, emití una directiva presidencial, la NSPD 24, para crear una nueva Oficina de Reconstrucción y Asistencia Humanitaria. La oficina estaba encargada de convertir nuestros planes conceptuales en acciones concretas. Basamos la oficina en el Pentágono, para que nuestros esfuerzos civiles en Irak corrieran a través de la misma cadena de mando que nuestras operaciones militares. Para liderar la oficina, Don Rumsfeld sugirió a Jay Garner, un general retirado que había coordinado los esfuerzos de ayuda de los militares en el norte de Irak en 1991. Él reclutó a un grupo de expertos civiles de todo el gobierno, quienes estarían a la expectativa para ser enviados a Bagdad.

Al tener nuestros planes y personal listos antes de la guerra, sentí que estábamos bien preparados. Sin embargo, éramos conscientes de nuestras limitaciones. Nuestra capacidad para construir la nación era limitada, y nadie sabía con seguridad las necesidades que surgirían. Los militares tenían un viejo dicho: «No existe un plan de batalla que sobreviva al primer contacto con el enemigo». Como aprenderíamos en Irak, el dicho fue doblemente cierto sobre el plan para la posguerra.

———

En marzo del 2003, el plan de batalla estaba listo. Después de más de un año de investigaciones e interrogantes, Tommy Franks y su equipo habían desarrollado una operación con la que yo estaba seguro de derrocar a Saddam Hussein con rapidez y decisión, y al mismo tiempo reducir al mínimo la pérdida de vidas estadounidenses e iraquíes. La única incertidumbre restante era el papel de Turquía. Durante meses, habíamos estado presionando a los turcos para darnos el acceso a su territorio y así poder enviar quince mil tropas de la cuarta división de infantería a Irak desde el norte. Prometimos proporcionar ayuda económica y militar, ayudar a Turquía a acceder a los programas clave del Fondo Monetario

Internacional, y mantener nuestro firme apoyo para la admisión de Turquía a la Unión Europea.

En un momento, parecía que conseguiríamos el permiso. El gabinete del primer ministro Abdullah Gül aprobó nuestra solicitud. Pero cuando el parlamento turco llevó a cabo la votación final el 1 de marzo, se quedó a poco de ser aceptado. Yo estaba frustrado y decepcionado. En una de las solicitudes más importantes que habíamos hecho nunca, Turquía, nuestro aliado de la OTAN, había abandonado a los Estados Unidos.

Don y Tommy mantuvieron la cuarta división de infantería en el este del mar Mediterráneo, cerca de Turquía, por si el gobierno cambiaba de opinión o, de lo contrario, se unirían a la invasión desde Kuwait. También planificamos el despliegue de mil paracaidistas de la 173ª división aerotransportada a la región kurda del norte de Irak. Esta no fue nuestra primera opción, pero al menos tendríamos un punto de apoyo en el frente norte.

En el sur, tuvimos más de 150.000 soldados estadounidenses en la frontera de Irak, y unos 90.000 más estacionados en la región del golfo. Yo había dejado muy claro que los usaríamos de ser necesario. La diplomacia coercitiva nos había llevado a nuestro apalancamiento máximo. Las partes militares y diplomáticas habían convergido totalmente. La elección entre la guerra y la paz pertenecía a Saddam Hussein.

Durante meses, el Consejo Nacional de Seguridad se había estado reuniendo casi todos los días para discutir sobre Irak. Sabía dónde estaban todos mis asesores. Dick Cheney estaba preocupado por el lento proceso diplomático. Advirtió que Saddam Hussein podría estar utilizando el tiempo para producir armas, ocultar armas o diseñar un ataque. En uno de nuestros almuerzos semanales de aquel invierno, Dick me preguntó directamente: —¿Va a hacerse cargo de este tipo o no? —Esa era su forma de decir que pensaba que habíamos dado suficiente tiempo a la diplomacia. Aprecié el contundente consejo de Dick. Le dije que no estaba listo para actuar aún. —Está bien señor presidente, es su decisión —dijo. Luego dijo una de sus frases favoritas. —Para eso te pagan muchos billetes —dijo con una sonrisa amable.

Don Rumsfeld no fue tan definitivo. Me aseguró que la milicia estaría lista si yo daba la orden. También advirtió que no podíamos dejar a 150.000 soldados sentados en la frontera de Irak para siempre. La presión logística para apoyar a las fuerzas era inmensa. En algún momento, nuestro despliegue perdería su valor coercitivo si Saddam llegaba a la conclusión de que no hablábamos en serio sobre el envío de las tropas.

Condi tuvo la precaución de mantenerse neutral en las reuniones del Consejo Nacional de Seguridad, pero me dio su opinión en privado. Había sido una firme defensora de las inspecciones. Sin embargo, después de reunirse con Blix y su equipo, estaba convencida de que Saddam no haría más que buscar evasivas. Llegó a la conclusión de que la única manera de hacer cumplir la resolución de la ONU sería utilizar la opción militar.

Colin tenía profundas reservas. En una reunión a principios del 2003, me había dicho que creía que podíamos manejar la amenaza de Irak diplomáticamente. También me dijo que no estaba totalmente cómodo con los planes de guerra. Eso no me sorprendió. La operación que Tommy Franks había concebido utilizaría alrededor de un tercio de todas las tropas que usamos en la Guerra del Golfo. El hecho marcó un cambio en la creencia de que Estados Unidos podría ganar guerras solamente mediante el despliegue masivo de la fuerza, doctrina que se conoció como la Doctrina Powell.

Yo estaba contento cuando Colin me dijo que había compartido sus preocupaciones por el plan con Tommy. Colin había sido Presidente del Estado Mayor Conjunto durante la Tormenta del Desierto, y yo estaba seguro que Tommy tomaría en cuenta sus preocupaciones. Mientras que yo aún tenía esperanzas de que la diplomacia funcionaría, le dije a Colin que era posible que llegáramos al punto donde la guerra era la única opción. Ninguno de nosotros quería la guerra, pero le pregunté si apoyaría la acción militar como última opción. —Si esto es lo que tiene que hacer —dijo—, estoy con usted, Sr. Presidente.

La mañana del domingo 16 de marzo, abordé el avión presidencial y me dirigí a las Islas Azores, un territorio portugués ubicado a dos terceras partes del camino de Washington a Lisboa. Me dirigía a una cumbre de último momento sobre la estrategia diplomática con Tony Blair, José María Aznar, y el Primer Ministro de Portugal José Barroso. Con los franceses, alemanes y rusos que se oponían a la segunda resolución de la ONU, y los mexicanos y chilenos sin disposición a votar, todos estábamos de acuerdo en que la vía diplomática había llegado a su fin. Teníamos planeado retirar la segunda resolución de la ONU en la mañana del lunes. Esa noche, les daría a Saddam Hussein y a sus hijos cuarenta y ocho horas para abandonar el país, una última oportunidad para evitar la guerra.

El voto crítico para Tony en el parlamento sería el martes. Me dijo que renunciaría si el voto no le beneficiaba, lo que significa que Gran Bretaña podría retirarse de la coalición militar. Nunca imaginé que estaría siguiendo una votación parlamentaria británica tan de cerca y mucho menos que estaría apoyando al primer ministro del partido del trabajo. Le di la mano a mi amigo y a su equipo cuando nos fuimos de las Azores. —Espero que no sea la última vez que nos vemos —dijo Condi al pie del Air Force One.

El vuelo a casa fue largo y silencioso. Después de tanta planificación y espera, el momento había llegado. A menos que Saddam abandonara el país, estaríamos en guerra en tres días. Estaba profundamente decepcionado de que la diplomacia hubiera fracasado. Pero yo le había prometido al pueblo estadounidense, a nuestros aliados y al mundo que haríamos cumplir las resoluciones de la ONU. No iba a faltar a mi palabra.

Durante meses había solicitado asesoramiento, escuchado una variedad de opiniones, y considerado los argumentos en contra. Algunos creían que podíamos contener a Saddam manteniendo los inspectores en Irak. Pero yo no veía cómo. Si le dijéramos a Saddam que tuviera otra oportunidad, tras haber declarado que ésta era su última oportunidad, quebraríamos totalmente nuestra credibilidad y le inspiraríamos más valor.

Otros sugirieron que la amenaza no era tan grave como pensábamos. Eso era fácil de decir para ellos. Ellos no eran responsables de la protección del país. Recordé el dolor del 9/11, un ataque sorpresa para el que no habíamos recibido ninguna advertencia. Esta vez tuvimos una advertencia con sirena a todo volumen. Años de inteligencia señalaban mayoritariamente la conclusión de que Saddam tenía armas de destrucción masiva. Las había utilizado en el pasado. No había cumplido su obligación de comprobar su destrucción. Se había negado a cooperar con los inspectores, aún cuando una invasión estaba amenazando en su puerta. La única conclusión lógica era que estaba escondiendo armas de destrucción masiva. Y dado su apoyo al terrorismo y su odio jurado a Estados Unidos, no había manera de saber dónde terminarían esas armas.

Otros alegaron que la verdadera intención de los Estados Unidos era controlar el petróleo de Irak o satisfacer los deseos de Israel. Esas teorías eran falsas. Estaba enviando tropas al combate para proteger al pueblo estadounidense.

Sabía que el costo sería alto. Pero la falta de acción también tenía un costo. Teniendo en cuenta todo lo que sabíamos, permitir a Saddam mantenerse en el poder habría sido una peligrosa apuesta. Mi apuesta en ese caso hubiera sido que todas las principales agencias de inteligencia estaban mal o que Saddam cambiaría de corazón. Después de ver el horror del 9/11, eso no era un riesgo que estaba dispuesto a tomar. La acción militar fue mi último recurso. Pero creí que era necesaria.

Al día siguiente, lunes, 17 de marzo del 2003, el embajador John Negroponte retiró la segunda resolución de la ONU. Esa noche, me dirigí a la nación desde la Casa Blanca. —El Consejo de Seguridad de las Naciones Unidas no ha cumplido con sus responsabilidades, por lo que nosotros cumpliremos las nuestras —dije— ...Saddam Hussein y sus hijos deben salir de Irak dentro de las próximas cuarenta y ocho horas. Su negativa a hacerlo resultará en un conflicto militar, que comenzará cuando nosotros lo decidamos.

Los dos días siguientes se sintieron como una semana. Lo que sí conseguimos fueron buenas noticias el martes: Tony Blair había ganado la votación en el parlamento por un margen sólido. Gran Bretaña estaría de nuestro lado.

George Tenet y Colin Powell me mantuvieron actualizado sobre las últimas noticias con Irak. Nuestra última esperanza era que Saddam estuviera de acuerdo en exiliarse. En un momento dado, una oferta de un gobierno de medio oriente para enviar a Saddam a Bielorrusia por mil o dos mil millones de dólares parecía que podría ganar adeptos. En cambio, en uno de sus últimos actos, Saddam ordenó cortar la lengua de un disidente y dejó al hombre a sangrar hasta la muerte. El dictador de Irak había tomado su decisión. Eligió la guerra.

El miércoles por la mañana, convoqué a todo el Consejo de Seguridad Nacional en la Sala de Situaciones, donde di la orden de lanzar la Operación Libertad Iraquí. Seis horas más tarde, recibí una inesperada llamada de Don Rumsfeld. Dijo que tenía algo importante que discutir. Él y George Tenet estaban en camino a la Oficina Oval.

—¿Qué está pasando? —pregunté cuando llegaron.

—Señor presidente —dijo George—, creemos tener la oportunidad de matar a Saddam Hussein.

Lo que siguió fue una de las reuniones más extraordinarias de mi presidencia. Con el equipo de seguridad nacional completo reunidos en la Oficina Oval, los asesores entraban y salían para proporcionar las últimas actualizaciones desde el campo. Una red de fuentes de inteligencia en Irak informó que Saddam y algunos de sus familiares podrían pasar la noche en un complejo de las afueras de Bagdad llamado Dora Farms. Si bombardeábamos el sitio, podríamos ser capaces de decapitar al régimen.

Fui escéptico. Si ordenaba el ataque aéreo, nos saldríamos de nuestro plan concebido, que consideraba dos días de operaciones encubiertas antes de la guerra aérea. Me imaginé todo lo que podía salir mal. Dos bombarderos F-117 tendrían que viajar sin escolta sobre una ciudad bien fortificada. Mi mayor preocupación era que la inteligencia fuera una trampa. ¿Y si no estaba Saddam en Dora Farms, y estaba lleno de niños? Las primeras imágenes de la guerra nos mostrarían matando inocentes niños iraquíes.

Lo más seguro era seguir con el plan. Pero mantuve un pensamiento recurrente: Al matar al dictador podríamos poner fin a la guerra antes de que comenzara, y salvar vidas. Sentí la responsabilidad de aprovechar esta oportunidad. El General Myers me informó que los aviones estaban cargados y que los misiles Tomahawk de ataque a tierra estaban programados. Volteé hacia el equipo reunido en la oficina oval y dije: —Vamos. —Justo después de que el plazo de cuarenta y ocho horas expiró, el bombardeo comenzó.

Condi llamó a la mañana siguiente. Un testigo había visto a un hombre que se parecía a Saddam siendo levado de los escombros de Dora Farms. Pero a medida que pasaban los días, los informes cambiaron. La operación fue un presagio de lo que vendría. Nuestra intención era correcta. Los pilotos ejecutaron la orden con valor. Pero la inteligencia estuvo equivocada.

———

El día después de que comenzó el ataque en Dora Farms, se desató una ráfaga de actividad militar. Desde la frontera sur de Irak con Kuwait, los cuerpos especiales y la primera fuerza de expedición de la marina comenzaron su camino paralelo a Bagdad. Mientras tanto, nuestras fuerzas aéreas bombardearon la capital. En la oleada inicial del ataque, más de trescientos misiles crucero, seguidos de bombarderos furtivos, tomaron la mayor parte de la sede de comando militar y del gobierno de Saddam. A diferencia del bombardeo de Dresden, los ataques nucleares sobre Hiroshima y Nagasaki, o el uso de napalm sobre Vietnam, nuestro ataque mantuvo a salvo a gran parte de la población y la infraestructura civil de Bagdad. No sólo fue conmoción y pavor, fue uno de los ataques aéreos más precisos de la historia.

En el sur de Irak, los marines se desplegaron para proteger los campos petroleros clave. Fuerzas especiales de Polonia y de la marina de los Estados Unidos aseguraron la infraestructura petrolera en alta mar. Una división acorazada británica liberó la ciudad de Basora al sur y el vital puerto de Umm Qasr. Los incendios de petróleo y sabotajes que tanto temíamos no se materializaron nunca, y dejamos abierto un camino para que la ayuda humanitaria fluyera en Irak.

En el norte de Irak, paracaidistas incautaron puntos de tránsito clave y ayudaron a construir un puente aéreo para los suministros y la ayuda humanitaria. Con el apoyo de las fuerzas kurdas, el laboratorio de Zarqawi fue destruido. En el oeste de Irak, las fuerzas especiales estadounidenses, británicas y australianas patrullaban el desierto para detectar misiles Scud y aseguraron que Saddam nunca tuviera la oportunidad de atacar a Arabia Saudita, Jordania, Israel, u otros aliados en la región.

Hacia el final de la segunda semana, nuestras tropas habían llegado a las afueras de Bagdad. Habían soportado cegadoras tormentas de arena, calor abrasador, y habían tenido que utilizar trajes especiales muy pesados para protegerse contra los ataques biológicos o químicos que temíamos. Se enfrentaron a una fuerte resistencia de las fuerzas más leales de Saddam, que atacaron desde vehículos civiles y se escondieron detrás de escudos humanos. Sin embargo, completaron el avance blindado más rápido en la historia de la guerra. En el camino, repartieron dulces y medicamentos a los niños y arriesgaron sus vidas para proteger a los civiles iraquíes.

El 4 de abril el sargento Paul Ray Smith y sus hombres estaban resguardando un patio cerca del aeropuerto de Bagdad. La guardia republicana de Saddam los emboscó, hiriendo a varios de los hombres del sargento Smith. Expuesto al fuego enemigo, el sargento Smith disparó su ametralladora y siguió disparando hasta que sufrió una herida mortal. El informe posterior del ejército reveló que había matado a cincuenta soldados enemigos y salvó la vida de cien estadounidenses. Por su acto de valentía, Paul Ray Smith se convirtió en el primer soldado en la guerra contra el terrorismo en ganar la medalla de honor. En abril del 2005, entregué la medalla a su viuda, Birgit, y a su hijo pequeño en la Casa Blanca.

El día después de que el sargento Smith dio su vida para asegurar el aeropuerto, la tercera división de infantería entró en Bagdad. La primera división de marina llegó dos días más tarde. En la reunión del consejo nacional de seguridad en la mañana del 9 de abril, Tommy Franks informó que la capital iraquí podría caer en cualquier momento. Mi siguiente reunión fue con el presidente Rudolf Schuster de Eslovaquia. Su joven democracia, uno de los cuarenta y ocho países que habían prometido apoyo logístico o militar en Irak, había desplegado una unidad entrenada para manejar el impacto de un ataque con armas de destrucción masiva. El presidente Schuster tenía lágrimas en los ojos mientras describía el orgullo de su nación por ayudar a liberar a Irak. Guardaba ese momento en la mente cuando escuchaba a críticos que alegaban que Estados Unidos actuó de manera unilateral. Las mentiras denigraban a nuestros aliados y me molestaban.

Cuando terminó la reunión, Dan Bartlett me dijo que debería echar un vistazo a la televisión. Yo no tenía ninguna en la Oficina Oval, así que fui a la zona de la salida lateral donde mis asistentes personales se sentaban. Vi como una multitud de iraquíes en la plaza Firdos de Bagdad celebraban mientras un vehículo de la marina derrumbaba una estatua de cuarenta pies (doce metros) de altura de Saddam.

Durante veinte días había estado lleno de ansiedad. Ahora estaba abrumado con alivio y orgullo. También era consciente de los retos del futuro. Las fuerzas de Saddam seguían controlando el norte de Irak, incluyendo su ciudad natal de Tikrit. Había focos de resistencia en los despiadados combatientes baazistas llamados fedayines de Saddam. Y Saddam y sus hijos estaban huyendo. Como le dije a José María Aznar cuando le llamé para compartir la noticia: —No nos verán haciendo danzas de la victoria.

———

Debí haber seguido mi propio consejo. Tommy Franks consideró que era importante mostrar que una nueva fase en la guerra había comenzado. Para lograrlo, decidí dar un discurso a bordo del portaviones *Abraham Lincoln*, que volvía a casa después de diez meses en el mar. Los cinco mil marineros, pilotos, e infantes de marina a bordo habían apoyado las operaciones, tanto en Afganistán como en Irak.

El 1 de mayo de 2003, subí en el asiento de un avión militar por primera vez en más de treinta años. El piloto de la marina Scott Zellem, conocido por su distintivo de llamado como Z-Man, nos informó sobre los procedimientos de seguridad en la estación aérea naval North Island en San Diego.* El comandante John "Skip" Lussier, un buen piloto con más de quinientos aterrizajes en portaviones en su currículo, condujo nuestro avión vikingo S-3B a despegar. En un momento dado, me entregó los controles a mí, y volé el avión durante unos minutos sobre el océano pacífico. Estaba oxidado, pero después de un rato de subidas y bajadas me tranquilicé. El comandante sabiamente se hizo cargo cuando nos acercamos al portaviones. Él dirigió el avión hacia abajo a la cubierta y le puso el cable para atracarlo.

A bordo del *Lincoln*, visité al equipo de aterrizaje, me maravillé con los despegues y aterrizajes en la zona de la catapulta y comí fideos con los marineros e infantes de marina. —Compatriotas —dije en mi discurso—, las principales operaciones de combate en Irak han terminado.... La transición de la dictadura a la democracia va a tomar tiempo, pero vale la pena todo el esfuerzo. Nuestra coalición permanecerá hasta que nuestro trabajo esté hecho. Después nos vamos a ir y vamos a dejar a Irak en libertad.

No me había dado cuenta de la gran pancarta que mi personal había colocado en el puente del portaviones, en posición perfecta para la televisión. Decía «misión cumplida». Fue pensado como un homenaje a las personas a bordo del *Lincoln*, que acababan de completar el despliegue más largo de un portaviones de su clase, pero parecía como si estuviera haciendo el baile de la victoria del que había advertido. «Misión cumplida» se convirtió en una crítica para todo lo que posteriormente salió mal en Irak. Mi discurso dejó claro que nuestro trabajo estaba lejos de haber terminado. Pero toda la explicación en el mundo no pudo revertir la percepción. El escenario había quedado mal. Fue un gran error.

—

Con Saddam derrocado del poder, nuestro objetivo central se convirtió en ayudar a los iraquíes a desarrollar una democracia que pueda gobernarse, sostenerse, defenderse, y ser útil como una aliada en la guerra contra el terrorismo. El objetivo era ambicioso, pero yo era optimista. Muchas de las contingencias extremas que habíamos previsto antes de la guerra no habían pasado. No hubo ninguna fortaleza en Bagdad, no hubo grandes incendios de pozos petrolíferos, no hubo hambruna generalizada, no hubo masacres de civiles por Saddam, ningún ataque de armas de destrucción masiva a nuestras tropas, y ningún ataque terrorista a los Estados Unidos o a nuestros aliados.

Había una contingencia importante para la que no estábamos adecuadamente preparados. En las semanas posteriores a la liberación, Bagdad cayó en un estado de anarquía. Me horroricé al ver saqueadores que robaron

---

De forma trágica, el teniente comandante Zellem murió en un trágico accidente en 2004.

preciosas obras de arte del museo nacional de Irak y al leer los informes de secuestros, asesinatos y violaciones. Parte de la explicación era que Saddam había liberado a decenas de miles de delincuentes poco antes de la guerra. Pero el problema era más profundo que eso. Saddam había deformado la psicología de los iraquíes de una manera que no habíamos entendido del todo. Las sospechas y el miedo que él había cultivado durante décadas estaban llegando a la superficie.

—¿Qué demonios está pasando? —pregunté durante una reunión del Consejo Nacional de Seguridad a finales de abril. —¿Por qué nadie detiene a estos ladrones?

La respuesta corta era que había escasez de mano de obra en Bagdad. La policía iraquí había colapsado cuando cayó el régimen. El ejército iraquí se había colapsado. Debido a la decisión de Turquía, muchas de las tropas estadounidenses que liberaron a Bagdad continuaron hacia el norte para liberar al resto del país. El daño causado en los primeros días trajo consigo problemas que persistirían durante años. Los iraquíes estaban buscando a alguien para protegerlos. Por no asegurar Bagdad, perdimos nuestra primera oportunidad de demostrar que podíamos.

El vacío de seguridad estaba acompañado de un vacío político. Decidí nombrar un administrador estadounidense para dar orden, mientras trabajábamos para desarrollar un gobierno legítimo. La idea se convirtió en la Autoridad Provisional de la Coalición, autorizada por una resolución de las Naciones Unidas y dirigida por un distinguido funcionario del servicio exterior y experto en la lucha contra el terrorismo, el embajador L. Paul "Jerry" Bremer.

Jerry me impresionó desde el principio. Era un líder agresivo que compartía mi convicción de que los iraquíes eran capaces de tener una democracia. Sabía que le llevaría tiempo para que escribieran una constitución y se prepararan las elecciones. En una de nuestras primeras reuniones, me dijo que había leído un estudio de previas operaciones posguerra y pensó que necesitábamos más tropas en Irak.

Llevé la pregunta sobre el nivel de tropas con Don Rumsfeld y los líderes militares. Me aseguraron que teníamos suficientes. Se anticipaban la llegada de más fuerzas de socios de la coalición y creían que podíamos entrenar al ejército y la policía iraquíes con bastante rapidez. También estaban preocupados por agitar el nacionalismo iraquí y que se incitara a la violencia si parecía que estábamos ocupando el país.

Acepté el juicio de Don y los militares. El caos y la violencia que presenciamos eran alarmantes, pero todavía era temprano. La situación me recordó a los difíciles primeros días en Afganistán. Me negaba a renunciar a nuestro plan antes de darle la oportunidad de funcionar.

Bremer llegó a Irak el 12 de mayo de 2003. Una de sus primeras tareas fue montar un Consejo de Gobierno Iraquí que asumiría las responsabilidades de los ministerios clave y prepararía el regreso formal de la soberanía. Poner rumbo dentro de la política tribal, religiosa y étnica de Irak fue muy complicado. Pero Jerry y su equipo hicieron un trabajo excelente. El Consejo de Gobierno asumió el cargo en julio, justo cuatro meses después de la liberación. Incluyó a veinticinco iraquíes de todos los orígenes. Los iraquíes todavía tenían un largo camino por recorrer, pero habían dado su primer paso hacia un gobierno representativo.

Formar el consejo de gobierno era una forma importante de demostrar que la tiranía de Saddam se había ido para siempre. Con eso en mente, Jerry emitió dos órdenes poco después de su llegada a Bagdad. Una fue declarar que algunos miembros del partido Baaz de Saddam no serían elegibles para servir en el nuevo gobierno de Irak. La otra orden disolvió formalmente el ejército iraquí, que había desaparecido en gran medida por sí solo.

En cierto modo, las órdenes lograron sus objetivos. Chiitas y kurdos de Irak, la mayoría de la población, le dieron la bienvenida a la ruptura con Saddam. Pero las órdenes tuvieron un impacto psicológico que no habíamos previsto. Muchos sunitas las tomaron como una señal de que no tendrían lugar en el futuro de Irak. Esto fue especialmente grave en el caso del ejército. Miles de hombres armados acababan de saber que no serían requeridos. En lugar de inscribirse en el nuevo ejército, muchos se unieron a la insurgencia.

En retrospectiva, debí haber insistido en más debate sobre las órdenes de Jerry, especialmente sobre el mensaje que la disolución del ejército enviaría y a cuántos sunitas les afectaría la exclusión del partido Baaz. De acuerdo a la visión del exiliado Ahmed Chalabi, el programa de desconocer al partido Baaz afectó mucho más profundamente de lo que esperábamos, porque incluso algunos miembros de nivel medio del partido fueron despedidos en sus trabajos como maestros. Es posible que hubiéramos emitido las órdenes de todos modos. Eran decisiones difíciles, y cualquier alternativa habría creado un conjunto distinto de problemas. Si los chiitas hubiesen llegado a la conclusión de que no estábamos realmente serios en cuanto a poner fin a la era del Partido Baaz, podrían haberse puesto en contra de la coalición, rechazado los objetivos de una democracia unificada iraquí, y haberse alineado con Irán. No hay manera de saber con certeza lo que habría ocurrido, pero la discusión nos habría preparado mejor para lo que siguió.

La situación de seguridad continuó deteriorándose durante el verano. Irak se estaba convirtiendo en un imán para los extremistas: insurgentes baazistas, fedayines de Saddam, terroristas extranjeros afiliados a Al Qaeda, y más tarde, militantes chiitas y agentes de Irán. Estos grupos tenían diferentes ideologías, pero compartían un objetivo inmediato: sacar a Estados Unidos de Irak. Ellos sabían que nunca podrían ganar una lucha directa contra nuestras tropas, por lo que desplegaron bombas en las carreteras y atacaron objetivos no militares, como la embajada de Jordania y el complejo de la ONU en Bagdad. Otra táctica consistió en secuestrar a los trabajadores de reconstrucción y ejecutarlos en vídeos espeluznantes que propagaron por internet. Su estrategia consistió en presentar una imagen de Irak como sin esperanza e imposible de ganar, que afectara a la opinión pública estadounidense y los volviera en contra de la guerra y así nos obligarían a retirarnos, como sucedió en Vietnam.

Hasta cierto punto, tuvieron éxito. Fue difícil para el promedio de los estadounidenses diferenciar entre los terroristas y los millones de iraquíes que estaban agradecidos por la liberación. Tratamos de difundir las buenas noticias, la relativa calma en el norte kurdo y el sur chiita, la reconstrucción de escuelas y hospitales, así como la formación de un nuevo ejército iraquí. Pero a los ojos de los medios de comunicación y, por lo tanto, del público, ninguno de estos avances podría competir con los bombardeos y las decapitaciones.

A principios de julio, un periodista me preguntó sobre los ataques a nuestras tropas. —Hay algunos que piensan que si nos atacan podemos decidir abandonar prematuramente — dije—. Mi respuesta es: «Que vengan»

Cada vez que hablaba sobre Irak, había múltiples audiencias escuchando, cada una de las cuales tenía una perspectiva diferente. Pensé en cuatro en particular.

La primera audiencia fue el pueblo estadounidense. Su apoyo fue esencial para la financiación y librar la guerra. Yo creía que la mayoría de los estadounidenses querían ganar en Irak. Pero si el costo parecía demasiado alto o la victoria lucía demasiado distante, se volverían en contra. Era importante que yo reforzara la importancia de la causa y nuestra determinación para prevalecer.

La segunda audiencia eran nuestras tropas. Se habían ofrecido voluntariamente para servir y estaban arriesgando sus vidas lejos de casa. Ellos y sus familias necesitan saber que creía en ellos, estaba firmemente detrás de su misión, y no tomaría decisiones militares basadas en política.

La tercera audiencia fue el pueblo iraquí. Algunos querían que nos fuéramos, pero yo estaba convencido de que la gran mayoría de los iraquíes nos querían allí lo suficiente para ayudar a emerger una sociedad democrática. Era importante comunicar mi decisión de completar el trabajo que habíamos comenzado. Si los iraquíes sospechaban que íbamos a abandonarlos, buscarían otras fuentes de protección.

La última audiencia era el enemigo. Ellos creían que sus actos de salvajismo podrían afectar nuestras decisiones. Tenía que dejar claro que nunca lo harían.

Mi comentario «Que vengan» tenía la intención de mostrar la confianza en nuestras tropas y señalar que el enemigo nunca podría sacudir nuestra voluntad. Pero la tormenta de críticas mostró que había dejado una impresión equivocada en otras audiencias. Aprendí de la experiencia y presté más atención en mi comunicación con cada audiencia en los años posteriores.

En el otoño del 2003, la coalición internacional en Irak estaba compuesta por treinta países, incluyendo dos divisiones multinacionales lideradas por Gran Bretaña y Polonia, y el apoyo logístico de muchos otros. Las fuerzas de la coalición habían descubierto cámaras de tortura, salas de violación, y fosas comunes con miles de cadáveres. Encontraron una instalación que contenía trajes de protección química de la última tecnología y jeringas con el antídoto para el agente nervioso VX. Pero no habían encontrado los arsenales de armas biológicas y químicas que casi todas las agencias de inteligencia del mundo creían que Saddam tenía.

Cuando Saddam no usó armas de destrucción masiva en nuestras tropas, me sentí aliviado. Cuando no descubrimos las reservas poco después de la caída de Bagdad, me sorprendí. Cuando pasó el verano entero sin encontrar ninguna, me alarmé. Los cuerpos de prensa constantemente preguntaban: «¿Dónde están las armas de destrucción masiva?»

Yo estaba preguntando lo mismo. Los equipos militares y de inteligencia me aseguraron que estaban buscando constantemente. Examinaron los sitios ocultos que Saddam había usado durante la guerra del golfo. Se recopiló inteligencia y surgieron algunas pistas. En un momento, la CIA escuchó que grandes botes habían sido vistos desde un puente sobre el río Éufrates. Hombres rana de la marina fueron desplegados a la escena. No encontraron nada. Un funcionario de alto rango de los Emiratos Árabes Unidos trajo dibujos de túneles que creía que Saddam había usado para esconder armas. Cavamos hasta el suelo. Nada se materializó.

George Tenet reclutó a David Kay, inspector de armas de la ONU en Irak en 1991, para dirigir un nuevo equipo de inspecciones. Kay llevó a cabo una búsqueda exhaustiva en Irak y encontró evidencia irrefutable de que Saddam había mentido al mundo y violado la resolución 1441. «Los programas de armas de destrucción masiva de Irak se extendieron por más de dos décadas, participaron miles de personas, miles de millones de dólares y fueron protegidos por la seguridad y operaciones de engaño que continuaron incluso más allá del final de la Operación Libertad Iraquí», le dijo al congreso en octubre del 2003. Sin embargo, había una cosa que Kay no encontró: los arsenales de armas de destrucción masiva que todo el mundo esperaba.

La izquierda sacó a relucir un nuevo mantra: «Bush mintió, gente murió». El cargo era ilógico. Si quería engañar al país para ir a la guerra, ¿por qué elegiría un alegato que seguramente sería refutado públicamente poco después de la invasión? El cargo también era deshonesto. Los miembros de la administración anterior, John Kerry, John Edwards, y la gran mayoría del congreso habían leído los mismos informes de inteligencia que yo había leído y concluyeron que Irak tenía armas de destrucción masiva. Las agencias de inteligencia de todo el mundo habían concluido lo mismo. Nadie estaba mintiendo. Todos estábamos equivocados. La ausencia de existencias de armas de destrucción masiva no cambia el hecho de que Saddam era una amenaza. En enero de 2004, David Kay dijo, —Era razonable concluir que Irak representaba una amenaza inminente... Lo que aprendimos por medio de la inspección indicaba que Irak era un lugar más peligroso, potencialmente, que lo que pensamos que era antes de la guerra.

Aun así, yo sabía que el fracaso en encontrar armas de destrucción masiva transformaría la percepción pública de la guerra. Mientras que el mundo estaba, sin duda, más seguro con Saddam fuera, la realidad es que yo había enviado tropas estadounidenses a combate basado en inteligencia que resultó ser falsa. Eso fue un duro golpe a la credibilidad —mi credibilidad— que sacudiría la confianza del pueblo estadounidense.

Nadie estaba más sorprendido o enfadado que yo cuando no encontramos las armas. Yo tenía un enfermizo sentimiento cada vez que pensaba en ello. Aun lo tengo.

———

Si bien la lucha en Irak fue más difícil de lo que esperaba, permanecí optimista. Estaba inspirado con el valor de los cien mil iraquíes que se ofrecieron para unirse a sus fuerzas de seguridad, por los líderes que dieron un paso adelante para sustituir a los miembros del Consejo de Administración que habían sido asesinados, y por la gente común que anhelaba la libertad.

Nada me dio más confianza que nuestras tropas. Gracias a ellos, la mayoría de los miembros de alto rango del régimen de Saddam habían sido capturados o muertos a finales del 2003. En julio, nos dieron una pista de inteligencia respecto a dos hijos de Saddam que estaban en el área de Mosul al norte de Irak. Acompañados de fuerzas especiales, soldados de la 101ª división aerotransportada, bajo el mando del general David Petraeus, sitiaron el edificio donde se ocultaban los hijos de Hussein, Uday y Qusay. Después de un tiroteo de seis horas, ambos estaban muertos. Más tarde recibimos un reporte de que Saddam había ordenado el asesinato de Bárbara y Jenna a cambio de la muerte de sus hijos.

Dos días después de la caída de Bagdad, Laura y yo visitamos el centro médico militar Walter Reed en Washington y el centro médico naval nacional en Bethesda. Nos encontramos con casi un centenar de miembros del servicio heridos y sus familias. Algunos eran de Afganistán; muchos eran de Irak. Fue una experiencia desgarradora ver las camas de hospital y observar las consecuencias del envío de los estadounidenses a combate. Un consuelo era que sabía que iban a recibir atención médica excelente por parte de los profesionales preparados y compasivos del sistema de salud militar.

En el Walter Reed, me encontré con un miembro del equipo Delta, una de nuestras unidades de fuerzas especiales de élite. Por razones de clasificación, no puedo dar su nombre. Había perdido la mitad inferior de su pierna. —Aprecio su servicio —dije mientras estrechaba su mano—. Siento que se haya lesionado. —No se sienta mal por mí, señor presidente —respondió—. Sólo deme otra pierna para que pueda volver.

En el Centro Médico Naval Nacional, me encontré con el sargento maestro de artillería de la marina, Guadalupe Denogean, de cuarenta y dos años de edad. Había sido herido unas semanas antes, cuando una granada propulsada por cohete golpeó su vehículo. La explosión hizo volar parte de su cráneo y su mano derecha; las metrallas penetraron en su espalda y piernas y sus tímpanos estallaron.

Cuando le pregunté si tenía alguna solicitud, Guadalupe dijo que tenía dos. Pidió un ascenso para el cabo que le había salvado la vida y quería ser un ciudadano estadounidense. Después del 9/11, emití una orden ejecutiva para hacer elegibles de ciudadanía inmediata a todos los extranjeros que lucharan en el ejército.

Guadalupe había llegado a Estados Unidos desde México cuando era un niño. Recogió fruta para ayudar a su familia a vivir hasta que se unió a los marines a los diecisiete años. Después de servir durante veinticinco años, y estar en dos guerras con Irak, quería que la bandera en su uniforme fuera su bandera. Ese día en el hospital, Laura y yo asistimos a su ceremonia de naturalización, llevada a cabo por el director de la oficina de ciudadanía y servicios de inmigración Eduardo Aguirre. Guadalupe levantó su mano derecha, cubierto de vendajes y juró su ciudadanía.

Unos momentos más tarde, fue seguido por el Lance Corporal O.J. Santamaría, nativo de Filipinas. Él tenía veintiún años y había sufrido una herida grave en Irak. Él estaba conectado a una transfusión de sangre por vía intravenosa. Hacia la mitad de la ceremonia, se echó a llorar. Tomo poder para llegar al final del juramento. Yo estaba orgulloso de responder: —Mi compatriota estadounidense.

En el otoño del 2003, Andy Card vino a mí con una idea. ¿Estaría yo interesado en hacer un viaje a Irak para agradecer a las tropas? Claro que sí.

El riesgo era alto, pero el Jefe Adjunto del Estado Mayor Joe Hagin, en colaboración con el Servicio Secreto y la Oficina Militar de la Casa Blanca, tuvieron una idea sobre la forma de llevarlo a cabo. La semana de acción de gracias, yo viajaría a Crawford y le diría a la prensa que estaría de vacaciones. Luego, el miércoles por la noche, me escaparía del rancho y volaría a Bagdad.

Le conté a Laura varias semanas antes del viaje. Ella se tranquilizó cuando le dije que abortaríamos el viaje si la noticia se filtraba. Le dije a Bárbara y a Jenna aproximadamente treinta minutos antes de salir. —Tengo miedo, papá —dijo Bárbara—; cuídate. Regresa a casa.

Condi y yo subimos en una camioneta Suburban, con nuestras gorras de béisbol caladas hasta las orejas y nos dirigimos al aeropuerto. Para mantener el secreto, no hubo caravana. Casi había olvidado lo que se sentía un atasco de tráfico, pero pasar por la I-35 el día antes de acción de gracias trajo los recuerdos de vuelta. Nos ocultamos, pasamos de vez en cuando junto a un coche lleno de agentes del servicio secreto y llegamos al Air Force One a la hora prevista. La puntualidad era importante. Necesitábamos aterrizar en Bagdad con la puesta del sol.

Volamos desde Texas hasta la base aérea Andrews, donde nos cambiamos a la versión gemela del Air Force One y despegamos hacia Irak. El avión llevaba una tripulación seleccionada de personal, miembros del servicio secreto, militares y un contingente de prensa que había jurado guardar el secreto. Dormí poco en el vuelo de diez y media horas. Cuando nos acercábamos a Bagdad, me bañé, afeité, y me dirigí a la cabina para ver el aterrizaje. El coronel Mark Tillman tripulaba los controles. Yo confiaba en él por completo. Como Laura siempre lo puso, —Ese Mark seguro sabe aterrizar este avión.

Con el sol cayendo en el horizonte, pude distinguir los minaretes en el horizonte de Bagdad. La ciudad parecía tan serena desde arriba. Pero estábamos preocupados por los misiles tierra-aire. Mientras Joe Hagin nos aseguró que los militares habían limpiado un amplio perímetro alrededor del aeropuerto internacional de Bagdad, el estado de ánimo a bordo del avión era de ansiedad. A medida que aterrizábamos con las persianas cerradas, algunos empleados se unieron en una sesión de oración. En el último momento, el coronel Tillman niveló el avión y besó la pista, no hubo problema.

Me esperaban en el aeropuerto Jerry Bremer y el general Ricardo Sánchez, el comandante en tierra de alto nivel en Irak. —Bienvenido a un Irak libre — dijo Jerry.

Fuimos al comedor, donde seiscientos soldados se habían reunido para una comida de acción de gracias. Se suponía que Jerry era el invitado de honor. Les dijo a las tropas que tenía un mensaje del presidente. —Vamos a ver si tenemos a alguien de más alto nivel aquí... —dijo.

Esa fue mi señal. Salí desde atrás de una cortina hacia el escenario de la sala repleta. Muchos de los soldados aturdidos vacilaron durante una fracción de segundo, y luego dejaron escapar gritos ensordecedores. Algunos tenían lágrimas en sus rostros. Fui conmovido por la emoción. Estas eran las almas que sólo ocho meses atrás habían liberado a Irak bajo mis órdenes. Muchos de ellos habían entrado en combate. Algunos habían visto a amigos caer. Respiré profundamente y expresé: —Traigo un mensaje en nombre de Estados Unidos. Les damos las gracias por su servicio, estamos orgullosos de ustedes y Estados Unidos los apoya.

Después del discurso, cené con las tropas y me trasladé a una sala para reunirme con los cuatro miembros del Consejo de Gobierno, el alcalde de Bagdad, y los miembros del consejo de la ciudad. Una mujer, la directora de un hospital de maternidad, me dijo cómo las mujeres tenían más oportunidades ahora de lo que alguna vez pudieron haber soñado con Saddam. Yo sabía que Irak todavía enfrentaba grandes problemas, pero el viaje reforzaba mi fe en que podrían superarse.

La parte más peligrosa que quedaba era el despegue de Bagdad. Nos pidieron mantener todas las luces apagadas y mantener silencio total en los teléfonos hasta que llegáramos a diez mil pies. Yo estaba en un momento eufórico. Pero la euforia del momento fue reemplazada por una extraña sensación de incertidumbre cuando despegamos del suelo y subimos en silencio a través de la noche.

Después de unos minutos de tensión, llegamos a una altitud de seguridad. Llamé a uno de los operadores en el avión y le pedí que me conectara con Laura. —¿Dónde estás? —preguntó—. Voy de camino a casa — respondí—. Dile a las niñas que todo está bien.

Ella parecía aliviada. Resulta que había tenido un poco de confusión con el tiempo. No podía recordar si le dije que iba a estar en el aire a las 10:00 de la mañana o al mediodía. A las 10:15, ella llamó a un agente del servicio secreto en el rancho y le preguntó si había oído algo del presidente Bush. —Déjeme ver —dijo el agente.

Pasaron unos segundos. —Sí, señora —respondió—. Están a noventa minutos de distancia.

Se dio cuenta de que el agente se refería a mamá y papá, que estaban en camino para pasar Acción de Gracias con nosotros. —No, me refiero a mi George —dijo. El agente hizo una pausa. —Bueno, señora —respondió— nuestra información indica que está en la casa del rancho.

El secreto fue tan bien guardado que los agentes en el rancho todavía no sabían que había salido durante el viaje más emocionante de mi presidencia.

———

El sábado 13 de diciembre, Don Rumsfeld me llamó. Acababa de hablar con general John Abizaid, que había sustituido a Tommy Franks, después de su jubilación en julio. John era un general estadounidense libanés muy intelectual que hablaba árabe y comprendía el medio oriente. John creía que habíamos capturado a Saddam Hussein. Antes de anunciarlo al mundo, teníamos que estar 100 por ciento seguros.

A la mañana siguiente, Condi llamó de nuevo para confirmar el informe. Era Saddam. Sus tatuajes, tres puntos azules cerca de la muñeca, un símbolo de su tribu, era la prueba indicadora. Estaba eufórico. Capturar a Saddam sería un gran impulso para nuestras tropas y para el pueblo estadounidense. También haría una diferencia psicológica para los iraquíes, muchos de los cuales temían que volvería. Ahora estaba claro: La era del dictador había terminado para siempre. Varios meses más tarde, cuatro hombres vinieron a verme a la Casa Blanca. Eran miembros del equipo Delta que había capturado a Saddam. Me contaron la historia de la caza. Un informe de inteligencia les señaló una granja cerca de Tikrit, ciudad natal de Saddam. Mientras los soldados inspeccionaron la zona, uno descubrió un agujero. Se metió y sacó a un hombre desaliñado y enojado.

—Mi nombre es Saddam Hussein —dijo el hombre—. Soy el presidente de Irak y quiero negociar.

—Saludos del presidente Bush —respondió el soldado.

Saddam tenía tres armas con él, incluyendo una pistola que los hombres me regalaron en una caja de cristal. Les dije que me gustaría mostrar el regalo en el estudio privado de la Oficina Oval y un día en mi biblioteca presidencial. La pistola siempre me recordaría que un dictador brutal, responsable de tanta muerte y sufrimiento, se había rendido ante nuestras tropas, encogido en un agujero.

———

Al registrar estos pensamientos más de siete años después de que las tropas estadounidenses liberaron a Irak, creo firmemente que derrocar a Saddam fue la decisión correcta. A pesar de todas las dificultades que siguieron, Estados Unidos está más seguro sin un dictador homicida en búsqueda de armas de destrucción masiva que apoyaba el terrorismo en el corazón del medio oriente. La región es más optimista con una democracia joven dando un ejemplo a seguir por otros. Y el pueblo iraquí está mejor con un gobierno que responde a ellos en lugar de torturarlos y asesinarlos.

Como esperábamos, la liberación de Irak tuvo un impacto más allá de sus fronteras. Seis días después de la captura de Saddam, el coronel Muammar Qaddafi de Libia, enemigo de toda la vida de Estados Unidos y patrocinador del terrorismo, públicamente confesó que había estado desarrollando armas químicas y nucleares. Se comprometió a desmantelar sus programas de armas de destrucción masiva, junto con los misiles relacionados, bajo un sistema de estricta verificación internacional. Es posible que el momento fuera una coincidencia. Pero yo no lo creo.

La guerra también dio lugar a consecuencias que no pretendíamos. Con los años, he pasado una gran cantidad de tiempo pensando en lo que salió mal en Irak y por qué. He llegado a la conclusión de que cometimos dos errores que dan cuenta de muchos de los contratiempos que nos enfrentamos.

El primero fue no responder más rápidamente o de manera agresiva cuando la situación de seguridad comenzó a deteriorarse después de la caída del régimen de Saddam. En los diez meses siguientes a la invasión, cortamos el número de soldados de 192.000 a 109.000. Muchas de las tropas restantes se centraron en la formación del ejército y la policía iraquíes, no en proteger a la población iraquí. Nos preocupaba crear resentimiento al parecer invasores.

Creíamos que podíamos entrenar a las fuerzas de seguridad iraquíes para dirigir la lucha. Y pensamos que el progreso hacia una democracia representativa, dando a los iraquíes de todos los orígenes una participación en su país, era el mejor camino para la seguridad duradera.

Si bien hubo lógica detrás de estos supuestos, el deseo del pueblo iraquí por la seguridad triunfó sobre su aversión a la invasión. Una de las ironías de la guerra es que fuimos criticados duramente por la izquierda y algunos miembros de la comunidad internacional por querer construir un imperio en Irak. Nunca buscamos eso. De hecho, fuimos tan adversos a cualquier cosa parecida a un imperio que hicimos nuestro trabajo mucho más difícil. Al reducir la presencia de nuestras tropas y centrarnos en la formación de los iraquíes, inadvertidamente permitimos que tuviera impulso la insurgencia. Entonces combatientes de Al Qaeda acudieron a Irak en busca de un nuevo refugio, lo que hizo que nuestra misión era más difícil y más importante.

Cortar los niveles de tropas demasiado rápido fue el fracaso más importante de la ejecución de la guerra. En última instancia, adaptamos nuestra estrategia y arreglamos los problemas, a pesar de la presión casi universal para abandonar Irak. Tomó cuatro dolorosos y costosos años hacerlo. En ese momento, el progreso se sentía muy lento. Pero la perspectiva de la historia es más amplia. Si Irak es una democracia funcional dentro de cincuenta años, esos cuatro duros años tendrán un aspecto muy diferente.

El otro error fue el fracaso de los informes de inteligencia sobre las armas de destrucción masiva de Irak. Casi una década más tarde, es difícil describir qué tan generalizada era la suposición de que Saddam tuviera armas de destrucción masiva. Los partidarios de la guerra lo creyeron; los oponentes a la guerra lo creyeron; incluso los miembros del propio régimen de Saddam lo creyeron. Todos sabíamos que la inteligencia no es 100 por ciento segura; así es su naturaleza. Pero yo creía que la información de inteligencia sobre las armas de destrucción masiva en Irak era sólida. Si Saddam no tenía armas de destrucción masiva, ¿por qué no únicamente se lo demostraba a los inspectores? Cada perfil psicológico que leí me indicó que Saddam era un buen sobreviviente. Si él se preocupaba tanto por mantenerse en el poder, ¿por qué iba a jugarse su régimen por fingir tener armas de destrucción masiva?

Parte de la explicación vino después de la captura de Saddam, cuando fue interrogado por el FBI. Él dijo a los agentes que estaba más preocupado por lucir débil ante Irán que por ser eliminado por la coalición. Nunca pensaba que Estados Unidos llevaría a la práctica las promesas para desarmarlo por la fuerza. No estoy seguro de qué más pude haber hecho para mostrar a Saddam que lo que decía era en serio. Lo llamé parte de un eje del mal en mi discurso del estado de la unión. Hablé ante la cámara de las Naciones Unidas y prometí desarmarlo por la fuerza si la diplomacia no lo lograba. Nosotros le presentamos una resolución unánime del Consejo de Seguridad. Se buscó y recibió un fuerte apoyo bipartidista del congreso de los Estados Unidos.

Desplegamos 150.000 soldados en su frontera. Le di un aviso final de cuarenta y ocho horas antes de invadir su país. ¿Qué más claro podría haber sido?

Es cierto que Saddam estaba recibiendo señales mixtas de Francia, Alemania y Rusia, y de manifestantes en contra la guerra por todo el mundo. Eso no ayudó. Pero la guerra no fue su culpa. Había una persona con el poder para evitar la guerra, y eligió no utilizarlo. A pesar de su engaño al mundo, en última instancia la persona más engañada por Saddam fue él mismo.

Decidí desde el principio que no iba a criticar a los patriotas que trabajan duro en la CIA por las fallas de la inteligencia sobre Irak. Yo no quería repetir las acusaciones desagradables que devastaron la moral de la comunidad de inteligencia en la década de 1970. Pero me gustaría saber por qué la información que recibí estaba mal y cómo podría evitar que sucediera un error similar en el futuro. Nombré una comisión no partidista copresidida por el juez Larry Silberman y el ex senador demócrata Chuck Robb para estudiar la cuestión. Su investigación produjo valiosas recomendaciones, tales como el aumento de la coordinación entre las agencias y la publicación de más opiniones contradictorias, que harían que la inteligencia fuera más fiable para los futuros presidentes, sin menoscabo de la capacidad de nuestra comunidad de inteligencia para hacer su trabajo.

———

La naturaleza de la historia es que conocemos las consecuencias únicamente de las acciones que tomamos. Pero no haber actuado habría tenido consecuencias también. Imagínese como sería el mundo hoy con Saddam Hussein gobernando Irak aún. Todavía estaría amenazando a sus vecinos, patrocinando al terror y lanzando cuerpos a fosas comunes. El aumento del precio del petróleo, que pasó de poco más de 30 dólares por barril en 2003 a casi 140 cinco años más tarde, habría dejado a Saddam inundado de riqueza. Las sanciones, que ya no hacían mucho, no habrían tenido ningún efecto en él. Saddam todavía tenía la infraestructura y los conocimientos para hacer armas de destrucción masiva. Y así como el informe final de inspección de armas de Charles Duelfer concluyó, —Saddam quería volver a crear la capacidad de crear armas de destrucción masiva en Irak... después de que las sanciones se retiraran y la economía de Irak se estabilizara.

Si Saddam hubiera proseguido con esa intención, el mundo probablemente habría sido testigo de una carrera de armas nucleares entre Irak e Irán. Saddam podría haber recurrido a los grupos terroristas sunitas como Al Qaeda, por conveniencia no por ideología, para coincidir con el uso de Irán de grupos terroristas chiitas como Hezbolá. La posibilidad de que las armas nucleares, biológicas o químicas cayeran en manos de terroristas habría aumentado. La presión sobre nuestros amigos en la región, especialmente Israel, Kuwait, Arabia Saudita y los Emiratos Árabes Unidos habría sido intensa. Y el pueblo estadounidense estaría mucho menos seguro hoy. En su lugar, como resultado de nuestras acciones en Irak, uno de los enemigos más acérrimos y peligrosos de los Estados Unidos dejó de amenazarnos para siempre. La región más volátil del mundo perdió a una de sus mayores fuentes de violencia y caos. Las naciones hostiles de todo el mundo han visto el costo de apoyar al terrorismo y de buscar armas de destrucción masiva. Y en el espacio de nueve meses, veinticinco millones de iraquíes pasaron de vivir bajo una dictadura de miedo a ver la posibilidad de una democracia funcional y pacífica. En diciembre del 2003, los iraquíes estaban todavía muy lejos de ese sueño. Pero tenían una oportunidad, y era mucho más de lo que tenían antes.

———

Los días más duros de la guerra estaba todavía por delante. En enero del 2004, nuestras tropas interceptaron una carta de Zarqawi a altos líderes de Al Qaeda. Escribió acerca de la creciente presión que estaba sintiendo y expuso su plan para la supervivencia. «Es necesario traer a los chiitas a la batalla —escribió— porque es la única manera de prolongar la duración de la pelea entre nosotros y los infieles». Estableció un nuevo objetivo de los yihadistas en Irak: iniciar una guerra entre sectas.

9

LLEVANDO LA DELANTERA

—Esta noche y en este recinto, decidimos no ser el equipo del reposo, sino de la reforma. No escribiremos solamente pies de páginas, sino capítulos en la historia estadounidense. Agregaremos trabajo con nuestras manos a la herencia de nuestros padres y nuestras madres y dejaremos esta nación más grande que como la encontramos.... Si me dan su confianza, le haré honor. Otórguenme un mandato y lo usaré. Denme la oportunidad de guiar esta nación y la guiaré.

Las palabras que dije en la Convención Nacional Republicana en el 2000 las dije en serio. Cuando entré a la política, tome una decisión: confrontaría los problemas, no los dejaría a futuras generaciones. Admiraba a los presidentes que utilizaron su tiempo en la oficina para establecer un cambio de transformación. Había estudiado a Theodore Roosevelt, quien sirvió en La Casa Blanca casi exactamente un siglo antes que yo. Él se había encargado de los fideicomisos financieros, construido una armada poderosa y lanzado el movimiento conservador del medio ambiente. También aprendí de Ronald Reagan, quien combinó un comportamiento optimista con una claridad moral y convicción para reducir los impuestos, fortalecer la fuerza militar y enfrentar a La Unión Soviética a pesar de las críticas fulminantes durante su mandato presidencial.

Una de las lecciones que aprendí de Roosevelt y Reagan fue la de guiar al público; no seguir las encuestas de opinión. Decidí apostar por reformas radicales, no solamente retocar el estatus quo. Como les dije a mis asesores: —No acepté este trabajo para jugar en ligas menores.

———◆———

Dos semanas después de que nos mudáramos a La Casa Blanca, Laura y yo tuvimos nuestra primera noche de películas en el cine de la Familia. Situado en la planta baja de La Casa Blanca, el cine cuenta con cuarenta y seis sillas cómodas y una pantalla de proyección de noventa y tres pies cuadrados. La Asociación Cinematográfica de Estados Unidos, dirigida por años por un tejano fascinante, Jack Valenti, generosamente, dispuso de películas para la primera familia. Nunca tuvimos que esperar atracciones venideras.

Para nuestra primera película, Laura y yo escogimos *Trece Días,* sobre el manejo de la Crisis de los Misiles Cubanos por parte del presidente Kennedy. La película fue una elección acertada para nuestro invitado de honor, el senador Ted Kennedy de Massachusetts.

A primera vista, Ted y yo no teníamos mucho en común. Él era liberal y yo conservador. Él creció en Cape Cod; yo fui criado en el Oeste Tejano. Él había pasado casi cuarenta años en el Congreso, yo era relativamente nuevo en la ciudad.

Ted y yo compartimos lo que Laura llamó el negocio familiar. Mi abuelo Prescott Bush había representado a Connecticut en el Senado al mismo tiempo que John F. Kennedy lo había hecho para Massachusetts. Laura y yo disfrutábamos reunirnos con la esposa de Ted, Vicki; su hijo Patrick, un congresista de Rhode Island y su sobrina Kathleen Kennedy Townsend, la teniente gobernadora de Maryland, junto a su hija Kate.

Ted era amable, gentil y lleno de vida. Tenía el característico acento Kennedy y un gran resplandor irlandés. Sonreía con facilidad y daba espacio a una carcajada grande y cálida. Sentí una conexión con la historia mientras veíamos una película en la cual sus hermanos desmantelaban una crisis desde el Ala Oeste.

La película no había sido el único motivo para invitar a Ted. Él era el demócrata más importante en el comité del Senado que elaboraba la legislación educativa. Había enviado señales de que estaba interesado en mi propuesta de reforma escolar: Que Ningún Niño Se Quede Atrás.

Ted y yo estábamos consternados con los resultados provenientes de nuestras escuelas públicas. En la economía global tan competitiva, los buenos trabajos demandan conocimientos y habilidades, pero los estudiantes estadounidenses rutinariamente se quedaban detrás de sus compañeros en materias clave. En un examen internacional de matemáticas comparando veintiún países, los estudiantes estadounidenses de último año en secundaria se ubicaron por delante de solamente Chipre y Sudáfrica.

Parte del problema era que millones de niños eran promovidos de un grado al siguiente, sin que alguien les preguntara qué habían aprendido. Muchos venían de la pobreza y de una minoría. En el 2000, cerca del 70 por ciento de los estudiantes de cuarto grado que venían de una alta pobreza no podían leer al nivel requerido para su grado. Un 40 por ciento de los estudiantes de las minorías no lograron terminar la secundaria en cuatro años. ¿Cómo podría una sociedad que prometió igualdad de oportunidades para todos renunciar a sus ciudadanos más necesitados? Comenzando la campaña en el 2000, yo había llamado al problema «la suave intolerancia de las bajas expectativas». Había prometido encargarme de los grandes problemas. Éste definitivamente era uno de ellos.

En años recientes, el debate nacional sobre la educación se había atascado en propuestas modestas como uniformes escolares y llamados surrealistas para abolir el Departamento de Educación. El éxito era regularmente definido por el número de dólares gastados, no por los resultados alcanzados. Yo venía de un mundo en el que las rendiciones de cuentas eran una realidad diaria. En el béisbol, cualquier parte interesada podía abrir el periódico, analizar tu rendimiento en un recuadro y exigir un cambio. «¡Más picheo, Bush!» era un refrán popular. La educación era mucho más importante que el béisbol; aun así, la mayoría de las personas no sabían cómo era el rendimiento de sus escuelas.

Como gobernador, colaboré con la legislatura para pasar una ley que requiriera a las escuelas a probar a sus estudiantes en los conocimientos básicos cada año, reportar los resultados públicamente y permitir que los padres transfirieran a sus hijos de escuelas con bajo rendimiento. Entre 1994 y 1998, el porcentaje del rendimiento de estudiantes de tercer grado aumentó del 58 al 76. Los estudiantes de la minoría mostraron las mayores ganancias, cerrando la brecha entre ellos y sus compañeros caucásicos.

Cuando me lancé a presidente, decidí proponer una legislación federal que pusiera metas claras—cada niño aprendería a leer y a hacer operaciones matemáticas a su nivel de grado—y haría a las escuelas responsables de su progreso. Bajo el programa Que Ningún Niño Se Quede Atrás, los estados probarían a los estudiantes en lectura y matemáticas cada año entre tercero y octavo grado y una vez en la secundaria. Las escuelas publicarían los resultados, divididos por etnicidad, nivel de ingresos y otras subcategorías. Los datos permitirían a los padres y a los ciudadanos interesados evaluar a las escuelas, a los profesores y el currículo. Las escuelas que se encontraran debajo del estándar recibirían una ayuda extra al principio, incluyendo dinero para que los estudiantes fueran a tutorías públicas o privadas después de clases, pero si las escuelas no lograran tener un progreso adecuado repetidas veces, habría consecuencias. Los padres tendrían la opción de transferir a sus hijos a una escuela con mejor rendimiento, bien sea pública o subvencionada. El principio era bastante claro: No se puede resolver un problema si antes no se diagnostica. La rendición de cuentas sería un catalizador para la reforma.

Resalté el programa Que Ningún Niño Se Quede Atrás en casi cada evento de campaña, incluyendo la convención NAACP. Le dije a los reporteros que yo esperaba ser conocido como «el presidente de la educación». Le dije a Ted Kennedy la misma cosa la noche que vimos *Trece Días*. —No sé tú, pero a mí me gusta sorprender a las personas — le dije—. Vamos a mostrarles que Washington todavía puede realizar las cosas.

La mañana siguiente, una carta llegó al Despacho Oval:

Estimado Sr. Presidente,

Usted y la Sra. Bush no pudieron haber sido más amables y generosos con Vicki, conmigo y con los miembros de nuestra familia anoche y estos pocos días pasados. Aprecio mucho su consideración. Como usted, tengo intenciones de realizar las cosas,

especialmente con la educación y la salud. Tendremos una o dos diferencias en el
camino, pero estoy deseando algunas firmas importantes en el Rose Garden.

Saludos cordiales,
Ted Kennedy

Estaba emocionado. Que Ningún Niño Se Quede Atrás consiguió una mejor oportunidad de convertirse en ley con el apoyo del León del Senado. Era el principio de mi más inverosímil asociación en Washington.

———

Ted Kennedy no fue el único legislador que cortejé. Durante mis primeras dos semanas en funciones, me reuní con más de 150 miembros del Congreso de ambos lados. Esperaba replicar la relación productiva que forjé con Bob Bullock, Pete Laney y otros legisladores en Texas. Una historia de titular comenzó: «Si las relaciones entre El Congreso y La Casa Blanca se deterioran en el resentimiento usual, no será por la falta de esfuerzo del presidente Bush». Otros sugirieron que estaba dirigiendo «la más grande y encantadora ofensiva de cualquier jefe ejecutivo moderno».

Como sea que la prensa llamara mi esfuerzo, ambas casas del Congreso pronto aceptaron Que Ningún Niño Se Quede Atrás. Para marzo, el Comité de Educación del Senado había completado un proyecto que incluía todos los aspectos clave de mi propuesta. La Cámara de Representantes se movió después. El congresista John Boehner de Ohio, el habilidoso republicano Director del Comité de Educación de la Cámara, colaboró en un sólido proyecto con el congresista George Miller de California, uno de los miembros más liberales de la Cámara. La Casa lo aprobó por un voto de 384 a 45. El proceso de reconciliación del proyecto de La Cámara y del Senado se alargó todo el verano. Cuando el Congreso regresó del receso los primeros días de septiembre, propuse reenergizar el debate con dos días de visitas a escuelas en Florida. Laura accedió a dar su primer testimonio en El Capitolio. Como educadora y bibliotecaria, ella tenía gran credibilidad en materia educativa. Su aparición fue programada para el 11 de septiembre del 2001.

Al final de esa mañana, era claro que no sería el presidente de la educación. Era un presidente de guerra. Durante el otoño, apuré al congreso para terminar Que Ningún Niño Se Quede Atrás. Ted Kennedy dio un discurso audaz defendiendo la rendición de cuenta frente a la Asociación Nacional de Educación, un grupo de profesores que contribuían mayormente a los demócratas y se oponían fuertemente al proyecto. El Senador Judd Gregg y el congresista Boehner, alguna vez defensor de la abolición del Departamento de Educación, reunieron a los Republicanos que estaban preocupados acerca del rol federal en la educación. Como yo, ellos argumentaron que, si íbamos a invertir dinero en las escuelas, debíamos saber los resultados que eso produciría. Una semana antes de navidad, el Congreso aprobó Que Ningún Niño Se Quede Atrás por una avalancha de ambos lados.

Con los años, Que Ningún Niño Se Quede Atrás levantó mucha controversia. Los gobernadores y los oficiales de la educación estatal se quejaban de que la burocracia era muy rígida y de que muchas escuelas fueron etiquetadas con el fracaso. Cuando Margaret Spellings se convirtió en Secretaria de Educación en 2005, ella modificó las restricciones burocráticas e incrementó la flexibilidad para los estados. Pero ambos dejamos claro que no disminuiríamos las medidas de rendición de cuentas. El propósito de la ley era revelar la verdad, aun cuando no fuera agradable.

Algunos críticos decían que era injusto evaluar a los estudiantes cada año. Yo creía que era injusto no hacerlo. Medir el progreso era la única manera de determinar cuáles estudiantes necesitaban ayuda. Otros se quejaron de lo que llamaron «enseñar para el examen», pero si el examen estaba diseñado para medir el conocimiento de cierta materia, todo lo que las escuelas tenían que hacer era enseñar esa materia.

Otra queja común era que el programa Que Ningún Niño Se Quede Atrás tenía poco financiamiento. Eso es difícil de creer, dado que aumentamos el gasto federal en la educación un 39 por ciento durante mis ocho años en funciones, con mucho del dinero extra yendo a los estudiantes y a las escuelas más pobres.*

A un nivel más fundamental, los críticos que se quejaron del dinero, perdieron el objetivo de Que Ningún Niño Se Quede Atrás. La premisa de la ley era que el éxito no puede ser medido en dólares gastados; debía ser juzgado por los resultados obtenidos.

Para cuando dejé la presidencia, las notas de matemática de cuarto y octavo grado habían alcanzado el nivel más alto en la historia. Igual que las notas de lectura de cuarto grado. Los estudiantes Hispanos y Afroamericanos establecieron nuevos récords en múltiples categorías. La brecha se había reducido exactamente como queríamos: Todos los estudiantes mejoraron, pero los estudiantes de minoría tuvieron la mayor mejora.

En enero del 2008, visité la Escuela Primaria Horace Greeley en Chicago para marcar el sexto aniversario de: Que Ningún Niño Se Quede Atrás. La escuela, nombrada así por el abolicionista del siglo diecinueve, era 70 por ciento hispana y 92 por ciento de bajos recursos. Había superado en

---

* El incremento en los fondos federales de la educación fueron significativos, ya que mi presupuesto redujo el gasto discrecional que no iba dirigido a la seguridad y eventualmente lo retuvo debajo del nivel de inflación. Los estados continuaron contribuyendo la vasta mayoría del fondo educativo—alrededor del 92 por ciento—y así es como debería ser.

rendimiento a la mayoría de las escuelas públicas en Chicago. La capacidad de lectura de los estudiantes había aumentado del 51 por ciento en 2003, al 76 por ciento en 2007. La competencia en matemáticas había mejorado del 59 por ciento al 86 por ciento.

Era motivador ver una escuela llena de estudiantes de minorías pobres prosperar. Una estudiante de sexto grado, Yesenia Adame, dijo que ella disfrutaba hacer los exámenes. —Así tu profesor sabe en qué necesitas ayuda —explicaba. Al final de mi visita, le dije a los estudiantes, a los padres y a la prensa lo que creía hace mucho: Que Ningún Niño Se Quede Atrás era una maravilla de legislación de derechos civiles.

———

Solía bromear que yo era producto de un programa basado en la fe. En el 1986, la fe había cambiado mi corazón y había dejado de beber. Diez años más tarde, mis ojos vieron el potencial de los programas basados en la fe para la transformación de políticas públicas.

En junio de 1996, dos iglesias Afroamericanas en el pueblo de Greenville, Texas, fueron quemadas. Hasta 1965, un cartel en la calle principal de la ciudad decía: «La Tierra Más Negra, La Gente Más Blanca». Como gobernador, temía que estuviésemos presenciando un resurgimiento del racismo de tiempos pasados.

Viajé a Greenville a condenar los incendios. Una multitud de múltiples razas de aproximadamente cuatro mil personas se reunieron en el estadio de futbol. —De vez en cuando, los tejanos presumimos que nuestro estado es grande —les dije—. Pero no importa lo grande que sea, no tiene espacio para la cobardía, el odio y la intolerancia. —Luego le di el micrófono a Tony Evans, un pastor afroamericano muy dinámico de la iglesia Oak Cliff Bible Fellowship en Dallas. Él contó una historia sobre una casa con una grieta en la pared. El dueño contrató a un albañil para cubrir esa grieta. Una semana después, la grieta reapareció, así que contrató a otro albañil. Otra semana después, la grieta apareció nuevamente. Finalmente, el dueño de la casa llamó a un pintor, quien le echó un vistazo y le dijo: —Hijo, arregla la fundación primero y luego puedes arreglar la grieta en la pared.

La multitud asintió y aplaudió. Entonces, Tony se dirigió hacia mí. —Gobernador, tengo algo que decirle —comentó.

—¡Ay no! —pensé yo—. ¿A dónde dirigirá esto?

—Necesitamos arreglar las fundaciones. —dijo él— y sus viejos programas de gobierno no lo están logrando. —Dijo que tenía una alternativa mejor. Era el sistema de bienestar más efectivo del mundo. Tenía edificios en muchas esquinas de la ciudad, una lista de trabajadores dispuestos y reuniones regulares para estudiar el manual perfecto para salvar vidas.

Él estaba hablando de casas de adoración y tenía razón. Los programas basados en fe tenían el poder de cambiar vidas de maneras que los programas seculares nunca podrían. —El Gobierno puede dar dinero. —le dije—. Pero no puede poner fe en el corazón de una persona o un sentido de propósito en la vida de una persona.

Busqué formas de que Texas se asociara con organizaciones basadas en la fe. Me reuní con Chuck Colson, el consejero de La Casa Blanca de Richard Nixon, quien había pasado un tiempo en la penitenciaria federal y encontró redención. Chuck había fundado una organización dirigida a esparcir el evangelio en prisión. Acordamos comenzar un programa basado en la fe en un ala de una prisión de Texas. El programa de Chuck: El Cambio Interno, Iniciativa de Libertad, proveería instructores para el estudio de La Biblia y un curso de lecciones de vida. El programa seria opcional y abierto a prisioneros cerca del final de sus condenas. Cada recluso que participara estaría conectado con un mentor y sería bienvenido en una iglesia luego de su liberación.

En octubre del 1997, visité la prisión Jester II cerca de Sugar Land, Texas, donde varias docenas de reclusos se habían enlistado en Cambio Interno. Al final del tour, un grupo de hombres en trajes blancos se alinearon frente al jardín. Ellos formaron un semicírculo y entonaron «Amazing Grace». Después de unas cuantas estrofas, yo también me uní al coro.

La mañana siguiente, Karen Hughes me trajo la *Crónica de Houston*. Ahí estaba yo en la página principal, hombro con hombro con el coro de la prisión. La historia contaba que el hombre de pie al lado mío, George Mason, se había declarado culpable de haber matado a una mujer doce años atrás. Ese día, en el patio de la prisión, no parecía un asesino. Él tenía un comportamiento y una sonrisa gentil. No había duda de que se había convertido en un hombre lleno del espíritu.

———

Cuando me lancé para presidente, decidí incorporar una iniciativa nacional basada en la fe como parte central de mi campaña. En mi primer mayor discurso político, hecho en Indianapolis, dije: —En cada instancia donde mi administración vea la responsabilidad de ayudar a las personas, primero buscaremos organizaciones basadas en fe, caridades y los grupos comunitarios.

Nueve días luego de mi inauguración, dicté órdenes ejecutivas de crear una Oficina de Iniciativas Basadas en Fe y Comunitarias en La Casa Blanca y en cinco departamentos de Gabinetes. Las oficinas cambiaron las regulaciones y rompieron las barreras que habían prevenido a las caridades basadas en fe acceso al proceso federal de subsidios. Para enfatizar la naturaleza no partidaria de esta iniciativa, nombré a dos Demócratas para ser los primeros dos directores. Uno era John Dilulio, un profesor innovador de la universidad de Pennsylvania. El otro era Jim Towey, un hombre verdaderamente decente que había guiado el Departamento de Servicios Sociales de Florida y que sirvió como el abogado de La Madre Teresa. Yo solía decirle a Towey que teníamos, por seguro, una sociedad bastante litigante si la Madre Teresa necesitaba un abogado.

Algunos decían que la iniciativa a base de fe borró la línea entre la iglesia y el estado. Tomé ese asunto seriamente. El gobierno nunca debería imponer una religión. Cada ciudadano tiene el derecho de adorar como él o ella desee, o no adorar en lo absoluto. Siempre desconfié de las personas que usaban la fe como un arma política, sugiriendo que ellos eran mas rectos que sus oponentes. Mi verso favorito de la biblia para los políticos es Mateo 7.3: «¿Por qué te fijas en la pajita que tiene tu hermano en el ojo, pero no te das cuenta de la viga que tienes tú en el tuyo? *(Palabra de Dios para Todos)*Al mismo tiempo, el gobierno no necesitaba temer de la religión. Si los programas de servicios sociales eran dirigidos por gente de fe quienes no son proselitistas o discriminadores hacia las personas que reciben los servicios, pensé que ellos merecían una oportunidad de competir por los dólares generados por los impuestos. El gobierno debería preguntar qué organización había obtenido los mejores resultados, no si ellos tenían una cruz o una media luna o una Estrella de David en sus paredes.

La iniciativa abrió cerca de $20 mil millones por año en financiamiento federal a la competencia de grupos basados en fe. Muchas de estas organizaciones no tenían experiencia interactuando con el gobierno, así que realizamos cuarenta conferencias y más de cuatrocientos seminarios escritos para ayudarlos a solicitar el financiamiento. Finalmente, más de cinco mil organizaciones basadas en fe y comunitarias, mayormente pequeñas organizaciones benéficas de las bases, recibieron subsidios federales.

En enero del 2008, visité el Programa Jericho de East Baltimore. Operado por los Servicios Comunitarios Episcopales de Maryland y fundado por un subsidio del Departamento del Trabajo, el programa proveía servicios de tutoría, asesoramiento y entrenamiento para el trabajo para hombres adultos convictos recién salidos de prisión. Los nueve hombres de Jericho estaban en silencio cuando entre al salón. Detecté un ambiente de escepticismo. —Bebía mucho en un punto de mi vida —dije para romper el hielo—, y entiendo como un corazón transformado puede ayudarte a manejar una adicción.

Los hombres se abrieron y contaron sus historias. Uno había sido encerrado por vender drogas, otro por posesión de cocaína, otro por robo. Muchos habían estado dentro y fuera de prisión varias veces y habían abandonado a sus familias. Gracias a los servicios que recibieron en Jericho, habían comenzado a encontrarle un propósito a sus vidas. Un hombre explicó, emotivamente, cuán emocionado estaba por encontrarse de nuevo con sus tres hijas. —Hace seis meses, estaba deshecho —explicaba—. Ahora estoy dándole un apretón de manos al presidente. —Otro me dijo, orgullosamente, que había conseguido dos ofertas de trabajo. —Las drogas siempre han sido un problema en mi vida, hasta ahora —comentaba—. Gracias a Jericho, encontré el camino.

La reincidencia del Programa Jericho era del 22 por ciento, menos de la mitad del promedio de Baltimore. Los hombres que conocí ese día estaban entre los quince mil que habían sido beneficiados por la Iniciativa de Reincorporación del Prisionero que habíamos lanzado en el 2004. Sus promedios de reincidencias eran del 15 por ciento, un tercio del promedio nacional.

Mi reunión más extraordinaria sobre las iniciativas basadas en fe tuvo lugar en frente de la Oficina Oval. En junio del 2003, había convocado a una reunión con los líderes de organizaciones basadas en fe. Chuck Colson y varios miembros de Cambio Interno fueron a la reunión. Cuando entré en el Salón Roosevelt, distinguí a un hombre afroamericano que me parecía familiar. Me acerqué y le di un gran abrazo. —Estoy muy feliz de que estés aquí —le dije. Era George Mason, el hombre del coro de la prisión de Sugar Land. Luego de su liberación, él había conseguido un trabajo como conserje en su iglesia. También guió un estudio Bíblico y sirvió como mentor para otros que salían de prisión. Qué testimonio del poder redentor de Cristo: George Mason y George W. Bush juntos en el Ala Oeste.

———

Creado en 1965 por el Presidente Johnson, Medicare había ayudado a incontables personas mayores a disfrutar de una vida más sana. Sin embargo, mientras la medicina había avanzado, Medicare no lo había hecho. Los beneficios eran determinados por una burocracia derrochadora y muy lenta al cambio. Cuando las aseguradoras privadas agregron las coberturas de mamografías para proteger del cáncer de mama, le tomó 10 años a Medicare y un acto del Congreso para ponerse al día.

Una de las características mas anticuadas de Medicare era que no cubrían las drogas prescritas. El programa pagaría $28.000 por cirugías de úlceras, pero no pagaría $500 al año por píldoras que prevendrían la mayoría de las úlceras.

Quedé impactado por la cantidad de estadounidenses que tenían que elegir entre comprar medicinas o alimentos. Una mujer de sesenta y nueve años de edad que conocí, Mary Jane Jones de Virginia, tenía que trabajar 20 horas por semana para poder costear su gasto de casi $500 mensual por drogas prescritas e insulina. Me comentó que a veces ella usaba las jeringas entre tres y cuatro veces para ahorrar dinero.

Medicare no solo estaba obsoleto, iba camino a la banca rota. La combinación del aumento en los costos de la salud y el retiro venidero de la generación del Baby Boom habían creado una deuda sin financiamiento de $13 billones. La próxima generación se quedaría estancada con esa factura.

El aumento en los costos que llevaban a Medicare a la banca rota afectaron todo el sistema de salud. El gasto de los Estados Unidos en salud se había duplicado de alrededor del 7.5 por ciento del PIB en 1972, a más del

15 por ciento en 2002. Parte de la explicación fueron los costos de las nuevas tecnologías médicas. Las demandas judiciales frívolas también tuvieron un rol, pero la causa fundamental fue una falla en el sistema: La mayoría de las personas no tenía idea de cuánto costaba su atención medica.

Las personas mayores y los necesitados tenían sus facturas pagadas por el gobierno a través de Medicare y Medicaid. La mayoría de los estadounidenses trabajadores recibían coberturas a través de sus empleadores y dependían de terceras partes, una compañía aseguradora, para negociar los precios y establecer los pagos. Muchos trabajadores independientes estadounidenses no podían pagar un seguro de salud porque el sistema tributario no los beneficiaba y las regulaciones prohibían a dueños de pequeños negocios a agrupar los riesgos a través de límites jurisdiccionales.

Lo que le faltaba al sistema eran las fuerzas del mercado. No había sentido de consumismo o la habilidad de buscar por el mejor postor, no había competencia para ganar el negocio de los clientes y tampoco transparencia en la calidad y el precio. Como resultado, había poco incentivo para los pacientes y doctores en limitar los recursos que consumían, lo que era crucial para mantener precios bajos.

Vi el reformar Medicare como la solución a dos problemas. Primero, al agregar un beneficio de drogas prescritas, actualizaríamos el programa y le daríamos a las personas mayores la calidad de cuidado de salud que su gobierno había prometido. Segundo, al repartir el beneficio de los medicamentos a través de planes de seguros privados que compitieran por el negocio de las personas mayores, podríamos inyectar fuerzas de mercado dentro del sistema de cuidado de salud. Reformar el programa también crearía una oportunidad para expandir Medicare Plus Choice, luego nombrado Medicare Advantage, el cual permitió a los mayores adquirir todos sus cuidados de salud a través de planes de seguros privados accesibles y flexibles.

Sabía que la reforma de Medicare sería un asunto político delicado. Introducir fuerzas de mercado a un programa de salud de gobierno molestaría a la izquierda. Agregar un costoso beneficio de medicamentos de prescripción no sería popular con la derecha. No obstante, decidí aceptar el reto.

Bajo nuestro plan, los mayores que quisieran el nuevo beneficio de medicamentos prescritos tendrían que elegir planes privados en vez de del plan del gobierno Medicare. Cambiaríamos la fórmula de los fondos de Medicare para que el gobierno tuviese que competir con los planes privados en pie de igualdad. Ambas reformas introducirían más fuerzas de mercado y ayudarían a solucionar los altos costos del cuidado de la salud.

Antes de anunciar mi plan públicamente, lo revise con líderes Republicanos en La Cámara. Ellos me dijeron que mi propuesta no tenía oportunidad en El Capitolio. Los Demócratas nunca apoyarían una propuesta que hiciera que los mayores renunciaran a su subsidio de Medicare para recibir el beneficio de medicamentos prescritos. Algunos Republicanos tampoco lo harían.

Enfrenté una dura decisión. Podía pelear por una causa perdida o hacer un mutuo acuerdo. Decidí proponer un beneficio de prescripción de medicamentos que sería administrado por planes salud privada a todos los mayores, incluyendo a aquellos que desearan seguir con la cobertura Medicare del gobierno.

Mi equipo de Medicare* trabajó de cerca con el Líder Mayoritario del Senado Bill Frist y el Presidente del Comité Financiero Chuck Grassley, de Iowa. Chuck, muy sabiamente, trajo dos homólogos democráticos escenciales, los Senadores Max Baucus de Montana y John Breaux de Louisiana al proceso de redacción. Ellos produjeron un proyecto sólido que obtuvo el apoyo de treinta y cinco demócratas. El Senado aprobó el documento en junio con votos de 76 a 21.

En La Cámara, algunos conservadores se opusieron al costo del beneficio de medicamentos prescritos, el cual nosotros eventualmente estimamos en $634 mil millones en diez años; pero el Portavoz, Denny Haster, el Líder de la Mayoría, Tom DeLay y el Presidente del Comité de Medios y Medidas, Bill Thomas construyeron una frágil coalición para aprobar el proyecto de 216 a 215. Solo nueve demócratas de la Cámara votaron por un beneficio que habían reclamado por años. El resto voto que no. Durante el debate en el pleno del Congreso, ni un solo demócrata criticó que el proyecto Medicare costara demasiado. La mayoría quería gastar más dinero.

El margen mínimo de La Cámara hizo esencial que los proyectos de La Cámara y el Senado fueran combinados para retener el apoyo republicano. Para abordar inquietudes sobre costos, incluimos una medida de emergencia por si acaso los gastos de Medicare ascendieran más rápido de lo que se esperaba. En tal caso, se le exigiría al Congreso hacer reformas para atacar el problema. †

También señalamos las cuentas de ahorro de salud, un innovador seguro de salud creado por el proyecto de La Cámara. Diseñado para hacer la cobertura financiable para individuos y pequeños negocios, las cuentas de ahorro de salud combinaron un seguro de prima baja, altamente deducible, contra enfermedades catastróficas con una cuenta de ahorros libre de impuestos para pagar los gastos médicos rutinarios. Los empleadores o individuos podrían contribuir a la cuenta, la cual pertenecería al individuo y podría ser transferida de trabajo a trabajo. Gracias a que los dueños de cuentas de ahorro de salud pagaban sus propios gastos de cuidado de salud y ahorraban el dinero restante, tenían incentivos para mantenerse saludables, buscar buenas ofertas y negociar mejores precios.

---

*Mi equipo estaba dirigido por el Secretario de los Servicios Humanos y de Salud Tommy Thompson, el Comisionado de Administración de Comidas y Medicamentos, Mark McClellan; el Administrador de Medicare Tom Scully; personal de La Casa Blanca Steve Friedman, Keith Hennessey, David Hobbs y Doug Badger; y el experto en la Oficina de Manejo de Presupuesto Jim Capretta.

†Desafortunadamente, la medida de emergencia fue anulada por el Congreso controlado por los demócratas.

A mitad de noviembre, el AARP, el influyente grupo defensor de personas mayores aprobó el proyecto intermedio. —Esto no es un proyecto perfecto, pero los Estados Unidos no pueden esperar lo perfecto —declaró el Gerente Ejecutivo, Bill Novelli. En ese entonces, él era duramente criticado por los líderes demócratas, sindicatos de trabajadores y páginas editoriales liberales. Sin embargo, su postura contribuyó, considerablemente, para persuadir a los miembros del Congreso que estaban vacilando.

El voto decisivo vino el 21 de noviembre del 2003, Laura y yo habíamos sido agendados para pasar ese día en Gran Bretaña, como parte de la primera visita oficial de estado de un presidente estadounidense desde la visita de Woodrow Wilson. Algunos sugirieron posponer el viaje. Yo me rehusé. — Existen teléfonos en Londres, ¿saben? —Le recordé al equipo.

Laura y yo disfrutamos el pasar tiempo con La Reina Elizabeth II, una gentil y encantadora mujer con un gran sentido del humor. En 2007, Su Majestad y el príncipe Philip vinieron a celebrar nuestro aniversario Cuatrocientos del asentamiento de Jamestown. En mi discurso de agradecimiento frente a siete mil personas en el Jardín Sur, agradecí a La Reina por su larga amistad con los Estados Unidos. —Usted ayudó a nuestra nación a celebrar su bicentenario en 17... —me contuve antes de terminar la fecha, 1776, un año duro para los Estados Unidos con sus relaciones con Gran Bretaña y un comentario poco favorecedor sobre la longevidad de la reina. La reina, de ochenta y un años, me miró con una sonrisa irónica. —Me regaló una mirada que solo una madre le puede dar a un hijo —dije. En una cena en la Embajada Británica la noche siguiente, Su Majestad dijo: —Me preguntaba si debería comenzar este brindis diciendo: Cuando estaba aquí en 1776...

La hospitalidad de La Reina Elizabeth en el Palacio de Buckingham durante nuestra visita de estado del 2003, fue espléndida. Recibimos una salva de cuarenta y un cañonazos, inspeccionamos las tropas reales en el patio y dormimos en la impecablemente reservada Suite Belgian. Nuestro cuarto había sido ocupado por el tío de La Reina Elizabeth, el Rey Edward VIII, antes de que renunciara al trono en 1936, para casarse con una divorciada estadounidense. Incluía un espejo de trescientos años de antigüedad, antigüedades valoradas en aproximadamente 10 millones de libras esterlinas ($15 millones) y una maravillosa vista de los jardines del palacio. En nuestra tarde de té con Su Majestad y el Príncipe Philip, le pregunte a La Reina sobre sus perros. Unos minutos después, un lacayo real apareció con sus famosos corgis. Eran educados y amigables. Mi único deseo era que, si Barney alguna vez conocía a La Reina, se comportara tan bien como ellos lo hicieron y no ladrar por la independencia escocesa.

Esa tarde, Su Majestad y el Principe Philip dieron un elegante banquete de estado en nuestro honor. Nuestros lugares fueron arreglados con diez piezas de cubiertos de plata y siete copas de vino de cristal. Evidentemente, la despensa real no había escuchado que yo había dejado de beber. Antes de levantarme para hacer mi brindis de etiqueta, miré a Laura en su bello vestido de gala vinotinto. Me pregunté si estaba pensando lo mismo que yo: *Hemos recorrido un largo camino desde aquélla barbacoa en Midland.*

———

La nobleza del Palacio de Buckingham marcó un claro contraste de lo que nos esperaba en el vuelo a casa. Mientras el Air Force One despegaba, el Director Legislativo David Hobbs me llamó con una lista de alrededor de una docena de miembros de La Cámara que dudaban, la mayoría conservadores. Comencé a marcar para conseguir los votos sobre el Atlántico. Varios congresistas no podían recibir mis llamadas. Un miembro joven respondió: —No vine a Washington para aumentar el tamaño del gobierno.

—¿Sabes qué? Yo tampoco lo hice —le respondí—. Vine a asegurarme de que el gobierno funcione. Si vamos a tener un programa de Medicare, debe ser moderno, no ineficiente.

—Esto es solo otro derecho a subsidio que seguirá creciendo por siempre. —dijo él.

—Así que ¿estás a favor de abolir Medicare? —Respondí—. Esta es una oportunidad de introducir competencia en el sistema y mantener los precios bajos. Solo para que lo sepas, este es un muchísimo mejor negocio que el que recibirías de otro presidente.

No lo persuadí. Cuando aterricé en Washington, hice otra ronda de llamadas. Estábamos haciendo un avance, pero iba a estar cerrado. Cuando La Cámara votó a las 3:00 a.m., el conteo inicial resultó corto. El Orador Denny Hastert decidió el extraño camino de mantener el voto en el aire a la espera de que pudiese persuadir a algunos congresistas de cambiar sus votos. Justo antes de las 5:00 a.m., David Hobbs me despertó con una llamada del Capitolio. —Necesitamos dos votos más —Dijo—. ¿Puedes hablar con otro par de miembros?

Él pasó su celular a varios republicanos a quienes se pudiera persuadir de cambiar sus opiniones. Presenté mis argumentos lo mejor que pude, dada la diferencia de horario. David llamó de nuevo un poco más tarde. Milagro de milagros, La Cámara había aprobado el proyecto 220 a 215. El Senado siguió unos días después. Firmé el Acta de Modernización de Medicare del 2003, el 8 de diciembre del 2003 en el Constitution Hall. Detrás de mí había un grupo de personas mayores, quienes se beneficiarían de esta nueva ley. Una era Mary Jane Jones, la mujer de Virginia quien tenía que reutilizar sus jeringas para poder comprar insulina. El beneficio de drogas prescritas le ahorraría un estimado de $2.700 anuales.

La nueva ley dictaba que el beneficio de medicamentos prescritos tuviera efecto el 1 de enero del 2006. Los escépticos decían que las personas mayores tendrían problemas eligiendo entre todas las opciones privadas en competencia. Yo no estaba de acuerdo. Creía que los mayores eran bastante capaces de tomar decisiones con respecto a sus vidas y que el gobierno debía confiarles el hacerlas.

Mi efectivo Secretario de Salud y Servicios Humanos, Mike Leavitt, trabajó con el Administrador de Medicare Mark McClellan y su equipo en una campaña pública masiva. Dio sus frutos. Más de 22 millones de personas mayores se enlistaron para el beneficio de medicamentos prescritos durante los primeros cinco meses de alistamiento. En una entrevista en el 2008, el 90 por ciento de los receptores del beneficio y el 95 por ciento de los beneficiados de bajos recursos, dijeron que estaban satisfechos con el programa.

Finalmente, la modernización de Medicare era una compensación. Habíamos creado un nuevo beneficio que se necesitaba, pero gastamos más dinero del que yo quería disponer. Introdujimos competencia basada en el mercado entre los planes privados de medicamentos; pero no éramos capaces de usar esos nuevos beneficios como impulso para mover a más personas mayores del Medicare del gobierno al plan privado Medicare Advantage. Creamos cuentas de ahorro de salud, pero no pudimos convencer al Congreso de requerir al plan de gobierno Medicare competir en pie de igualdad con los planes privados. Para el momento en el que dejé la presidencia, mas del 90 por ciento de beneficiarios de Medicare tenían cobertura para medicamentos prescritos. Diez millones se enlistaron en planes de cuidado de salud del sector privado a través de Medicare Advantage. Casi siete millones de estadounidenses tenían cuentas de ahorro para la salud, más de un tercio de quienes antes no tenían seguros.

Gracias a la competencia entre planes del sector privado, la prima promedio mensual por cobertura de medicamentos prescritos bajó de un estimado inicial de $35 a $25 el primer año. En 2008, el estimado inicial de $634 mil millones Había disminuido debajo de los $400 mil millones. El beneficio de medicamentos prescritos de Medicare se convirtió en uno de los pocos programas del gobierno en prosperar debajo del presupuesto. Las fuerzas del mercado habían funcionado y habíamos movido el sistema de salud estadounidense en la dirección correcta: alejado del control del gobierno y en camino a las decisiones y a la competencia de un sistema privado de mercado, lo cual es la mejor manera de controlar los costos a largo plazo.

—Me siento optimista —le dije a papá, mientras cazábamos codornices en el sur de Texas el día de Año Nuevo del 2004—. Esta elección se decidirá en quién sabe cómo dirigir, quién se hará cargo de los grandes problemas y quién puede mantener a los Estados Unidos a salvo. —Mi papá estaba preocupado. Él había visto a los candidatos presidenciales demócratas desprestigiándome cada día. Los golpes estaban teniendo impacto. Mi rango de aprobación Había alcanzado el 90 por ciento luego del 9/11 y 75 por ciento luego de la liberación de Irak. Al final del 2003, había bajado al 50 por ciento en algunas encuestas. Mi papá había visto este patrón anteriormente. Su rango de aprobación se había disparado en 1991 y luego descendió antes de las elecciones de 1992.

Le aseguré que nuestro amigo en común, Karl Rove, había desarrollado una estrategia de campaña sólida. —Si hacemos esto correctamente, todo saldrá bien —le dije—. Especialmente si nominan a Howard Dean.

Yo conocía al líder demócrata, el ex Gobernador de Vermont, por eventos a los que habíamos asistido en los 1990. Dean tenía una voz fuerte y era chillón e indisciplinado. Estaba deseando que él obtuviera la nominación.

Desafortunadamente, la iniciativa de Dean se evaporó antes de que él pudiera ganar un simple delegado. El senador de Massachusetts, John Kerry, reclamó una victoria aplastante en Iowa, ganó las primarias de New Hampshire y arrasó la nominación. Un veterano de Vietnam y cuatro veces senador, Kerry era un trabajador dedicado, un debatiente refinado y un fuerte candidato de campaña. Lo consideré un oponente formidable.

Kerry también tenía debilidades. Tenía la mentalidad de proceso de un legislador de mucho tiempo y un récord de votos que lo calificaba como el más liberal en el Senado. En otoño del 2003, él votó en contra de un proyecto de $87 mil millones de fondos para las tropas en Irak y en Afganistán. Luego de que él cerrara la nominación, mi campaña se apresuró a señalar su posición. Kerry respondio: —En realidad yo voté por los $87 mil millones antes de votar en contra de ello. —Hablé con Karl cuando escuché esa frase. —Ahí esta nuestra oportunidad —le dije—. El pueblo estadounidense espera que su presidente tome una postura clara y la defienda, especialmente cuando se trata de apoyar a las tropas en combate. —Nos aferramos al tema de la indecisión y lo utilizamos el resto de la campaña.

———

El 10 de marzo del 2004, recibí una carta de Jenna, quien estaba en su último año en la universidad de Texas. En el 2000, ni Jenna ni Barbara habían ido a ningún evento de campaña. Ellas habían dejado bien en claro que no querían involucrarse en nada que tuviera que ver con política. Asi que era una sorpresa leer las palabras de Jenna:

Querido papá:

Anoche tuve un sueño vívido, un sueño tan vívido que me levanté en llanto. Aunque todavía no soy tan espiritual como tú, he tomado este sueño como una señal. Tú has trabajado toda tu vida para darnos tanto a Barbara como a mi todo lo que queríamos o necesitábamos. Nos has dado amor, apoyo y sé que nos has incluido en cada decisión que has tomado.

Tu y mamá nos han enseñado el significado del amor incondicional. Observé como mamá desinteresada y gentilmente se entregó a Pa mientras él sufría. Y te vi dándole un año de tu vida a Gampy; vi como ustedes compartieron el dolor en la noche de elecciones. A la edad de veintidós, al fin he comprendido cómo ese dolor desinteresado se debe de haber sentido.

Odio el oir mentiras sobre ti. Odio cuando las personas te critican. Detesto que nadie puede ver a la persona que yo amo y respeto, la persona a la cual espero que algún día me pareceré.

Es por esta razón, que, si tú lo deseas, me encantaría trabajar contigo a tiempo completo este otoño. Piénsalo, por favor, habla con mamá al respecto, y ponte en contacto conmigo. He dejado de buscar trabajo en Nueva York por ahora. Sé que puedo irme un poco a los extremos, pero con el entrenamiento adecuado, podría hacer que la gente viera al papá que amo. Esto puede parecer una decisión apresurada e impulsiva, pero he estado pensándola constantemente. Quiero intentar devolverte algo por los veintidós años que me has regalado.

En mi sueño no te ayudé y vi ganar a alguien que no se suponía que ganara y lloré. Lloré por ti, por el país y por mi culpa. No quiero que mi sueño se vuelva realidad, asi que, si puedo ayudar de cualquier manera, por favor, permíteme hacerlo. Podemos hablar al respecto en pascua.

Te amo, y estoy muy orgullosa de ti.

Con amor,
Jenna.

Todavía se me hace un nudo en la garganta cuando leo sus dulces palabras, las cuales reflejaban los sentimientos de Barbara también. Estaba emocionado de que se quisieran unir a la campaña. Mi última campaña sería la primera de ellas.

El primer evento al que Barbara y yo fuimos juntos fue una concentración frente a once mil personas en Marquette, Michigan, un pueblo de la península superior que no había recibido la visita de un presidente desde William Howard Taft. Justo antes de dar mi discurso, Barbara se sentó en su puesto detrás del podio.

El anunciador me presentó y la audiencia retumbó. Mientras me paraba frente al micrófono, volteé a mirar a Barbara. Tenía lágrimas corriendo por sus mejillas. Luego de cuatro años en un campus universitario, estaba emocionada y sorprendida por ver tanto apoyo y entusiasmo hacia su padre. Me rocordó la sensación que tuve cuando escuché a una multitud clamar por mi padre. El ciclo estaba completo.

En algunos aspectos, la campaña del 2004 fue mas sencilla que la del 2000. Me beneficié de las comodidades de la presidencia, especialmente del Air Force One y el Marine One. En otros aspectos, 2004 fue mas difícil. Yo era presidente y candidato simultáneamente. Tenía que encontrar un balance entre ambos.

Encontré energía a través de las personas a mi alrededor, especialmente de Laura y de mis hijas. Me encantaban nuestros tours en autobús a través del Medio Oeste, donde miles de ciudadanos llenaban las aceras de pueblos pequeños. Un día en Wisconsin, conducíamos por el pueblo natal de Dick Tubb, el multi talentoso doctor de la Fuerza Aérea que viajó a todas partes conmigo. Leí un letrero pintado a mano que decía: «¡Bienvenido a casa Dr. Tubb!» debajo en una letra mas pequeña, la persona agregó: «Usted también, George W.».

Nada alentó mi espíritu como nuestros simpatizantes en nuestro viaje de campaña. Me llenaba de energía su intensidad y su dedicación me inspiraba a trabajar incluso más duro para no decepcionarlos. En el pueblo de Missouri de Poplar Bluff, de 16.500 pobladores, 23.000 personas se presentaron para el discurso. En el municipio de West Chester en Ohio, 41.000 personas llenaron el Parque Voice of America. Cuando yo explicaba la posición cambiante de John Kerry, un mar de brazos se balanceaba al sonido de un coro que decía «Flip-flop, flip-flop». Algunas personas vinieron disfrazadas de sandalias flip-flop de tamaño natural. Encontré grupos nuevos, incluyendo a los Barristers por Bush, los Buckeyes por Bush y los favoritos de Barbara y Jenna, los Gemelos por Bush.

Me fortalecía especialmente por los carteles que decían: «Dios te bendiga». Mientras recibía apretones de mano y posaba para fotos en las cintas de seguridad, me quedaba impresionado por la cantidad de personas que decían lo mismo: «Rezo por ti». Les dije que sus plegarias eran un regalo maravilloso. Me dieron fortaleza. Ver a esos votantes también me dio esperanzas de que algunos simpatizantes de Bush que se quedaron en casa en el 2000 luego de la revelación de que conduje intoxicado, volverían a las urnas en el 2004.

John Kerry tenía sus propios partidarios apasionados. El cineasta de Hollywood, Michael Moore, elaboró un supuesto documental que no era más que una campaña propagandística. A cambio, Kerry dijo que los artistas de Hollywood transmitían «el corazón y alma de nuestro país». Donantes acaudalados como el magnate de inversiones George Soros le dieron a Kerry grandes cantidades de dinero a través de las 527s, organizaciones recaudadoras que burlaron las leyes de financiamiento de campañas que tantos demócratas habían defendido.* Empleados renegados de la CIA filtraron información con la intención de humillar a la Administración. El acoso culminó con el reporte falso de Dan Rather, basado en documentos falsos, de que yo no había completado mis deberes en la Guardia Nacional Aérea de Texas.

Mientras los medios estaban ansiosos por escudriñar en mi servicio militar, su apetito fue notablemente menos voraz cuando el de Kerry fue cuestionado. En febrero del 2004, tuve una entrevista personal con Tim Russert, de una hora. Después de interrogarme principalmente sobre Irak, me presionó sobre si pondría a disponibilidad del público todos mis archivos militares. Prometí que lo haría. Poco después, le ordené al Departamento de Defensa que publicaran cada documento relacionados a mi servicio de guardia.

—Se hizo a sí mismo un bien hoy, Sr. Presidente —me dijo Tim después de que las cámaras se apagaron.

—Gracias, Tim —respondí—. Por cierto, espero que seas tan duro con John Kerry sobre sus archivos militares como lo fuiste conmigo.

—Oh, créame —aseguró— lo seremos.

Tim entrevistó a Kerry dos meses después y sí le preguntó sobre los archivos militares. Kerry prometió divulgarlos al público durante la campaña, pero nunca lo hizo.

En la Convención Nacional Demócrata en Boston, Kerry invitó a antiguos compañeros de barco y aceptó la nominación con un saludo. —Soy John Kerry, y me reporto para el deber, —declaró en su línea de apertura. Su discurso hablaba de «decirle la verdad al pueblo estadounidense» y prometió que «sería un comandante en jefe que nunca engañaría para llevarnos a la guerra». El argumento de Kerry de que yo había guiado mal al país contra Irak no pasó la prueba del sentido común. Como miembro del Senado en 2002, él tenía acceso a la misma información de inteligencia que yo y decidió emitir su voto a favor de la resolución de guerra.

Kerry quedó atrapado en una contradicción. —Mi oponente no ha contestado la pregunta sobre si, sabiendo lo que sabemos ahora, él habría apoyado la guerra en Irak —dije en una parada de campaña en New Hampshire. Unos días después, parado en el borde del Gran Cañón, Kerry mordió el anzuelo. —Sí —dijo— yo habría votado por la autoridad. —Fue una admisión impactante. Después de usar el gran escenario de su convención para acusarme de haber guiado mal a los Estados Unidos hacia la guerra —una de las más serias acusaciones que alguien puede hacerle a un comandante en jefe—John Kerry dijo que él votaría para autorizar la guerra de nuevo si tuviera la oportunidad.

---

* Los republicanos también usamos las 527s, pero los demócratas nos sobrepasaron tres a una, $186.8 millones a $61.5 millones.

Construir el caso contra Kerry era importante, pero era aún más importante mostrarles a los votantes que yo continuaría liderando en los temas importantes. Yo había visto a mandatarios en turno como Ann Richards organizar campañas retrógradas y juré no repetir sus errores. —La única razón para mirar atrás en una campaña es para determinar quién es mejor para guiarnos hacia adelante —dije—. Aunque hemos hecho mucho, yo estoy aquí para decirles que hay más por hacer.

En la Convención Nacional Republicana en Nueva York y en discursos a través del país, presenté un ambicioso plan para un segundo período. Me comprometí a modernizar la Seguridad Social, reformar el sistema migratorio y renovar el código tributario, mientras continuaba Que Ningún Niño se Quede Atrás y la iniciativa basada en fe, implementar la reforma Medicare y, sobre todo, continuar la lucha contra el terrorismo.

Recorrí el país durante el otoño, con interrupciones por cada uno de los tres debates. El primero se llevó a cabo en la Universidad de Miami. El debate era una fortaleza para John Kerry. Como un boxeador profesional, salió de su esquina y golpeó furiosamente después de cada pregunta. Era una técnica efectiva. Yo pasaba demasiado tiempo intentando adivinar a cuál de sus tantos ataques responder.

Logré atinar un golpe. Cuando Kerry sugirió que las acciones militares estadounidenses debían ser objeto de un «examen global», yo rebatí: — No estoy completamente seguro de a qué te refieres con 'pasar el examen global'... Mi actitud es de tomar acciones preventivas para proteger al pueblo estadounidense.

En el viaje en auto hacia la manifestación después del debate, recibí una llamada telefónica de Karen Hughes. Me dijo que las cadenas habían transmitido imágenes en pantalla dividida mostrando mis expresiones faciales mientras Kerry hablaba. Aparentemente, yo no había hecho un muy buen trabajo ocultando mi opinión sobre sus respuestas. Así como los suspiros de Al Gore dominaron la cobertura del primer debate en el 2000, mis ceños fruncidos se volvieron la historia en el 2004. En ambas ocasiones pensé que era injusto.

Una historia aún más extraña se dio a lugar pocos días después, cuando apareció una fotografía del debate. Mostraba una arruga en la parte posterior de mi traje. A alguien se le ocurrió la idea de que el pliegue en realidad era una radio escondida conectada a Karl Rove. El rumor voló en el internet y se convirtió en una sensación entre los teóricos de la conspiración. Era una visión preliminar de un fenómeno del siglo veintiuno: los bloggeros políticos. En retrospectiva, qué malo que no tenía una radio, así Karl hubiera podido decirme que dejara de hacer muecas.

El segundo y tercer debate fueron mejores. Mi rostro estaba calmado, mi traje estaba planchado y yo estaba mejor preparado contra las inyecciones de Kerry. No obstante, como usualmente es el caso en debates presidenciales, el golpe más dañino fue auto-infligido. En nuestro debate final en Tempe, el moderador, Bob Schieffer, planteó el tema del matrimonio entre personas del mismo sexo y preguntó: —¿Usted cree que la homosexualidad es una decisión?

—Simplemente no lo sé —respondí— lo que sí sé es que tenemos una decisión que tomar en los Estados Unidos y es la de tratar a las personas con tolerancia, respeto y dignidad. —Expresé, entonces, mi convicción de que el matrimonio es entre un hombre y una mujer y dije que la ley debería reflejar esa verdad consagrada por el tiempo.

Kerry, quien también se oponía al matrimonio entre personas del mismo sexo, comenzó su respuesta: —Todos somos hijos de Dios, Bob, y yo creo que, si tuvieras que hablar con la hija de Dick Cheney, que es lesbiana, te diría que está siendo ella misma y así es cómo ella nació.

Lancé un vistazo a Laura, Bárbara y Jenna en la primera fila. Pude ver sus caras atónitas. Karen Hughes me dijo luego que escuchó resuellos audibles. Hay una regla no escrita en la política estadounidense de que los hijos de los candidatos están fuera de los límites. Que John Kerry trajera a colación la sexualidad de la hija de mi candidato a la vicepresidencia en un debate televisado nacionalmente, fue deplorable.

Esto no era inédito. En el debate vicepresidencial una semana antes, el candidato a vicepresidencia de Kerry, el Senador de Carolina del Norte, John Edwards, también encontró una manera de sacar a relucir el asunto. Una referencia pudo haber sido un accidente. Dos era una conspiración. Kerry y Edwards tenían la esperanza de desprender a los votantes conservadores que se oponían a la orientación sexual de la hija de Dick. En cambio, terminaron viéndose cínicos y crueles. Lynne Cheney habló por muchos de nosotros cuando lo llamó: «un truco político barato y ordinario».

En el 2000, nuestra sorpresa de octubre vino en la forma de una revelación de conducir en estado de ebriedad. En el 2004, vino de Osama Bin Laden. El 29 de octubre, el líder de Al Qaeda divulgó un vídeo amenazando a los estadounidenses con «otro Manhattan» y burlándose de mi respuesta del 9/11 en el aula de clases en Florida. Sonaba como si él estuviera plagiando a Michael Moore. —Los estadounidenses no se intimidarán ni serán influenciados por un enemigo de nuestro país —dije. John Kerry hizo una declaración de firmeza similar.

El 2 de noviembre de 2004, el último día de elecciones de mi carrera política, comenzó a bordo del Marine One, en un vuelo de media noche desde Dallas al rancho. Acabábamos de finalizar una concentración emotiva con ocho mil seguidores en la Universidad Metodista del Sur, el alma máter de Laura, mi séptima parada en todo un día, un viaje de 2.500 millas a través del país.

Laura, Bárbara, Jenna y yo nos despertamos al amanecer del siguiente día. Con entusiasmo, emitimos nuestros votos en la estación de bomberos Crawford, cuatro sólidos votos en la columna Bush-Cheney. —Confío en el juicio del pueblo estadounidense —les dije a los reporteros agrupados—. Mi esperanza, por supuesto, es que estas elecciones terminen esta noche.

Me reporté con mi hermano Jeb. —Florida luce bien, George —me dijo el gobernador.

Luego hablé con Karl. Él estaba un poco preocupado por Ohio, así que nos fuimos a mi vigésima parada de campaña en el Estado de Buckeye. Después de agradecerle a los voluntarios y trabajar un banco telefónico en Columbus, empacamos para el vuelo a Washington D.C.

Mientras el avión descendía hacia la Base de la Fuerza Aérea Andrews, Karl vino a la cabina delantera. Los primeros resultados de las encuestas de salida habían llegado.

—Son espantosas —dijo.

Sentí como si él acabara de golpearme en el estómago. Estaba perdiendo por más de veinte puntos en el estado clave de Pensilvania. En estados sólidamente republicanos como Mississippi y Carolina del Sur estaban muy reñidos. Si los números eran correctos, yo iba a sufrir una arrolladora derrota.

Caminé aturdido desde el avión hasta el Marine One. El vuelo de diez minutos hasta la Casa Blanca se sintió como horas. Las ruedas del helicóptero finalmente tocaron el Jardín Sur. La prensa se arremolinó para obtener una buena foto para las noticias de la noche. Karen Hughes nos dio un gran consejo: —¡Todo el mundo sonría!

Subí las escaleras de la residencia y deambulé cabizbajo por el Salón de Tratados. Simplemente no podía creerlo. Después de todo el arduo trabajo de los últimos cuatro años y de los duros meses en período de campaña, me iban a destituir decisivamente. Yo sabía que mi vida continuaría, así como lo había hecho mi padre, pero el rechazo iba a doler.

Al poco rato, Karl llamó. Había estado analizando los números y estaba convencido que la metodología era errónea. Me sentí aliviado y molesto al mismo tiempo. Me preocupaba que los falsos números desmoralizaran a nuestros simpatizantes y que redujeran la participación en zonas horarias donde los centros electorales seguían abiertos. Estábamos pensando lo mismo: *aquí vamos de nuevo.*

A las 8:00 p.m., las votaciones en Florida habían cerrado. Como Jeb predijo esa mañana, los sondeos iniciales eran prometedores. Los resultados de las encuestas finales en Carolina del Sur y Mississippi fueron rápidamente desmentidos por victorias arrasadoras en ambos estados. El resto de la Costa Este resultó como esperábamos. Los resultados darían la vuelta en cuatro estados: Iowa, Nuevo Mexico, Nevada y Ohio. Ken Mehlman, mi brillante director de campaña, quien había realizado un esfuerzo histórico para estimular la participación de los votantes, estaba convencido de que habíamos ganado en los cuatro estados. Cada uno había sido anunciado a nuestro favor por al menos un canal de noticias, pero después del fiasco del 2000, ningún canal quería ser el primero en ponerme por encima. La prioridad era Ohio, con sus 20 votos electorales. Yo llevaba una firme delantera de más de 120.000 votos. El reloj dio la media noche, una en punto, dos en punto. Alrededor de las 2:45, recibí una llamada de Tony Blair. Me dijo que se había ido a la cama en Londres pensando que yo había perdido y estaba preparado para lidiar con el Presidente Kerry. —No solo ganaste, George —expresó— obtuviste más votos que ningún presidente en la historia.

—Si tan solo la campaña Kerry reconociera eso —le contesté—. ¡No me había desvelado hasta tan tarde desde la universidad!

Alrededor de las cuatro en punto, comenzamos a oír rumores de que Kerry y Edwards planeaban presentar una demanda, impugnando los votos en Ohio. En otra repetición del 2000, muchos asesores me urgieron a que declarara la victoria aun cuando los canales no lo habían anunciado y mi oponente no lo había reconocido. Cuatro años antes, fue Jeb quien sabiamente me advirtió sobre no dar mi discurso en Austin. Esta vez fue Laura. —George, no puedes salir allí —indicó—. Espera a que hayas sido declarado ganador.

Casi al mismo tiempo, Dan Bartlett encontró una información de inteligencia muy útil. Nicolle Wallace, la Directora de Comunicaciones de mi campaña, había puesto en contacto a Dan con el asistente de Kerry, Mike McCurry. McCurry le dijo que el senador tomaría la decisión correcta si le dábamos tiempo. —No presione al hombre, —me aconsejó Dan.

Una vez más, una multitud decepcionada esperó por un candidato que nunca llegó. Deseaba tanto darles a mis seguidores la celebración de victoria que se nos había negado en el 2000. Pero no iba a ser. Poco después de las 5:00 a.m., envié a Andy Card en mi lugar. —El Presidente Bush respetuosamente decidió darle al Senador Kerry más tiempo para reflexionar sobre los resultados de esta elección —dijo—. Estamos convencidos de que el Presidente Bush ha ganado la reelección con al menos 286 votos electorales.

———

A las 11:02 de la mañana siguiente, mi asistente personal, Ashley Kavanaugh, abrió la puerta de la Oficina Oval. —Sr. Presidente —anunció—, tengo al Senador Kerry en la línea.

John fue cortés. Le dije que él era un oponente digno y que había dirigido una campaña enérgica. Llamé a Laura y abracé al pequeño grupo de asesores principales reunidos en la Oficina Oval. Caminé por el pasillo hacia la oficina de Dick, donde le di un cordial apretón de manos. En realidad, Dick no es de los que abrazan.

Finalmente, contacté a mis padres por teléfono. Después de haber estado despiertos casi toda la noche, se habían escapado de la Casa Blanca temprano en la mañana y volado de vuelta a Houston sin saber los resultados. «Felicidades hijo», me dijo mi padre. Lo dijo más con alivio que con alegría. No habíamos hablado de eso, pero las del 2000 no eran las únicas elecciones que habían estado en nuestras mentes. Ambos recordábamos el dolor del 1992. Pude darme cuenta de lo feliz que él estaba porque yo no tendría que pasar por lo que él pasó.

Después del sombrío comienzo, la noche de elecciones del 2004 se había convertido en una gran victoria. Me convertí en el primer presidente en ganar la mayoría de los votos populares desde mi padre en 1988. Tal como en el 2002, los republicanos ganamos terreno tanto en la Cámara, como en el Senado.

El día después del reconocimiento de Kerry, sostuve una conferencia de prensa en la mañana. Uno de los reporteros me preguntó si me sentía «más libre».

Pensé en el ambicioso programa que había esbozado durante el año anterior. —Lo voy a expresar de esta forma —respondí—. Gané capital en esta campaña, capital político y ahora pretendo gastarlo.

———

Desde que tengo memoria, la seguridad social ha sido el tercer carril de la política estadounidense. Sujétala y estás frito.

En el 2005, hice más que tocar el tercer carril. Lo abracé. Lo hice por una razón: es injusto obligar a toda una generación de jóvenes a invertir en un sistema que está al borde de la quiebra.

Creada por Franklin Roosevelt en 1935, el sistema de seguridad social es de pago por consumo. Los cheques cobrados por los jubilados están financiados por impuestos salariales pagados por los trabajadores de hoy. El sistema funcionaba bien cuando había cuarenta trabajadores por cada beneficiario, como era el caso en 1935, pero con el tiempo, la demografía cambió. La esperanza de vida se elevó. La tasa de natalidad descendió. Como resultado, para el 2005 había solo tres trabajadores invirtiendo en el sistema de seguridad social por cada beneficiario cobrando. Para el momento en que un joven que comienza a trabajar en la primera década del Siglo XXI se retire, la relación será de dos a uno.

Para agravar el problema, el Congreso había hecho que los beneficios de seguridad social crecieran más rápido que la inflación. Comenzando el 2018, la seguridad social se estaba proyectando para recibir menos dinero del que estaba pagando. El déficit se incrementaría cada año, hasta que el sistema llegara a la quiebra en el 2042. Parecía que el 2042 estaba muy lejos, hasta que saqué la cuenta. Era entonces cuando mis hijas, nacidas en el 1981, estarían próximas a la jubilación.

Para alguien que buscaba resolver grandes problemas, esto no fue más allá de una reforma a la seguridad social. Decidí que no había mejor momento para emprender el esfuerzo ahora que las reelecciones estaban frescas.

Comencé por establecer tres principios para la reforma. Primero, nada cambiaría para los adultos mayores ni para las personas próximas a la jubilación. Segundo, buscaría la manera de solventar la seguridad social sin elevar los impuestos salariales, los cuales ya se habían expandido del 2 por ciento a 12 por ciento. Tercero, los trabajadores más jóvenes deberían tener la opción de obtener un mejor beneficio al invertir parte de sus impuestos de seguridad social en cuentas de jubilación personales.

Las cuentas de jubilación personales serían nuevas para la seguridad social, pero la mayoría de los estadounidenses estaban familiarizados con el concepto. Así como las cuentas 401(k), éstas podrían ser invertidas en una combinación segura entre fondos de acciones y de bonos, las cuales crecerían con el tiempo y se beneficiarían del poder de los intereses compuestos. Las cuentas serían administradas por instituciones financieras fidedignas que cobrarán comisiones bajas y habría prohibiciones para evitar que se retire el dinero antes de la jubilación. Incluso con una tasa de rentabilidad conservadora de un 3%, el dinero del titular de la cuenta se duplicaría cada veinticuatro años. En contraste, al 1,2% de rentabilidad de la seguridad social le tomaría sesenta años para duplicarse. A diferencia de los beneficios de la seguridad social, las cuentas de jubilación personales serían un bien propiedad de cada trabajador, no del gobierno y podría pasar de generación en generación.

A principios del 2005, me senté con líderes parlamentarios republicanos para discutir nuestra estrategia legislativa. Les dije que modernizar el sistema de seguridad social sería mi prioridad número uno. La reacción fue poco entusiasta, siendo optimista.

—Sr. Presidente, —dijo un líder— este no es un tema popular. Cargar contra la seguridad social nos costará asientos.

—No —le respondí—, fallar en el abordaje de este tema nos costará asientos.

Quedó claro que estaban pensando en el ciclo de elecciones de dos años del Congreso. Yo estaba pensando en la responsabilidad de un presidente de guiar en los problemas que afectan las perspectivas a largo plazo del país. Les recordé que en mi campaña había hablado sobre esto dos veces y que el problema solo iba a empeorar. Si lo resolvíamos, le haríamos un gran servicio al país. Y en última instancia, buenas normas hacen buenas políticas.

—Si tú guías, te respaldaremos —dijo un líder de la Cámara—, pero estaremos muy detrás de ti.

———

La reunión con los parlamentarios republicanos me mostró la empinada cuesta que tenía en cuanto a la seguridad social. Aun así, decidí seguir adelante.

Cuando volteara a mirar mi presidencia, no quería decir que había evadido un gran tema.

—La seguridad social fue un gran logro moral del Siglo XX y nosotros debemos honrar sus grandes objetivos en este nuevo siglo —dije en mi discurso del Estado de la Unión del 2005. —El sistema, sin embargo, en su camino actual, se dirige a la quiebra. Por lo que debemos unirnos para fortalecer y salvar la seguridad social.

Al siguiente día, me embarqué en una serie de recorridos para concientizar sobre los problemas en seguridad social y movilizar al pueblo estadounidense para insistir en el cambio. Di discursos, convoqué ayuntamientos e incluso sostuve un evento con mi beneficiaria de la seguridad social favorita, mi madre. —Estoy aquí porque me preocupan mis diecisiete nietos, y a mi esposo también —expresó—. Ellos no recibirán Seguridad Social.

Uno de mis recorridos más memorables fue en la planta de fabricación de automóviles Nissan en Canton, Mississippi. Muchos en la audiencia eran trabajadores afroamericanos. Pregunté cuántos tenían dinero invertido en una cuenta $401(k)$. Casi todas las manos en la sala se levantaron. Me encantaba la idea de que gente que tradicionalmente no había sido propietaria de ningún bien tuviera un nido de huevos que pudieran llamar suyos. También pensé en cuánto más podría ser posible. El sistema de seguridad social era especialmente injusto con los afroamericanos. Ya que su esperanza de vida era más corta, trabajadores negros que pasaban toda una vida invirtiendo en seguridad social recibían en beneficios un promedio de $21.000 menos que los blancos con niveles de ingresos comparables. Cuentas personales, que podían pasar a la próxima generación, recorrerían un largo camino hacia la reducción de esa disparidad.

El 28 de abril, convoqué una conferencia de prensa en horario estelar para exponer una propuesta específica. El plan que adopté fue la creación de un demócrata, Robert Pozen. Su propuesta, conocida como indexación progresiva, ajustaba los beneficios para que crecieran más rápido para los estadounidenses más pobres y más lentamente para los más ricos. Para aquellos en el medio habría una escala variable. Cambiando la fórmula de crecimiento de los beneficios, el plan limpiaría la gran mayoría de las deficiencias en el sistema de Seguridad social. Adicional a esto, todos los estadounidenses tendrían la oportunidad de ganar beneficios más altos a través de las cuentas de jubilación personales.

Tenía la esperanza de que ambos bandos aceptaran la propuesta. Los republicanos estarían complacidos de que podríamos mejorar grandemente la perspectiva presupuestaria sin incrementar los impuestos. Los demócratas deberían haber estado satisfechos con una reforma que salvara la seguridad social, la joya de la corona del Nuevo Trato, al ofrecerles los mayores beneficios a los pobres, minorías y clases trabajadoras—los electores que ellos afirmaban representar.

Mi equipo legislativo* impulsó fuertemente el plan, pero no recibió virtualmente ningún apoyo. Los líderes demócratas en la Cámara y el Senado alegaron que yo quería «privatizar» el sistema de seguridad social. Obviamente, era lenguaje a prueba de elecciones diseñado para asustar a la gente. No era cierto. Mi plan salvaba la seguridad social, modernizaba el sistema de seguridad social y les daba a los estadounidenses la oportunidad de ser propietarios de una parte de su seguridad social. No privatizaba el sistema de seguridad social. Intuí que había algo más grande detrás de la oposición de los demócratas. El director del Consejo Nacional de Economía, Al Hubbard, me habló sobre una reunión que había tenido en el Congreso. —Me gustaría ser útil en esto —le dijo un senador principal demócrata—, pero nuestros líderes han dejado en claro que no debemos cooperar.

La rígida oposición demócrata en la seguridad social venía en contraste con la integración de ambas partes que había sido capaz de unir con Que Ningún Niño Se Quede Atrás y durante mis años en Texas. Estaba decepcionado por el cambio y a menudo, pensaba el por qué había ocurrido. Creo que había algunos en el otro lado del pasillo que nunca superaron las elecciones del 2000 y estaban determinados a no cooperar conmigo. Otros estaban resentidos de que yo había hecho campaña contra algunos demócratas titulares en el 2002 y en el 2004, ayudando a candidatos republicanos a desbancar a iconos demócratas como el senador Max Cleland de Georgia y el Líder Mayoritario del Senado, Tom Daschle.

Sin duda, yo también tengo parte de la responsabilidad. No me arrepiento de haber hecho campaña para los compañeros republicanos. Yo siempre había dejado en claro que estaba intentando incrementar la fuerza de nuestro partido en Washington. Aunque estaba dispuesto a ajustar la legislación para las preocupaciones demócratas, no comprometería mis principios, que era lo que algunos esperaban a cambio de la cooperación. En la seguridad social, yo pude haber leído mal el mandato electoral, enfocándome en un asunto en el cual había visto poca cooperación de ambas partes en primer lugar. Cualquiera que hubiese sido la causa, la ruptura en la cooperación de ambos partidos fue mala para mi administración y también para el país.

Sin el apoyo de los demócratas, necesitaba un fuerte respaldo republicano para tener un proyecto de seguridad social aprobado en el congreso. No lo tenía. Muchos republicanos mas jóvenes, como el congresista Paul Ryan de Winsconsin, apoyaban la reforma, pero pocos en el congreso estaban dispuestos a abordar un asunto tan polémico. El colapso de la reforma de seguridad social es una de las grandes decepciones de mi presidencia. A pesar de nuestros esfuerzos, el gobierno terminó haciendo exactamente lo que yo había advertido en contra: Le dejamos el problema a las generaciones siguientes. Pensando en retrospectiva, no estoy seguro de qué pude haber hecho de manera distinta.

*El equipo de Seguridad Social estaba dirigido por el Secretario del Tesoro, John Snow y los consejeros de la Casa Blanca Andy Card, Karl Rove, Al Hubbard, Keith Hennessey y Chuck Blahous.

Expuse los argumentos a favor de la reforma tan amplia y convincentemente como pude. Intenté cruzar el pasillo e hice una propuesta económica demócrata, un punto crucial en mi plan. El fracaso de la reforma de la seguridad social muestra los límites de los poderes del presidente. Si el congreso está decidido a no actuar, no hay mucho que un presidente pueda hacer.

La inacción tiene un costo. En los cinco años desde que propuse la reforma, la crisis de seguridad social se ha agudizado. La bancarrota proyectada se ha movido del 2042 al 2037. El déficit en seguridad social y el costo de resolver el problema han crecido mas de 2 billones desde que puse el tema sobre la mesa en el 2005. Eso es más de lo que gastamos en la guerra de Irak, en la modernización de Medicare y el programa de Alivio de Activos en Problemas, combinados. Para cualquiera que esté preocupado por los déficits que enfrentarán las generaciones futuras, el fracaso de la reforma de la seguridad social escala la oportunidad pérdida mas costosa de los tiempos modernos.

Ella estaba de pie en la puerta, sola en la lluvia. Lucía cansada y asustada. Algunos días antes, Paula Rendón se había despedido de su familia en México y montado en un autobús hacia Houston. Llego allá sin amigos y sin dinero. Todo lo que tenía era una dirección, 5525 Briar Drive y los nombres de sus nuevos empleadores, George y Barbara Bush.

Yo tenía trece años cuando abrí la puerta esa tarde en 1959. No mucho después, Paula se convirtió en una segunda mamá para mis hermanos y para mí. Ella trabajó bastante duro cuidando a nuestra familia en Texas y a su propia familia en México. Finalmente, compró una casa y se trajo a su familia a Houston. Ella siempre dice que el día más orgulloso de su vida, fue cuando vio a su nieto graduándose de la universidad. Como gobernador y presidente, tenía a Paula en mente cuando hablaba sobre la Reforma Migratoria. —Los valores familiares no se detienen en el Rio Grande —observé.

Como Paula, la mayoría de los que dejaron México por los Estados Unidos vinieron a proveer comida para sus familias. Muchos hacían trabajos muy difíciles; como recoger cosechas en el campo o aplicar alquitrán debajo del inclemente sol de Texas. Algunos recibían visas de trabajo permanentes, como Paula. Otros vinieron como trabajadores temporales a través del Programa Bracero. Algunos cruzaron la frontera ilegalmente.

Durante las siguiente cuatro décadas, el tamaño de la economía de los Estados Unidos se expandió de $3 billones a $10 billones. La necesidad de trabajadores se disparó, pero las leyes migratorias y del trabajo eran estaban cambiando muy lentamente. El Programa Bracero expiró en 1964 y no fue reemplazado. El suministro de visas de trabajo permanentes no aumentó tan rápido como la demanda de trabajo. Sin la manera de entrar a los Estados Unidos legalmente, aumentó el número de inmigrantes ilegales.

Una industria clandestina de falsificadores de documentos y traficantes, conocidos como coyotes, se esparció por la frontera. Ellos metían a las personas en maleteros de carros o los hacían caminar millas a través del calor abrazador del desierto. El número de muertes es terrible y, aun así, los inmigrantes determinados a alimentar a sus familias siguieron viniendo.

Para cuando yo fui candidato para presidente, la inmigración ilegal era un problema serio y estaba empeorando. Nuestra economía necesitaba trabajadores, pero nuestras leyes no estaban siendo cumplidas y los derechos humanos eran violados. En mi campaña del 2000, decidí hacerme cargo del asunto. Estaba confiando de que podíamos encontrar una solución racional que sirviera a nuestros intereses y mantuviese nuestros valores.

Mi primer socio en la reforma migratoria era el presidente de México, Vicente Fox. Vicente y su esposa, Marta, fueron nuestros invitados en la primera cena de estado que tuvimos Laura y yo el 5 de septiembre del 2001. Discutí las posibilidades de crear un programa temporal de trabajadores que les permitiera a los mexicanos entrar a los Estados Unidos legalmente en un trabajo específico por un periodo de tiempo determinado. Vicente apoyó la idea, pero él quería aún más. Él esperaba que los Estados Unidos legalizaran a todos los mexicanos en los Estados Unidos, una política que él llamó regularización. Dejé en claro que eso no llegaría a suceder. Creía que la amnistía, hacer ciudadanos automáticamente a los inmigrantes ilegales, quebrantaría las leyes y estimularía más inmigración ilegal.

Después ocurrió lo del 9/11 y mi preocupación más seria era que los terroristas entrarían a nuestro país sin ser detectados. Puse la idea del programa de trabajo temporal en espera y me concentré en la seguridad de la frontera. En los cuatro años siguientes al 9/11, trabajamos con el Congreso para aumentar los fondos de protección de la frontera en un 60 por ciento, contratamos más de mil novecientos agentes nuevos de patrulla fronteriza e instalamos nuevas tecnologías, como cámaras infrarrojas.

En octubre del 2005, firmé un proyecto de seguridad nacional agregando $7,5 mil millones para el refuerzo de la frontera. El proyecto profundizó nuestra inversión en la frontera en lo que respecta a tecnología y a la estructura de inteligencia en la frontera. También financió un incremento en espacio para dormir en las instalaciones de detención federal cerca de la frontera, lo que permitió a los oficiales dejar de permitir a los inmigrantes ilegales que arrestaban, regresar a la sociedad, una práctica frustrante que se conoce como pescar y liberar.

Esperaba que nuestro esfuerzo en seguridad les demostrara a los estadounidenses que estábamos hablando en serio, cuando hablábamos de no dejar que los inmigrantes ilegales entraran al país, pero solo las medidas defensivas no resolverían el problema. La economía de los Estados Unidos era un imán para los pobres y sin esperanza. Los muros más largos y altos del mundo no detendrían a aquellas personas determinadas a sustentar a sus familias. Un programa de trabajo temporal era la solución. Si los inmigrantes que venían a trabajar pudiesen entrar al país bajo el amparo de la ley, no tendrían que escabullirse por la frontera. La economía tendría una fuente confiable de trabajadores. Los coyotes y los que abusaban de los derechos humanos perderían sus negocios y los agentes de patrulla de la frontera se podrían concentrar en detener a los criminales, a los traficantes de drogas y a los terroristas.

El 15 de mayo del 2006, di mi primer discurso presidencial sobre la inmigración. —Somos una nación de leyes y debemos reforzar nuestras leyes —dije—. También somos una nación de inmigrantes y debemos mantener esa tradición, la cual ha fortalecido a nuestro país de muchas maneras.

Entonces, me enfoqué en la reforma del Sistema de Inmigración en cinco partes: El primer componente era una gran inversión nueva en la seguridad en la frontera, incluyendo un compromiso en doblar el tamaño de la patrulla fronteriza para finales del 2008 y desplegar temporalmente, seis mil tropas de guardias nacionales para apoyar a la patrulla fronteriza. La segunda parte, era el programa de trabajo temporal, el cual incluiría una tarjeta de identificación inviolable. La tercera era un refuerzo más estricto de la inmigración en los negocios, lo que reduciría la explotación y ayudaría a frenar la demanda de trabajadores ilegales. La cuarta era promover la asimilación al exigir que los inmigrantes aprendan el inglés. Finalmente, llegué a la pregunta más difícil del debate: ¿Qué hacer con los aproximadamente doce millones de inmigrantes ilegales en el país?

—Algunos en este país argumentan que la solución es deportar a todos los inmigrantes ilegales y que cualquier otra propuesta diferente a esta equivale a la amnistía —expresé. —Yo no estoy de acuerdo... Existe un punto medio racional entre garantizar un camino automático a la ciudadanía para cada inmigrante ilegal y un programa de deportación masiva.

Diferencié a los inmigrantes ilegales que cruzaron la frontera recientemente y aquellos que habían trabajado en los Estados Unidos por muchos años y que habían forjado sus raíces como miembros responsables en la comunidad. Propuse que los inmigrantes ilegales en la última categoría pudiesen optar por la nacionalidad después de satisfacer unos requisitos estrictos, incluyendo pagar una multa, pagar los impuestos atrasados, aprender inglés y esperar a todos aquellos que habían seguido la ley.

Diez días después del discurso, el Senado aprobó un proyecto patrocinado por el senador Chuck Hagel de Nebraska y Mel Martinez de Florida, que conformaba mi estructura, pero La Cámara, que se había concentrado solamente en el problema de la seguridad en la frontera, no pudo completar un proyecto bien hecho antes de las elecciones parciales en noviembre del 2006. Entonces los demócratas tomaron el control del Congreso.

Poco después de las elecciones del 2006, invité a un grupo de altos legisladores a la Oficina Oval. Luego, llamé a Ted Kennedy a un lado. Desafortunadamente, nuestra relación se había deteriorado desde aquellos días de Que Ningun Niño Se Quede Atrás. Sabía que Ted no estaba de acuerdo con mi decisión de remover a Saddam Hussein, pero estaba decepcionado por sus discursos virulentos, en los cuales él afirmaba que yo había «roto los lazos básicos de confianza con las personas estadounidenses», me comparó con Richard Nixon, y llamó a Irak: «El Vietnam de George Bush».

Sus duras palabras fueran un gran contraste al afable y educado hombre que yo había conocido. Estaba particularmente sorprendido debido a que Ted había sido el objeto de muchos ataques políticos sucios durante los años. Una de las cosas de las que me arrepentía era que nunca me senté a hablar con Ted sobre la guerra. No hubiese cambiado sus ideas, pero él era un hombre decente y nuestra discusión podría haberlo persuadirlo a moderar su retórica.

Esperé que la reforma migratoria proveyera una oportunidad de retomar nuestra cooperación. —Creo que esto es algo que podemos hacer —le dije en nuestra reunión después de las elecciones—. Vamos a probarle a los escépticos que están equivocados de nuevo. —Él concordó.

En la primavera del 2007, Ted colaboró con los senadores republicanos de Arizona, John McCain y Jon Kyl, en un proyecto que fortaleció la seguridad en la frontera, creó el programa de obreros temporales y estableció un camino duro, pero justo para obtener la ciudadanía para los inmigrantes respetuosos a la ley que habían estado en los Estados Unidos por una gran cantidad de años.

Viajé por el país promoviendo el proyecto, especialmente en el énfasis en la seguridad de la frontera y en la asimilación del inglés. Las pasiones se desbordaron en ambos lados del asunto. A medida que los inmigrantes tomaban trabajos en todo el país, ellos ejercieron presión sobre las escuelas y los hospitales locales. Los residentes se preocuparon de ver a sus comunidades cambiando. Los comentaristas de radio y televisión advirtieron sobre una «invasión y conquista tercermundista de los Estados Unidos». Mientras tanto, una gran cantidad de personas apoyando la legalización marcharon en ciudades mayores llevando banderas mexicanas, que resultó ser una manifestación descarada que ofendía a muchos estadounidenses.

Los comentarios en la radio afectaron la actitud en Washington. Los congresistas afirmaron: «No vamos a entregar a los Estados Unidos» y sugirieron que los simpatizantes de la reforma «usaran una letra *A* escarlata de amnistía» Por otro lado, el líder del Partido Demócrata comparó el Programa de Trabajo Temporal con «servidumbre obligatoria». El líder del sindicato de trabajadores más grande de los Estados Unidos etiquetó el proyecto como «anti familiar y anti trabajadores».

En la cima del frenesí, recibí una llamada de Ted Kennedy después de que había terminado de dar un discurso en la Universidad de Guerra Naval en Newport, Rhode Island. —Sr. Presidente —dijo—, usted necesita llamar a Harry Reid y decirle que mantenga al Senado en sesión durante el fin de semana. —Creíamos que estábamos a solo un voto o dos de aprobar el proyecto de reforma, pero el Senado estaba programado para un descanso por el receso del 4 de Julio. Dada la importancia de esa legislación, pensé que valdría la pena permitirles un poco de tiempo extra para que el proyecto fuera aprobado, pero aparentemente, Harry Reid no lo pensó así. Si Ted Kennedy no pudo persuadir al líder mayoritario de su propio partido, las probabilidades no eran buenas para mí. Hice mi jugada, pero era muy tarde. Harry ya había tomado su decisión. Llamó a una votación final, la cual falló y luego suspendió el Senado. Los senadores fueron a sus casas y escucharon a electores enojados que estaban agitados por las voces fuertes que se escuchaban en radio y televisión. Para el momento en el que volvieron a Washington, la reforma migratoria estaba acabada y como resultado, los coyotes todavía tienen su negocio, los inmigrantes continúan cruzando la frontera ilegalmente y un asunto político divisivo se mantiene sin resolver.

Aunque estoy decepcionado de no haber firmado los proyectos como ley, no me arrepiento de haberme encargado de la reforma de la seguridad social y de la inmigración. Nuestros esfuerzos aumentaron la atención del publico a problemas que no se irán. Una lección de la historia es que a veces toma más de un presidente, incluso más de una generación, para cumplir un gran objetivo legislativo. Lyndon Johnson construyó sobre los esfuerzos de Harry Truman para crear Medicare. Espero que nuestro trabajo en seguridad social e inmigración provea las bases para que un futuro presidente reforme ambos sistemas. Por lo menos fui capaz de sacar algo de la descarga del tercer riel.

Si tuviera que hacerlo de nuevo, hubiera apostado por la reforma migratoria, en vez de la reforma de seguridad social como la inciativa mayor de mi segundo período. A diferencia de la seguridad social, la reforma migratoria tenía apoyo bipartidista. La bola de fuego que la oposición lanzó a la reforma en 2006 y 2007, pudo no haber sido tan intensa en el 2005. Tampoco hubiésemos tenido que sobreponernos a las tensiones creadas por el aumento de violencia en Irak y el Huracán Katrina. Una vez que el proyecto de inmigración fuera aprobado, pudo haber creado un ímpetu que hubiese causado que la seguridad social fuera mas fácil de alcanzar. En cambio, ocurrió lo contrario. Cuando la seguridad social falló, amplió la división partidaria e hizo la reforma migratoria mas difícil.

El fracaso de la reforma migratoria apunta a preocupaciones mayores con respecto a nuestras políticas. La mezcla entre aislacionismo, proteccionismo y nativismo que afectó el debate sobre la migración, también condujo al bloqueo de los tratados de Libre Comercio con Colombia, Panamá y Corea Del Sur. Yo comprendo la ansiedad que las personas sienten por la competencia extranjera, pero nuestra economía, nuestra seguridad y nuestra cultura se vería debilitada en un intento de bloquear al resto del mundo. Los estadounidenses nunca le deberían temer a la competencia. Nuestro país siempre ha prosperado cuando hemos entablado relaciones con el mundo con confianza en nuestros valores y en nosotros mismos. Lo mismo pasará en el siglo veintiuno.

Una manera de cambiar las ideologías extremas, es cambiar la manera en que elegimos a nuestros miembros del Congreso. En el 2006, solo 45 de 435 elecciones de la Cámara fueron disputadas seriamente. Ya que los miembros en los autoproclamados distritos seguros no tienen que preocuparse por las competencias del partido opositor, su mayor debilidad es ser aventajado en su propio partido. Esto es especialmente verdad en la era de los bloggers, quienes hacen un blanco nacional de políticos a quienes ellos consideran ideológicamente viciados. El resultado es que miembros del Congreso de ambos partidos tienden a dirigirse hacia los extremos, para protegerse contra candidatos desafiadores en las elecciones principales.

Nuestro gobierno seria mas productivo y nuestras políticas mas civilizadas, si los distritos congresionales fueran delineados por paneles de ancianos no partidarios en vez de legislaturas estatales partidarias. Esto crearía elecciones generales más competitivas y un congreso menos polarizado. Hacer ese cambio significaría que los políticos renunciarían a algunos de sus poderes, una tarea que nunca es fácil, pero para futuros presidentes buscando resolver un gran problema, esto sería algo de lo que valdría la pena valerse.

Uno de los aspectos mas interesantes de mi tiempo en la presidencia, fue cómo mi filosofía era interpretada de manera distinta por audiencias diferentes. Era gracioso leer periódicos que me etiquetaban como el presidente mas conservador en la historia, mientras que las personas de la derecha me denunciaban como un conservador apóstata. Frecuentemente, discutían el mismo problema. Yo era un ideólogo conservador por inyectar fuerzas de mercado en Medicare y un liberal de gobierno grande por crear un beneficio de medicamentos prescritos. Era un conservador sin corazón por exponer a las escuelas que estaban fracasando y era un liberal sensiblero al invertir más dinero en los estudiantes pobres. Todo dependía de a quién se le preguntara.

Estoy orgulloso de haber firmado Que Ningún Niño Se Quede Atrás y la modernización de Medicare, dos grandes legislaciones que mejoraron la vida de nuestros ciudadanos y demostraron que los principios conservadores de rendición de cuentas y competencia basada en el mercado son una manera efectiva de obtener resultados. Estoy complacido de que las iniciativas basadas en fe continúan. Estoy seguro de que las reformas de la seguridad social y de la migración serán una realidad algún día. En cualquier caso, yo estoy satisfecho de que tomamos la delantera con los asuntos que más importaban y nunca jugamos en ligas menores.

10

KATRINA

—¿Quién está a cargo de la seguridad en Nueva Orleans? —pregunté. Mi cuestionamiento silenció la estridente discusión en la sala de conferencias del Air Force One, el viernes 2 de septiembre del 2005. —La gobernadora está a cargo —respondió el Alcalde Ray Nagin, apuntando sobre la madera obscura de la mesa a la gobernadora Kathleen Blanco.

Todas las cabezas giraron en esa dirección. La gobernadora de Luisiana se congeló. Se veía agitada y exhausta. —Creo que se trata del Alcalde — dijo con poco compromiso.

Cuatro días habían transcurrido desde que el Huracán Katrina arrasó con la costa del Golfo. Vientos de más de 120 millas (193 km) por hora habían arrasado la costa de Mississippi y condujeron una pared de agua a través de los diques de Nueva Orleans. 80 por ciento de la ciudad, hogar de más de 450.000 personas, estaban inundados. Reportes de saqueo y violencia era casi todo lo que se oía en las noticias.

Por ley, las autoridades estatales y locales lideran la respuesta a desastres naturales, contando con el gobierno federal con una participación de apoyo. Ese enfoque había funcionado durante ocho huracanes, nueve tormentas tropicales y más de doscientos tornados, inundaciones, incendios forestales y otras emergencias que habíamos enfrentado desde 2001. Primeros intervinientes estatales y locales estaban en asignación para dar respuesta a Katrina en Alabama y Mississippi, lugar que yo había visitado más temprano ese mismo día. Pero después de cuatro días de caos, fue claro que las autoridades de Luisiana no podían con el problema.

El plan inicial era que yo aterrizara en el Aeropuerto Internacional de Nueva Orleans, recogiera a la Gobernadora Blanco y al Alcalde Nagin, y evaluáramos los daños en un tour aéreo. Sin embargo, en el vuelo del Marine One de Mississippi, recibimos información de que la Gobernadora, el Alcalde y una delegación del congreso de Luisiana demandaban primero una reunión privada en el Air Force One.

El tono inició tenso y se intensificó. La Gobernadora y el Alcalde argumentaban. Todos maldecían a la Agencia Federal de Manejo de Emergencias por fallar en la satisfacción de sus necesidades. El congresista Bobby Jindal indicó que la agencia les había solicitado a las personas enviar sus solicitudes por correo electrónico, a pesar de la falta de electricidad en la cuidad. Sacudí la cabeza. —Vamos a arreglarlo —dije mirando al director de la agencia Mike Brown. La Senadora Mary Landrieu interrumpió con explosiones emocionales poco productivas. —¿Podría por favor guardar silencio? —tuve que decirle en un momento dado.

Pedí hablar con la Gobernadora Blanco en privado. Caminamos fuera de la sala de conferencias, a través de un pasaje estrecho, hacia el interior de la cabina pequeña en la punta frontal del Air Force One. Le dije que era claro que las fuerzas de respuesta estatales y locales habían sido sobrepasadas. —Gobernadora, —presioné—, usted tiene que autorizar a las fuerzas federales para tomar las riendas de la respuesta.

Ella me dijo que necesitaba 24 horas para pensarlo. —No tenemos 24 horas —espeté—. Hemos esperado ya demasiado. —La Gobernadora se rehusó a dar una respuesta.

Después, solicité reunirme en privado con el Alcalde Nagin. Él había pasado cuatro días desde Katrina escondido en un hotel del centro. No se había bañado o ingerido una comida caliente hasta que utilizó mi ducha y tomó el desayuno en el Air Force One. La tarde anterior, en una entrevista en la radio, él había ventilado sus frustraciones para con el gobierno federal. —Levántense de sus traseros y hagan algo —dijo—, y reparemos la maldita crisis más grande de la historia de esta nación. —Después, rompió en llanto. Cuando lo encontré en el avión, Ray susurró una disculpa por su estallido y explicó que estaba exhausto.

Pregunté al Alcalde qué pensaba acerca de dar una respuesta a nivel federal. Él la apoyó. —Nadie está a cargo —dijo—. Necesitamos una cadena de mando clara. —Pero solamente la gobernadora podía solicitar que el gobierno federal asuma el control de la emergencia.

<hr>

Cuando los daños habían sido calculados, el huracán Katrina fue categorizado como el desastre natural más costoso en la historia estadounidense. A decir verdad, no había sido un simple desastre, sino tres—una tormenta que arrasó con millas de la costa del Golfo, una inundación causada por aperturas en los diques de Nueva Orleans y una explosión de violencia e ingobernabilidad en la cuidad.

En primera instancia, la tragedia mostró el desamparo del hombre en contra de la furia de la naturaleza. Katrina fue un huracán enormemente poderoso que atacó una parte del país que se encuentra ampliamente debajo del nivel del mar. Inclusive una respuesta perfecta no hubiera podido prevenir este daño catastrófico.

La respuesta no solo tuvo fallas, sino, como dije en su momento, fue inaceptable. A pesar de haber existido actos inspiradores de desinterés y heroísmo durante y después de la tormenta, Katrina conjuró impresiones de desorden, incompetencia y el sentido de que el gobierno decepcionó a sus ciudadanos. Errores serios llegaron a todos niveles, desde la falla de no ordenar una prudente evacuación de la ciudad de Nueva Orleans, hasta la desintegración de las fuerzas locales de seguridad, y la terrible comunicación y coordinación. Como el líder del gobierno federal, debí haber reconocido estas deficiencias antes y haber intervenido más rápido. Me sentía orgulloso de mi habilidad para tomar decisiones definitivas y eficaces. Aun así, en los días posteriores a Katrina, eso no ocurrió. El problema no es que haya tomado las decisiones incorrectas, sino que tomé demasiado tiempo en decidir.

Cometí un error adicional al fallar en adecuadamente comunicar mi preocupación por las víctimas de Katrina. Este fue un problema de percepción, no de realidad. Me rompió el corazón ver a la gente indefensa atrapada en sus tejados esperando a ser rescatados. Estaba indignado por el hecho de que el país más poderoso del mundo no pudiera entregar agua a madres que sostenían a sus bebes deshidratándose bajo el candente sol. En mis trece visitas a Nueva Orleans después de la tormenta, transmití my sincera empatía por el sufrimiento y mi determinación de ayudar a los residentes a reconstruir. Aun así, muchos cuidadanos, particularmente en la comunidad afroamericana, tenían la percepción de que su presidente no se preocupaba por ellos.

Así como Katrina fue más que un huracán, su impacto fue más que destrucción física. Erosionó la confianza de los cuidadanos en su gobierno, exacerbó divisiones en nuestra sociedad y política y nubló mi segundo mandato.

Poco después de la tormenta, muchos tomaron una postura sobre lo que había ocurrido y quién era responsable. Ahora que el tiempo ha transcurrido y las pasiones se han calmado, nuestro país puede crear una evaluación sobria sobre las causas de la devastación, sobre los éxitos y fracasos de la respuesta y lo más importante, las lecciones que se aprendieron.

Reproduje la escena en mi mente: El daño causado por la tormenta era extenso. La gobernadora abrumó a Washington por ser lenta y burocrática. Los medios dirigieron la culpa sobre la Casa Blanca. Los políticos clamaban que el gobierno federal estaba fuera de foco.

En el año de 1992, observé a papá aguantar el primer episodio de nuestra familia con la política de desastres naturales. Con la elección presidencial acercándose, el huracán Andrew había golpeado la costa de Florida. El gobernador demócrata Lawton Chiles y la campaña de Bill Clinton, aprovecharon la devastación para argumentar que el gobierno federal no había desempeñado bien. Sus críticas fueron injustas. Papá había ordenado una rápida respuesta para la tormenta. Él envió a Andy Card, en aquél entonces el secretario de transporte, a vivir a Florida para supervisar la recuperación. Sin embargo, una vez que el pueblo se había hecho a la idea de que papá estaba desligado a la situación, fue difícil cambiarla.

Como gobernador de Texas, manejé numerosos desastres naturales, desde incendios en el condado de Parker, a inundaciones en el condando de Hill y Houston, hasta un tornado que devastó la pequeña cuidad de Jarell. Nunca hubo duda acerca de la división del trabajo. De acuerdo al Stafford Act, que pasó el congreso en 1988, oficiales estatales y locales eran responsables de liderar la respuesta inicial. El gobierno federal llegaba después, bajo solicitud del estado. Como gobernador, eso era exactamente cómo lo quería.

Como presidente, me volví responsable de la segunda parte de la sociedad estado–federación. Nombré a Joe Allbaugh, quien había sido mi Jefe de Personal en la oficina del gobernador, para liderar FEMA (Agencia Federal para el Manejo de Emergencias). Después de 9/11, él envió veinticinco equipos de búsqueda y rescate a Nueva York y al Pentágono; fue el despliegue mas grande de la historia. Joe trabajó eficientemente con Rudy Giuliani y George Pataki para remover escombros, apoyar a los bomberos y policía locales y entregar miles de millones de dólares para ayudar a la recuperación de Nueva York.

Cuando trabajé con el Congreso para reorganizar el gobierno en el 2002, FEMA, una agencia independiente desde 1979, se convirtió en parte del nuevo Departamento de Seguridad Nacional. Pensé que era lógico que los oficiales encargados de prevenir un ataque terrorista trabajaran juntos con aquellos que se preparaban una respuesta. El movimiento significó una pérdida de autonomía para FEMA. No sé si fue la reorganización o su deseo de moverse al sector privado, pero Joe Allbaugh decidió irse. Él recomendó a su adjunto, Michael Brown, para sucederlo. Tomé su consejo.

La primera prueba mayor del nuevo esquema de respuesta a emergencias llegó durante la temporada de huracanes del 2004. En un periodo de seis semanas cuatro huracanes mayores—Charley, Frances, Ivan y Jeanne—azotaron Florida. Esta fue la primera ocasión en casi 120 años que un estado hubiera enfrentado tantas tormentas. Realicé cuatro viajes al estado, donde visité a residentes que habían perdido sus casas en Pensacola, productores de cítricos en Lago Wales, cuyas cosechas habían sido arrasadas y trabajadores de apoyo entregando provisiones en Puerto St. Lucie.

En general, los cuatro huracanes causaron mas de $20 mil millones en daños, causaron una pérdida de energía para 2,3 millones de residentes y arrebataron 128 vidas. La cifra era inmensa, aun así, la pérdida de vidas pudo haber sido mucho peor. El gobernador de Florida era un jefe ejecutivo fuerte que entendió la necesidad de oficiales estatales y locales tomar el liderazgo en la respuesta de desastres. Mi hermano Jeb declaró estado de emergencia, estableció líneas claras de comunicación y realizó solicitudes específicas al gobierno federal.

FEMA respondió con un despliegue de 11.000 trabajadores a lo largo de Florida y otros estados afectados, la operación mas grande de su historia. En Florida, FEMA envió 14 millones de comidas, 10,8 millones de galones de agua y cerca de 163 millones de libras (74 millones de kg) de hielo. La agencia ayudó entonces a entregar $13,6 mil millones para el alivio de la emergencia a personas en sufrimiento. Mike Brown se ganó mi confianza con su desempeño y no fui el único. Un crítico duro, Jeb, le dijo después a Mike que había hecho un buen trabajo.

El manejo efectivo de los huracanes del 2004, salvó vidas y ayudó a las víctimas a reconstruir. Habiendo probado nuestro modelo contra cuatro huracanes consecutivos, estábamos convencidos de que podríamos manejar cualquier cosa.

El martes 23 de agosto del 2005, el Servicio Nacional Meteorológico detectó la formación de una tormenta sobre las Bahamas. Inicialmente nombrada como la depresión tropical doce, se fortaleció a tormenta tropical y obtuvo el nombre de Katrina.

Para el 25 de agosto, Katrina era un huracán categoría uno dirigiéndose hacia el sur de Florida. A las 6:30 pm., Karina arrancó tejados con vientos de 80 millas por hora y derramó más de un pie (30,5 cm) de lluvia. A pesar de las órdenes de evacuación, algunas personas, de forma poco inteligente, decidieron lidiar la tormenta. Catorce personas perdieron la vida.

Recibía información de manera regular en Crawford, donde Laura y yo pasamos gran parte de agosto. La prensa llamó vacaciones al tiempo que estuve lejos de Washington. No exactamente. Recibía resúmenes diarios de inteligencia en un tráiler asegurado cruzando la calle, revisaba constantemente con asesores y usaba el rancho como base de juntas y viajes. Las responsabilidades de la presidencia me seguían a donde quiera que fuera. Simplemente movimos el ala oeste mil doscientas millas más al oeste.

Después de azotar el sur de Florida, Katrina cargó a través del Golfo de México hacia Alabama, Mississippi y Luisiana. Mi ayudante principal en Crawford, el Jefe adjunto de personal, Joe Hagin, me mantenía informado del desarrollo. Para el sábado 27 de agosto, Katrina alcanzó la categoría tres. El Domingo se fortaleció a categoría cuatro y después a categoría cinco, la categoría más peligrosa. El Centro Nacional de Huracanes había revisado también su proyección respecto a la dirección que la tormenta tomaría. A partir de la mañana del sábado, Katrina se dirigía a Nueva Orleans.

Yo conocía bien la ciudad. Nueva Orleans estaba a más o menos 6 horas conduciendo desde Houston y yo había conquistado, frecuentemente, ese trecho en mis días de juventud. Me encantaba la comida, la cultura y la vibrante gente del *Big Easy*. Estaba consciente también del temor inminente de la ciudad; los locales la llamaron «La Grande», la tormenta «recemos por que nunca suceda» que podría ahogar la ciudad.

Cualquiera que haya visitado Nueva Orleans puede entender su ansiedad. La ciudad de baja altitud tiene forma de un recipiente creciente. Un sistema de diques y canales—la orilla del recipiente—proporcionaba a la ciudad su principal protección contra inundaciones. Construidos por el Cuerpo de Ingenieros del Ejército, los diques tienen una historia complicada. Cuando era gobernador, leí el facinante libro de John Barry, *Rising Tide*, acerca de la gran inundación del Mississippi del 1927. Después de que las grandes lluvias hicieron el rio crecer, los oficiales de Nueva Orleans persuadieron al gobernador de Luisiana para dinamitar un dique al sur, con la esperanza de salvar a la ciudad. El movimiento devastó dos parroquias rurales, Plaquemines y San Bernard. Con el tiempo, los diques fueron reforzados, especialmente después del golpe del Huracán Betsy en 1965. Los diques soportaron siete huracanes durante los siguientes cuarenta años.

Una lección de los huracanes de Florida en el 2004, fue que la sólida preparación antes de la tormenta es escencial para una respuesta exitosa. Cuando descubrimos que Katrina se dirigía hacia Nueva Orleans, puse a FEMA en su máximo nivel de alerta. El gobierno preparó mas de 3,7 millones de litros de agua, 4,6 millones de libras (2,08 millones de kg) de hielo, 1,86 millones de comidas listas para consumir y 33 equipos médicos. Tomados en conjunto, esto marcó la preparación más grande de suministro de apoyo en la historia de FEMA.

La milicia movió activos también. El Almirante Tim Keating—Jefe del Comando del norte, el cual creamos después de 9/11 para proteger a la patria—desplegó equipos de respuesta para desastres a la costa del Golfo. La Guardia Costera puso a sus helicópteros en alerta. Más de cinco mil efectivos de la Guardia Nacional en los estados afectados permanecían preparados. Fuerzas de la Guardia de otros estados se prepararon para responder a llamadas de auxilio. Al contrario de alegaciones subsecuentes, nunca había escasez de guardias disponibles, ya sea debido a Irak o por cualquier otra razón.

Toda esta actividad Federal tenía como objetivo apoyar a los oficiales estatales y locales. Mi equipo, liderado por el Secretario de Seguridad Nacional, Mike Chertoff—un brillante abogado y caballero que había renunciado a su nombramiento vitalicio como juez federal para tomar el puesto—permaneció en constante comunicación con los gobernadores de Luisiana, Mississippi, Alabama y Florida. La gobernadora Blanco solicitó una declaración de emergencia, permitiendo a Luisiana utilizar recursos federales para pagar y apoyar la preparación de respuesta a desastres de su estado. Solo una ocasión en la historia reciente—antes del huracán Floyd en 1999—hubo una declaración de emergencia emitida por la presidencia antes que una tormenta tocara tierra. Yo la firmé en la noche del sábado, junto con declaraciones idénticas para Mississippi y Alabama el día siguiente.

———

La mañana del domingo, el Centro Nacional de Huracanes describió a

Katrina como «No solo extremadamente intenso, sino excepcionalmente grande». El Alcalde Nagin había dado instrucciones para una evacuación voluntaria. Yo conocía Nueva Orleans suficientemente bien para entender que eso no funcionaría. La gente había escuchado advertencias de tormentas apocalípticas durante años. Algunos utilizaban las advertencias como pretextos para festejar en la calle Bourbon, desafiando a los dioses de los huracanes. Otros no contaban con los medios para evacuar. La evacuación necesitaba ser obligatoria, con arreglos especiales para las personas que necesitaran ayuda, tal como camiones para transportar gente que no poseyera un auto—un paso que la cuidad nunca tomó, llevando a la aberrante escena de los camiones escolares de la cuidad de Nueva Orleans, vacíos y sumergidos en un estacionamiento abandonado.

Llamé a la Gobernadora Blanco a las 9:14 am.

—¿Que está pasando en Nueva Orleans? —inquirí— ¿Ya dio Nagin la orden obligatoria?

Ella respondió que no lo había hecho, a pesar de la terrible advertencia que habían recibido la noche anterior por parte de Max Mayfield, Director del Centro Nacional de Huracanes. Max comentó que era solamente la segunda ocasión en sus treinta y seis años de carrera que se encontraba tan ansioso que llamó a oficiales electos personalmente.

—El Alcalde tiene que ordenar a las personas que evacúen. Es la única forma en que van a escuchar —le dije a la Gobernadora Blanco—. Llámelo y dígale. Mi gente me informa que ésta va a ser una tormenta terrible.

—No tendrán tiempo suficiente para sacar a todos a tiempo —dijo ella. Desafortunadamente, sabía que tenía razón. Sin embargo, era mejor empezar ahora que esperar más tiempo.

—¿Que más necesita del gobierno federal? —pregunté a la Gobernadora.

Ella me aseguró que había estado trabajando de cerca con mi equipo y que tenía lo que necesitaba.

—¿Está segura? —inquirí.

—Sí señor presidente, lo tenemos bajo control —respondió.

—Bien, resistan ahí —le pedí—. Llame a Ray y haga que evacúe ahora.

Una hora más tarde, el Alcalde Nagin anunció la primera evacuación obligatoria en la historia de Nueva Orleans. —Ésta es una amenaza que jamás habíamos enfrentado antes —dijo. Katrina tocaría tierra en menos de 24 horas. Inclusive llamé al gobernador de Mississippi, Haley Barbour, Bob Riley de Alabama y mi hermano Jeb en Florida. Les dije que podrían contar con un gran apoyo del gobierno federal.

Poco antes de las 11:00 am, me uní a la videoconferencia de FEMA con oficiales de los estados proyectados en el paso de Katrina. Era inusual para un presidente el unirse a una reunión de nivel operativo como ésta. Vi algunas caras de sorpresa en la pantalla cuando mi rostro apareció, pero yo quería transmitir a todo el gobierno qué tan en serio estaba tomando esta tormenta.

Había una discusión sobre posibles inundaciones en la línea costera y la posibilidad de que el agua se derramara sobre el límite de los diques de Nueva Orleans, pero nadie predijo que los diques se romperían—un problema diferente y mucho más severo que un derrame.

—La pista actual y el pronóstico que tenemos ahora, sugiere que habrá inundaciones mínimas en la propia ciudad de Nueva Orleans —dijo Max Mayfield—. Sin embargo, siempre hemos sostenido que el modelo de oleaje de una tormenta solo es preciso en aproximadamente un 20 por ciento.

Algunos minutos después, me paré frente a las cámaras. —El huracán Katrina ha sido catalogado como huracán categoría cinco —dije—. No podemos enfatizar lo suficiente el peligro que este huracán representa para la comunidad de la costa del Golfo. Insto a todos los ciudadanos a poner como prioridad su propia seguridad y la seguridad de sus familias, moviéndose a tierras más seguras. Por favor, escuchen con atención las instrucciones que proporcionan los oficiales locales y estatales.

***

A las 6:10 am, tiempo del Centro, el día lunes 29 de agosto, el Huracán Katrina tocó tierra en Luisiana. El ojo de la tormenta pasaba por encima de la parroquia de Plaquemines, en el extremo sureste del estado y barrió hacia el norte, cruzando la frontera de Luisiana y Mississippi, alrededor de cuarenta millas al este de Nueva Orleans. —El peor clima en este sistema, sin duda, estará evitando entrar en el centro de Nueva Orleans y lo bordeará al este —reportó Brian Williams en las noticias de NBC. Él dijo que Nueva Orleans estaba experimentando «el mejor de los peores posibles escenarios». Varios reporteros en la escena dijeron que la ciudad había «eludido el balazo». La Gobernadora Blanco confirmó que se había derramado algo de agua sobre los límites de los diques, pero que no se habían detectado rupturas. Mi equipo y yo fuimos a dormir, pensando que los diques habían aguantado.

En Mississippi, no había duda sobre los daños. Ochenta millas (129 km) de línea costera habían sido arrasadas. El centro de Gulfport se asentó bajo diez pies de agua. Casinos, barcazas y puentes quedaron arruinados. La autopista principal US-90, que corre a través del sur de Mississippi, cerró. En la cuidad de Waveland, el 95 por ciento de las estructuras fueron severamente dañadas o destruidas.

***

El día martes, temprano por la mañana, día dos de Katrina, me di cuenta que los primeros reportes estaban equivocados. Los diques en Nueva Orleans se habían fisurado. El agua del Lago Pontchartrain empezó a derramarse en la ciudad, llenando el recipiente. Un estimado de 80 a 90 por ciento de los residentes habían evacuado, pero decenas de miles no lo habían hecho, inlcuyendo a muchos de los pobres y vulnerables en zonas de baja altitud como Lower Ninth Ward.

Si bien era importante llevar provisiones de apoyo a la ciudad, nuestra principal prioridad tenía que ser salvar vidas. Helicópteros de la Guardia Costera tomaron el liderazgo en este esfuerzo. Los pilotos evadían cables eléctricos y árboles; los rescatistas descendieron en rappel por sus cuerdas para rescatar residentes de sus tejados. Cuando escuché las críticas diciendo que la respuesta del gobierno federal para Katrina fue lenta, pienso en esos valientes guardacostas, quienes montaron una de las más rápidas y efectivas operaciones de rescate en la historia de los Estados Unidos.

—Esta mañana, nuestros corazones y plegarias están con nuestros conciudadanos de la Costa del Golfo, quienes han sufrido tanto por causa del Huracán Katrina —dije en San Diego, donde había ido a conmemorar el 60 aniversario de la Victoria Estadounidense en la Segunda Guerra Mundial en el área del Pacífico. —Los buenos amigos de Luisiana, Mississippi, Alabama y otras zonas afectadas van a necesitar la ayuda, compasión y oraciones de nuestros concuidadanos.

Después del discurso, decidí regresar a Crawford, empacar para ir a la capital y regresar a Washington el miércoles por la mañana. Joe Hagin había contactado a los gobernadores Blanco y Barbour para discutir una posible visita. Ambos pensaron que era demasiado pronto. Un arribo presidencial hubiera requerido docenas de agentes del orden público para proveer seguridad en el aeropuerto, una ambulancia y personal medico listo, así como muchos otros recursos. Ninguno de los gobernadores quería desviar recursos de rescate para prepararse para mi llegada. Estuve de acuerdo.

A bordo del Air Force One, me informaron que la ruta de nuestro vuelo nos llevaría sobre algunas áreas azotadas por Katrina. Pudimos volar bajo sobre la Costa del Golfo para darme una visión mas cercana. Si no podía aterrizar en la zona de desastre, imaginé que la segunda mejor opción era obtener una percepción de la devastación desde arriba.

Lo que vi me dejó sin aliento. Nueva Orleans estaba prácticamente hundida por completo. En algunos vecindarios, todo lo que podía ver era los tejados que sobresalían del agua. El techo del superdomo se había desprendido, el puente I-10 que conecta Nueva Orleans con Slidell había colapsado dentro del Lago Pontchartrain. Autos flotaban en ríos que solían ser calles. El panorama parecía salido de una película de terror.

La devastación en Mississippi fue aún más brutal. Por millas y millas a lo largo de la costa, cada estructura había sido reducida a escombros. Los pinos se veían a lo largo de la costa como si fueran fósforos. Enormes casinos que se ubicaban en embarcaciones en el Golfo fueron destruidos y arrojados a tierra en pedazos. El puente sobre la bahía de San Luis había desaparecido. *Así es como debe de verse cuando explota una bomba nuclear*, pensé.

Viendo por la ventana, lo único en que podía pensar era en todo lo que la gente en tierra debía de soportar. ¿En qué piensas cuando tu comunidad entera ha sido destruida? ¿Realizas un inventario mental de todo lo que dejaste atrás? Lo que más me preocupaba eran las personas varadas. Me imaginé la desesperación que debían de estar sintiendo cuando escalaban a sus tejados para escapar del creciente nivel del agua. Elevé una plegaria silenciosa por su seguridad.

En algún punto, nuestro equipo de prensa colocó fotógrafos en la cabina. En ese momento, apenas pude notarlos; no podía quitar mis ojos de la devastación debajo. Pero cuando las fotografías fueron expuestas, me di cuenta que había cometido un grave error. La imagen de mí volando sobre los daños sugiere que estaba desligado del sufrimiento en tierra. No era así como me sentía. Pero una vez que se formó la impresión pública, no la podía cambiar. A pesar de todos mis esfuerzos de evitar el problema de la percepción que papá enfrentó durante el huracán Andrew, terminé repitiéndolo.

Con frecuencia, he reflexionado en lo que debí haber hecho de manera diferente ese día. Considero que la decisión de no aterrizar en Nueva Orleans fue correcta. Los equipos de emergencia habrían sido desviados de los esfuerzos de rescate y eso hubiera estado mal. Una mejor opción habría sido parar en el aeropuerto de Baton Rouge, la capital del estado, ochenta millas al norte de la zona inundada. Pude haber hecho planes estratégicos con la Gobernadora y asegurarle a las víctimas de Katrina que su país estaba con ellos.

Aterrizar en Baton Rouge no hubiera salvado vidas. El beneficio hubiera sido mejorar las relaciones públicas. Sin embargo, las relaciones públicas importan cuando tú eres presidente, particularmente, cuando la gente está lastimada. Cuando el Huracán Betsy devastó Nueva Orleans en 1965, Lyndon Johnson voló desde Washington para visitar el lugar muy entrada la noche. Se abrió camino a un refugio en Ninth Ward con una linterna. —¡Aquí está su presidente! —dijo cuando llegó al oscuro y abarrotado ambiente—. ¡Estoy aquí para ayudarlos! —Desafortunadamente, no seguí su ejemplo.

———

Cuando aterricé en la Casa Blanca la tarde del miércoles, convoqué a una junta de emergencia en el Salón del Gabinete para discutir sobre la respuesta. —Cada agencia necesita ofrecerse —le dije al equipo—. Analicen sus recursos y encuentren una manera de hacer más.

Dí una declaración en el Rose Garden, señalando la respuesta federal. El Departamento de Transporte había enviado camiones para entregar suministros. Los Servicios Humanos y de Salud proporcionaron equipos médicos y unidades mortuarias. Energía abrió la Reserva Estratégica de Petróleo para proteger de un posible incremento considerable en el precio de la gasolina. El Departamento de Defensa desplegó el USS *Bataan* para conducir operaciones de búsqueda y rescate y el USNS *Comfort*, una embarcación hospital para proporcionar cuidados médicos. FEMA contibuyó con una oleada de provisiones para la región afectada y estableció refugios para los evacuados. Después, descubrimos que había problemas serios de organización y rastreo, causando que muchas entregas se retrasaran o nunca se completaran.

Estas medidas logísticas eran necesarias, sin embargo, parecían inadecuadas comparadas con las imágenes de desesperación que los estadounidenses vieron en sus pantallas de televisión. Habían víctimas suplicando por agua, familias varadas en pasos elevados y familias en pie sobre tejados sosteniendo letreros que decían «¡Socorro!». Más de una persona entrevistada decía: «No puedo creer que esto esté pasando en los Estados Unidos de América».

Aparte del huracán y la inundación, estábamos ahora enfrentándonos al tercer desastre: caos y violencia en Nueva Orleans. Los saqueadores rompían ventanas para robar armas, ropa y joyería. Los helicópteros no podían aterrizar debido a los disparos. Los edificios del centro estaban en llamas.

La fuerza policial estaba inpotente para restaurar el orden. Mientras que algunos oficiales desempeñaban sus labores honorablemente, algunos abandonaron sus posiciones para atender sus propias emergencias. Otros se unieron a los criminales. Yo estaba iracundo de ver videos de oficiales de policía saliendo de tiendas cargando televisiones de pantalla gigante. Sentía que observaba lo opuesto a lo que había ocurrido hacía cuatro años en Manhattan. En lugar de entrar a edificios en llamas para salvar vidas, algunos responsables de la primera respuesta entraban a tiendas para robar electrónicos.

Una escena horripilante se desarrollaba en el Superdome, donde decenas de miles de personas se habían reunido para refugiarse. Después de tres días, el techo goteaba, se descompuso el aire acondicionado y las instalaciones sanitarias empezaron a fallar. Los medios emitieron reportes de comportamientos sádicos, incluyendo violaciones y asesinatos. Entre el caos y la pobre comunicación, el gobierno nunca tuvo certeza de lo que ahí acontecía. Nos tomó varios días enterarnos de que otro grupo de miles se habían reunido, sin comida ni agua, en el Centro de Convenciones de Nueva Orleans.

Con la policía siendo incapaz de controlar el estado de ingobernabilidad, la única solución era la presencia de una tropa más fuerte. La tarde del miércoles, Nueva Orleans tenía cerca de cuatro mil fuerzas de seguridad nacional, con refuerzos en camino. Sin embargo, la guardia, bajo el mando de la Gobernadora, se veía abrumada. Una opción era desplegar tropas activas y poner tanto a las tropas como a la Guardia en Luisiana bajo el comando unificado del gobierno federal.

Fuerzas de la División 82 de Airborne (División de Infantería de las Fuerzas Armadas) esperaban órdenes para desplegar y yo estaba preparado para darlas; pero tuvimos un problema. La Posse Comitatus Act de 1878 no permitía utilizar la milicia activa para conducir la aplicación de la ley dentro de los Estados Unidos. Don Rumsfeld, hablando por muchos en la milicia, se opuso a enviar a la 82 de Airborne.

Había únicamente una excepción para la *Posse Comitatus*. Si yo declaraba a Nueva Orleans en estado de insurrección, podría desplegar tropas federales equipadas con plena autoridad para hacer cumplir la ley. La última vez que se invocó a la Ley de Insurrección fue en 1992, cuando papá envió a la milicia a suprimir los disturbios de Los Ángeles. En ese caso, el Gobernador de California Pete Wilson había solicitado el despliegue federal. El acto de insurrección puede ser invocado a pesar de las objeciones del gobernador. En el ejemplo más famoso, el president Dwight Eisenhower desafió al Gobernador Orval Faubus al desplegar la 101 de Airborne para hacer cumplir la decisión de la Suprema Corte de desegregar la Preparatoria Central en Little Rock, Arkansas.

———

El jueves por la mañana —día cuatro— Andy Card formalmente planteó la posibilidad de federalizar la respuesta con la Gobernadora Blanco y su equipo. La Gobernadora no quería entregar la autoridad al gobierno federal. Eso me dejó en una posición difícil. Si invocaba el acto de insurrección en contra de sus deseos, el mundo vería a un Presidente masculino republicano usurpando la autoridad de una Gobernadora demócrata del sexo femenino al declarar una insurrección en una ciudad mayormente afroamericana; eso levantaría controversia en cualquier parte. Para hacer eso en el sur, donde ha existido tensión durante años respecto a los derechos, podría desatar un bendito infierno. Me vi en la necesidad de persuadir a la Gobernadora para que cambiara de parecer. Decidí exponer mi caso en persona, al día siguiente.

Me encontraba en el punto de mayor frustración durante todo mi mandato. Todos mis instintos me decían que necesitábamos a las fuerzas federales en Nueva Orleans para detener la violencia y apresurar la recuperación. Sin embargo, me encontraba atrapado entre una Gobernadora renuente, un Pentágono reacio y una ley anticuada. Yo quería pasar por encima de todos ellos, pero al mismo tiempo, me preocupaba que las consecuencias pudieran ser una crisis constitucional y también posiblemente una insurrección política.

La Mañana del sábado —quinto día— convoqué a una junta a las siete de la mañana en el salón de emergencias con todos los responsables del gobierno del equipo de respuesta para el tema de Katrina. —Yo sé que todos están haciendo su mejor esfuerzo —les dije—. Pero no es suficiente. Necesitamos reestablecer el orden en Nueva Orleans tan pronto como sea posible. El tener esta situación fuera de control es inaceptable.

Cuando Mike Chertoff y yo salimos del Marine One para el viaje a la Costa del Golfo, di el mismo mensaje a la conferencia de prensa. —Los resultados son inaceptables —exclamé—. Me dirijo allá ahora mismo.

Abordamos el Air Force One hacia Mobile, Alabama, donde me recibieron los gobernadores Bob Riley y Haley Barbour. Ambos eran líderes impresionantes que había realizado planes de evacuación efectivos, habían trabajado de cerca con las autoridades locales y habían lanzado operaciones de recuperación rápidamente.

Le pregunté a Bob y a Haley si estaban recibiendo el apoyo federal que necesitaban; ambos respondieron que sí. —Ese Mike Brown está realizando un excelente trabajo —expresó Bob. Yo sabía que Mike estaba bajo presión y deseaba subir su moral. Cuando hablé con la prensa algunos minutos después, repetí el elogio.

—Brownie —dije—. Estás haciendo un excelente trabajo.

Nunca imaginé que esas palabras se convertirían en una entrada infame en la jerga política. Cuando las quejas acerca del desempeño de Mike Brown se apilaban, especialmente en Nueva Orleans, los críticos convirtieron mis palabras de aliento en un club para atacarme.

Nuestra próxima parada era Biloxi, Mississippi. Había volado sobre el área hacía dos días, pero nada me hubiera preparado para la destrucción que pude testificar en tierra. Camine a través de una tierra de destrucción. Había árboles desenterrados y restos esparcidos por todos lados. Virtualmente, ninguna estructura quedaba de pie. Un hombre estaba sentado en un bloque de concreto con dos losas pequeñas enfrente. Me di cuenta que se trataba de los cimientos de una casa. Las dos losas solían ser sus dos primeros escalones. Cerca se encontraba un aparato destrozado que parecía que podría haber sido un lavavajillas.

Me senté junto a él y le pregunté como había resistido. Yo esperaba que me hubiera respondido que todo lo que el poseía se había arruinado. En lugar de eso, él respondió —Estoy bien.... Estoy vivo y mi madre está viva.

Me impresionó su espíritu y sentido de perspectiva. Encontré la misma visión en muchos otros. Una de las personas más impresionantes que conocí fue el Alcalde A.J. Holloway de Biloxi. «Tú puedes Holloway» había sido un corredor del equipo Campeón Nacional de fútbol americano *Ole Miss* en 1960. Mientras que Katrina destruyó más de seis mil casas y negocios en Biloxi, no había rastro de autocompasión en el Alcalde. Él había resuelto reconstruir la cuidad mejor de lo que estaba. El Gobernador Barbour plasmó el espíritu del estado en palabras cuando dijo que la gente «había que subirse los pantalones y reconstruir Mississippi».

———

Nuestra parada final era Nueva Orleans, donde hice mi solicitud a la Gobernadora Blanco en el Air Force One. A pesar de mi repetitiva insistencia, ella dejó en claro que no iba a darme una confirmación en hacer la respuesta a nivel federal. No tenía sentido presionarla más, la Gobernadora era obstinada.

Después de un tour en helicóptero por la ciudad inundada, tocamos tierra en una estación de la Guardia Costera cerca del dique fisurado de la calle decimoséptima. De un lado del dique se encontraba el poblado de Metairie, relativamente seco. Del otro lado, estaba Orleans Parish, muy por debajo del agua hasta donde se podía ver. Observé por la brecha de trescientos pies (novena y un metros), una puerta para una cascada de agua destructiva. A diferencia de 1927, ningún dique había sido dinamitado en 2005, sin embargo, el terrible impacto en la gente en medio de la inundación fue el mismo.

Cuando regresé a la Casa Blanca esa tarde, Andy Card me encontró en la Oficina Oval. Él y la Consejera de la Casa Blanca Harriet Miers habían pasado el día—y la noche anterior—trabajando con los abogados y con el Pentágono sobe una manera de poder introducir a las tropas federales a Luisiana y concluyeron con una propuesta interesante: un general de tres estrellas comandaría todas las fuerzas militares en Luisiana. En temas relacionados con las fuerzas en servicio activo, respondería ante mí. En temas de la Guardia, respondería a la gobernadora Blanco. Esta estructura doble le dio al gobierno federal justo lo que necesitábamos—una clara cadena de mando y tropas en servicio activo para asegurar la ciudad—y al mismo tiempo, acomodando las preocupaciones de la Gobernadora. Andy le envió por fax una carta, señalando las especificaciones del acuerdo justo antes de la media noche.

La siguiente mañana —día seis— una llamada de Baton Rouge llegó a la Casa Blanca. La Gobernadora había declinado.

Yo estaba exasperado. Habían pasado tres días tratando de persuadir a la gobernadora. Había sido una pérdida de tiempo. A las 10:00 am, entré al Rose Garden para anunciar el despliegue de más de siete mil tropas activas en Nueva Orleans—sin la facultad de aplicar la ley. Estaba ansioso por la situación. Si se encontraban un fuego cruzado, seria mi culpa; pero decidí que enviar tropas con autoridad reducida, era mejor que no enviar a nadie.

El comandante de las Fuerzas Unidas para Katrina medía seis pies con dos pulgadas (1,88 metros); era un general estricto; no por nada le decían el Ragin Cajun. Era decendiente criollo de ancestros del sur de Luisiana, el General *Russ Honoré* había vivido varios huracanes y conocía muy bien a la gente de la costa del Golfo.

El general Honoré trajo consigo exactamente lo que la situación requería: sentido común, buenas habilidades de comunicación y la capacidad de tomar desiciones. Rápidamente se ganó la confianza de oficiales electos, comandantes de la Guardia Nacional y jefes de la policía local. Cuando una unidad de guardia y fuerzas policiales intentó entrar al Centro de Convenciones para realizar una entrega de alimentos con sus armas desenfundadas, Honoré fue captado en cámara diciendo: «¡Armas abajo, maldición!» El general creó un lema perfecto para describir su enfoque: «No se queden atorados en lo estúpido».

A pesar de que por ley no pudimos responder a nivel federal, el general Honoré, efectivamente, lo realizó con su fuerte determinación y personalidad de empuje. El Alcalde Nagin lo resumía como: «un tipo John Wayne ... quien se bajó del helicóptero, empezó a lanzar maldiciones y la gente empezó a moverse.

De haber sabido que él podría ser tan efectivo sin la autoridad que yo asumí que necesitaría, hubiera cortado el debate legal y enviado las tropas sin la facultad de aplicar la ley varios días antes.

———

El lunes, 5 de septiembre —octavo día— realicé mi segundo viaje a la Costa del Golfo. El general Honoré se reunió conmigo en Baton Rouge y me resumió el proceso de respuesta. Operaciones de búsqueda y respuesta estaban casi completas. El Superdome y el Centro de Convenciones habían sido evacuados, el agua estaba siendo extraída de la ciudad. Lo más importante: nuestras tropas habían restaurado el orden sin disparar un solo tiro.

Laura y yo visitamos un centro de evacuados, manejado por una iglesia llamada Bethany World Prayer Center. Cientos de personas, incluyendo algunos del Superdome, se encontraban repartidos a lo largo del suelo del gimnasio en colchones; la mayoría de ellos se veían aturdidos y exhaustos. Una niña lloraba mientras decía: —No puedo encontrar a mi madre. —Mi amigo T.D. Jakes, un pastor de Dallas que se unió a nosotros en la visita, rezó por su confort y bienestar. T.D. es el tipo de hombre que pone su fe en acción. Él me dijo que los miembros de su congregación habían recibido a veinte víctimas de Katrina en sus hogares.

Había ejemplos similares de compasión a lo largo de la Costa del Golfo. Para todos los aspectos deprimentes de las secuelas de Katrina, estas historias sobresalen como ejemplos brillantes del carácter estadounidense. Los Bautistas del Sur armaron una cocina móvil para alimentar a las decenas de miles de personas hambrientas. Los bomberos de la cuidad de Nueva York condujeron un camión que el Departamento de Bomberos de Nueva Orleans les había prestado después de 9/11. Voluntarios de la Cruz Roja Americana y el Ejército de Salvación abrieron centros de ayuda las 24 horas, para asistir a las víctimas. Todos los estados del país aceptaron refugiados. La ciudad de Houston por si sola recibió a doscientos cincuenta mil. La evacuacion quedará como el movimiento más grande del pueblo estadounidense desde el Dust Bowl de los 1930.

Para liderar una colecta de fondos privada para las víctimas de Katrina, había invitado a un dúo poco improbable: papá y Bill Clinton. Katrina fue una repetición de su desempeño. Después de que un enorme Tsunami golpeara el Sureste Asiático en diciembre del 2004, habían hecho equipo bajo solicitud mía y juntaron mas de $1 mil millones para las víctimas. Cuando viajaron por el mundo, los expresidentes—41 y 42, como yo los llamé—crearon una unión. Papá superó la decepción de 1992 y abrazó a su antiguo rival. Yo apreciaba que Bill trataba a papá con respeto y deferencia, y le tomé aprecio. Cuando les pedí que se unieran nuevamente para reunir fondos para las víctimas de Katrina, aceptaron inmediatamente. Mi Madre me llamó después: —Veo que reuniste a tu padre y tu Hermanastro —agregó bromeando.

Desafortunadamente, el espíritú de generosidad no se desplegó en todos. En el Teleton de la NBC para reunir dinero para las víctimas de Katrina, el rapero Kanye West le dijo a la audiencia del horario estelar: —George Bush no se preocupa por la gente negra. —Jesse Jackson después comparó al Centro de Convenciones de Nueva Orleans con «un casco de barco de esclavos». Un miembro afroamericano del Congreso declaró que si las víctimas de la tormenta hubieran sido «estadounidenses blancos de clase media», habrían recibido más ayuda.

Cinco años más tarde, apenas puedo escribir estas palabras sin sentirme a disgusto. Me siento profundamente insultado por la simple sugerencia de que permitimos que ciudadanos estadounidenses sufrieran por que son negros. Como le dije a la prensa en el momento, —La tormenta no discriminó y tampoco lo hará el esfuerzo de recuperación. Cuando esos helicópteros de la Guardia Costera, varios de los cuales fueron los primeros en la escena, estaban rescatando a personas de sus tejados, no revisaban el color de la piel de las personas.

Mientras más pensaba acerca de esto, más molesto me sentía. Fui educado para creer que el racismo era uno de los peores males de la sociedad. Siempre admiré el coraje de papá cuando desafió a una oposición prácticamente total de sus constituyentes para votar para la propuesta de casa abierta de 1968. Yo estaba orgulloso de haber recibido más votos de afroamericanos que cualquier otro gobernador republicano en la historia de Texas.

Había nombrado afroamericanos para las posiciones más altas del gobierno, incluyendo a la primera mujer afroamericana como Consejera de Seguridad Nacional y los dos primeros Secretarios de Estado afroamericanos. Me rompió el corazón ver niños de minorías zarandeados en el sistema escolar, por lo que el fundamento de mi iniciativa de política doméstica, fue la Ley de Que Ningún Niño Se Queda Atrás, eliminando la discriminación suave de bajas expectativas. Había lanzado un programa de $15 mil millones para combatir el VIH en África. Como parte de la respuesta a Katrina, mi administración trabajó con el Congreso para proporcionar a colegios y universidades históricamente de afroamericanos en la Costa del Golfo con más de $400 millones en préstamos para restaurar los campus y renovar sus esfuerzos de reclutamiento.

Enfrenté muchas críticas como presidente. No me gustó saber de gente asegurando que mentí sobre las armas de destrucción masiva en Irak o que eliminé impuestos para beneficiar a los ricos. Sin embargo, la sugerencia de que yo era racista debido a la respuesta a Katrina representó el punto más bajo de todos. Le dije a Laura en ese momento que ese había sido el peor momento de mi mandato. En la actualidad, tengo el mismo sentimiento.

Durante la Semana Dos de respuesta a Katrina, Mike Chertoff recomendó que hiciéramos cambios de personal. Oficiales estatales y locales habían estado quejándose acerca de la lentitud de FEMA, y Chertoff me dijo que había perdido la confianza en el director Mike Brown. Él sentía que el director de FEMA se había congelado bajo la presión y se había convertido en un insubordinado. Acepté la recomendación de Chertoff de traer al Almirante Thad Allen—el jefe de personal de la Guardia Costera, quien había realizado un trabajo brillante en los esfuerzos de búsqueda y rescate—como el oficial federal principal coordinando operaciones en la Costa del Golfo.

El domingo de esa semana—Día Catorce—realicé mi tercera visita a la Costa del Golfo. Volé en el helicóptero y aterricé en el USS *Iwo Jima*, el cual estaba atracado en el Río Mississippi. Dos años antes, yo había desplegado el *Iwo Jima* para liberar Liberia del dictador Charles Taylor. Fue casi surrealista estar parado a bordo de una embarcación amfibia de asalto, mirando a una ciudad principal estadounidense sufriendo las heridas de una tormenta violenta.

A la mañana siguiente, abordamos vehículos militares de diez toneladas para un tour por Nueva Orleans. El Servicio Secreto estaba ansioso. Ésta era una de las pocas ocasiones en que un presidente viajaba a través de una gran ciudad metropolitana en un vehículo abierto desde el asesinato de Kennedy en 1963. Tuvimos que evadir cables de electricidad colgantes y conducir a través de profundas piscinas de agua estancada. Virtualmente todas las casas estaban aún abandonadas. Algunas de ellas estaban pintadas con aerosol en las paredes con la fecha en que fueron registradas y el número de cuerpos encontrados dentro. Vi a algunas personas merodeando aturdidas. Cerca de allí se encontraba una manada de perros salvajes buscando comida entre la basura, muchos de ellos con mordidas en el cuerpo; era una muestra del ámbito de la supervivencia del más apto que había tomado a la ciudad.

El 15 de septiembre—Día Dieciocho—regresé a Nueva Orleans para dar un comunicado estelar a la nación. Decidí dar el discurso desde Jackson Square, nombrado así en honor al General Andrew Jackson, quien defendió Nueva Orleans en contra de los británicos a finales de la guerra de 1812. El famoso y emblemático Barrio Francés había sufrido mínimos daños durante la tormenta.

Vi el discurso como mi oportunidad de explicar qué había ocurrido mal, prometer arreglar los problemas y aclarar la visión de mover hacia adelante a los estados de la Costa del Golfo y al país. Un Nuevo Orleans abandonado fue, sin duda, el lugar más extraño desde dónde haya dado un discurso. Con excepción de los generadores, la ciudad aún no contaba con electricidad. En una de las ciudades más vibrantes del mundo, las únicas personas alrededor eran unos cuantos oficiales del gobierno y soldados de la 82 de Airborne.

Con la catedral de San Luis bañada en luz azul a mis espaldas, comencé:

Buenas Tardes. Me dirijo a ustedes desde la ciudad de Nueva Orleans, prácticamente vacía, aún parcialmente bajo el agua y esperando por el retorno de la vida y la esperanza...Esta noche yo... ofrezco esta promesa al pueblo estadounidense: a lo largo del área afectada por el huracán, haremos lo que sea necesario, nos quedaremos aquí todo el tiempo que sea necesario para ayudar a los ciudadanos a reconstruir sus comunidades y sus vidas. A todos lo que cuestionan el futuro de la ciudad creciente, deben saber que no hay manera de imaginar los Estados Unidos sin Nueva Orleans, esta gran ciudad resurgirá nuevamente.

Expuse una serie de compromisos específicos: asegurar que las víctimas recibieran la asistencia financiera que necesitaran; ayudar a las personas a desocupar hoteles y refugios y colocarlos en viviendas de tipo más permanente; a destinar recursos federales a limpiar escombros y reconstruir carreteras, puentes y escuelas; a crear un incentivo fiscal para el regreso de negocios y la contratación de trabajadores locales y agregar soporte a los diques de Nueva Orleans para hacer frente a la próxima gran tormenta. Continué:

Cuatro años después de la espantosa experiencia del 11 de septiembre, los estadounidenses tienen todo el derecho de esperar una respuesta más efectiva en caso de una emergencia. Cuando el Gobierno Federal falla en cumplir con esa obligación, yo, como presidente, soy responsable del problema y de la solución. Por lo que he ordenado a cada secretario del gabinete participar en una revisión comprensiva de la respuesta del gobierno ante el huracán. Este gobierno aprenderá las lecciones del huracán Katrina.

Tomé muy en serio esas promesas. En el transcurso de los siguientes meses, trabajé con el Congreso para asegurar $126 mil millones en fondos para reconstruir, por mucho el más grande para cualquier desastre natural en la historia estadounidense. Decidí crear una nueva posición para asegurar que una persona fuera responsable de coordinar la reconstucción y asegurar que los fondos fuera utilizados sabiamente. Thad Allen ocupó el puesto en un inicio. Cuando lo nominé para comandar la Guardia Costera, le pedí a Don Powell, un compañero Tejano y ex presidente de la Comisión Federal de Seguro de Depósito, que ocupara su lugar.

Le dije al Jefe de Personal, Andy Card—y después a Josh Bolten— que esperaba reportes regulares del progreso de nuestras iniciativas en la Costa del Golfo. Los oficiales de gobierno de más alto rango se reunían rutinariamente en la sala Roosevelt para resumir detalladamente temas como cuántas víctimas habían recibido cheques como beneficio por el desastre, el número de escuelas en la Costa del Golfo que habían reabierto y el volumen de escombros removidos.

Yo quería que la gente de la Costa del Golfo viera de primera mano que estaba comprometido a reconstruir, así que realicé diecisiete viajes entre agosto del 2005 y agosto del 2008. Laura hizo veinticuatro visitas en total. Ambos quedamos impresionados por la determinación y el espíritu de la gente que conocimos.

En marzo del 2006, visité el Industrial Canal Levee, el cual había fracturado e inundado la parte baja de Ninth Ward. Vimos enormes montones de escombros y basura mientras conducíamos al sitio, un recordatorio de qué tan lejos el vecindario aún tenía que ir. El Alcalde Nagin y yo nos pusimos los cascos y escalamos a la cima del dique, y observamos martinetes empujar pilares a una profundidad de setenta pies debajo de la tierra—una fundación sólida diseñada para soportar una tormenta del tamaño de Katrina. Para asegurar a los residentes reubicados de Nueva Orleans que era seguro regresar a la ciudad que amaban, nada era más importante que reforzar los diques.

En el segundo aniversario de la tormenta, Laura y yo visitamos la escuela subvencionada de Ciencia y Tecnología, Dr. Martin Luther King Jr. Dos años antes, la escuela había estado sumergida bajo quince pies de agua. En gran medida, gracias a la determinación de la directora Doris Hicks, MLK se convirtió en la primera escuela en Lower Ninth Ward en reabrir. Como antigua bibliotecaria, Laura había estado triste por el número de libros destruidos en la tormenta. Ella empezó una campaña privada para reunir fondos para ayudar a las escuelas de Nueva Orleans a reconstruir su colección. Al paso de los años, su liderazgo y la generosidad del pueblo estadounidense ayudó a enviar decenas de miles de libros a escuelas a lo largo de la Costa del Golfo.

La historia en Mississippi fue igual de edificante. En agosto del 2006, regresé a Biloxi, donde visité cuatro días después de la tormenta. Las playas que habían sido cubiertas con escombro hacía un año, habían regresado a su belleza de relucientes playas de arena blanca. Siete casinos aportando cientos de empleos habían reabierto. Las congregaciones eclesiásticas que habían sido separadas, estaban juntas nuevamente. La vida de pocas personas había cambiado tanto como la de Lynn Patterson. Cuando lo conocí un año antes, estaba sacando autos fuera del estiércol en un vecindario donde todas las casas habían desaparecido. Cuando regresé a Biloxi, nos dio un tour a Laura y a mí por su nueva casa, que había sido reconstruida con dólares de los contribuyentes.

———

En la estela de Katrina, le pedí a Fran Townsend—una talentosa ex fiscal de la ciudad de Nueva York, quien fungía como mi alta Consejera en Seguridad Nacional en la Casa Blanca—que estudiara cómo podríamos mejorar la respuesta para futuros desastres. Su reporte reafirmaba el conocido principio que los oficiales estatales y locales están mejor posicionados para liderar una respuesta efectiva ante una emergencia. El reporte también recomendaba cambios en el enfoque del Gobierno Federal. Ideamos nuevas maneras de ayudar a las autoridades locales y estatales a conducir evacuaciones oportunas, desarrollar sistemas de comunicación de apoyo, establecer un centro operativo nacional para distribuir reportes oportunos de la situación y crear un proceso ordenado para desplegar recursos federales—incluyendo tropas en servicio activo—en casos cuando las fuerzas de primera respuesta, estatales y locales hayan sido sobrepasadas.*

El Nuevo Sistema de Respuesta de Emergencias fue probado en agosto del 2008, cuando el Huracán Gustav cruzó disparadamente el Golfo de México hacia Nueva Orleans. Sostuve videoconferencias regulares con oficiales federales, estatales y locales durante los días anteriores a la tormenta. Mike Chertoff y el nuevo director de FEMA, el ex Jefe del Departmento de Bomberos de Miami-Dade, Dave Paulison, se reubicaron en Baton Rouge para supervisar las preparaciones. Los refugios ya estaban listos y abastecidos. El Gobernador de Luisiana, Bobby Jindal, el talentoso republicano electo en 2007, trabajó de cerca con el Alcalde Nagin para ordenar una evacuación mandatoria. —Ustedes deben tener miedo y deben sacar sus traseros de Nueva Orleans ahora mismo —dijo el Alcalde.

Cuando Gustav tocó tierra, los primeros reportes eran que Nueva Orleans había evadido un golpe directo. Ya había escuchado eso antes. Sin embargo, esta vez los diques soportaron y los daños en Nueva Orleans fueron mínimos. Algunas semanas después, el huracán Ike aplastó Galveston, Texas. Los daños a propiedades fueron extensos—solo que Andrew y Katrina fueron más costosos—pero gracias a la buena preparación a nivel estatal, se salvaron muchas vidas. A pesar de toda la devastación que causó Katrina, parte del impacto duradero de la tormenta, es que mejoró la habilidad del Gobierno Federal para apoyar a los gobiernos locales y estatales a responder mejor ante desastres mayores.

Aún cuando los vecindarios de Nueva Orleans estuvieren restaurados y las casas en Mississippi fueren reconstruidas, nadie que haya soportado Katrina podrá recuperarse por completo. Esto es específicamente cierto para las decenas de miles de personas que perdieron sus casas y sus posesiones y—lo peor de todo—las familias de los más de mil ochocientos estadounidenses que perdieron la vida.

De una forma diferente, es verdad para mi también. En una catástrofe nacional, lo más fácil por hacer es culpar al presidente. Katrina presentó una oportunidad política que algunos críticos aprovecharon durante años. Las secuelas de Katrina—combinadas con el colapso de la reforma de seguridad social y el sonido bélico de la violencia en Irak—hicieron del invierno del 2005, un periodo de daño a mi mandato. Justo un año antes, había ganado la reelección con más votos que cualquier candidato en la historia. A finales

---

*En el otoño del 2006, el Congreso enmendó la Ley de Insurrección para permitir al presidente desplegar tropas federales con poder de hacer cumplir la ley durante desastres naturales. Entonces, en 2008, derogaron la enmienda.

del 2005, la mayoría de mi capital político había desaparecido. Con mis calificaciones de aprobación cayendo, muchos demócratas—y algunos republicanos—decidieron que estarían mejor oponiéndose a mi, que trabajar conmigo. Logramos concluir asuntos importantes, incluyendo reautorizar la inciativa para el SIDA, costear completamente a nuestras tropas, confirmar Sam Alito en la Corte Suprema y responder a la crisis financiera, pero el legado del otoño del 2005, persistió por el resto de mi periodo en la presidencia.

Esto no es para sugerir que no cometí errores durante Katrina. Debí haber instado a la Gobernadora Blanco y al Alcalde Nagin para evacuar Nueva Orleans con anterioridad. Debí haber regresado directo a Washington desde California el segundo día o haber parado en Baton Rouge el tercer día. Debí haber hecho más para demostrar mi simpatía por las víctimas y mi determinación de ayudar, tal como lo hice en los días después de 9/11.

Mi error más grande y substancial fue esperar demasiado para desplegar a las tropas activas. Para el tercer día, era claro que las tropas federales eran necesarias para recuperar el orden. Si tuviera que hacerlo nuevamente, enviaría la 82 de Airborne inmediatamente, sin ningún tipo de autoridad para aplicar la ley. Dudé en ese momento por que no quería dejar a nuestras tropas indefensas para detener ataques de un francotirador y los demás actos sorprendentes de violencia de los cuales escuchábamos por televisión. Después descubrimos que estas cuentas estaban alocadamente exageradas, resultado de corresponsales sobreexcitados bajo presión de llenar cada segundo del tiempo al aire de un canal de noticias las 24 horas.

Al final, la historia de Katrina es que fue la tormenta del siglo. Devastó un área del tamaño de Gran Bretaña, produjo una cantidad de escombros casi nueve veces más que cualquier otro huracán documentado y asesinó a más personas que cualquier tormenta en setenta y cinco años. Los costos económicos — trescientos mil hogares destruidos y $96 mil millones en propiedad dañada— superaron a cualquier otro huracán previamente documentado.

Aún así, la destrucción y muerte no tuvieron la palabra final para las personas de la Costa del Golfo. En agosto del 2008, visité Gulfport, Mississippi y Jackson Barracks en Nueva Orleans; hogar de la Guardia Nacional de Luisiana, que se había inundado durante Katrina. Era sorprendente ver cuánto había cambiado en tres años.

En Mississippi, los trabajadores Habían limpiado cuarenta y seis millones de yardas cúbicas (35 millones de metros cúbicos) de escombros, el doble de lo que el Huracán Andrew dejó a su paso. Más de cuarenta y tres mil residentes habían reparado o reconstruido sus casas. El tráfico fluyó sobre los nuevos puentes que abarcaban Bahía Biloxi y Bahía San Luís. Los turistas y empleados habían regresado para revitalizar los casinos y hoteles frente al mar, y una señal inspiracional: todas las escuelas dañadas por Katrina habían reabierto.

Mientras muchos predijeron que Nueva Orleans nunca sería una ciudad principal nuevamente, el 87 por ciento de la población, previa a Katrina, había regresado. El puente I-10 que conecta Nueva Orleans con Slidell había reabierto. El número de restaurantes en la ciudad había excedido la cantidad previa a Katrina. Más de setenta mil ciudadanos habían reparado o reconstruido sus casas. Los muros de contención de inundaciones y diques alrededor de Nueva Orleans habían sido fortalecidos y el cuerpo de ingenieros del Ejército había iniciado un proyecto masivo para porporcionar «100 años de protección contra inundación». El Superdome, que alguna vez albergó a miles de víctimas de Katrina, se convirtió en el orgulloso hogar de los campeones del Superbowl, Los Santos de Nueva Orleans.

El cambio mas edificante de todos ha sido en la educación. Las escuelas públicas que estaban decayendo antes de la tormenta, han reabierto con instalaciones modernas, con nuevos maestros y líderes comprometidos a reformar y dar resultados. Docenas de escuelas subvencionadas se han formado a lo largo de la ciudad, ofreciendo más opciones y mayor flexibilidad para los padres. La Arquidiócesis Católica liderada por el Arzobispo Alfred Hughes, continuó su larga tradición de excelencia educacional, reabriendo sus escuelas rápidamente. El año posterior a Katrina, los estudiantes de Nueva Orleans mejoraron sus resultados en las pruebas, mejoraron más al año siguiente y aún más el tercer año.

Cuando dí mi discurso de despedida desde la Sala Este de la Casa Blanca en enero del 2009, uno de mis invitados fue el Dr. Tony Recasner, Director de la Escuela Subvencionada Samuel J. Green en Nueva Orleans. Tony empezó en la escuela en julio del 2005, después de que habían tenido un desempeño tan severamente bajo que el estado tomó control de la escuela. Después, Katrina golpeó.

Cuando visité en el 2007, Tony me habló de sus métodos innovadores de enseñanza, tales como tener a los estudiantes enfocados en un solo tema durante semanas. Él también me habló de los resultados. A pesar de las enormes desventajas que enfrentaban sus estudiantes, el porcentaje de alumnos que leían y hacían cálculos matemáticos al nivel adecuado se triplicó. —Esta escuela, la cual no servía a la comunidad bien en el pasado, ahora realmente va a ser un faro de luz —dijo Tony.

El espíritu de renovación en la Escuela Subvencionada S.J. Green está presente a lo largo de la Costa del Golfo. Con liderazgo de personas como Tony, una nueva generación puede crear una mejor vida que la que heredaron y así, el verdadero legado de Katrina será de esperanza.

11

EL EFECTO LÁZARO

E l 30 de julio del 2008, Mohamad Kalyesubula se sentó en la primera fila de la Sala Este. Era un alto y delgado hombre africano. Tenía una gran y brillante sonrisa y se suponía que debería estar muerto.

Cinco años antes, Laura y yo conocimos a Mohamad en Entebbe, Uganda, en una clínica operada por la Organización de Apoyo para el SIDA, TASO. Ubicada en un simple edificio de ladrillo de un solo piso, la clínica TASO atendía millones de pacientes con SIDA. Como muchos, en etapas avanzadas de esta enfermedad, Mohamad estaba consumiéndose. Comía poco. Batallaba fiebres constantes. Estuvo confinado en cama por casi un año.

Esperaba que TASO fuese un lugar de desesperación absoluta, pero no lo fue. Una señal pintada a mano en la pared decía «Viviendo positivamente con VIH/SIDA». Un coro de niños, la mayoría huérfanos que habían perdido a sus padres debido al SIDA, cantaban himnos que proclamaban su fe y esperanza. Terminaron con una dulce interpretación de «América la hermosa» y «Tengo un sueño». Mohamad me dijo desde su cama de hospital: —Un día, iré a los Estados Unidos. —Salí de la clínica inspirado. Los pacientes reafirmaron mi convicción de que toda vida tiene dignidad y valor, porque cada persona lleva la marca de Dios todopoderoso. Vi su sufrimiento como un reto a las palabras del evangelio: «A quien mucho es dado, mucho es requerido».

A los Estados Unidos se les había dado mucho y resolví que contestaríamos el llamado. A principios de ese año, había propuesto y el Congreso había pasado una iniciativa de 15 mil millones de dólares para la lucha contra el VIH/SIDA en África. El plan de emergencia del Presidente para el alivio del SIDA, PEPFAR, constituyó la más grande iniciativa internacional de salud para combatir una enfermedad específica. Pensé que serviría como una versión médica del Plan Marshall. —Esta es la promesa de mi país a la gente de África y la gente de Uganda —dije en la clínica TASO—. No estás solo en esta lucha. Los Estados Unidos han decidido actuar.

Tres meses después, Mohamad recibió su primer medicamento antirretroviral. El medicamento renovó su fuerza. Eventualmente, se pudo levantar de la cama. Tomó un trabajo en la clínica TASO y ganó dinero suficiente para mantener a sus seis hijos. El verano del 2008, invitamos a Mohamad a la Casa Blanca, a verme firmar una propuesta para duplicar nuestro compromiso financiero global para luchar contra el VIH/SIDA. Casi no lo reconocía. Su cuerpo marchito había crecido fuerte y robusto. Había regresado a la vida.

Él no era el único. En cinco años, el número de africanos que había recibido medicina para el SIDA había crecido de cincuenta mil a casi tres millones— más de dos millones de ellos apoyados por PEPFAR. Personas que se habían dado por muertas fueron restauradas a una vida sana y productiva. Pensando en la historia de Jesús salvando a su amigo de la muerte, los africanos crearon una frase para describir la transformación. Le llamaron *El Efecto Lázaro*.

———

En 1990, mi padre me pidió que liderara una delegación a Gambia para celebrar su 25 aniversario de independencia. Una pequeña nación africana del oeste con una población de novecientos mil habitantes, Gambia era mejor conocida en los Estados Unidos como el hogar de los antepasados de Alex Haley, el autor de *Raíces*. Laura y yo habíamos leído el libro ganador del Premio Pulitzer, libro en el cual Haley rastrea su linaje hasta un hombre africano tomado por traficantes de esclavos en los 1700.

Tristemente, Gambia no se veía como si se hubiese desarrollado mucho desde entonces. A Laura y yo nos condujeron alrededor de la capital, Banjul, en un viejo Chevrolet proporcionado por la embajada. El camino principal estaba pavimentado. El resto eran de tierra. La mayoría de gente que vimos caminaba a pie, a menudo con cargas pesadas sobre sus espaldas. Lo más importante del viaje fue la ceremonia de celebración de la independencia de Gambia. Tomó lugar en el Estadio Nacional, donde la pintura se estaba descascarando y el concreto estaba maltratado. Recuerdo pensar que los estadios de las secundarias en el oeste de Texas eran más modernos que lo que mostraba Gambia.

Gambia estuvo en mi mente ocho años después cuando estaba pensando en la candidatura a la presidencia. Condi Rice y yo pasamos muchas horas discutiendo la política extranjera en el pórtico de la mansión del Gobernador.

Un día, nuestra conversación se tornó acerca de África. Condi tenía fuertes sentimientos al respecto. Ella sentía que África tenía mucho potencial, pero había sido muy a menudo descuidada. Acordamos que África sería una parte importante en mi política exterior.

Consideraba a los Estados Unidos como una nación generosa, con una responsabilidad moral de hacer nuestra parte en ayudar a aliviar la pobreza y desesperación. La pregunta era cómo hacerlo de manera efectiva. Nuestros programas de asistencia exterior en África tenían un pésimo historial. La mayoría fueron diseñados durante la Guerra Fría para apoyar gobiernos anticomunistas. Mientras nuestro apoyo ayudó a mantener regímenes amistosos en poder, no hizo mucho por mejorar las vidas de gente ordinaria. En el 2001, África recibió $14 mil millones en ayuda extranjera, más que cualquier otro continente. Sin embargo, el crecimiento económico per cápita, era aún peor que lo que había sido en los 1970.

Otro problema era que el modelo tradicional de ayuda extranjera era paternalista: Una rica nación donadora escribió un cheque y le dijo al recipiente cómo gastarlo. Decidí tomar un enfoque nuevo en África y en otras partes del mundo en vías de desarrollo. Basaríamos nuestras relaciones en asociación, no en paternalismo. Confiaríamos en países en vías de desarrollo para diseñar sus propias estrategias para utilizar los dineros de los contribuyentes estadounidenses. A cambio, ellos medirían su desempeño y nos rendirían cuentas. El resultado sería que los países sintieran que invirtieron en su propio éxito, mientras que los contribuyentes estadounidenses verían el impacto de su generosidad.

Así como Condi dejó en claro en nuestra primera discusión, un problema llamó más la atención que otros: La crisis humanitaria del VIH/SIDA. Las estadísticas fueron aterradoras. Algunos diez millones de gente en el área subsahariana de África habían muerto. En algunos países, uno de cada cuatro adultos tenía VIH. El número total de infectados se esperaba que sobrepasara cien mil millones para el 2010. Las Naciones Unidas proyectaron que el SIDA podría ser la peor epidemia desde la plaga bubónica en las edades medias.

Cuando tomé la presidencia, los Estados Unidos gastaban un poco más de $500 millones al año en la lucha global contra el SIDA. Eso fue más que cualquier otro país. Sin embargo, fue insignificante comparado con el alcance de la pandemia. El dinero se extendió al azar por seis agencias diferentes. Mucho de su trabajo era duplicado, una señal de que no había una estrategia clara.

Los contribuyentes estadounidenses merecían—y la consciencia demandaba—un plan que fuera más efectivo que este esfuerzo inconexo. Decidí confrontar el flagelo del SIDA en África, un elemento clave en mi política extranjera.

———

En marzo del 2001, me reuní con el Secretario General de las Naciones Unidas, Kofi Annan, diplomático de voz suave de Ghana. Kofi y yo no estuvimos de acuerdo en cada problema, pero encontramos un punto medio en nuestra determinación por resolver la pandemia del SIDA. Él sugirió crear un nuevo fondo global para la lucha contra el VIH/SIDA, tuberculosis y malaria que atrajera recursos de todas partes del mundo.

Escuché, pero no hice ningún compromiso. Consideraba que la ONU era engorrosa, burocrática e ineficiente. Estaba preocupado de que un fondo compuesto por varias contribuciones de diferentes países con diferentes intereses no gastaría el dinero de los contribuyentes de una forma enfocada y efectiva.

Sin embargo, el Secretario de Estado Colin Powell y Secretario de Salud y Servicios Humanos Tommy Thompson recomendaron que apoyara el fondo

global con una promesa inicial de $200 millones. Sintieron que mandaría
una buena señal de que los Estados Unidos fueran el primer contribuyente al
fondo. Su persistencia venció mi escepticismo. Anuncié nuestro compromiso
el 11 de mayo del 2001, con Kofi y el Presidente Olusegun Obasanjo de
Nigeria en el Rose Garden. —Le agradezco, a nombre de todos los que sufren
de SIDA en el mundo, pero en particular a nombre de los que sufren de SIDA
en África —dijo el Presidente Obasanjo.

—Está mañana, hemos hecho un buen comienzo —dije en mi discurso.
No agregué que tenía planes de hacer más.

———

Exactamente cuatro meses después del día que anunciamos nuestra promesa
al Fondo Global, los terroristas atacaron los Estados Unidos. Antes de
septiembre 11, había considerado el alivio de enfermedad y pobreza como
una misión humanitaria. Después de los ataques, fue claro para mí que esto
era más que una misión de consciencia. Nuestra seguridad nacional estaba
atada directamente al sufrimiento humano. Sociedades atascadas en pobreza
y enfermedad fomentaban la desesperanza y la desesperanza deja a la gente
como fruta madura para reclutamiento por parte de terroristas y extremistas.
Confrontando el sufrimiento en lugares como África, Los Estados Unidos
podrían fortalecer su seguridad y alma colectiva.

A principios del 2002, había concluido que el Fondo Global no era una
respuesta suficiente para la crisis del SIDA. Mientras que los Estados Unidos
habían incrementado nuestra contribución a $500 millones, el Fondo estaba
corto en dinero y lento a actuar. Mientras tanto, la epidemia del SIDA estaba
mandando a más africanos a la tumba. La mayoría era entre los quince y
cuarenta y nueve años de edad, el grupo demográfico clave de las naciones
productivas. Si no se controlaba, la enfermedad estaba proyectada a matar a
sesenta y ocho millones de personas para el año 2020, más gente de la que
había muerto en la Segunda Guerra Mundial.

Yo no podía soportar la idea de gente inocente muriendo mientras la
comunidad internacional se atrasaba. Decidí que era momento para que los
Estados Unidos lanzaran una iniciativa global propia para el SIDA Nosotros
controlaríamos los fondos. Nos moveríamos rápido e insistiríamos en
resultados.

Josh Bolten organizó un equipo* para desarrollar recomendaciones.
En junio, me presentaron una propuesta, enfocándose en una devastadora
parte de la crisis del SIDA: su impacto en mujeres y niños. Al momento 17,6

* El equipo incluyo al Dr. Tony Fauci, Director del Instituto Nacional de Alergias y Enfermedades
Contagiosas y a su asistente de Dirección, Dr. Mark Dybul; Gary Edson, mi Asesor adjunto de Seguridad
Nacional y Empleado Superior en el Desarrollo Internacional; Jay Lefkowitz, mi Director Adjunto de
Política Interna; Robin Cleveland de la Oficina de Administración y Presupuesto; Kristen Silverberg,
una de los ayudantes de Josh y después, Dr. Joe O'Neill, el Director de Políticas Nacionales del SIDA.

millones de mujeres y 2,7 millones de niños vivían con VIH/SIDA. Cada cuarenta y cinco segundos, otro bebé nacía con el virus en África.

Recientemente, científicos habían encontrado nuevos medicamentos, particularmente, una droga llamada Nevirapina, que podría reducir la tasa de transmisión de madre a hijo un 50 por ciento. Sin embargo, no estaba ampliamente disponible en África u otras partes del mundo desarrollado. El equipo propuso gastar $500 millones a lo largo de cinco años para comprar medicina y entrenar a los trabajadores de salud locales en los países africanos y del Caribe más afectados.

—Comencemos ahora —exclamé. El plan estaba diseñado para una parte específica de la crisis en las partes del mundo más necesitadas. Pondría a los oficiales locales a la cabeza y tenía una meta ambiciosa, pero realista: tratar un millón de madres y salvar ciento cincuenta millones de bebes cada año después de cinco años.

El 19 de junio del 2002, anuncié la iniciativa de prevención del VIH para Madres e Hijos en el Rose Garden. En diecisiete meses, habíamos duplicado el compromiso de los Estados Unidos en la lucha global contra el SIDA.

———

La mañana que destapé el Programa de madres e hijos, llamé a Josh Bolten a la Oficina Oval. —Esto es un buen comienzo, pero no es suficiente —le dije—. Regresa a la idea original y piensa aún más grande.

Unos meses después, él y el equipo recomendaron un programa a larga escala enfocado en tratamiento, prevención, y cuidado para el SIDA—la estrategia que finalmente se convertiría en PEPFAR.

La primera parte de la propuesta—el tratamiento—fue la más revolucionaria. A través de África, estaba estimado que cuatro millones de pacientes con SIDA requirieran de medicinas antirretrovirales para seguir con vida. Poco menos de cincuenta mil las estaban recibiendo. Gracias a los avances en tecnología medicinal, los regímenes de tratamiento para el SIDA que solían requerir 30 pastillas al día podrían tomarse dos veces al día solamente en tipo coctel medicinal. Pronto, solo una pastilla era requerida. La nueva medicina era más potente y menos tóxica para los pacientes. El precio había bajado de $12.000 al año a menos de $300. Por $25 al mes, los Estados Unidos podrían extender la vida de un paciente de SIDA por años.

—Necesitamos aprovechar el descubrimiento —le dije al equipo— pero ¿cómo haríamos para hacer llegar las medicinas a la gente?

Tony Fauci describió un programa en Uganda dirigido por el Dr. Peter Mugyenyi, un doctor innovador que operaba una clínica avanzada y era una de las primeras personas en llevar medicamentos antirretrovirales a África. En una junta de la Oficina Oval, Tony me mostró fotos de trabajadores de salud de TASO en Uganda, montando en motocicletas para llevar los medicamentos antirretrovirales de puerta en puerta a pacientes confinados. Mientras que era parcialmente completo, los programas de Mugyenyi y TASO mostraron lo que podría ser posible con más apoyo.

Además del tratamiento, Uganda empleó una campaña de prevención agresiva conocida como ABC: Abstinencia; Sé fiel; si no, usa un Condón. El enfoque fue exitoso. De acuerdo a estimados, la tasa de infección en Uganda había disminuido de un 15 por ciento en 1991 a un 5 por ciento en 2001.

PEPFAR incluiría un elemento adicional: cuidando las víctimas de SIDA, especialmente huérfanos. Me rompió el corazón que 14 millones de niños perdieran a sus padres a causa del SIDA. También me preocupó una generación sin raíces, gente joven desesperada que sería vulnerable al reclutamiento por parte de los extremistas.

Presioné por específicos en el plan. —¿Cuáles son nuestras metas? —pregunté—.¿Qué es lo que podemos lograr?

Trazamos tres objetivos: tratar a 2 millones de pacientes con SIDA, prevenir siete millones de nuevas infecciones y cuidar de diez millones de gente infectada con el VIH. Trabajaríamos en conjunto con el gobierno y gente de países comprometidos a batallar la enfermedad. Líderes locales desarrollarían las estrategias para cumplir metas específicas y nosotros las apoyaríamos.

La siguiente pregunta era a qué países incluir. Decidí enfocarnos en las naciones más pobres y más enfermas, doce en el área subsahariana del África y dos en el Caribe.* Estos 14 países representaban el 50 por ciento de infectados mundiales con VIH. Si pudiéramos parar la propagación de la enfermedad en su epicentro, podríamos crear un modelo para otros países en el Fondo Global.

La decisión final era cuánto más dinero gastaríamos. El grupo de Josh había recomendado una asombrosa cantidad de $15 mil millones en un plazo de cinco años. Mi equipo de presupuesto expresó preocupación. Al término del 2002, la economía de los Estados Unidos estaba teniendo problemas. Los estadounidenses tal vez no entenderían el por qué gastar tanto dinero fuera del país cuando nuestros propios ciudadanos estaban sufriendo.

Yo estaba dispuesto a afrontar la objeción. Estaba seguro de que podría explicar cómo salvar las vidas en África servía a nuestras estrategias e intereses morales. Sociedades sanas serían menos probables a crear el terror y el genocidio. Serían más prósperos y más capaces de pagar nuestras mercancías y servicios. Gente no segura de los motivos de los Estados Unidos verían nuestra generosidad y compasión. Y yo creía que los estadounidenses apoyarían más si vieran cómo su pago de impuestos estaba salvando vidas. Los críticos dirían después que comencé el proyecto de PEPFAR para apaciguar el derecho religioso o divertir la atención sobre Irak. Esas acusaciones son absurdas.

Propuse la iniciativa del SIDA para salvar vidas. Mike Gerson, mi

---

* *Botswana, Côte d´Ivoire, Etiopia, Guyana, Haití, Kenia, Mozambique, Namibia, Nigeria, Ruanda, Sudáfrica, Tanzania, Uganda y Zambia. A petición del Congreso, después agregamos una nación asiática a PEPFAR, Vietnam.*

principal escritor de discursos y consejero de confianza, lo expresó mejor en una junta en noviembre del 2002. —Si podemos hacer esto y no lo hacemos —dijo— sería una fuente de vergüenza.

Tomé la decisión de seguir adelante con PEPFAR en diciembre del 2002. Solo algunas personas conocían al respecto del plan. Le di instrucciones al equipo de que así fuera. Si se filtraba la información, hubiera habido una guerra por el territorio entre agencias de gobierno para controlar el dinero. Miembros del Congreso estarían tentados a deshacerse del enfoque del programa, redirigiendo fondos para sus propios propósitos. No quise que PEPFAR terminara paralizado por la burocracia e intereses competitivos.

—Rara vez tiene la historia una oportunidad tan enorme de ofrecer hacer algo por tantos, —expresé en mi discurso del Estado de la Unión el 28 de enero del 2003—. Esta noche propongo un plan de Emergencia para la sanación del SIDA—un trabajo de misericordia más allá de todos los actuales esfuerzos internacionales para ayudar a la gente de África.

Miembros de los dos partidos se unieron a apoyar el plan. De pie junto a Laura en el palco de la Primera Dama estaba un hombre cuyo programa y país habían servido de inspiración para PEPFAR, Dr. Peter Mugyenyi de Uganda.

———

Tenía anticipado que el anuncio tuviera un gran impacto y lo tuvo. El principal funcionario de la lucha contra el SIDA del Presidente Clinton lo llamó: «inspirador y claramente de corazón». El *Chicago Tribune* resumió la reacción de muchos periódicos cuando presentó el editorial: «"Asombroso" no es una palabra demasiado fuerte para el anuncio del Presidente Bush».

Como era de esperarse, hubo algunas objeciones. La más grande vino en respuesta a la estrategia de prevención ABC. Críticos de la izquierda denunciaron el componente de la abstinencia como una ideológica «guerra contra condones» que resultaría irrealista e ineficiente. Señalé que la abstinencia funcionaba todas las veces. Algunos de la derecha objetaron distribuir condones, porque pensaron que eso alentaría la promiscuidad. Al menos los Miembros del Congreso eran lo suficientemente listos para no criticar la B, ser fiel en el matrimonio.

Irónicamente, ambos lados acusaron que estábamos imponiendo nuestros valores—fundamentalismo religioso si le preguntabas a un grupo, permiso sexual si le preguntabas al otro. Ningún argumento tuvo mucho sentido para mí, ya que la estrategia ABC había sido desarrollada en África, implementada en África y exitosa en África.

En la primavera del 2003, La Cámara de Representantes tomó la legislación de PEPFAR. La propuesta estaba patrocinada por el congresista republicano Henry Hyde de Illinois y congresista demócrata Tom Lantos de California, dos hombres de principios y partidarios de los derechos humanos.

En un fino ejemplo de la cooperación bipartidista, ayudaron a dirigir la propuesta a través de la Cámara con un voto de 375 a 41.

La propuesta luego se movió al Senado, donde recibió fuerte apoyo por parte del Líder de la Mayoría, Bill Frist, un doctor que hacía viajes médicos como misionero a África y Senador Dick Lugar de Indiana, el caritativo Presidente del Comité de Relaciones Extranjeras. Bill y Dick fomentaron apoyo entre una gama de legisladores, desde conservadores como Jesse Helms de Carolina del Norte a liberales como Joe Biden de Delaware y John Kerry de Massachusetts. Le dije a Bill que esperaba firmar la propuesta antes de irme a la Cumbre G-8 2003, en Evian, Francia, para así tener más apalancamiento para persuadir a nuestros aliados a unirse. Bill trabajó sin descanso para cumplir la fecha tope. Tres días antes de dejar el país firmé la Ley PEPFAR.

Dos meses después, Laura y yo aterrizamos en África subsahariana. Nuestra primera parada fue Senegal. Después de una junta por la mañana en el Palacio Presidencial, el Presidente Abdoulaye Wade y su esposa, Viviane, nos escoltaron a uno de los lugares más inquietantes que he visitado como Presidente, La Isla Gorée.

Nuestro tour comenzó en una estructura de estuco rosa, la Casa del Esclavo. El curador del museo nos condujo a Laura y a mí hacia los pequeños cuartos calientes. Uno contenía escalas para pesar esclavos. El otro estaba dividido en celdas para separar hombres, mujeres y niños. Caminamos por un pasaje angosto a la Puerta de No Regreso, El punto inicial para el horroroso Pasaje Medio. Solo podía imaginarme el temor de esas almas sin esperanza que fueron robados de sus familias y empujados hacia barcos dirigidos para una tierra desconocida. Puse mi brazo alrededor de Laura mientras mirábamos hacia el océano azul.

De pie, detrás de nosotros, estaban Colin Powell y Condi Rice. Pensé acerca del contraste entre los que sus ancestros habían sufrido y lo que Colin y Condi habían logrado. Después de un tour, di un discurso desde la Isla:

> *En este lugar, la libertad y la vida fueron robadas y vendidas. Seres humanos fueron entregados y clasificados, pesados y marcados con marcas de empresas comerciales y empacados como carga en un viaje sin regreso. Una de las más grandes migraciones de la historia fue también uno de los más grandes crímenes de la historia....*
>
> *Por doscientos cincuenta años, los cautivos sufrieron un asalto en su cultura y su dignidad. El espíritu de los africanos en Estados Unidos no se rompió, pero el espíritu de sus captores fue corrompido.... Una república fundada en la equidad para todos se convirtió en una prisión para millones. Aun así, en las palabras de*

un proverbio africano: «No hay puño lo suficientemente grande para esconder el cielo». Todas las generaciones de opresión bajo las leyes del hombre no pudieron aplastar la esperanza de libertad y vencer los propósitos de Dios.

En la lucha de los siglos, Estados Unidos aprendió que la libertad no es la posesión de una raza. Sabemos con la misma seguridad que la libertad no es una posesión de una nación. Esta creencia en los derechos naturales del hombre, esta convicción de que la justicia debería alcanzar donde el sol alumbre, dirige a Estados Unidos al mundo. Con el poder y los recursos que nos han sido dados, Los Estados Unidos busca traer paz en donde hay conflicto, esperanza donde hay sufrimiento y libertad donde hay tiranía.

PEPFAR era un nuevo capítulo en la historia que estaba aconteciendo en África de libertad, dignidad y esperanza. En cada país que visité, prometí que los Estados Unidos cumplirían con nuestros compromisos. En Sudáfrica, donde casi 5 millones viven con VIH, insté a un Presidente Thabo Mbeki reacio a confrontar la enfermedad abierta y directamente. En Botsuana, un país relativamente rico donde 38 por ciento de los adultos estaba infectado, el Presidente Festus Mogae prometió usar los fondos de PEPFAR para continuar el impresionante esfuerzo que había comenzado para luchar contra la enfermedad. En el Hospital Nacional de Abuja, Nigeria, visité a mujeres que se beneficiaron con el programa de madres e hijos. Ellas brillaban de alegría mientras me mostraban a sus hijos sanos, pero por cada infante nacido sin la infección, muchos más empezaban su vida enfrentándose a la carga del VIH.

La parte más memorable del viaje fue nuestra visita a la clínica TASO en Uganda, donde conocí a Mohamad Kalyesubula. Escoltado por el Presidente Yoweri Museveni y su esposa Janet, Laura y yo recorrimos el salón y abrazamos pacientes. Muchos se abrieron con nosotros. Compartieron sus esperanzas y temores. Una enfermera llamada Agnes me dijo que su esposo había muerto de SIDA en 1992. Cuando se hizo los exámenes, encontró que ella también tenía VIH. Ella fue una de las pocas que pudo obtener medicina antirretroviral. Me urgió para que mandara más medicina, lo antes posible. Cuando las medicinas apoyadas por PEPFAR llegaron a Uganda, Agnes ayudó a cuidar a muchos de los pacientes de TASO de regreso a un estado saludable. Uno de ellos fue Mohamad. Cuando él vino a la Casa Blanca en 2008, Agnes vino también.

El Director de TASO, un doctor llamado Alex Coutinho, después dijo que yo era el primer presidente primermundista que había visto abrazar a un africano con SIDA. Estaba sorprendido. Recordé que mi madre había hecho noticia internacionalmente cuando abrazó a un bebé infectado en 1989. Su acto dispersó el mito de que la enfermedad podría ser transmitida por medio del contacto humano fortuito. Estaba orgulloso de seguir con su legado reduciendo el estigma asociado con el SIDA. Esperé, de alguna manera, restaurar la dignidad de la gente que sufría; pero, sobre todo, quise mostrar que a los estadounidenses nos importaba.

Un punto culminante de nuestro viaje a África fue que nuestra hija Barbara nos acompañó. En Botsuana, ella, Laura, y yo fuimos al Safari en la Reserva Natural Mokolodi. Esperábamos relajarnos, tomar aire fresco y ver animales salvajes. Para alimentar el apetito de la prensa viajera, el equipo de la Casa Blanca decidió que tomáramos fotos.

Como siempre, los preparativos fueron muy meticulosos. Un camión lleno de prensa y cámaras con reporteros estaba pre-estacionado en un claro. Mientras nuestro auto daba vuelta a la esquina, la prensa estaba alineada para una foto perfecta de nosotros observando varios elefantes. Aparentemente, a los elefantes no se les había entregado el guión. Poco después de que llegamos, un elefante macho arrecho montó a una de los elefantes hembra en televisión internacional en vivo. Nuestro equipo se tornó pálido bajo el sol caliente de África. Laura, Barbara y yo nos echamos a reír.

El viaje era el primero para Barbara a África y la conmovió profundamente. Después de graduarse de la Universidad y haciendo un voluntariado en mi campaña en el 2004, ella trabajó en una clínica pediátrica de SIDA en la Cruz Roja en el Hospital Memorial en Ciudad del Cabo, Sudáfrica. Inspirada por su experiencia, después fundó una asociación sin lucro, llamada Cuerpo de Salud Global. Basada en un modelo similar a Educar por Estados Unidos, su organización manda a recién graduados de universidades a clínicas en tres países africanos y dos barrios pobres de los Estados Unidos. Ellos apoyan el cuidado de pacientes con SIDA y otras enfermedades, reforzando la infraestructura de salud y ayudando a gente a vivir con dignidad y esperanza. Jenna también descubrió una pasión para trabajar con pacientes de SIDA. Hizo un voluntariado para UNICEF en varios países de Latinoamérica. Cuando regresó a casa, escribió un libro maravilloso, un bestseller llamado *La Historia de Ana*, acerca de una niña que había nacido con VIH.

Laura y yo estamos muy orgullosos de nuestras hijas. Se han convertido en mujeres profesionistas sirviendo una causa mayor que ellas mismas. Ellas son partes de un movimiento más grande de estadounidenses que dedican su tiempo y dinero, ayudando a los menos afortunados. Estas buenas almas son parte de lo que llamo los ejércitos de compasión. Muchos vienen de organizaciones basadas en fe y no buscan compensación. Ellos reciben su pago de otra forma.

Una de las decisiones más importantes que tomé, al principio, para PEPFAR fue quién debería manejar el programa. Quería a un gerente probado que supiera cómo estructurar una organización que se enfocara en resultados. Encontré al hombre perfecto en un experimentado hombre de negocios de

Indiana, antes CEO de Eli Lilly, Randall Tobias.

Los primeros reportes de Randy eran desalentadores. Un año después de que firmé PEPFAR, menos de cien mil pacientes estaban recibiendo medicamento antirretroviral —¿Eso es todo? —irrumpí— Estamos lejos de los dos millones.

Randy me aseguró que PEPFAR estaba en buen camino. La tarea más importante durante el primer año era conseguir emparejar con países para idear sus estrategias, movilizar la mano de obra y comenzar a establecer la infraestructura. Una vez que tuviéramos esta base en pie, el número de gente recibiendo medicamento se incrementaría de forma espectacular.

Para el otoño del 2005, nuestros socios en África estaban completamente involucrados. Grupos basados en la fe y otros grupos apoyados por PEPFAR, tanto africanos como estadounidenses, ayudaron a llenar las clínicas de trabajadores y propagar el mensaje de prevención a millones a través del continente. Huérfanos y desahuciados estaban recibiendo cuidado compasivo. Algunos cuatrocientos miles de personas estaban tomando medicamento antirretroviral. Estábamos al paso para alcanzar nuestra meta.

Desafortunadamente, el SIDA no era la única enfermedad arrasando en África. Para el 2005, la malaria estaba matando aproximadamente a un millón de africanos al año, la mayoría niños menores a los cinco años de edad. Transmitida por una picadura de mosquito, la malaria contaba por el 9 por ciento de todas las muertes en África, aún más que el SIDA. Economistas estimaron que la enfermedad le costaría a África $12 mil millones al año en gastos médicos y productividad perdida, un golpe demoledor a ya frágiles economías.

Cada una de esas muertes era innecesaria. La malaria es tratable y prevenible. Los Estados Unidos había erradicado la malaria en los 1950, y había una estrategia bien establecida para batallar con la enfermedad. Se trataba de una combinación de insecticidas en spray, redes para cama y medicinas para pacientes infectados. Los remedios no estaban particularmente caros. Redes de cama costaban $10 cada una, incluyendo el envío.

En junio del 2005, anuncié un programa de cinco años de $1,2 mil millones que costearía la erradicación de la malaria en quince países. Como PEPFAR, la Iniciativa Malaria Presidencial impulsaría a africanos a diseñar estrategias para satisfacer sus necesidades. Trabajaríamos hacia una meta medible: cortar las tarifas de mortalidad por malaria en un 50 por ciento en los siguientes cinco años.

Nombré al Contralmirante Tim Ziemer, un piloto naval retirado con experiencia en esfuerzos de ayudas internacionales, para dirigir la Iniciativa Malaria. En los primeros dos años, la iniciativa alcanzó once millones de africanos. También generó una respuesta apasionada de parte de los estadounidenses. Clubes de niños y niñas, tropas de scouts y clases de escuelas donaron dinero en incrementos de $10 dólares para comprar redes de cama para los niños de África. Organizaciones basadas en la fe y grandes corporativos, especialmente aquellos haciendo negocios en África, donaron generosamente a la causa.

Con el apoyo de la Iniciativa Malaria, los índices de infección en los países seleccionados empezaron a bajar. El más dramático giro fue en Zanzibar. Oficiales de Salud adoptaron una campaña agresiva de rociado de insecticida, distribución de red de camas y medicina para víctimas de la malaria y mujeres embarazadas. En una isla de Zanzibar, el número de casos de Malaria bajó más del 90 por ciento en un solo año.

El 25 de abril del 2007, Laura y yo fuimos los anfitriones del primer día de Conciencia acerca de la Malaria en el Rose Garden. Era una oportunidad de anunciar el progreso y mostrarles a nuestros ciudadanos los resultados de su generosidad.

Al final de mis observaciones, la Compañía de Baile del oeste de África KanKouran bailó una canción animada. Atrapado en el sentido de celebración, me uní a los bailarines en el escenario. Mis movimientos fueron repetidos en las noticias nacionales y me convertí en una mínima sensación en el canal de YouTube. Las niñas tomaron un gran gusto en burlarse de mí:

—No creo que debas audicionar para *Dancing with the Stars,* papá.

—Les dije que mi meta era crear conciencia —repliqué.

———

En el 2006, Mark Dybul reemplazó a Randy Tobias como coordinador de PEPFAR. Como doctor en medicina y figura respetada en la comunidad del SIDA, Mark trajo gran credibilidad a PEPFAR. Después de uno de sus viajes a África, me dijo que muchos en el continente estaban ansiosos por saber que pasaría después de que expiraran los cinco años de autorización de PEPFAR en 2008. Los Gobiernos estaban contando con el apoyo continuo y también su gente. Mark me dijo que había preguntado a un Oficial de Salud en Etiopía si alguien sabía el significado del acrónimo PEPFAR. — Si —el hombre dijo—. PEPFAR significa que los estadounidenses cuidan de nosotros.

Mark creía que teníamos la responsabilidad de continuar con el programa—y la oportunidad de construir en nuestro progreso. Al duplicar el nivel inicial de fondos de PEPFAR, podríamos tratar a 2,5 millones de personas, prevenir 12 millones de infecciones y apoyar cuidados para 12 millones de gente en los siguientes cinco años.

Duplicar los fondos sería un gran compromiso, pero la iniciativa del SIDA estaba funcionando, y decidí seguir con ese impulso. El 30 de mayo del 2007, llegué al Rose Garden y llamé al Congreso para reautorizar la iniciativa con un compromiso nuevo de $30 mil millones en los siguientes cinco años.

Para resaltar el progreso, invité a una mujer sudafricana llamada Kunene Tantoh. Laura la había conocido dos años antes y compartió su inspiradora historia conmigo. Kunene era VIH positiva, pero gracias a la medicina que ella recibió por medio de la iniciativa madres e hijos, había dado a luz a un niño libre de VIH. Después del discurso, cargué a Baron con cuatro años de edad en mis brazos y sonreí al pensamiento de que su preciada vida había sido salvada por los contribuyentes estadounidenses. Él demostró su energía y buena salud sacudiéndose por todos lados y saludando a las cámaras, Luego me dio la señal internacional de «Suficiente es suficiente. Bájame».

El próximo paso era que otros países se nos unieran. En el verano del 2007, Laura y yo volamos a Alemania para el Congreso G-8, a cargo de la Canciller Angela Merkel. Una misión clave era persuadir a mis compañeros líderes a contribuir a la misma promesa de los Estados Unidos en cuanto al SIDA/VIH y la malaria.

Angela me dijo que el tema principal del Congreso seria el calentamiento global. Yo estaba dispuesto a ser constructivo en el tema. En mi discurso del Estado de la Unión del 2006, había dicho que los Estados Unidos eran «adictos al petróleo» —una frase que no funcionó del todo con algunos amigos de Texas. Había trabajado con el Congreso para promover alternativas para el petróleo, incluyendo biocombustibles, vehículos híbridos y de hidrógeno; gas natural, carbón limpio y poder nuclear. También propuse un proceso internacional que, a diferencia del defectuoso protocolo Kyoto, juntaba a todos los más grandes emisores —incluyendo China e India— y dependía de tecnologías de energía limpia para cortar la emisión de gas invernadero, sin sofocar el crecimiento de la economía necesaria para resolver el problema.

Temí que el intenso enfoque en el cambio del clima pudiera causar que las naciones pasaran por alto la desesperante e inmediata necesidad en el mundo en desarrollo.

—Si los líderes mundiales van a sentarse a hablar acerca de algo que podría ser un problema a cincuenta años a partir de hoy, —le dije a Angela—: debemos hacer algo por la gente que está muriendo de SIDA y malaria ahora mismo.

Con la ayuda de Angela, los otros líderes de G-8 se pusieron de acuerdo para hacer la misma contribución para el alivio del SIDA que los Estados Unidos había puesto. Juntos, proveeríamos tratamiento a cinco millones de gente, prevendríamos 24 millones de infecciones nuevas y apoyaríamos el cuidado para 24 millones más de gente en los siguientes cinco años. También acordaron en contribuir la misma cantidad que nosotros habíamos comprometido a la Iniciativa Malaria.

Aquellos históricos acuerdos pueden lograr una gran diferencia en las vidas de la gente en África y alrededor del mundo. Será la responsabilidad de futuras administraciones el asegurarse de que las naciones cumplan con sus promesas.

Los principios de la rendición de cuentas y la asociación que guió PEPFAR también estuvieron detrás de la pieza central de nuestro enfoque al desarrollo económico, la Cuenta del Reto del Milenio. Para ser elegibles para los fondos de MCA, los países tenían que cumplir con tres puntos claros: Gobernar libre de corrupción, perseguir políticas basadas en la economía de los mercados e invertir en la salud y la educación de su gente. El cambio en el enfoque era dramático. La ayuda económica seria tratada como una inversión en vez de una limosna. El éxito sería medido por resultados producidos, no dinero gastado.

MCA atrajo apoyo de fuentes inesperadas. Una era Bono, el vocalista irlandés del grupo U2. Josh and Condi habían conocido a Bono y me dijeron que el cantante quería visitarme en la Oficina Oval. Yo estaba escéptico de las celebridades que aparentaban adoptar la causa del momento para avanzar en sus carreras, pero ellos me aseguraron que las intenciones de Bono eran reales.

Su visita estaba programada la mañana que anuncié MCA, el 14 de marzo del 2002. Josh me dio un rápido reporte de las cuestiones que podrían surgir. Más que meticuloso, él tuvo una última pregunta antes de acompañar a nuestro invitado a la Oficina Oval —Señor Presidente, sí sabe quién es Bono ¿verdad?

—Claro —respondí— es una estrella de Rock —le dije. Josh asintió con la cabeza y se dio vuelta hacia la puerta. —Estuvo casado con Cher ¿no? —expresé. Josh se dio la vuelta, incrédulo. Mantuve una cara seria mientras pude.

Bono saltó a la Oficina Oval con su personalidad de alto voltaje y gafas particulares. Muy pronto disipó la noción de que él era un promotor personal. Él sabía nuestro presupuesto, entendía los hechos y tenía puntos de vista bien informados acerca de los retos en África. Me trajo un regalo muy bien pensado, una vieja Biblia Irlandesa.

—¿Sabe usted que 2.003 versículos de la Sagrada Escritura pertenecen directamente a los pobres del mundo? —interrogó—. La gente es buena para señalar los pecados obvios como la infidelidad marital —continuó—, pero algunas veces ignoramos los más serios. En el único lugar donde la Biblia habla directamente del juicio es Mateo 25: "Cualquier cosa que hayas hecho por lo menos por uno de estos hermanos míos, lo hiciste por mí".

Tiene usted razón —dije— el pecado de omisión es tan serio como los demás. —Me complació cuando expresó su fuerte apoyo para MCA, el que creyó que revolucionaría la forma en que el mundo persigue el desarrollo.

Escuché cuidadosamente mientras me urgió a hacer más por el VIH/SIDA. —Con unas pocas pastillas puede salvar millones de vidas. Será la mejor publicidad para los Estados Unidos. Usted debe pintar las cosas rojas, blancas y azules.

Después de nuestra junta, Bono se unió a mí y al Cardenal Theodore McCarrick, un apacible hombre lleno del espíritu, en el trayecto en limosina a mi discurso en el Banco Interamericano de Desarrollo. Bono participó en el evento y alabó nuestra política. Después aprendí que unos de sus mayores donadores, el inversionista ultra-liberal George Soros, había excoriado a Bono por haberme acompañado al evento de MCA sin obtener más a cambio. —Te has vendido por un plato de lentejas —Soros le dijo a Bono.

Mi respeto por Bono creció con el tiempo. Él era amable con Laura y las niñas. Frecuentemente enviaba notas de agradecimiento. Es un hombre de fe genuina. Bono podría ser filoso, pero nunca de manera cínica o política. Cuando PEPFAR arrancó lentamente, él vino a verme a la Oficina Oval. —Usted es el hombre de los resultados medibles —me dijo— por lo tanto, ¿dónde están los resultados? —Le hubiera dicho, pero no me dejó decirle ni una palabra. Una vez que el programa estaba trabajando, regresó. —Lo siento por dudar de usted —expresó—. Por cierto, ¿sabía que el gobierno estadounidense es ahora el más grande comprador de condones en el mundo?

Me reí. Bono tenía un corazón grande y una aguja filosa. Su único motivo era su pasión por la causa que él compartió. Laura, Barbara, Jenna y yo lo consideramos un amigo.

———

No todo mundo estaba de acuerdo con Bono. Tres meses después de anunciar la MCA, fui a la Cumbre G-8 en Kananaskis, Canadá. El Primer Ministro Jean Chrétien sacó el tema de la ayuda extranjera. Fui uno de los primeros en hablar. Hablé de los principios orientados a los resultados de MCA, una rigurosa salida de la tradición del G-8 de medir la generosidad por porcentaje PBI del gasto de una nación en ayuda extranjera.

Cuando terminé, Jacques Chirac se acercó y me dio una palmada en el brazo. —George, eres tan unilateral —me dijo. Luego se desató—. ¿Cómo es que los Estados Unidos insisten en ligar el apoyo con la no corrupción? ¡Después de todo, el mundo libre creó la corrupción! —Me hizo ver que él pensaba que yo no entendía la cultura africana.

Era mi primer encontronazo con Chirac. No me hizo gracia. Él parecía estar dispuesto a condenar gente en el mundo en desarrollo a un estatus a favor de la corrupción, pobreza y mal gobierno todo porque se sentía culpable acerca de lo que naciones como Francia habían hecho en la era colonial.

Cuando la conferencia terminó, levanté la mano. Chrétien negó sacudiendo la cabeza. Quería dar oportunidad a otros líderes de hablar, pero no podría dejar que el comentario de Chirac pasara por alto. Me metí de nuevo: —Los Estados Unidos no colonizaron naciones africanas. Los

Estados Unidos no crearon la corrupción y los Estados Unidos están cansados de ver buen dinero ser robado mientras la gente sigue sufriendo. Sí, estamos cambiando nuestra política, aunque les guste o no.

Chirac se había desahogado y yo también. La mayoría de los demás líderes estaban conmocionados. Mi amigo, el Primer Ministro, Koizumi de Japón mostro una rápida sonrisa y me dio su aprobación con un asentamiento de cabeza.

En los siguientes seis años, la MCA invirtió $6,7 mil millones de capital inicial con treinta y cinco países socios. Lesotho usó su convenio MCA para mejorar el suplemento de agua. Burkina Faso creó un sistema confiable de derechos de propiedad. Proyectos como estos fueron catalizados por países para desarrollar mercados que cuiden el crecimiento del sector privado, atraigan el capital extranjero y faciliten el comercio; lo cual fue otra piedra angular de mi agenda de desarrollo. El comercio libre y justo beneficia los Estados Unidos creando nuevos compradores para nuestros productos, junto con más opciones y mejores precios para nuestros consumidores. El comercio es también la forma más segura de ayudar a la gente en el mundo en desarrollo a crecer sus economías y levantarse de la pobreza. De acuerdo con un estudio, los beneficios del comercio son cuarenta veces más efectivos en reducir la pobreza que la ayuda extranjera.

Cuando tomé la Administración, los Estados Unidos tenían acuerdos de libre comercio establecidos con tres países: Canadá, México e Israel. Para el tiempo en el que salí, teníamos acuerdos con diecisiete países, incluyendo países en vías de desarrollo como Jordania, Marruecos, Omán y las jóvenes democracias de Centro América. Para aumentar la economía africana, trabajamos con socios de G-8 para cancelar más de $34 mil millones en deudas de países africanos. La iniciativa se agregó al alivio substancial de deudas que el Presidente Clinton había asegurado. Un reporte por parte de la organización DATA de Bono concluyó que el alivio de la deuda en naciones africanas ha permitido enviar cuarenta y dos millones de niños a la escuela.

Una vital iniciativa económica era la del Acto de Crecimiento y Oportunidad de África, el cual eliminó tarifas en la mayoría de las exportaciones africanas a los Estados Unidos. El Presidente Clinton firmó AGOA; yo trabajé con el Congreso para expandirlo y vi su impacto de primera mano cuando conocí a empresarios en Ghana que exportaban sus productos a los Estados Unidos. Una mujer había comenzado un negocio llamado Mamás Globales. Se especializaba en ayudar a mujeres artesanas a encontrar nuevos mercados para vender mercancía como jabones, canastas y joyería. En cinco años, su compañía tuvo un crecimiento de tener siete empleados a cerca de trescientos. Una diseñadora de ropa llamada Esther me dijo: —Estoy ayudando a otras mujeres y estoy ayudando también a mi familia.

En febrero del 2008, Laura y yo regresamos a África subsahariana. El viaje era mi segundo y el quinto de ella. Vimos la visita como una oportunidad de mostrar algunos de los mejores líderes africanos, que estaban sirviendo a su gente con integridad y atacando problemas como la pobreza, corrupción y enfermedad. Su buen ejemplo hizo un fuerte contraste con el líder dominante de los principales titulares, Robert Mugabe de Zimbabwe. Mugabe había reprimido la democracia, sometido a su gente a hiperinflación y convertido al país de ser un exportador neto de alimentos a un importador neto. Su vergonzoso récord era prueba de que un hombre podría arruinar a un país. Yo quería mostrar al mundo que el buen liderazgo puede ayudar a un país a alcanzar su potencial.

Laura y yo hicimos cinco paradas en el viaje.* En cada una, vimos ejemplos inspiradores de nuestra nueva asociación con África. Conocí niños de escuela en Benin y Liberia que tenían libros de texto, gracias a la Iniciativa de Educación en África. En Ruanda, firmé un tratado de inversión bilateral que incrementaría el acceso para financiar empresarios de Ruanda. En Ghana, anuncié una nueva iniciativa para luchar contra enfermedades tropicales a las que no se les daba cuidado como anquilostoma y esquistosomiasis.

Nuestra visita más larga fue la Tanzania, una nación de cuarenta y dos millones de habitantes en la Costa Este de África. Bajo el liderazgo del Presidente Jakaya Kikwete, Tanzania participó en PEPFAR, la Iniciativa Malaria y MCA. Mientras el Air Force One descendió hacia Dar es Salaam, me dijeron que podría ser que viera a un grupo de mujeres tanzanas usando vestidos con mi foto impresa en la tela. Mientras bajaba los escalones del avión, un grupo de mujeres bailaba al sonido de los tambores y cuernos. Mientras giraban en la música, vi mi foto como se estiraba en su trasero.

Como muchos países subsaharianos africanos, la economía de Tanzania estaba afectada por la crisis del SIDA. El Presidente Kikwete estaba apasionado acerca de la lucha contra la enfermedad. Él y su esposa, Salma habían tomado una prueba del SIDA en televisión nacional para poner el ejemplo a la gente de Tanzania. Aún más impresionante, la familia Kikwete adoptó a un huérfano, cuyos padres habían muerto de SIDA.

El Presidente Kikwete nos llevó a una clínica de VIH/SIDA en el Hospital Distrital de Amana, el cual había abierto en el 2004, con el apoyo de PEPFAR. Mientras el Director del hospital nos mostró las instalaciones, Laura y yo vimos a una niña sentada en una banca en el patio con su abuela. La niña tenía nueve años de edad y era VIH positiva. Había recibido el virus por parte de la madre, que había muerto. El SIDA se había llevado a su padre también y aun así la niña estaba sonriendo. Su abuela nos explicó que los Servicios Católicos de Alivio habían estado pagando para que la niña recibiera el tratamiento en la clínica PEPFAR. —Como musulmanes —la señora de

* *Visitamos Benin, dirigidos por Yavi Boni; Tanzania, dirigidos por Jakaya Kikwete; Ruanda dirigidos por Paul Kagame; Ghana, dirigidos por John Kufuor y Liberia, dirigidos por Ellen Johnson Sirleaf.*

edad agregó —: nunca imaginé que un grupo católico podría ayudarme de esa manera. Estoy tan agradecida con los estadounidenses.

En una conferencia de prensa, reiteré mi llamado al Congreso para reautorizar y expandir PEPFAR. El Presidente Kikwete interrumpió: —Si este programa fuera descontinuado o interrumpido, habría mucha gente que perdería la esperanza; ciertamente habría muerte. Mi apasionado llamamiento es por PEPFAR para que continúe. —Un reportero estadounidense le preguntó si los tanzanos estaban emocionados acerca de la perspectiva de Barack Obama como presidente. La respuesta de Kikwete me llenó de alegría el corazón. —Para nosotros —dijo él— lo más importante es que sea tan amigo de África como el Presidente Bush lo ha sido.

———

Mientras volábamos de vuelta a Washington, Laura y yo acordamos que el viaje había sido el mejor de la presidencia. Había un nuevo y palpable sentido de energía y esperanza en todo África. Los desbordes de amor por los Estados Unidos eran abrumadores. Cada vez que escucho a un político o comentador estadounidense hablar acerca de nuestra pobre imagen en el mundo, pienso acerca de las decenas de miles de africanos que se afilaban en los caminos para saludar a nuestra caravana y expresar su gratitud a los Estados Unidos.

Para el tiempo en que dejé la administración en enero del 2009, PEPFAR había apoyado con tratamiento a 2,1 millones de personas y cuidado a más de 10 millones de personas. Los dólares de los contribuyentes estadounidenses habían ayudado a proteger a mamás y a sus bebés durante más de 16 millones de embarazos. Más de 57 millones de gente se habían beneficiado de las pruebas de SIDA y sesiones de consultoría.

Los resultados de la Iniciativa Malaria fueron igualmente alentadores. Por medio de la distribución de redes para cama tratadas con insecticidas, rociado dentro de casa y la entrega de medicina a mujeres embarazadas infectadas, la Iniciativa Malaria ayudó a proteger a 25 millones de gente de una muerte innecesaria. Varios países, incluyendo Etiopía, Ruanda, Tanzania y Zambia, alcanzaron la meta de eliminar infecciones de malaria a más de un 50 por ciento antes de lo previsto.

Las necesidades de África son tremendas. Todavía hay más de veintidós millones de gente viviendo con SIDA. Algunos que necesitan medicamentos antirretrovirales aún siguen sin recibirlos. Mientras que la Malaria esta en descenso, aún hay niños muriendo innecesariamente por piquetes de mosquito. La pobreza permanece desenfrenada. No hay infraestructura y existen grupúsculos de terrorismo y brutalidad.

Mientras estos retos sean desalentadores, la gente africana tiene socios fuertes de su lado. Los Estados Unidos, la G-8, las Naciones Unidas, la comunidad basada en la fe y el sector privado están más involucrados que nunca antes. La infraestructura de salud puesta en lugar como parte de PEPFAR y la Iniciativa Malaria traerán una amplia gama de beneficios en otras áreas de la vida africana.

Tal vez el cambio más importante en recientes años es cómo se ven los africanos a sí mismos. Así como el SIDA ya no es visto como una sentencia de muerte, la gente africana ha recobrado el optimismo de que pueden enfrentar sus problemas, reclamar su dignidad y avanzar con esperanza.

En nuestro viaje a Ruanda en el 2008, Laura y yo visitamos una escuela donde a adolescentes—muchos de ellos huérfanos—se les enseñaba cómo prevenir el VIH/SIDA. Una lección se enfocaba en enseñar a las niñas cómo rechazar los avances sexuales de un hombre mayor, parte del componente de abstinencia de PEPFAR.

Mientras pasaba de largo a un grupo de estudiantes, expresé: —Dios es bueno.

Ellos gritaron en unísono: —¡Todo el tiempo!

Aquí en Ruanda, un país que había perdido cientos de miles a genocidios y SIDA, estos niños se sentían bendecidos. Seguramente algunos de nosotros en lugares cómodos como los Estados Unidos podríamos aprender la lección. Decidí repetirlo:

—Dios es bueno.

El coro respondió aún más alto: —¡Todo el tiempo!

12

OLEADA

En septiembre del 2006, con las elecciones de mitad de periodo muy cercanas, mi amigo Mitch McConnell se presentó a la Oficina Oval. El veterano senador y azote republicano de Kentucky había pedido verme a solas. Mitch tiene una afilada nariz política y olía problemas.

—Señor Presidente —expresó—, su falta de popularidad nos va a costar el control del Congreso.

Mitch tenía razón. Muchos estadounidenses estaban cansados de mi presidencia, pero esa no era la única razón por la que nuestro partido estaba en problemas. Recordé a los congresistas republicanos que habían terminado en la cárcel por aceptar sobornos, deshonrados por los escándalos sexuales o implicados en las investigaciones de cabildeo. También estaban los gastos superfluos, las designaciones para proyectos oportunistas y nuestro fracaso en la reforma de Seguridad Social, a pesar de las mayorías en ambas cámaras del Congreso.

—Bien, Mitch —pregunté—, ¿Qué quiere que yo haga al respecto?

—Señor Presidente —afirmó—, traiga algunas tropas de Irak de vuelta a casa.

No era el único. A medida que se intensificaba la violencia en Irak, los miembros de ambos partidos habían pedido una retirada.

—Mitch —expresé—, creo que nuestra presencia en Irak es necesaria para proteger a los Estados Unidos y no retiraré tropas a menos que las condiciones militares lo justifiquen. —Dejé en claro que establecería los niveles de las tropas para lograr la victoria en Irak y no la victoria en las urnas.

Lo que no le dije fue que estaba considerando seriamente hacer todo lo contrario a su recomendación. En lugar de retirar las tropas, estaba a punto de tomar la decisión más difícil y más impopular de mi presidencia: Desplegar aún más decenas de miles de tropas a Irak con una nueva estrategia, un nuevo comandante y una misión para proteger a los iraquíes y facilitar el establecimiento de la democracia en el corazón del Medio Oriente.

El pesimismo de septiembre del 2006, contrastó con la esperanza que muchos sintieron después de la liberación de Irak. En el año después de que nuestras tropas entraron en el país, derrocamos el régimen de Saddam, capturamos al dictador, reconstruimos escuelas y clínicas de salud y formamos un Consejo de Gobierno que representaba a todos los grupos étnicos y sectarios principales.

A pesar de que la anarquía y la violencia superaron nuestras expectativas, la mayoría de los iraquíes parecían decididos a construir una sociedad libre. El 8 de marzo del 2004, el Consejo de Gobierno llegó a un acuerdo sobre la Ley Administrativa de Transición. Este histórico documento convocó a un retorno a la soberanía en junio, seguido de elecciones para una asamblea nacional, la redacción de una constitución y otra ronda de elecciones para elegir un gobierno democrático.

Durante casi tres años, este plan de acción guió nuestra estrategia. Creíamos que ayudar a los iraquíes a cumplir con esos objetivos era la mejor manera de mostrarle a los chiitas, sunitas y kurdos que podían participar en un país libre y pacífico. Una vez que los iraquíes participaran en el proceso democrático, esperábamos que resolverían las disputas en las urnas, marginando así a los enemigos de un Irak libre. En resumen, creíamos que el progreso político era el camino a la seguridad y, en última instancia, la ruta a casa.

Nuestra estrategia militar se centró en perseguir a los extremistas, mientras entrenábamos a las fuerzas de seguridad iraquíes. Con el tiempo, lograríamos una presencia militar más reducida, contrarrestando la percepción de que habíamos ocupado el país y aumentando la legitimidad de los líderes de Irak. Yo resumí la estrategia: —A medida que los iraquíes tomen sus lugares, nosotros dejaremos los nuestros. —Don Rumsfeld aportó una analogía aún más memorable: —Tenemos que soltar nuestra mano del asiento de la bicicleta.

Yo había estudiado las historias de la posguerra de Alemania, Japón y Corea del Sur. Todas habían requerido muchos años y la presencia de tropas estadounidenses, para completar la transición de la devastación de la guerra a la democracia estable, pero una vez que lo hicieron, su impacto transformador probó que el costo había valido la pena. Alemania Occidental surgió como el motor de la prosperidad europea y un faro vital de libertad durante la guerra fría. Japón se convirtió en la segunda economía mundial y la piedra angular de la seguridad en el Pacífico. Corea del Sur se convirtió en uno de nuestros mayores socios comerciales y un baluarte estratégico contra su vecino del norte.

Los tres países se beneficiaron de las poblaciones relativamente homogéneas y de los pacíficos entornos de posguerra. En Irak, el viaje sería más difícil. Irak había estado plagado de tensiones sectarias y étnicas desde que los británicos crearon el país de los vestigios del imperio otomano. El miedo y la desconfianza engendrados por Saddam Hussein dificultaban la reconciliación de los iraquíes. Igual lo hacían los brutales ataques perpetrados por extremistas.

A pesar de la violencia, había esperanza. Irak tenía una población joven y educada, una vibrante cultura e instituciones de gobierno en funcionamiento. Tenía un fuerte potencial económico gracias, en parte, a sus recursos naturales, y los ciudadanos hacían sacrificios para vencer a los insurgentes y vivir en libertad. Con el tiempo y el firme apoyo estadounidense, yo confiaba en que la democracia tendría éxito en Irak.

———

Esa confianza era puesta a prueba a diario. Yo recibía un resumen nocturno del Salón de Emergencias cada mañana, impresa en una hoja de papel azul. Una sección del informe detallaba el número, lugar y causa de las bajas estadounidenses en Afganistán e Irak.

El número aumentaba con el tiempo. Los Estados Unidos perdieron 52 tropas en Irak en marzo del 2004. Perdimos 135 en abril, 80 en mayo, 42 en junio, 54 en julio, 66 en agosto, 80 en septiembre, 64 en octubre y 137 en noviembre, cuando nuestras tropas lanzaron un importante asalto sobre los insurgentes de Fallujah.

El creciente número de muertes me llenaba de angustia. Cuando recibía una hoja azul, circularía el número de las víctimas con mi pluma; hacía una pausa y reflexionaba sobre cada pérdida individual. Consolaba a los familiares de los caídos tan a menudo como podía. En agosto del 2005, volé a Idaho a un evento para honrar las contribuciones de la Guardia Nacional y las reservas. Después me reuní con Dawn Rowe, quien había perdido a su esposo, Alan, en septiembre del 2004. Dawn me presentó a sus hijos, Blake de seis años de edad y Caitlin, de cuatro años. A pesar de que había pasado casi un año desde la muerte de Alan, su dolor era abrumador. —Mi marido amaba ser un Oficial de la Marina —me dijo Dawn—. Si tuviera que hacerlo todo otra vez, sabiendo que iba a morir, lo haría. Le hice una promesa: El sacrificio de Alan no será en vano.

En el curso de mi presidencia, me reuní con aproximadamente 550 familias de soldados fallecidos. Las reuniones eran tanto la parte más dolorosa como la más edificante de servir como comandante en jefe. La gran mayoría de los que conocí eran como los Rowes: devastados por su pérdida, pero orgullosos del servicio prestado por su familiar. Algunas familias reaccionaban con agresividad. Cuando visité Fort Lewis, en el estado de Washington, en junio del 2004, conocí a una madre que perdió a su hijo en Irak. Estaba visiblemente molesta. Intenté calmarla.

—Usted es un terrorista, igual que Osama Bin Laden —me dijo.

No había mucho que yo pudiera responderle. Ella había perdido a su hijo; tenía derecho de darle su opinión al hombre que lo había enviado a la guerra. Me daba pena que su dolor hubiese creado tal amargura y si expresar su enojo ayudaba a aliviar su dolor, yo estaba de acuerdo en que lo hiciera así.

Ese mismo día, conocí a Patrick y Cindy Sheehan, de Vacaville, California. Su hijo, el Especialista Casey Sheehan, se había ofrecido voluntariamente para su última misión en un valiente intento de rescatar a un equipo de compañeros inmovilizados en la Ciudad Sadr. Después de la reunión, Cindy compartió sus impresiones sobre mí con un periódico de Vacaville: —Ahora sé que es sincero cuando dice que quiere la libertad para los iraquíes.... Sé que lamenta y siente algo de dolor por nuestra pérdida. Y sé que él es un hombre de fe.

Para el siguiente verano, Cindy Sheehan se había convertido en una activista contra la guerra. Con el tiempo, su retórica se hizo más severa y más extrema. Ella se convirtió en el portavoz de la organización antiguerra Código Rosa, habló contra Israel, abogó por el dictador antiamericano de Venezuela, Hugo Chávez, y finalmente se postuló para el Congreso, contra la portavoz Nancy Pelosi. Siento simpatía por Cindy Sheehan. Es una madre que obviamente amaba mucho a su hijo. El dolor causado por su pérdida fue tan profundo que consumió su vida. Mi esperanza es que algún día ella y todas las familias de nuestros soldados fallecidos se sientan consoladas al ver un Irak libre y un mundo más pacífico como un digno monumento al sacrificio de sus seres queridos.

Cuando Al Qaeda perdió su refugio en Afganistán, los terroristas se fueron a buscar uno nuevo. Después de que sacamos a Saddam en el 2003, bin Laden exhortó a sus combatientes a que apoyaran el jihad en Irak. En muchos sentidos, Irak resultaba más deseable para ellos que Afganistán. Tenía riquezas de petróleo y raíces árabes. Con el tiempo, el número de extremistas afiliados a Al Qaeda en Afganistán disminuyó a unos pocos cientos, mientras que el número estimado en Irak pasaba de los 10 mil.

Hubo otros extremistas en Irak: ex baazistas, insurgentes sunitas y extremistas chiitas respaldados por Irán, pero ninguno fue más despiadado que Al Qaeda. Los críticos argumentaban que la presencia de Al Qaeda probaba que habíamos alentado a los terroristas al liberar a Irak. Nunca acepté esa lógica. Al Qaeda estaba sumamente activo en el 9/11, cuando no había ni un solo soldado estadounidense en Irak. ¿Creería alguien realmente que los hombres que cercenaban las cabezas de los inocentes prisioneros o que se volaban a sí mismos en los mercados habrían sido pacíficos ciudadanos si hubiéramos dejado en paz a Saddam Hussein? Si estos fanáticos no hubiesen estado tratando de matar a los ciudadanos estadounidenses en Irak, habrían estado intentando hacerlo en otros lugares y si hubiéramos dejado que nos sacaran de Irak, no se hubieran detenido allí. Nos habrían seguido a casa.

A pesar de todas las vidas que nos robaron, nuestros enemigos no nos impidieron lograr uno solo de nuestros objetivos estratégicos en Irak. En la primavera del 2004, el terrorista Zarqawi—a quien Osama bin Laden señaló más adelante como «el príncipe de Al-Qaida en Irak»—amenazó con interrumpir la transferencia de la soberanía, programada para el 30 de junio. En mayo, un atacante suicida dio muerte al Presidente del Consejo de Gobierno, Izzedine Salim. Unas semanas más tarde, una serie de ataques coordinados contra los edificios de policía y gobierno iraquí mataron a más de cien, incluyendo tres tropas estadounidenses. Para detener los posibles planes de mayores ataques, se decidió ejecutar la entrega dos días antes de lo previsto.

El 28 de junio yo estaba en la Cumbre de la OTAN en Estambul, cuando sentí la mano de Don Rumsfeld sobre mi hombro. Me deslizó un trozo de papel con la letra de Condi: «Sr. Presidente, Irak es soberano. La carta fue entregada por Bremer a las 10:26 a.m., hora de Irak».

Yo garabateé en la nota: «¡Que reine la libertad!» Y estreché la mano con el líder a mi derecha. En un atinado giro de la historia, compartí el momento con un hombre que nunca había flaqueado en su compromiso con un Irak libre: Tony Blair.

———

Siete meses después, en enero del 2005, los iraquíes alcanzaron el siguiente objetivo: las elecciones para elegir una asamblea nacional provisional. Una vez más, los terroristas montaron una campaña para detener el progreso. Zarqawi declaró «una guerra sin cuartel contra este perverso principio de la democracia», y se comprometió a matar a cualquier iraquí involucrado en la elección.

De vuelta en casa, la presión aumentaba. Un artículo de opinión en *Los Angeles Times* dijo que las elecciones eran una "farsa" y propuso posponerlas. Yo creía que la demora envalentonaría a los enemigos y provocaría a los iraquíes a cuestionar nuestro compromiso con la democracia. Mantener la votación mostraría fe en los iraquíes y expondría a los insurgentes como enemigos de la libertad. —Las elecciones tienen que seguir adelante, —le dije al equipo de seguridad nacional—. Este será un momento de claridad para el mundo.

A las 5:51 a.m. del 30 de enero del 2005, llamé al oficial de guardia del Salón de Emergencias para obtener la primera lectura. Me dijo que nuestra Embajada en Bagdad había reportando una gran afluencia, a pesar de un boicot por parte de varios sunitas. Mientras los terroristas llevaron a cabo algunos ataques, las transmisiones alrededor de todo el mundo mostraron a los iraquíes agitando con alegría sus dedos manchados de tinta.* Un reportero vio a una mujer de noventa años siendo empujada a las urnas en una carretilla. Otro noticiero describió a un votante que había perdido una pierna en un ataque terrorista. —Yo me habría arrastrado hasta aquí si hubiera tenido que hacerlo —dijo—. Hoy voy a votar por la paz.

Las elecciones crearon una asamblea nacional, la cual nombró un comité para redactar la constitución. En agosto, los iraquíes llegaron a un acuerdo sobre la constitución más progresista del mundo árabe: un documento que garantizaba la igualdad de derechos para todos y protegía las libertades de

---

* *Para prevenir el fraude, los oficiales hicieron que cada votante marcara su dedo con tinta morada.*

religión, reunión y expresión. Cuando los votantes fueron a las urnas el 15 de octubre, la participación fue aún mayor de lo que fue en enero. La violencia fue menor. Más sunitas votaron. La constitución fue ratificada con un 79 sobre un 21 por ciento.

La tercera elección del año, celebrada en diciembre, fue para reemplazar la asamblea provisional con un poder legislativo permanente. Una vez más, los iraquíes desafiaron las amenazas terroristas. Casi 12 millones de personas, una participación de más del 70 por ciento, depositaron sus papeletas. Esta vez, los sunitas participaron en una abrumadora cantidad. Un votante agitó su dedo manchado de tinta en el aire y gritó: —Esto es una espina en los ojos de los terroristas.

Yo estaba orgulloso de las tropas y contentísimo para los iraquíes. Con las tres elecciones del 2005, habían logrado una importante meta en el camino a la democracia. Yo tenía la esperanza de que el progreso político aislaría a los insurgentes permitiendo que nuestras tropas destruyeran a los guerrilleros de Al Qaeda uno a uno. Después de toda la tristeza y el sacrificio, había una verdadera razón para sentirse optimistas.

El Santuario de Askariya, en la Mezquita Dorada de Samarra, es considerado uno de los lugares más sagrados en el islam de Shia. Contiene las tumbas de dos venerados imams que eran padre y abuelo del imam oculto, un salvador que los chiitas creían restablecería la justicia en la humanidad.

El 22 de febrero del 2006, dos bombas masivas destruyeron la mezquita. El ataque fue una enorme provocación a los chiitas, similar a un ataque a la Basílica de San Pedro o el Muro de las Lamentaciones. —Esto es el equivalente a su 9/11 —me dijo el influyente líder chiita Abdul Aziz al Hakim.

Recordé la carta que Zarqawi había escrito a los líderes de Al Qaeda en el 2004, en la que propuso incitar a una guerra entre iraquíes chiitas y sunitas. Aunque hubo algunos ataques inmediatos de represalia, la violencia no pareció salirse de control. Me sentí aliviado. Los chiitas habían mostrado moderación y yo les animé a continuar. En un discurso el 13 de marzo, dije que los iraquíes habían «observado el abismo y no les había gustado lo que habían visto».

Estaba equivocado. La violencia sectaria había estallado a principios de abril. Bandas itinerantes de tiradores chiitas secuestraban y asesinaban a sunitas inocentes. Los sunitas respondieron con atentados suicidas en áreas de Shia. La crisis se agravó por la falta de un gobierno iraquí fuerte. Los partidos habían estado compitiendo por la posición desde las elecciones de diciembre. Era una parte natural de la democracia, pero con la escalada de violencia, Irak necesitaba un líder fuerte. Instruí a Condi y al Embajador Zal Khalilzad, que se había mudado de Kabul hasta Bagdad, para presionar a los iraquíes a seleccionar un primer ministro. Cuatro meses después de la elección, hicieron una elección sorpresa: Nouri al Maliki.

Maliki había vivido en el exilio en Siria como disidente, condenado a muerte por Saddam. Lo llamé el día que fue elegido. Puesto que él no tenía una línea de teléfono segura, hizo la llamada desde la Embajada de Estados Unidos. —Señor Presidente, aquí está el nuevo primer ministro —dijo Zal.

—Gracias —dije—, pero permanezca en el teléfono un poco más de tiempo, para que el primer ministro sepa cuán cercanos somos usted y yo.

—Felicitaciones, Señor Primer Ministro —dije cuando Maliki se unió a la conversación—. Quiero que sepa que los Estados Unidos están plenamente comprometidos a la democracia en Irak. Vamos a trabajar juntos para derrotar a los terroristas y apoyar al pueblo iraquí. Dirija con confianza.

Maliki era amable y sincero, pero era un político novato. Le dejé claro que quería una relación personal y cercana. Él también lo quería. En los próximos meses, hablamos frecuentemente por teléfono y videoconferencia. Tuve cuidado de no parecer demasiado duro o intimidante. Yo quería que me considera un socio, tal vez incluso un mentor. Él recibiría mucha presión por parte de los demás. De mí, recibiría asesoramiento y comprensión. Una vez que hubiera ganado su confianza, estaría en una mejor posición para ayudarlo a tomar decisiones difíciles.

Esperaba que la formación del gobierno de Maliki detuviera la violencia, pero no lo hizo. Los informes de asesinatos sectarios se hicieron aún más horripilantes. Los escuadrones de la muerte realizaban secuestros descarados. Irán suministraba financiamiento, capacitación y Proyectiles Explosivos Formados (EFP) muy sofisticados a sus militantes para matar a nuestras tropas. Los iraquíes se retiraron a sus trincheras sectarias, buscando protección en donde pudieran encontrarla.

Nuestro comandante en tierra en Irak, era el General George Casey, un experimentado general de cuatro estrellas que había comandado las tropas en Bosnia y había fungido como vice jefe de personal del ejército. Don Rumsfeld lo había recomendado para comandar Irak cuando el General Ricardo Sánchez renunció, en el verano del 2004.

Antes de que George fuera enviado a Bagdad, Laura y yo lo invitamos a él y a su esposa, Sheila, a cenar a la Casa Blanca. Se nos unieron el Embajador en Irak, John Negroponte*—un experimentado y experto diplomático que se había ofrecido voluntariamente para el trabajo—y su esposa, Diana. George me entregó una biografía del legendario entrenador Vince Lombardi. George se había desempeñado como supervisor de equipamientos de los Washington

---

* *John respondió al llamado al servicio cuatro veces durante mi administración: Como embajador ante las Naciones Unidas, como embajador en Irak, director de inteligencia nacional y vicesecretario de estado.*

Redskins durante la temporada final de Lombardi. El regalo era significativo. Como el entrenador al que admiraba, George no era llamativo ni glamoroso. Él era un comandante sólido y directo; un «bloque de granito», como se refirieron a Lombardi alguna vez.

El General Casey —al igual que el General Abizaid y Don Rumsfeld— estaba convencido de que la presencia de nuestras tropas creaba un sentido de ocupación, el cual exacerbaba la violencia y alimentaba la insurgencia. Durante dos años y medio, había apoyado la estrategia de retirar nuestras fuerzas a medida que los iraquíes tomaran el control; pero en los meses que siguieron al bombardeo de Samarra, empecé a cuestionar si nuestro enfoque correspondía a la realidad. La violencia sectaria no había estallado porque nuestra presencia fuese demasiado grande. Había sucedido porque Al Qaeda la había provocado y con los iraquíes luchando por levantarse, no parecía posible para nosotros el retirarnos.

Todos los integrantes del equipo de seguridad nacional compartieron mis preocupaciones sobre el deterioro de las condiciones, pero fue mi asesor de seguridad nacional, Steve Hadley, el primero en ayudarme a encontrar una solución.

Conocí a Steve durante la campaña del 2000, cuando formó parte del grupo asesor de política exterior armado por Condi. Steve era una figura pública renuente. Sin embargo, cuando se colocaba ante la cámara, su comportamiento académico y lógica presentación le proporcionaban una gran credibilidad. Entre bastidores, era reflexivo y constante. Escuchaba, sintetizaba y consideraba sin cavilaciones. Articulaba opciones claramente. Una vez que yo tomaba una decisión, él sabía cómo trabajar con el equipo para implementarla.

Steve es una persona formal. Haría los largos vuelos transoceánicos en corbata, dormiría con corbata y emergería sin una sola arruga. Una vez se ofreció para picar cedro en el rancho. Su trabajo consistía en acumular las ramas cortadas. Realizó la tarea meticulosamente, con eficacia y en sus zapatos brogan. Detrás de la formalidad, Steve es un buen hombre, desinteresado y con buen humor. Pasé muchos fines de semana en Camp David con él y su esposa, Ann. Los dos viven un encantador romance. Ambos son cerebrales, ambos son excursionistas y ambos son fantásticos padres de dos niñas encantadoras.

Me reuní con Steve casi cada mañana de mi segundo mandato. Después de un día particularmente pesado en la primavera del 2006, revisamos la hoja azul en el escritorio *Resolute*. Sacudí mi cabeza y miré hacia arriba. Steve también estaba sacudiendo la cabeza.

—Esto no está funcionando —observé—. Tenemos que revisar la estrategia una vez más. Necesito considerar algunas nuevas opciones.

—Señor Presidente —replicó—, me temo que tiene razón.

Steve se puso a trabajar organizando un detallado examen de la situación. Cada noche, el equipo de Irak en el personal de NSC producía un memo detallando los avances militares y políticos de las últimas veinticuatro horas. El cuadro que pintaban no era agradable. Un día, a finales de la primavera, le pedí a Meghan O'Sullivan, una doctora en filosofía que había pasado un año trabajando para Jerry Bremer en Irak, que se quedara conmigo después de la reunión. Ella mantenía contacto con muchos altos funcionarios del gobierno iraquí. Le pregunté qué sabía de Bagdad. —Es un infierno, Sr. Presidente —respondió.

A mediados de junio, Steve hizo arreglos para que un grupo de expertos externos me informaran en Camp David. Fred Kagan, un erudito militar del Instituto Enterprise Americano, se preguntó si teníamos suficientes tropas para controlar la violencia. Robert Kaplan, un destacado periodista, recomendó la adopción de una estrategia contrainsurgente más agresiva. Michael Vickers, un ex agente de la CIA que ayudó a armar la Mujahideen afgana en la década de los 1980, sugirió un mayor papel para las Operaciones Especiales. Eliot Cohen, autor de *Comando Supremo*, un libro sobre la relación entre presidentes y sus generales que había leído gracias a la sugerencia de Steve, me dijo que necesitaba hacer que mis comandantes se hicieran responsables de los resultados.

Para proporcionar otra perspectiva, Steve me trajo artículos de coroneles y generales de una estrella que habían comandado tropas en Irak. Surgió una dicotomía: Mientras que los Generales Casey y Abizaid apoyaban la estrategia de entrenar y retirarse, muchos de los que estaban más cercanos a la lucha pensaban que necesitábamos más tropas.

Alguien que me intrigó fue el coronel H.R. McMaster. Había leído su libro sobre Vietnam, *Abandono Del Deber*, que acusaba al liderazgo militar de no hacer lo suficiente para corregir la estrategia adoptada por el Presidente Johnson y el Secretario de Defensa Bob McNamara. En el 2005, el Coronel McMaster comandó un regimiento en la norteña ciudad iraquí de Tal Afar. Él había aplicado una estrategia de contrainsurgencia, utilizando sus tropas para eliminar insurgentes, mantener el territorio recién tomado y ayudar a construir la economía y las instituciones políticas. Esta doctrina de eliminar, mantener y construir transformó a Tal Afar de un bastión insurgente a una ciudad relativamente tranquila y funcional.

Otro practicante de la contrainsurgencia fue el General David Petraeus. Lo conocí en Fort Campbell en el 2004. Él tenía una reputación de ser uno de los jóvenes generales más inteligentes y más dinámicos en el ejército. Se había graduado entre los mejores de su clase en West Point y obtuvo un doctorado de Princeton. En 1991, recibió accidentalmente un disparo en el pecho durante un ejercicio de entrenamiento. Soportó un vuelo en helicóptero de sesenta millas al Centro Médico de la Universidad de Vanderbilt, donde le salvó la vida el Dr. Bill Frist, quien más tarde se convirtió en el líder republicano del Senado.

En las primeras fases de la guerra, el General Petraeus había comandado la División Aérea 101 en Mosul. Envió sus tropas a vivir junto a los iraquíes residentes y a patrullar las calles a pie. Su presencia les aseguraba a los residentes que estaban allí para protegerlos. Luego, Petraeus convocó a elecciones locales para formar un consejo provincial, invirtió los fondos de la reconstrucción para reactivar la actividad económica y reabrió la frontera con Siria para facilitar el comercio. Su enfoque era todo un tratado de contrainsurgencia. Para derrotar al enemigo, estaba tratando de ganarse a la gente.

Funcionó. Mientras la violencia aumentó en gran parte de Irak, Mosul se mantuvo relativamente en calma, pero cuando redujimos las tropas en Mosul, la violencia volvió. Lo mismo ocurriría en Tal Afar.

Después de supervisar el entrenamiento de las fuerzas de seguridad iraquíes, el General Petraeus fue asignado al Fuerte Leavenworth, en Kansas, para reescribir el manual de contrainsurgencia del ejército. La premisa de la contrainsurgencia es que se requiere de seguridad básica antes de que las ganancias políticas puedan seguir. Era el reverso de nuestra estrategia actual. Decidí mantener una estrecha vigilancia sobre el trabajo del General Petraeus y sobre él mismo.

En medio de todas las malas noticias del 2006, tuvimos un poco de luz. A principios de junio, las Fuerzas Especiales bajo el mando del altamente eficaz General Stanley McChrystal rastrearon y mataron a Zarqawi, el líder de Al Qaeda en Irak. Por primera vez desde las elecciones de diciembre, fuimos capaces de mostrarle al público una dramática señal de progreso.

Una semana después, me escapé sigilosamente de Camp David después de un día de reuniones con el NSC. Me subí a un helicóptero del ejército con un pequeño grupo de ayudantes, volé a la Base Aérea de Andrews y abordamos el avión presidencial. Once horas después, aterrizamos en Bagdad.

A diferencia de mi viaje de Acción de Gracias en el año 2003, cuando mis reuniones tuvieron lugar en el aeropuerto, decidí encontrarme con Maliki en la Zona Verde, el complejo fortificado en el centro de Bagdad. Los helicópteros del ejército nos llevaron rápidamente y a un nivel bastante bajo sobre la ciudad, disparando una ráfaga ocasional como protección contra los misiles que buscan calor. El Primer Ministro estaba esperándome cuando llegué a la embajada. Había querido entrevistarme con Maliki en persona desde su elección en abril. En nuestras conversaciones por teléfono, él había dicho las cosas adecuadas, pero yo me preguntaba si sus garantías eran reales.

—Sus decisiones y acciones determinarán el éxito —le dije—. No será fácil, pero no importa qué tan difícil sea, le ayudaremos. —Maliki agradeció a los Estados Unidos el liberar al país y afirmó su deseo de una amistad cercana. —Lograremos la victoria sobre el terror, lo cual es una victoria para la democracia —dijo—. Hay mucha gente oscura que teme nuestro éxito. Tienen razón de preocuparse, porque nuestro éxito los desbancará de sus tronos.

El Primer Ministro tenía una forma de ser apacible y una voz tranquila, pero yo detectaba una dureza interior. Saddam Hussein había ejecutado a varios miembros de la familia de Maliki. Sin embargo, se había negado a renunciar a su papel en el partido de la oposición. Su valor personal era una semilla que yo esperaba germinar, para que pudiera desarrollarse como el líder fuerte que los iraquíes necesitaban.

El Primer Ministro me llevó a una sala de conferencias para conocer a su gabinete, el que incluía a líderes chiitas, sunitas y kurdos. Yo le presenté a mi equipo a través de una videoconferencia. Mis asesores, que no sabían que yo había abandonado Camp David, estaban atónitos de verme en Bagdad. Los iraquíes estaban muy emocionados de poder entrevistarse con sus homólogos en la primera reunión de seguridad nacional conjunta entre Estados Unidos e Irak.

La otra reunión crucial del viaje fue con George Casey. El laborioso general había estado en Irak durante dos años, extendiendo su visita bajo mi petición. Me dijo que el 80 por ciento de la violencia sectaria ocurría en un radio de treinta millas alrededor de Bagdad. El control de la capital era vital para calmar al resto del país.

El General Casey estaba planeando una nueva estrategia para asegurar Bagdad. La Operación Juntos Adelante intentaría aplicar el método limpiar, mantener y construir que una vez había tenido éxito en Tal Afar y Mosul.

Yo veía una contradicción. La estrategia «eliminar, mantener y construir», requería muchas tropas, pero nuestros generales querían reducir nuestra presencia. Él notó mis dudas. —Necesito explicarle de mejor manera —dijo el General Casey.

—Así es —respondí.

———

El verano del 2006 fue el peor periodo de mi presidencia. Pensaba constantemente en la guerra. A pesar de que me animaba la determinación del gobierno de Maliki y la muerte de Zarqawi, estaba profundamente preocupado de que la violencia estuviera superando a todo lo demás. Morían un promedio de 120 iraquíes al día. La guerra se había alargado a más de tres años y habíamos perdido a más de 2.500 estadounidenses. Los estadounidenses desaprobaban la forma en que yo estaba manejando Irak por un margen de casi dos a uno.

Por primera vez, me preocupó que podríamos no tener éxito. Si Irak se dividía por las líneas sectarias, nuestra misión estaría condenada al fracaso. Podríamos vivir una repetición de Vietnam, una humillante pérdida para el país, un duro golpe a los militares y un dramático revés para nuestros intereses. En todo caso, las consecuencias de una derrota en Irak serían incluso peores que en Vietnam. Dejaríamos a Al Qaida en un refugio seguro, en un país con inmensas reservas de petróleo. Alentaríamos a un Irán hostil en su búsqueda de armas nucleares. Destruiríamos las esperanzas de las personas que estaban arriesgándose por la libertad en todo el Medio Oriente y en ultima instancia, nuestros enemigos podrían utilizar su santuario para atacar nuestra patria. Teníamos que evitar que eso sucediera.

Tomé la deliberada decisión de mostrar determinación y no dudar al estar frente al público. Quería que el pueblo estadounidense comprendiera que yo creía plenamente en nuestra causa. Los iraquíes necesitaban saber que no los abandonaríamos. Nuestros enemigos necesitaban saber que estábamos decididos a vencerlos. Sobre todo, pensé en nuestras tropas. Traté de imaginarme cómo se sentiría tener veinte años y estar combatiendo en el frente y en las madres de nuestros militares, preocupándose por el bienestar de sus hijos. Lo último que necesitaban escuchar era que el comandante en jefe se quejaba sobre lo indeciso que se sentía.

Si tenía preocupaciones acerca de la dirección de la guerra, necesitaba hacer cambios en la política y no auto compadecerme en público.

Me fortalecí a través de mi familia, mis amigos y mi fe. Cuando visitábamos Camp David, a Laura y a mí nos encantaba asistir a las alabanzas con las familias de los militares en la capilla de la base. El Teniente Comandante de la Armada Stan Fornea, de cuarenta y ocho años de edad y el capellán en funciones en el 2006, es uno de los mejores predicadores que he escuchado. —El mal es real, bíblico y prevalente —dijo en un sermón—. Algunos dicen ignóralo, algunos dicen que no existe... pero el mal no debe ser ignorado; debe ser refrenado. —Citó a Sir Edmund Burke, el líder británico del siglo XVIII—: Lo único necesario para el triunfo del mal es que los hombres de bien no hagan nada.

Stan creía que la respuesta al mal era la libertad. También sabía que habría un costo. —Nunca hubo una causa noble sin sacrificio —dijo en un sermón—. Si la libertad es digna de defenderse sólo hasta el punto en que no nos cuesta nada, entonces nos encontramos en una situación desesperada como nación.

Stan era, sobre todo, un optimista y su sentido de la esperanza levantaba mi espíritu. —Las Escrituras le designan un gran valor a la fidelidad, perseverancia y superación —decía—. No debemos renunciar ni darnos por vencidos. Siempre creemos que no hay tal cosa como una situación desesperada.

También encontré consuelo en la historia. En agosto, leí *Lincoln: Una Vida de Propósito y Poder*, por Richard Carwardine; una de las catorce biografías de Lincoln que leí durante mi presidencia. Revivían la devastación que Lincoln sentía mientras leía los telegramas que describían las derrotas de la Unión en lugares como Chancellorsville, donde la Unión sufrió diecisiete mil bajas o Chickamauga, donde dieciséis mil más resultaron heridos o asesinados.

Las pérdidas no eran su única angustia. Lincoln tuvo que cambiar de comandantes una y otra vez, hasta que encontró uno que realmente luchó. Vio morir a su hijo Willie en la Casa Blanca y a su esposa, Mary Todd, hundirse en la depresión. Sin embargo, gracias a su fe en Dios y a su profunda creencia de que estaba librando una guerra por una causa justa, Lincoln persistió.

Un sello distintivo del liderazgo de Lincoln fue que estableció un vínculo de afecto con los soldados rasos. En los días más oscuros de la guerra, pasó largas horas con los heridos en la Casa de los Soldados en Washington. Su empatía fue una poderosa lección y sirvió de modelo para otros presidentes que enfrentaron la guerra.

Una de las partes más conmovedoras de mi presidencia era leer las cartas de los familiares de los miembros del servicio que habían fallecido. Recibía cientos de ellas y abarcaban una amplia gama de reacciones. Muchas de ellas expresaban un sentimiento común: Terminar el trabajo. Los padres de un soldado de Georgia me escribieron: «Nuestro mayor dolor sería ver que la misión en Irak sea abandonada». Una abuela en Arizona me escribió por correo electrónico, «Tenemos que acabar lo que empezamos antes de retirarnos».

En diciembre del 2005, recibí una carta de un hombre en Pensacola, Florida:

Estimado Presidente Bush,

Mi nombre es Bud Clay. Mi hijo, el SSgt Daniel Clay [del Cuerpo de Marines de Estados Unidos] fue asesinado la semana pasada 01/12/05 en Irak. Fue uno de los diez infantes de Marina asesinados por el IED en Faluja.

Dan era cristiano —conocía a Jesús como Señor y Salvador— así que sabemos en dónde está. En su carta final (una que me dejó para la familia, para que la leyéramos en caso de su muerte), dice: «Si estás leyendo esto, significa que he terminado mi carrera». Él está en casa ahora, en su verdadero hogar. En nuestro verdadero hogar.

Me dirijo a usted para decirle lo orgullosos que estamos (sus padres y familia) de usted, y lo que está tratando de hacer para protegernos a todos. Esta fue la segunda gira de Dan en Irak. Él sabía y decía que estaba allí para protegernos. Muchos no lo ven de esa manera.

Quiero animarle. Oigo en sus discursos que habla sobre «mantener el rumbo». También sé que muchos están en contra de usted en esta «guerra contra el terror» y que esta lucha por hacer lo correcto debe de cansarle. Nosotros, y muchos otros, estamos orando para que usted pueda terminar esto, como dijo Lincoln: «Que éstos no hayan muerto en vano».

Su carga es pesada. Estamos orando por usted.

Dios le Bendiga
Bud Clay

Invité a Bud, su esposa, Sara Jo y a la viuda de Daniel, Lisa, a mi conferencia del Estado de la Unión el mes siguiente. Antes del discurso, me

En el Jardín Sur después
de ordenar tropas a
entrar Irak.
White House/Eric Draper

Sentado en la cabina del Air Force One acercándonos a Bagdad el Día de Acción de
Gracias del 2003. *White House/Tina Hager*

El Sargento Maestro de Artillería de la Marina, Guadalupe Denogean, que fue herido en Irak, tuvo dos peticiones: una promoción para el Marine que le salvó la vida, y recibir la ciudadanía estadounidense.
White House/Eric Draper

Visitar a los heridos fue la parte más difícil pero a la misma vez la más inspiradora, de mi trabajo. Aquí estoy con el sargento Patrick Hagood en el Walter Reed Army Medical Center.
White House/Paul Morse

En la Oficina Oval, un hombre iraquí usa su nueva mano protésica para escribir una «oración para que Dios bendiga a Estados Unidos».
White House/Eric Draper

Sr. Presidente,
Irak es soberano. Una carta
fue entregada de Bremer a las
10:26 AM tiempo de Irak.
Condi
¡Viva la libertad!
White House/Eric Draper

En la cumbre de OTAN en Turquía, Don Rumsfeld me entrega la nota de Condi informándome del éxito de la transferencia de la soberanía de Irak, lo cual celebré con Tony Blair. *White House/Eric Draper*

Con el Senador Ted Kennedy a comienzos del 2001. Colaboramos en reformar la educación y la inmigración a pesar de que no estuvimos de acuerdo sobre la guerra.
White House/Eric Draper

En la Escuela Primaria Horace Greeley de Chicago, una escuela de un 92 porciento de alumnos de hogares de bajos ingresos, donde las competencias en lectura y matemática se mejoraron bajo el programa Que Ningún Niño Se Quede Atrás.
White House/Joyce Boghosian

Me fortalecí de las multitudes en los mítines de la campaña del 2004. Aquí estoy dando un discurso en Troy, Ohio. *White House/Paul Morse*

Saliendo del Marine One el Día de Elecciones del 2004. Acabábamos de recibir informes de encuestas de salida que indicaban que yo iba a perder de manera contundente. *White House/Paul Morse*

En la residencia de la Casa Blanca la Noche de Elecciones del 2004, esperando la decisión. *White House/Eric Draper*

La vista inolvidable de Nueva Orleans desde Air Force One dos días después de Katrina. Yo debía haber aterrizado en Baton Rouge, donde podía haber expresado mi preocupación sin estorbar los esfuerzos de rescate. *White House/Paul Morse*

Consolando a víctimas de Katrina cuatro días después de que tocó tierra. La alegación de que el racismo haya sido un factor en la respuesta del gobierno fue uno de los peores momentos de mi presidencia. *White House/Eric Draper*

Sentado con un hombre de Biloxi, Mississippi, en lo que había sido sus escalones de entrada. *White House/Eric Draper*

Abordo del Air Force One en el aeropuerto de Nueva Orleans, insté a los oficiales de Luisiana a llevar la respuesta a Katrina al nivel federal, pero la Gobernadora Blanco se negó (en el sentido de las agujas del reloj, sentados a la mesa: Alcalde Ray Nagin, Senadora Mary Landrieu, Senador David Vitter, Secretario de Seguridad de Territorio Nacional Michael Chertoff, Representante Bobby Jindal, Representante William Jefferson y Gobernadora Kathleen Blanco).
White House/Eric Draper

El Gobernador de Mississippi, Haley Barbour, demostró liderazgo magnífico. —La gente está poniéndose a trabajar y está reconstruyendo Mississippi —dijo él.
White House/Eric Draper

Cargando a Baron Tantoh de Ciu[
del Cabo, Sudáfrica, quien nació
libre del VIH gracias a la iniciativ[
para madres y niños.
White House/Eric Draper

Cinco años después de que
conocí a Mohamad Kalyesubula
en la Clínica TASO en Uganda,
él vino a la Sala Este para
observarme firmar un proyecto
de ley duplicando nuestro
compromiso con PEPFAR.
White House/Joyce Boghosian

Con la estrella del rock irlandés
Bono. —Antiguamente estaba casado
con Cher, ¿verdad? —le pregunté
a Josh Bolten antes de nuestra
primera reunión.
White House/Paul Morse

Repartiendo mosquiteros a madres en Arusha, Tanzania, como parte de nuestra iniciativa anti malaria. *White House/Eric Draper*

Una moda interesante en Dar es Salaam, Tanzania. Por alguna razón, esta moda nunca llegó a los Estados Unidos. *White House/Chris Greenberg*

Los iraquíes desafiaron a los terroristas al votar tres veces en el 2005. Aquí estoy con votantes ausentes en la Oficina Oval.
White House/Paul Morse

En el Brooke Army Medical Center, el Sargento Primero Christian Bagge me dijo que quería correr nuevamente. —Cuando estés listo, llámame —le dije. Seis meses más tarde, se presentó para trotar alrededor del Jardín Sur.
White House/Eric Draper

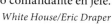

Estrechando manos con tropas en Anbar en 2007. Mi honor más grande como presidente fue servir como comandante en jefe.
White House/Eric Draper

En la Provincia Anbar, con los jeques sunitas que reunieron sus tribus contra al Qaeda. —Si nos necesitas, ¡mis hombres y yo iremos a Afganistán! —me dijo uno.
White House/Eric Draper

En la ceremonia de jubilación en 2007 del Jefe del Estado Mayor Conjunto Pete Pace (a izquierda). Al lado nuestro están su sucesor, Almirante Mike Mullen (a derecha) y Secretario de Defensa Bob Gates.
White House/David Bohrer

Después de volar en secreto a Bagdad en junio del 2006, me reuní con el Primer Ministro Nouri al Maliki (a derecha) y convoqué una reunión de seguridad nacional de EE.UU. con Irak, por medio de videoconferencia. El Embajador de los EE.UU., Zal Khalilzad, está a mi izquierda. *White House/Eric Draper*

La decisión más difícil de la presidencia fue ordenar la oleada. Envié 30.000 tropas adicionales bajo una nueva estrategia de contrainsurgencia implementada por el General David Petraeus (a derecha) y el Embajador Ryan Crocker.
White House/Eric Draper

Llevando a Jenna al altar en su boda en Crawford en mayo del 2008.
White House/Shealah Craighead

En la Casa Blanca, en una recepción para Jenna y su marido, Henry Hager.
White House/Eric Draper

La familia extendida Bush, celebrando el sexagésimo aniversario de la boda de Mamá y Papá en el 2005. Ningún presidente y primera dama han cumplido más años casados que ellos. *White House/Eric Draper*

Felicitando a Rumania en su admisión al OTAN. Justo antes de mi intervención, apareció un arco iris de todos los colores. —Dios está sonriendo sobre nosotros hoy —comenté.
White House/Paul Morse

Mi padre había combatido contra su padre en la Segunda Guerra Mundial, pero el Primer Ministro Junichiro Koizumi del Japón y yo colaboramos para difundir la democracia—e incluso visitamos el hogar del ídolo de su niñez, Elvis Presley.
White House/Eric Draper

Recorriendo el rancho con el Príncipe Heredero Abdalá de Arabia Saudita. Cuando apareció una pava sola en el camino, me agarró del brazo. —Mi hermano —dijo él—, es una señal de Alá.
White House/Eric Draper

Con el Primer Ministro israelí, Ariel Sharon *(a izquierda)* y el Primer Ministro palestino Mahmoud Abbas en Aqaba, Jordania, donde se pusieron de acuerdo para colaborar en pro de un estado democrático palestino. *White House/Eric Draper*

Con Jacques Chirac de Francia *(a izquierda)* y Vladimir Putin de Rusia.
White House/Eric Draper

Anunciando TARP con el Presidente de Reserva Federal Ben Bernanke *(a izquierda)* y el Secretario de Hacienda Hank Paulson.
White House/Eric Draper

Con John McCain después de que se aseguró la nominación republicana del 2008.
White House/Eric Draper

Con el Presidente electo Barack Obama y su esposa, Michelle, en la Sala Azul el Día de Inauguración del 2009. *White House/Eric Draper*

Consultando con el Consejero Ed Gillespie *(a izquierda)* y el Jefe de Personal Josh Bolten, dos ayudantes de confianza y buenos amigos, en los difíciles últimos meses de la administración.
White House/ Eric Draper

Saliendo de la Oficina Oval por última vez. *White House/Eric Draper*

En un mitin «bienvenidos a casa» en Midland. —Laura y yo salimos de Texas —dije—, pero Texas nunca salió de nosotros. *Eric Draper*

entrevisté con los Clay en la Oficina Oval. Nos abrazamos y me reiteraron que yo estaba en sus oraciones. Me inspiraron su fortaleza. Dios había realizado una gran acción al convertir el dolor de sus corazones en compasión. Su fe era tan evidente y real, que reconfirmó la mía. Tenía la esperanza de animar a los Clay, pero fueron ellos quienes me animaron a mí.

Ellos no fueron los únicos. En el año nuevo del 2006, Laura y yo viajamos al Centro Médico Brooke, en San Antonio. Visitamos a cincuenta y un miembros del servicio heridos y a sus familias. En una de las habitaciones conocimos al sargento Christian Bagge de la Guardia Nacional de Oregon, junto con su esposa, Melissa. Christian estaba patrullando en Irak cuando su Humvee golpeó una bomba en la carretera. Permaneció atrapado dentro del vehículo durante cuarenta y cinco minutos y perdió ambas piernas.

Christian me dijo que solía ser un corredor y que planeaba correr otra vez algún día. Eso era algo difícil de visualizar. Yo realmente deseaba animarlo. — Cuando esté listo, llámeme —le dije—. Yo correré con usted.

El 27 de junio del 2006, me encontré con Christian en el Jardín Sur. Tenía dos piernas prostéticas de fibra de carbono. Dimos un par de vueltas alrededor de la pista de footing que Bill Clinton había instalado. Me maravilló la fuerza y el espíritu de Christian. Apenas podía creer que éste era el mismo hombre que había estado confinado a una cama de hospital hacía menos de seis meses. Él no se veía a sí mismo como una víctima. Estaba orgulloso de lo que había hecho en Irak y esperaba que su ejemplo inspirara a otros.

Pensé mucho en Christian durante ese verano y en los años que siguieron. Nuestro país le debía nuestro agradecimiento y apoyo. Yo le debía algo más: no podía dejar que Irak fracasara.

El 17 de agosto, convoqué al equipo de seguridad nacional en la sala Roosevelt, con el General Casey, el General Abizaid y el Embajador Khalilzad en la pantalla de video. Los resultados de la Operación Juntos Adelante no eran prometedores. Nuestras tropas habían expulsado a los terroristas y a los escuadrones de la muerte de los barrios de Bagdad, pero las fuerzas iraquíes no podían mantener el control. Podíamos eliminar pero no mantener.

—La situación parece estar deteriorándose —expresé—. Quiero poder decir que tengo un plan para contra atacar. ¿Puede tener éxito Estados Unidos? Y si es así, ¿cómo? ¿Cómo responderán nuestros comandantes a eso?

El General Casey me dijo que podríamos triunfar si transferíamos la responsabilidad a los iraquíes más rápidamente. Necesitábamos «ayudarlos a ayudarse a sí mismos», dijo Don Rumsfeld. Era otra forma de decir que teníamos que retirar la mano del asiento de la bicicleta. Yo quería transmitirle el mensaje a los miembros del equipo que pensaban de otra manera. —Tenemos que triunfar —dije—. Si ellos no pueden hacerlo, nosotros lo haremos. Si la bicicleta se tambalea, volveremos a poner la mano sobre el asiento. Tenemos que asegurarnos de no fracasar.

El Jefe de Gabinete, Josh Bolten, quien sabía hacia dónde me dirigía, añadió el signo de exclamación. —Si se pone peor —dijo casi al final de la reunión—, ¿qué medidas radicales puede recomendar el equipo?

Salí de la reunión convencido de que tendríamos que desarrollar esas medidas nosotros mismos. Autoricé a Steve Hadley para formalizar la revisión que el equipo NSC en Irak* había estado llevando a cabo. Yo quería que desafiaran cada suposición que estuviera detrás de nuestra estrategia y generaran nuevas opciones. Pronto llegué a verlos como a mi banda personal de guerreros.

En el otoño, mis resúmenes de información de Irak mostraban un promedio de casi mil ataques por semana. Leí relatos de extremistas sectarios que torturaban a los civiles con taladros, secuestraban pacientes de los hospitales y volaban a fieles durante las oraciones del viernes. El General Casey había puesto en marcha una importante segunda operación para restaurar la seguridad en Bagdad, esta vez con más fuerzas iraquíes para mantener el territorio. Una vez más, fracasó.

Decidí que era necesario un cambio de estrategia. Para resultar creíble frente a los estadounidenses, tendría que acompañar esa estrategia con ciertos cambios en el personal. Don Rumsfeld había sugerido que podría necesitar ojos frescos en Irak. Tenía razón. También necesitaba nuevos comandantes. George Casey y John Abizaid habían servido extensas giras y ya estaban preparados para volver a casa. También era hora de poner un par de nuevos ojos en sus puestos.

Con las elecciones de mitad de periodo del 2006 acercándose, la retórica contra Irak estaba candente. —La idea de que vamos a ganar esta guerra es, lamentablemente, una idea errónea —proclamó el presidente del DNC Howard Dean. —Nosotros estamos causando el problema —dijo el congresista John Murtha de Pensilvania, uno de los primeros demócratas prominentes que convocaron una retirada inmediata. El senador Joe Biden, un distinguido miembro del Comité de Relaciones Exteriores recomendó dividir Irak en tres entidades separadas. También los republicanos estaban ansiosos, como lo dejó claro Mitch McConnell con su petición a la Oficina Oval para una reducción de tropas.

Decidí esperar hasta después de las elecciones para anunciar cualesquier cambios de política o personal. No quería que el pueblo estadounidense o nuestros militares pensaran que estaba haciendo decisiones de seguridad nacional por razones políticas.

---

* Incluía a J. D. Crouch, delegado suplente de Steve y ex embajador en Rumania; Meghan O'Sullivan; Bill Luti, un capitán retirado de la Armada; Brett McGurk, ex asistente legal del Presidente de la Corte Suprema William Rehnquist; Peter Feaver, profesor de ciencia política de Duke que había tomado licencia para unirse a la administración y el general de dos estrellas Kevin Bergner.

El fin de semana antes de las elecciones de medio tiempo, me reuní con Bob Gates en Crawford, para pedirle que se convirtiera en Secretario de la Defensa. Bob había fungido en la Comisión Baker-Hamilton, un panel colegiado por el Congreso para estudiar la situación en Irak. Me dijo que él había apoyado una oleada de tropas como una de las recomendaciones del grupo. Le dije a Bob que buscaba un nuevo comandante en Irak. Él revisaría a los candidatos y ofrecería sus consejos, pero yo le sugerí que considerara detenidamente a David Petraeus.

Después de dos ciclos electorales en los que los republicanos aumentaron sus números en el Congreso, recibimos un duro golpe en el 2006. Perdimos la mayoría en la Cámara y en el Senado. La nueva vocera de la Cámara, Nancy Pelosi, declaró: —El pueblo estadounidense ha hablado.... Debemos iniciar una reasignación responsable de nuestras tropas y sacarlas de Irak.

———

A medida que la revisión de la estrategia de Irak se intensificaba, nos centramos en tres opciones primordiales. La primera nos llamaba a acelerar la estrategia actual de entrenar las fuerzas iraquíes, mientras retirábamos las nuestras. Los iraquíes asumirían más responsabilidades para tratar con la violencia, mientras nosotros nos concentrábamos en misiones más limitadas, incluyendo la caza de Al Qaeda.

La segunda opción era retirar nuestras tropas de Bagdad hasta que la violencia sectaria se agotara. En octubre, Condi había viajado a Irak y había vuelto sintiéndose desalentada de Maliki y los otros líderes. Si estaban resueltos a luchar en una guerra sectaria, discutía ella, ¿por qué deberíamos dejar a nuestras tropas en medio de su sangrienta pelea?

La tercera opción era redoblar la apuesta. Desplegaríamos decenas de miles de tropas—una oleada—para llevar a cabo una campaña de contrainsurgencia a gran escala en Bagdad. En lugar de salir de las ciudades, nuestras tropas llegarían a ellas, vivirían entre la gente y protegerían a la población civil.

La cuestión fundamental era si los iraquíes tenían la voluntad de triunfar. Yo creía que la mayoría de los iraquíes apoyaba la democracia. Estaba convencido de que las madres iraquíes, como todas las madres, querían que sus hijos crecieran con esperanza en el futuro. Había conocido estudiantes de intercambio iraquíes, médicos, activistas femeninas, periodistas y estudiantes que estaban determinadas a vivir en paz y con libertad. Un año después de la liberación de Irak, conocí a un grupo de dueños de pequeños negocios que había fabricado artículos como relojes y textiles durante la época de Saddam. Para comprar materiales, cambiaron dinares iraquíes por moneda extranjera. Cuando el dinar disminuyó su valor, Saddam buscó chivos expiatorios y ordenó cortar la mano derecha de los hombres. El productor de documentales Don North y el periodista de la TV de Houston, Marvin Zindler, escucharon la historia y llevaron a los iraquíes a Texas, donde el Dr. Joe Agris le puso una mano prostética a cada uno, sin cobrarles nada.

Cuando los iraquíes llegaron a la Oficina Oval, todavía estaban aprendiendo a utilizar la mano derecha. Todos estaban agradecidos con el pueblo estadounidense por haberlos liberado de la brutalidad de Saddam y todos sentían esperanza por su país. Un iraquí tomó una pluma con su nueva mano y garabateó con dificultad unas palabras en árabe en un pedazo de papel: «Una plegaria para que Dios bendiga a Estados Unidos».

Me maravilló el contraste entre un régimen tan brutal que cortaba las manos de los hombres y de una sociedad tan compasiva que ayudaba a restablecer su dignidad. Estaba seguro de que el hombre iraquí que había escrito esas palabras, también hablaba por los millones de sus conciudadanos. Estaban agradecidos con Estados Unidos por su liberación. Ellos querían vivir en libertad y yo no los abandonaría.

———

A finales de octubre envié a Steve Hadley a reunirse en privado con el primer ministro Maliki en Bagdad. La evaluación de Steve fue que Maliki «o ignoraba lo que estaba pasando, daba una imagen falsa de sus intenciones o sus capacidades no eran las suficientes para convertir sus buenas intenciones en acciones verdaderas». Antes de tomar una decisión, tenía que determinar cuál de esas evaluaciones era la verdadera.

El 29 de noviembre del 2006, volé para entrevistarme con Maliki en Ammán, Jordania. A veces nos frustraba el liderazgo del primer ministro. No siempre desplegaba las tropas iraquíes cuando decía que lo haría. Algunos de los integrantes de su gobierno tenían sospechosos vínculos con Irán. Él no había hecho lo suficiente para perseguir a los extremistas chiitas. El General Casey estaba molesto, con toda la razón, de que los funcionarios sectarios cercanos a Maliki habían bloqueado el paso para que nuestras tropas no entraran en los barrios chiitas.

Sin embargo, durante sus seis meses en el poder, Maliki había madurado como líder. Había soportado amenazas de muerte, potenciales golpes de estado y numerosas delegaciones del Congreso que viajaban a Irak para reprocharle. Unos días antes de la cumbre programada en Jordania, el líder chiita radical Moqtada al Sadr amenazó con retirar a sus partidarios del gobierno si el primer ministro se reunía conmigo. Maliki vino a la reunión de todos modos.

—Aquí está mi plan —dijo con orgullo mientras me entregaba un documento con el nuevo sello del gobierno iraquí en la cubierta. En el interior había una ambiciosa propuesta para retomar Bagdad con las fuerzas iraquíes. Yo sabía que su ejército y policía no estaban preparados para tan importante empresa, pero lo que importaba era que Maliki reconocía el problema de la violencia sectaria y estaba mostrando voluntad para liderar.

—Los estadounidenses quieren saber si su plan nos permite atacar a los asesinos sunitas y chiitas —le pregunté.

—No distinguimos por origen étnico —respondió.

Le pedí reunirme con el primer ministro a solas. Maliki parecía estar listo para hacerle frente a la violencia. Me decidí a probar su compromiso sugiriendo la perspectiva de una oleada.

—La presión política para que abandonemos Irak es enorme —dije—, pero estoy dispuesto a resistir esa presión si usted está dispuesto a tomar las decisiones difíciles.

Continué: —Estoy dispuesto a enviar decenas de miles de tropas estadounidenses adicionales que le ayuden a retomar Bagdad, pero quiero que me ofrezca ciertas garantías.

Le leí la lista: Tenía que enviar más fuerzas iraquíes y tendrían que presentarse. No podría haber ninguna interferencia política en nuestras operaciones militares conjuntas. No más prohibiciones para entrar a los barrios Shia. Él tendría que enfrentarse a las milicias chiitas, incluyendo el ejército de Sadr y a medida que la seguridad mejorara, tendría que avanzar en la reconciliación política entre chiitas, sunitas y kurdos.

Malik me dio su palabra de que seguiría cada punto como habíamos acordado.

En el vuelo a casa desde Jordania, pensé en las opciones de una nueva estrategia. Acelerar el traspaso a los iraquíes no era un enfoque viable. Eso se parecía mucho a nuestra estrategia actual, la cual estaba fallando.

No creí que fuera práctico retirarnos de las ciudades y dejar que la violencia se acabara. No podía pedirles a nuestras tropas que se mantuvieran al margen, viendo cómo cientos de personas eran masacradas por los extremistas. Me preocupaba que Irak estuviera tan destrozado que fuera imposible volver a unirlo.

La opción de la oleada tenía sus propios riesgos. Aumentar nuestras tropas sería muy mal recibido en casa. La lucha sería dura y las bajas podrían ser muchas. Si Maliki nos fallaba, tal vez no seríamos capaces de frenar la violencia.

Después de ver a Maliki, creí que podíamos contar con su apoyo. La oleada era nuestra mejor oportunidad, quizás nuestra última oportunidad, para lograr nuestros objetivos en Irak.

———

Después de varias semanas de intenso debate durante noviembre y diciembre, la mayor parte del equipo de seguridad nacional respaldaba la oleada. Dick Cheney, Bob Gates, Josh Bolten, Steve Hadley y sus guerreros de NSC respaldaban este nuevo enfoque. Condi también lo haría, siempre y cuando el plan no enviara más tropas bajo la misma vieja estrategia.

En una decisión tan controversial e importante, era imperativo tener unidad. El congreso y la prensa buscarían cualquier grieta dentro de la administración. Si encontraban una, la explotarían para justificar su oposición y bloquear el plan. Para llegar a ese consenso, necesitábamos tener un grupo más a bordo: la Junta de Jefes de Estado Mayor.

Establecido por la Ley de Seguridad Nacional de 1947, la Junta de Jefes de Estado Mayor incluía a los jefes de cada rama del servicio, además de un presidente y un vicepresidente. Los jefes no son parte de la cadena de mando, por lo que no tienen la responsabilidad directa de las operaciones militares. Una parte fundamental de su papel es promover la salud y la fuerza de nuestras fuerzas armadas. Por ley, el Presidente del Estado Mayor es el principal asesor militar del Presidente. El Presidente del Estado Mayor Conjunto en el 2006 era el General Pete Pace. Pete fue el primer Infante de Marina que fungió como presidente y uno de los grandes oficiales de su generación. Como un joven teniente en Vietnam, Pete había conducido un pelotón que soportó intensos combates. Durante el resto de su carrera, él llevó consigo las fotos de los marines que dieron sus vidas bajo su mando. Cuando asumió el cargo como presidente, se esmeró en decirme sus nombres. Él nunca los olvidó, ni a ellos, ni el costo de la guerra.

Pete había iniciado una revisión de la estrategia con el Estado Mayor y yo le pedí a Steve Hadley que se asegurara de que el concepto de la oleada fuera abordado en sus discusiones. Decidí ir a ver a los jefes en el Pentágono para escuchar sus opiniones en persona.

Dos días antes de la reunión, Pete me visitó en la Oficina Oval. Me dijo que yo escucharía una serie de preocupaciones que los jefes tenían, pero que estaban preparados para apoyar la oleada. También le dio una estimación a Steve de cuántas tropas podrían ser necesarias para marcar una diferencia: cinco brigadas, cerca de unos 20 mil estadounidenses.

El 13 de diciembre del 2006, entré al «Tanque», el salón de conferencias seguro y recubierto de paneles de madera del Estado Mayor en el Pentágono. Ir a su territorio fue una manera de mostrar mi respeto. Inicié diciéndoles que yo estaba allí para escuchar sus opiniones y pedir su consejo.

Los abordé uno por uno, alrededor de la mesa. Los jefes expusieron sus preocupaciones. Les preocupaba el nivel de compromiso de Maliki. Sentían que otras agencias del gobierno necesitaban contribuir más en Irak. Se cuestionaban si las demandas de una oleada nos dejarían desprevenidos para otras contingencias, como un levantamiento en la Península Coreana.

Su preocupación primordial era que un aumento de tropas «quebrantaría la milicia» al poner demasiada tensión en los miembros del servicio y sus familias. Muchas de nuestras tropas en Irak cumplían con sus segundas o terceras giras en el país. Para hacer posible la oleada, tendríamos que ampliar algunas giras de doce a quince meses. El efecto sobre el reclutamiento, la moral, el entrenamiento, la preparación y las familias militares podría ser profundo.

El Jefe del Estado Mayor del Ejército, Pete Schoomaker y el Comandante de la Marina, James Conway recomendaron un aumento en el tamaño de sus servicios. Ellos creían que la oleada aliviaría el estrés en nuestras tropas y ayudaría a asegurar que estábamos listos para enfrentar posibles conflictos en otros lugares en el mundo. Me gustó la idea y prometí considerarla.

Al final de la reunión, resumí mis ideas. —Comparto su preocupación de quebrantar la milicia —les dije—. La forma más segura de quebrantar al ejército sería perder en Irak.

———

Mi plan inicial era anunciar la nueva estrategia de Irak una semana o dos antes Navidad. Sin embargo, a medida que la fecha se acercaba, llegué a la conclusión que necesitábamos más tiempo. Quería que Bob Gates, quien había sido juramentado como Secretario de Defensa el 18 de diciembre, visitara Irak.

Dos días antes de Navidad, Bob vino a verme a Camp David. Me dijo que había visitado a Maliki, quien había refinado su plan para una oleada iraquí que coincidiera con la nuestra. Maliki declararía ley marcial, desplegaría a tres brigadas iraquíes adicionales a Bagdad, nombraría a un gobernador militar y a dos vice comandantes con mando libre para perseguir a los extremistas de cualquier origen sectario. Bob también había decidido a quién recomendar como nuevo comandante. Sería el General David Petraeus. Acordamos proponer al General Casey para un ascenso a Jefe del Estado Mayor del Ejército. George tenía un largo y distinguido historial de servicio y su experiencia beneficiaría al ejército. También quería dejar claro que no lo culpaba por los problemas en Irak.

La última cuestión a resolver era el tamaño de la oleada. Algunos en el ejército propusieron que nos comprometiéramos a dos brigadas adicionales inicialmente, un aumento pequeño de unas 10 mil tropas, con la posibilidad de enviar hasta tres brigadas más, en el futuro cercano. Pete Pace informó que el General Petraeus y el General Ray Odierno, el comandante número dos en Irak, querían que nos comprometiéramos a enviar cinco brigadas de una vez.

Si nuestros comandantes en tierra deseaban todo el apoyo, lo obtendrían. Decidí enviar cinco brigadas a Bagdad, además de dos batallones adicionales de los Marines a la provincia de Anbar. Incorporaríamos a nuestras tropas en las formaciones iraquíes para poder adiestrarlos en el campo de batalla y prepararlos a asumir la responsabilidad después de la oleada. Por último, aceptaría tres recomendaciones claves del Estado Mayor Conjunto. Condi conduciría un resurgimiento con recursos civiles. Yo obtendría garantías públicas del Primer Ministro Maliki acerca de la libertad de maniobrabilidad para nuestras tropas y le pediría al Congreso que aumentara el tamaño del Ejército y la Infantería de Marina a 90 mil.

El 4 de enero del 2007, hice una videoconferencia segura con Maliki. —Mucha gente aquí no cree que vayamos a tener éxito. Yo creo que sí lo tendremos —respondí—. Me arriesgaré por usted, si usted se arriesga por mí. Dos días más tarde se dirigió al pueblo iraquí y confirmó su apoyo a la oleada. —El plan de seguridad para Bagdad no ofrecerá un refugio seguro a ningún delincuente, sin importar su afiliación sectaria o política —dijo.

La decisión había sido difícil, pero estaba seguro que lo había hecho de la manera correcta. Había reunido hechos y las opiniones de personas dentro y fuera de la administración. Había desafiado suposiciones y sopesado todas las opciones cuidadosamente. Sabía que la oleada sería bastante impopular a corto plazo, pero mientras que muchos en Washington habían renunciado a la perspectiva de la victoria en Irak, yo no lo había hecho.

A las nueve en punto de la noche del 10 de enero del 2007, me paré ante las cámaras en la biblioteca de la Casa Blanca. —La situación en Irak es inaceptable para el pueblo estadounidense y es inaceptable para mí también —dije—. Nuestras tropas en Irak han luchado valientemente. Han hecho todo lo que les hemos pedido que hagan. En donde se hayan cometido errores, la responsabilidad es mía.

«Es evidente que necesitamos cambiar nuestra estrategia en Irak.... Por lo que me he comprometido a enviar más de 20 mil tropas estadounidenses adicionales. La gran mayoría de ellas, cinco brigadas, se desplegarán en Bagdad.

———

La reacción fue rápida y unilateral. —No creo que una oleada de 20 mil tropas en Irak vaya a resolver los problemas —mencionó un senador. —No creo que enviar más tropas a Irak sea la respuesta —dijo otro. Un tercero lo catalogó como: —La equivocada política exterior más peligrosa en este país desde Vietnam. —Y esos fueron justamente los republicanos.

La izquierda fue aún más directa. Un senador novato predijo que el aumento no «solucionaría la violencia sectaria. De hecho, creo que va a hacer lo contrario». Plasmando la opinión de la mayoría de sus colegas, un columnista del *Washington Post* la describió como «una escalada de la guerra en Irak basada en la fantasía, la cual sólo podría tener sentido en un universo paralelo donde los cerdos volaran y los peces viajaran en bicicleta».

Condi, Bob Gates y Pete Pace testificaron en el Capitolio el día después de que yo anunciara la oleada. El interrogatorio fue brutal de ambos lados del pasillo. —Este es el plan más loco y más tonto del que he visto u oído hablar en mi vida —dijo un congresista demócrata al General Pace. —He estado de acuerdo con el Presidente en esto y he creído en ese sueño —le dijo un senador republicano a Condi. —En este momento, simplemente no creo que vaya a suceder. —Después, Condi vino a verme en la Oficina Oval. —Ésta va a ser una venta difícil, Señor Presidente —dijo.

En medio del escepticismo casi universal, algunas almas valientes defendieron la oleada. Entre ellos estaban el senador Joe Lieberman de Connecticut, un demócrata de toda la vida que había sido desechado por su partido por apoyar la guerra; el senador Lindsey Graham de Carolina del Sur, un miembro de las Reservas de la Fuerza Aérea; y el senador John McCain de Arizona.

McCain y yo teníamos una relación compleja. Habíamos competido uno contra el otro en el 2000 y discrepábamos sobre temas como reducciones de impuestos, la reforma de Medicare y los interrogatorios a los terroristas. Sin embargo, había trabajado fuertemente en mi campaña durante el 2004 y sabía que planeaba postularse a la Presidencia en el 2008. La oleada le dio la oportunidad para crear distancia entre nosotros, pero no la tomó. Había sido un defensor del aumento a las tropas en Irak desde hacía mucho tiempo y apoyaba enérgicamente la nueva estrategia. —No puedo garantizar el éxito —dijo—. Pero sí puedo garantizar que fracasaremos si no adoptamos esta nueva estrategia. El defensor más persuasivo de la oleada fue el General Petraeus. Como autor del manual de contrainsurgencia del ejército, era la autoridad indiscutible de la estrategia que él lideraría. Su ética de trabajo, intelecto y competitividad eran bien conocidas. En una de sus visitas a casa, invité al general a hacer bicicleta de montaña conmigo en Fort Belvoir, Virginia.

Era principalmente un corredor, pero tenía suficiente confianza en sí mismo para aceptar el reto. Se mantuvo al nivel de mis experimentados compañeros de pelotón.

Después del paseo entré a un edificio en Fort Belvoir para tomar una llamada del primer ministro de Japón. Escuché un ruido en el fondo. Me asomé por la puerta y vi a Petraeus liderando al pelotón a través de una serie de flexiones y abdominales después del paseo.

El ascenso de Petraeus había atraído algunos resentimientos. Había escuchado rumores de varias personas que me habían advertido que tenía un ego sobretamaño. En el 2004, cuando Petraeus estaba liderando el esfuerzo para entrenar a las fuerzas de seguridad iraquíes, *Newsweek* había publicado una portada con su foto en primer plano y el titular: «¿Puede este hombre salvar a Irak?» Cuando le planteé el tema, sonrió y dijo: —Mis compañeros de West Point me recordarán esto para siempre. —Yo agradecí su autocrítica observación. Era un buen complemento a su carácter.

Las audiencias de confirmación de Petraeus llegaron a finales de enero. —Creo que, en este momento, la población en Bagdad sólo quiere sentirse segura —expresó—, y honestamente, no les importa quién lo haga. —Cuando John McCain le presionó sobre si la misión podría tener éxito sin más tropas, el General Petraeus respondió: —No, Señor. —El Senado lo confirmó, 81 a 0. Llamé al general a la Oficina Oval para felicitarlo por la votación. Dick Cheney, Bob Gates, Pete Pace y otros miembros del equipo de seguridad nacional estaban allí para desearle suerte. —Me gustaría tener un momento a solas con mi comandante —pedí.

Cuando el equipo salió, le aseguré al General Petraeus que tenía confianza en él y que él podría hablarme en cualquier momento. Al final de la reunión dije: —Aquí vamos. Doble o nada.

Mientras salía por la puerta, él respondió: —Señor Presidente, creo que más bien hay que apostarlo todo.

El 10 de febrero del 2007, David Petraeus tomó el mando en Bagdad. Su tarea era la más desalentadora a la que algún comandante estadounidense se hubiese enfrentado en décadas. Como les dijo a sus tropas en su primer día: —La situación en Irak es extremadamente difícil, los riesgos son muy altos, el camino será difícil y sin duda habrá muchos días difíciles. —Él continuó—: Sin embargo, difícil no quiere decir imposible. Estas tareas son alcanzables; esta misión es factible.

A medida que nuestra oleada de tropas fluía en Irak, los generales Petraeus y Odierno trasladaron nuestra base de fuerzas, en las afueras de Bagdad, a pequeños puestos dentro de la ciudad. Nuestras tropas vivían junto a las fuerzas de seguridad iraquíes y patrullaban la ciudad a pie, en vez que desde el interior de los Humvees blindados. Al entrar a las fortalezas enemigas por primera vez, los extremistas se defendieron. Perdimos 81 tropas en febrero, 81 en marzo, 104 en abril, 126 en mayo y 101 en junio. Fue la primera vez en la que nos enfrentábamos con pérdidas de tres dígitos durante tres meses seguidos. Las bajas eran agonizantes, pero había algo diferente en el 2007: Estados Unidos estaba otra vez a la ofensiva.

El General Petraeus me señaló una interesante métrica de progreso: El número de pistas de inteligencia de los residentes iraquíes. En el pasado, los iraquíes temían represalias de los insurgentes o escuadrones de la muerte si cooperaban con nuestras fuerzas, pero como la seguridad mejoraba, el número de pistas creció de unos 12.500 en febrero a casi 25.000 en mayo. Nuestras tropas y los operadores de inteligencia utilizaban las pistas para capturar insurgentes y armas y eliminarlos de la calle. La estrategia de contrainsurgencia estaba funcionando: estábamos ganándonos a las personas al proporcionarles lo que más necesitaban: seguridad.

Después de la eliminación y el mantenimiento, seguimos adelante con la construcción, gracias en gran parte a la oleada civil encabezada por el Embajador Ryan Crocker. Conocí a Ryan en Pakistán, donde se desempeñaba como Embajador, durante mi visita en el 2006. Me dio la impresión de ser un diplomático paciente y sin pretensiones. Sin embargo, debajo de su tranquilo exterior había un intrépido hombre considerado por muchos como el mejor oficial del servicio extranjero de su generación. Con un buen manejo del idioma árabe, Ryan había servido en todo el Medio Oriente, incluyendo varios períodos de servicio en Irak. Había sobrevivido el atentado de 1983, contra nuestra Embajada en Líbano y escapado de una turba enfurecida que asaltó su residencia en Siria. Cuando anuncié la nueva estrategia en Irak, también decidí que deberíamos cambiar a los embajadores. Nominé a Zal Khalilzad, quien había hecho un buen trabajo en Bagdad, para que fuera nuestro representante permanente ante las Naciones Unidas. Condi no tardó en recomendar un reemplazo. Dijo que Ryan era el único hombre para el trabajo.

Ryan se ganó mi respeto rápidamente. Tenía cierta destreza para detectar problemas y neutralizarlos. Hablaba sin rodeos sobre los desafíos, pero tenía un irónico sentido del humor y le gustaba reír. —¿Qué tienes para mí hoy, solecito? —le pregunté durante un período particularmente áspero. Comenzó su exposición con una gran sonrisa. Trabajó eficientemente con el General Petraeus y se ganó la confianza de los iraquíes de todas las facciones.

El corazón de la oleada civil consistía en duplicar el número de los Equipos de Reconstrucción de la Provincia, quienes emparejaban a los expertos civiles con los militares. Sostuve varias videoconferencias y reuniones con líderes del equipo de PRT desplegados en todo Irak. Eran un grupo impresionante. Varios de ellos eran experimentados veteranos de combate. Otra fue una mujer, una oficial del Servicio Exterior, cuyo hijo había servido como Infante de Marina en Irak. Describían sus proyectos, que iban desde apoyar a un periódico local en Bagdad, a ayudar a establecer tribunales en Ninewa, y la creación de un laboratorio de análisis de suelos para mejorar la agricultura en Diyala. No siempre era un trabajo glamoroso, pero era fundamental para la estrategia de contrainsurgencia que estábamos llevando a cabo.

Hablaba con el General Petraeus y el Embajador Crocker por videoconferencia segura por lo menos una vez por semana y a veces más a menudo. Creía que una estrecha relación personal y un contacto frecuente eran fundamentales para que la nueva estrategia tuviera éxito. Las conversaciones me dieron la oportunidad de escuchar informes de primera mano sobre las condiciones en Irak. A Petraeus y Crocker les permitía compartir sus frustraciones y pugnar por decisiones directamente del comandante en jefe.

La situación estaba mejorando, pero todos estábamos preocupados con la posibilidad de otro atentado similar a la bomba en Samarra, un acontecimiento que sería un punto de inflexión que volvería a encender la violencia sectaria. Petraeus señaló otro problema. —El reloj de Washington corre mucho más rápido que el reloj de Bagdad —dijo. Tenía razón. Menos de una semana después de que el General Petraeus llegó a Irak, la nueva mayoría demócrata en la Cámara de Representantes aprobó una resolución no vinculante que declaraba: —El Congreso desaprueba la decisión del Presidente George W. Bush anunciada el 10 de enero del 2007 de desplegar más de 20.000 tropas de combate adicionales de Estados Unidos en Irak.

Tras una jornada de extrema violencia en abril, el Senador Harry Reid de Nevada declaró: —Esta guerra está perdida, la oleada no está logrando nada. —El Líder de la mayoría del Senado de Estados Unidos acababa de utilizar su plataforma para decirle a 145.000 tropas estadounidenses y sus familias que luchaban por una causa perdida. Había declarado la oleada como un fracaso incluso antes de que todas las tropas adicionales llegaran. Fue uno de los actos más irresponsables que he presenciado en mis ocho años en Washington.

El 1 de mayo, el Congreso me envió un proyecto de ley de financiamiento de guerra que ordenaba un plazo límite para la retirada de tropas a fines de ese mismo año. Fijar una fecha arbitraria de retirada permitiría que nuestros enemigos nos esperaran y socavaran nuestra capacidad para ganarse a los líderes locales, quienes eran fundamentales para nuestro éxito. Yo veté el proyecto de ley. Liderados por el Líder de la Minoría del Senado, Mitch McConnell —quien apoyó la oleada después de que la anuncié y más tarde me confesó gentilmente que él había estado equivocado al sugerir su retirada— y el Líder de la Minoría del Congreso, John Boehner, los republicanos del Capitolio se mantuvieron firmes. Los demócratas no tenían los votos suficientes para anular el veto. El 25 de mayo, firmé un proyecto de ley para capitalizar completamente a nuestras tropas, sin establecer una fecha límite para su retirada.

Le llamaron «El Despertar».

Anbar es la provincia más grande de Irak, una enorme extensión de desierto que va desde el límite occidental de Bagdad hasta las fronteras de Siria, Jordania y Arabia Saudita. Con cincuenta y tres mil millas cuadradas (137.269 km²), Anbar cubre casi la misma cantidad de tierra que el estado de Nueva York. Su población es sunita en su mayoría. Durante casi cuatro años, sirvió como una fortaleza para los insurgentes y un santuario para Al Qaeda.

Al Qaeda asumió el control de las principales ciudades de Anbar, infiltró las fuerzas de seguridad e impuso su ideología en la población. Como los talibanes, le prohibieron a las mujeres salir de sus casas sin un acompañante masculino, además de prohibir los deportes y otras actividades de ocio. Atacaban a las tropas estadounidenses, a las fuerzas de seguridad iraquíes y a cualquiera que se les resistiera. En 2006, Anbar sufría un promedio de cuarenta y un ataques por día.

Nuestras tropas descubrieron un documento de Al Qaeda que establecía una elaborada estructura de gobierno para Anbar, incluyendo un Departamento de Educación, un Departamento de Servicios Sociales y una «Unidad de Ejecución». Nuestra comunidad de inteligencia creía que Anbar iba a ser la base de Al Qaeda para la planificación de ataques a los Estados Unidos. En agosto del 2006, un veterano oficial de inteligencia de la Infantería de Marina en Anbar escribió un informe ampliamente publicitado, concluyendo que la provincia estaba perdida.

Luego todo cambió. La gente de Anbar había experimentado la vida bajo Al Qaeda y no les gustó lo que experimentaron. A partir de mediados del 2006, los jeques tribales se unieron para retomar la provincia de manos de los extremistas. El Despertar atrajo a miles de reclutas.

Como parte de la oleada, desplegamos cuatro mil infantes de Marina adicionales en Anbar, donde reforzaron a los jeques tribales y fortalecieron su confianza. Muchos de los jihadistas de Al Qaeda huyeron al desierto. La violencia en la provincia se desplomó más del 90 por ciento. Meses después, el valiente pueblo de Anbar, con el apoyo de nuestras tropas, había retomado su provincia. Un refugio de Al Qaeda se había convertido en el lugar de su mayor derrota ideológica.

Le hice una visita sorpresa a Anbar el Día del Trabajo, en el 2007. El avión presidencial volaba sobre lo que parecía una gigante duna de arena y aterrizó en la Base Aérea Al Asad, un parche de asfalto negro en medio de millas de tierra café. Bajamos las escaleras entre el calor abrasador y rápidamente ingresamos a la base, en una habitación con aire acondicionado. Escuché varios informes y luego me reuní con un grupo de jeques tribales que había iniciado el levantamiento de Anbar. Eran un grupo tosco y terroso. Sus animados y amistosos gestos me recordaron a los funcionarios locales del oeste de Texas, pero en vez de pantalones vaqueros y botas, estos llevaban trajes largos y coloridos tocados.

Los jeques brillaban de orgullo mientras describían lo que habían logrado. La violencia había disminuido dramáticamente; las alcaldías y los municipios estaban trabajando; los jueces estaban escuchando casos e impartiendo justicia. Con la ayuda de nuestra oleada civil, se había reabierto la diputación provincial en Ramadi, contando con treinta y cinco miembros presentes para la sesión inaugural.

El Primer Ministro Maliki y el Presidente Jalal Talabani se unieron a la reunión. Fue extraordinario ver a Maliki, un chií; a Talabani, un kurdo; y una habitación llena de jeques suníes discutiendo sobre el futuro de su país. Cuando el primer ministro preguntó qué necesitaban, extendieron una larga lista de peticiones: más dinero, más equipo y más infraestructura. Maliki se quejó de que no había suficiente dinero en el presupuesto para todo lo pedían. Talabani ayudó a arbitrar las disputas. Me senté y disfruté de la escena. La democracia estaba funcionando en Irak.

Agradecí a los jeques por su hospitalidad y su valentía en la guerra contra el terrorismo. —Si usted nos necesita —dijo jubiloso un jeque—: ¡mis hombres y yo iremos a Afganistán!

Washington estaba llena de comentarios cuando Petraeus y Crocker llegaron el 10 de septiembre para ofrecer una audiencia ante el Congreso y hacer recomendaciones sobre el camino a seguir en Irak. Durante meses, los demócratas prometieron usar su testimonio para cortar los fondos para la guerra. En julio, el *New York Times* declaró «perdida» la causa de Irak y pidió un retiro total, a pesar de la probabilidad de que una retirada inmediata pudiera resultar en «más limpieza étnica, e incluso el genocidio» y «una nueva fortaleza en la cual podría proliferar la actividad terrorista». Era impactante ver el *Times*, que acertadamente promocionaba los derechos humanos, abogando por una política que, reconoció, podría conducir al genocidio.

La mañana de las audiencias, el grupo de izquierda MoveOn.org publicó una página de periódico completa que decía: «¿General Petraeus o el General Traiciónanos? Arreglando las cuentas para la Casa Blanca». Fue un ataque de carácter sorprendente a un general de cuatro estrellas. También fue un error político. Los demócratas en el Congreso intentaron evitar el apoyo al anuncio mientras apoyaban el sentimiento de oposición a la guerra que había detrás de él. Un senador de Nueva York denunció el anuncio, pero dijo que el informe de Petraeus requería «la voluntaria suspensión de la incredulidad».

Por su parte, Petraeus y Crocker eran estoicos, firmes y muy creíbles. Reportaron los hechos. Las muertes de civiles iraquíes habían disminuido en Bagdad en un 70 por ciento y en un 45 por ciento en todo el país. Las muertes por violencia sectaria habían caído un 80 por ciento en Bagdad y un 55 por ciento en todo el país. Los ataques IED habían caído en una tercera parte y los ataques suicidas y con coches bombas habían disminuido casi un 50 por ciento. El movimiento Despertar que habíamos presenciado en Anbar se había extendido a la provincia de Diyala y a los barrios sunitas de Bagdad. La imagen era inconfundible: la oleada estaba funcionando.

Dos noches después de la audiencia, me dirigí a la nación. —Debido a este éxito, el General Petraeus cree que hemos alcanzado el punto en donde podemos mantener nuestros logros de seguridad con menos fuerzas estadounidenses —expresé—. El principio que guía mis decisiones sobre los números de las tropas en Irak es 'Retorno Tras Éxitos'. Mientras más exitosos seamos, más tropas estadounidenses podrán volver a casa.

La frase más citada del discurso fue «Retorno Tras Éxitos». El ingenioso juego de palabras fue sugerido por Ed Gillespie, un amigo inteligente y valioso, que accedió a manejar mi equipo de comunicaciones cuando Dan Bartlett regresó a Texas. No obstante, en mi mente, el mensaje más importante era que estábamos manteniendo el número de tropas en Irak que nuestros comandantes creyeran necesario, y durante el tiempo que las necesitaran.

El día de mi discurso, escuché que el amigo del General Petraeus, el General retirado Jack Keane, estaba reuniéndose con Dick Cheney. Me agradaba y respetaba a Jack. Me había proporcionado un valioso asesoramiento durante el proceso de toma de decisiones y apoyado la oleada públicamente. Le pedí a Jack que le diera un mensaje personal de mi parte al General Petraeus: «Esperé más de tres años para lograr una estrategia exitosa. No voy a renunciar a ella prematuramente. No nos reduciré más si no están convencidos de que debemos reducirnos más».

———

Tres semanas después del muy esperado testimonio, conduje a la plaza de armas en Fort Myer, Virginia, para despedirme de un amigo.

Poco después de que anuncié la oleada, Bob Gates me recomendó que no volviera a nominar al General Pete Pace para un segundo mandato como Presidente del Estado Mayor Conjunto. El ambiente en el Capitolio era hostil y Bob había oído de varios senadores, especialmente Carl Levin, el nuevo presidente del Comité de Servicios Armados del Senado, que la audiencia de confirmación de Pete sería conflictivo. La preocupación era que los senadores lo usaran como un saco de boxeo para desquitarse de todas sus frustraciones con respecto a Irak.

Admiraba a Pete. Me había beneficiado de sus consejos durante seis años. Yo sabía cuánto lo amaban nuestras tropas. Quería terminar mi presidencia con mi amigo como presidente, pero me imaginé el espectáculo de la audiencia: Los manifestantes gritando y los senadores acicalándose para las cámaras y todo para terminar en un voto negativo que humillaría a Pete. De forma renuente, estuve de acuerdo con el juicio de Bob. Nombré a Mike Mullen, un estupendo almirante de la Armada, para que fuera el próximo presidente.

Pete nunca se quejó. Sirvió de manera noble hasta el final. Después de entregar sus funciones, retiró las cuatro estrellas de su uniforme, las colocó en una tarjeta y las dejó a los pies del monumento de Vietnam, cerca del nombre de un infante de Marina fallecido cuatro décadas antes. No trajo cámaras ni a la prensa. Más adelante se encontró la tarjeta al pie de la pared. Decía: «A Guido Farinaro, USMC. ¡Estas [estrellas] son suyas, no mías! Con amor y respeto, su líder de pelotón, Pete Pace».

Sentía pena por Pete y su familia. Sólo cuando le presenté una bien merecida Medalla Presidencial de Libertad en 2008, pude mitigar parcialmente mi pesar.

———

El impulso de la oleada continuó en el 2008. Para la primavera, más de 90 mil iraquíes, tanto sunitas como chiitas, se habían unido a los grupos de Ciudadanos Locales Preocupados como los que se habían iniciado en Anbar. Muchas de estas fuerzas, ahora conocidas como Hijos de Irak, se incorporaban a las cada vez más efectivas fuerzas del ejército y policía, que habían crecido a más de 475.000. Corrieron a los violentos insurgentes restantes y a Al Qaeda de sus baluartes. Los terroristas recurrieron al uso de niños y personas con retraso mental como suicidas, revelando tanto su depravación moral como su incapacidad para reclutar.

Justo como lo habían predicho los expertos en contrainsurgencia, los beneficios en la seguridad del 2007 se tradujeron en progreso político en el 2008. Libres de la pesadilla de la violencia sectaria, los iraquíes aprobaron una montaña de importantes legislaciones, incluyendo una ley para resolver el estatus de los ex miembros del Partido Baaz, un presupuesto nacional y una legislación, preparando el camino para las elecciones provinciales. Mientras que el gobierno todavía tenía que trabajar en algunas medidas claves, incluyendo una ley de reparto de ingresos de petróleo, el desempeño político de los iraquíes fue una notable hazaña, dado todo lo que habían soportado.

La mayor preocupación en la primavera del 2008, era la presencia de los extremistas chiitas. Mientras que la seguridad mejoró en la mayor parte de Irak durante la oleada, los extremistas chiitas, muchos de ellos con estrechos vínculos con Irán, habían asumido el control de grandes partes de la ciudad de Basra, la segunda ciudad más grande de Irak.

El 25 de marzo del 2008, las fuerzas iraquíes atacaron a los extremistas en Basra. El Primer Ministro Maliki viajó al sur para supervisar la operación. La mayor parte de mi equipo de seguridad nacional estaban entre angustiosos y petrificados. Los militares temían que Maliki no tuviera un plan bien definido. Algunos en la embajada se preguntaban si tenía suficiente apoyo dentro del gobierno iraquí. La CIA le dio un pronóstico sombrío al asalto de Maliki.

Yo pensaba diferente. Maliki estaba liderando. Durante casi dos años, yo le había instado a demostrar su imparcialidad. —Un asesino chiita es tan culpable como un asesino sunita —le había dicho muchas veces. Ahora confirmaba esto de una manera muy pública. Cuando Steve Hadley y Brett McGurk llegaron a la Oficina Oval por la mañana, después de que Maliki lanzó el ataque, les dije: —No me digan que esto es malo. Maliki dijo que iba a hacer esto y ahora lo está haciendo. Este es un momento determinante. Sólo necesitamos ayudarlo a que tenga éxito.

El asalto estaba lejos de ser material del manual, pero funcionó. Las fuerzas iraquíes trajeron seguridad a Basra. Su éxito dejó atónitos a los radicales chiitas Moqtada al Sadr y sus partidarios en Irán. Más que nada, la operación Basra estableció a Maliki como un líder fuerte. El primer ministro había alcanzado por sí mismo un punto de decisión importante y había elegido la opción correcta.

Unas semanas después de la ofensiva del gobierno iraquí en Basra, Petraeus y Crocker regresaron a Washington a presentar una audiencia en abril. Esta vez no hubo propaganda contra la guerra en los periódicos ni prolongadas batallas para proveer fondos. NBC News, quien en noviembre del 2006 había pronunciado oficialmente que Irak se encontraba en un estado de guerra civil, dejó de usar ese término. No hicieron ninguna publicidad sobre la retracción.

El General Petraeus llamó «frágiles y reversibles» a nuestros avances en Irak y recomendó que continuáramos retirando las tropas hasta que llegáramos a los niveles que teníamos antes de la oleada y luego hiciéramos una pausa para realizar otra evaluación. Como Ryan Crocker lo dijo: —Al final, cómo dejemos [Irak] y qué dejemos atrás será más importante que cómo llegamos. Nuestro curso actual es difícil, pero está funcionando.... Necesitamos permanecer en él. —Yo estuve de acuerdo.

—

Una medida del éxito de la oleada fue que una de las más grandes controversias militares de principios de 2008, no involucrara a Irak. En marzo, el Almirante Fox Fallon —quien había remplazado a John Abizaid como comandante del CENTCOM— ofreció una entrevista a una revista sugiriendo que él era la única persona que me detenía de hacer una guerra con Irán. Eso era ridículo. Le pregunté al Presidente del Estado Mayor Conjunto, Mike Mullen y al Vicepresidente, Hoss Cartwright, qué harían si estuvieran en la posición de Fallon. Dijeron que renunciarían. Poco después, Fox presentó su renuncia. Como punto a su favor, él nunca mencionó el asunto otra vez. En nuestra última reunión, le agradecí por su servicio y le dije que estaba orgulloso de su estupenda carrera.

Tenía que encontrar un nuevo comandante para dirigir el CENTCOM y solo quería a una persona: David Petraeus. Había pasado tres de los últimos cuatro años en Irak y supe que esperaba asumir el codiciado comando de la OTAN en Europa. Sin embargo, lo necesitábamos en el CENTCOM. —Si los niños de veintidós años pueden permanecer en la lucha —expresó—, yo también puedo.

Le pregunté al General Petraeus quién debería substituirlo en Irak. Sin dudarlo, nombró a su ex vice comandante, el General Ray Odierno. Conocí a Ray varios años antes, cuando viajé a Fort Hood como gobernador de Texas. Con una estatura de seis pies cinco pulgadas (1,96 metros) y una cabeza bien afeitada, el general es un hombre imponente. Había sido partidario de la oleada desde el principio y ayudó al éxito de la estrategia al colocar sabiamente tropas adicionales en todo Bagdad. Para el General Odierno, ganar en Irak era más que su deber como un soldado, era personal. Cuando Ray estaba en casa, en diciembre del 2004, le di la bienvenida a su familia a la Oficina Oval, incluyendo a su hijo, el Teniente Anthony Odierno, un graduado de West Point que había perdido su brazo izquierdo en Irak. Su padre permaneció parado silenciosamente, radiante de orgullo, cuando su hijo levantó su brazo derecho para saludarme. A pesar de que Ray acababa de retirarse para aceptar un alto puesto en el Pentágono, aceptó el llamado para volver a Bagdad como comandante.

Me consolaba saber que el próximo presidente podría confiar en los consejos de estos dos generales, sabios y experimentados en el combate. A nuestro modo, habíamos continuado una de las grandes tradiciones de la historia estadounidense. Lincoln descubrió a los generales Grant y Sherman. Roosevelt tenía a Eisenhower y a Bradley. Yo encontré a David Petraeus y a Ray Odierno.

Cuando terminó la oleada, en el verano del 2008, la violencia en Irak había caído a su nivel más bajo desde el primer año de la guerra. La matanza sectaria, que había casi despedazado al país en el 2006, había caído en más del 95 por ciento. El Primer Ministro Maliki, una vez objeto de culpa y desprecio casi universal, surgió como un líder de confianza. Al Qaeda había sido severamente debilitado y marginado en Irak. La maligna influencia de Irán se había reducido. Las fuerzas iraquíes se preparaban para asumir la responsabilidad de la seguridad en la mayoría de las provincias. Las muertes estadounidenses, que sistemáticamente llegaban a los cientos al mes durante el peor periodo de la guerra, nunca llegaron a más de 25 y se redujo a un número de un solo dígito al final de mi presidencia. Sin embargo, cada muerte era un doloroso recordatorio de los costos de la guerra.

Mi último objetivo principal era poner la política de Irak en una base estable para mis sucesores. A finales del 2007, comenzamos a trabajar en dos acuerdos. Uno, llamado Acuerdo sobre el Estado de Fuerzas (SOFA), establecía el predicado legal para mantener las tropas estadounidenses en Irak después de expirado el mandato de las Naciones Unidas, a finales del 2008. El otro, llamado Acuerdo de Marco Estratégico (SFA), se comprometía a la colaboración diplomática, económica y de seguridad a largo plazo entre nuestros países.

Finalizar los acuerdos tomó meses. Maliki tuvo que lidiar con una seria oposición en las facciones de su gobierno, especialmente aquellos con vínculos sospechosos con Irán. En medio de una campaña presidencial, los candidatos demócratas denunciaron el SOFA como un esquema para mantener a nuestras tropas en Irak para siempre. La CIA dudaba que Maliki firmara el acuerdo. Le pregunté al primer ministro directamente, y el me aseguró que quería el SOFA. Él había cumplido su palabra en el pasado y yo estaba seguro de que lo haría otra vez.

Maliki resultó ser un negociador tenaz. Obtendría una concesión de nuestro lado* y luego volvería, pidiendo más. Por un lado, el tira y afloja en las negociaciones era frustrante; pero por otro, me inspiraba ver a los iraquíes conduciéndose ellos solos como representantes de una democracia soberana.

---

* *Guiados por Condi, Ryan Crocker, Brett McGurk y el Consejero del Departamento de Estado, David Satterfield.*

Empecé a sentirme ansioso a medida que pasaba el tiempo y no llegábamos a un acuerdo. En una de nuestras videoconferencias semanales, le dije: —Señor Primer Ministro, sólo me quedan unos meses en la presidencia. Necesito saber si desea estos acuerdos. Si no, tengo mejores cosas que hacer. —Pude notar que estaba un poco desconcertado. Era mi señal de que debía dejar de pedir más. —Finalizaremos estos acuerdos —aseguró—, tiene mi palabra.

Los acuerdos estaban casi listos en noviembre. La polémica cuestión final era lo que diría el SOFA sobre el retiro de EEUU de Irak. Maliki nos dijo que le ayudaría si el acuerdo incluía una promesa para sacar a nuestras tropas en una fecha determinada. Nuestros negociadores se comprometieron a retirar nuestras fuerzas a finales del 2011.

Durante años, me había negado a fijar arbitrariamente una fecha para abandonar Irak. Todavía estaba indeciso a comprometerme a una fecha, pero ésta no era arbitraria. El acuerdo había sido negociado entre dos gobiernos soberanos y tenía la bendición de los generales Petraeus y Odierno, quienes supervisarían su ejecución. Si las condiciones cambiaban y los iraquíes solicitaran una continua presencia estadounidense, podríamos modificar el SOFA y mantener nuestras tropas en el país.

Los instintos políticos de Maliki resultaron ser sabios. El SOFA y el SFA, vistos inicialmente como documentos enfocados en nuestra permanencia en Irak, terminaron siendo vistos como acuerdos que preparaban el camino para nuestra partida. La contracorriente que inicialmente habíamos temido del Capitolio y el Parlamento iraquí nunca se materializó. Mientras escribo esto, en el 2010, el SOFA sigue guiando nuestra presencia en Irak.

El 13 de diciembre del 2008, abordé el avión presidencial y me dirigí a mi cuarto viaje a Irak, donde firmaría el SOFA y el SFA con el primer ministro Maliki. Durante el vuelo, pensé en mis anteriores viajes al país. Trazaban el arco de la guerra. Estaba la alegría de la primera visita el Día de Acción de Gracias, en el 2003, que llegó meses después de la liberación y unas semanas antes de la captura de Saddam. Existía la incertidumbre del viaje para conocer a Maliki en junio del 2006, cuando la violencia sectaria se encontraba en auge y nuestra estrategia estaba fracasando. Estaba el cauto optimismo de Anbar, en septiembre del 2007, cuando la oleada parecía estar funcionando, pero aun enfrentaba una seria oposición. Ahora estaba este viaje final. A pesar de que gran parte de Estados Unidos parecía haberse desconectado de la guerra, nuestras tropas y los iraquíes habían creado la posibilidad de un éxito duradero.

Aterrizamos en Bagdad y nos dirigimos en helicóptero al Palacio de Salam, el cual había pertenecido a Saddam y su brutal régimen seis años antes. Como presidente, había asistido a muchas ceremonias de llegada. Ninguna fue más emotiva que estar de pie en el patio de ese palacio liberado, junto al Presidente Jalal Talabani, viendo las banderas de los Estados Unidos y de un Irak libre ondulando lado a lado, mientras una banda militar tocaba nuestros himnos nacionales.

De ahí nos dirigimos al complejo del primer ministro, donde Maliki y yo firmamos el SOFA y el SFA y celebramos una conferencia de prensa final. La sala estaba llena y el público estaba más cercano que en un evento normal. Un puñado de periodistas iraquíes se sentó frente a mí, a la izquierda. A mi derecha estaba el grupo de prensa ambulante y algunos periodistas de Irak. Cuando Maliki pidió la primera pregunta, un hombre de la prensa iraquí se levantó abruptamente. Dejó escapar algo que parecía ser un fuerte ladrido, algo en árabe que seguramente no era una pregunta. Luego tomó aviada y lanzó algo en mi dirección. ¿Qué había sido? ¿Un zapato?

La escena sucedió en cámara lenta. Me sentí como Ted Williams, quien afirmaba poder ver la costura de una pelota de béisbol en un tiro de entrada. La punta del ala venía girando hacia mí. Me agaché. El hombre tenía un brazo bastante bueno. Una fracción de segundo más tarde, lanzó el segundo. Este no iba tan rápido. Giré mi cabeza levemente y pasó sobre mí. Me gustaría haber pescado la maldita cosa.

Estalló el caos. La gente gritó y los agentes de seguridad se movieron por todos lados. Tuve el mismo pensamiento que cuando estaba en el aula de Florida en el 9/11. Sabía que mi reacción sería retransmitida en todo el mundo. Cuanto mayor el frenesí, mejor para el atacante.

Detuve a Don White, mi principal agente del Servicio Secreto. No quería imágenes mías siendo arrastrado fuera de la habitación. Observé a Maliki, quien parecía afligido. Los periodistas iraquíes estaban humillados y furiosos. Un hombre movía su cabeza tristemente, profiriendo disculpas. Levanté mis manos y los insté a todos a tranquilizarse.

—Si quieren los hechos, el zapato que me acaba de lanzar es un talla diez —comenté. Esperaba que, al trivializar el momento, evitaría que el lanzador del zapato lograra su objetivo de arruinar el evento.

Después de la conferencia de prensa, Maliki y yo asistimos a una cena en la planta superior con nuestras delegaciones. Todavía estaba asustado y se disculpaba profusamente. Lo llevé a un lugar en privado junto con Gamal Helal, nuestro intérprete de árabe y le dije que dejara de preocuparse. El Primer Ministro se tranquilizó y pidió hablar antes de la cena. Ofreció un emocional brindis acerca de cómo el lanzador del zapato no representaba a su pueblo y lo agradecida que estaba su nación con los Estados Unidos. Habló acerca de cómo les habíamos dado dos posibilidades para liberarse, primero al liberarlos de Saddam Hussein y luego al ayudarlos a liberarse de la violencia sectaria y de los terroristas.

El hecho de que un periodista me arrojara un zapato está catalogado como una de mis experiencias más inusuales. Pero ¿qué pasaría si alguien hubiera dicho ocho años antes que el Presidente de los Estados Unidos cenaría en Bagdad con el Primer Ministro de un Irak libre? Nada, ni siquiera un zapato volador en una conferencia de prensa, habría parecido más improbable.

———

Dentro de muchos años, los historiadores podrán ver al pasado y ver la oleada como una conclusión previsible, un puente inevitable entre los años de violencia que siguieron a la liberación y la democracia que emergió. En ese momento, nada respecto a la oleada se sentía inevitable. La opinión pública estaba contra de ella. El congreso intentó bloquearla. El enemigo luchó sin tregua para doblegar nuestra voluntad.

Sin embargo, gracias a la habilidad y al coraje de nuestras tropas, la nueva estrategia de contrainsurgencia que adoptamos, la excelente coordinación entre nuestros esfuerzos militares y civiles y el fuerte apoyo que le proporcionamos a los líderes políticos de Irak, una guerra que fue ampliamente descrita como un fracaso, tiene una oportunidad de terminar exitosamente. Cuando dejé la presidencia, la violencia había disminuido dramáticamente. La actividad económica y política se había reanudado. Al Qaeda había sufrido una importante derrota militar e ideológica. En marzo del 2010, los iraquíes fueron a las urnas una vez más. En un titular impensable tres años atrás, *Newsweek* publicó un artículo de portada titulado: «Victoria Final: El Surgimiento de un Irak Democrático».

Irak aún enfrenta desafíos, y nadie puede saber con certeza cuál será el destino del país. Pero lo que sí sabemos es que, debido a que los Estados Unidos liberó a Irak y luego se negó a abandonarlo, la gente de ese país tiene ahora una oportunidad para ser libre. Espero que después de haber llegado hasta aquí, Estados Unidos siga apoyando la joven democracia de Irak. Si los iraquíes piden que la presencia de tropas continúe, debemos cumplirles. Un Irak libre y en paz resulta ser estratégico y vital para nuestros intereses. Puede ser un valioso aliado en el corazón de Oriente Medio, una fuente de estabilidad en la región y un faro de esperanza para los reformadores políticos de los alrededores y en todo el mundo. Al igual que las democracias que ayudamos a construir en Alemania, Japón y Corea del Sur, un Irak libre nos permitirá ofrecerles más seguridad a las generaciones venideras.

A menudo he reflexionado sobre si debería haber ordenado la oleada en una fecha anterior. Durante tres años, nuestra premisa en Irak era que los avances políticos eran la medida del éxito. Los iraquíes lograron todos sus objetivos a tiempo. Parecía que nuestra estrategia estaba funcionando. Sólo después de que la violencia sectaria estalló en el 2006, quedó claro que era necesaria una mayor seguridad antes de que el progreso político pudiera continuar. Después de eso, avancé con la oleada en una forma en la que unificó a nuestro gobierno. Si hubiera actuado antes, podría haber creado una grieta que habría sido aprovechada por los críticos de la guerra en el Congreso para cortar los fondos y evitar que la oleada tuviera éxito.

Desde el comienzo de la guerra en Irak, mi convicción era que el valor de la libertad es universal y la democracia en el Medio Oriente haría que la región fuera más pacífica. Hubo momentos en los que parecía poco probable, pero nunca perdí la fe de que era cierto.

Tampoco perdí la fe en nuestras tropas. Me asombraba constantemente su deseo de ofrecerse voluntariamente ante el peligro. En agosto del 2007, viajé a Reno, Nevada para hablar ante la Legión Americana. Después, conocí a Bill y Christine Krissoff de Truckee, California. Su hijo, Nathan Krissoff, un Infante de Marina de veinticinco años, había dado su vida en Irak. Su hermano Austin, también un Infante de Marina, estaba en la reunión. Austin y Christine me dijeron lo mucho que le gustaba su trabajo a Nathan. Luego habló Bill.

—Señor Presidente, yo soy un cirujano ortopedista —dijo él—. Quiero unirme al Cuerpo Médico de la Armada en honor de Nathan.

Me sentí emocionado y sorprendido.

—¿Qué edad tiene? —interrogué.

—Tengo sesenta años, Señor —respondió.

Yo tenía sesenta y uno, así que sesenta no era viejo para mí. Miré a su esposa. Ella asintió con la cabeza. Bill explicó que él estaba dispuesto a retirarse de su práctica ortopédica en California, pero necesitaba una dispensa de edad especial para calificar para la Armada.

—Veré qué puedo hacer —le dije.

Cuando volví a Washington, le conté la historia a Pete Pace después de una conferencia matutina. La dispensa del Dr. Krissoff estuvo lista al poco tiempo. Él recibió un extenso entrenamiento en medicina de campo de batalla. Poco después de que dejé la presidencia, él fue asignado a Irak, donde sirvió junto a Austin atendiendo a los Infantes de Marina heridos.

«Me gusta pensar que Austin y yo estamos completando la inconclusa tarea de Nate aquí en Irak», me escribió. «Honramos su memoria a través de nuestra labor aquí». En 2010, supe que el Dr. Krissoff había regresado a casa desde Irak y luego había sido enviado a Afganistán.

Nathan Krissoff es uno de los 4.229 miembros del servicio estadounidense que dieron sus vidas en Irak durante mi presidencia. Más de 30.000 sufrieron heridas de guerra. Siempre llevaré conmigo el dolor de sus familias. Nunca olvidaré el orgullo que sintieron por su trabajo, la inspiración que le dieron a los demás y la diferencia que hicieron en el mundo. Todos los estadounidenses que sirvieron en Irak ayudaron a que nuestra nación sea más segura, les dieron la oportunidad de vivir en libertad a veinticinco millones de personas y cambiaron la dirección del Oriente Medio para las futuras generaciones. Hay cosas que hicimos mal en Irak, pero esa causa es eternamente justa.

13

LA AGENDA DE LA LIBERTAD

Justo antes del mediodía del 20 de enero de 2005, entré a la plataforma inaugural. Desde el frente oeste del Capitolio, miré hacia la multitud de cuatrocientos mil que se extendía a través del National Mall. Detrás de ellos, pude ver el monumento a Washington, el Lincoln Memorial y el Cementerio Nacional de Arlington, al otro lado del Potomac.

La toma de posesión de 2005, marcó la tercera vez que había admirado esa vista. En 1989, yo era un hijo orgulloso de ver a su padre llevar a cabo el juramento. En 2001, tomé el juramento presidencial bajo lluvia helada y las nubes de una elección disputada. Tuve que concentrarme en cada escalón al bajar por las escaleras del Capitolio, que eran mucho más estrechos de lo que esperaba. Llevó algún tiempo para que mis sentidos se acostumbraran a la ráfaga de sonidos e imágenes. Me quedé mirando la enorme masa apiñada de abrigos negros y grises. Me preguntaba si el granizo haría más difícil ver el teleprompter cuando diera mi discurso inaugural.

Cuatro años más tarde, el cielo estaba despejado y soleado. Los colores parecían más vibrantes y los resultados de las elecciones habían sido decisivos. Mientras caminaba por las escaleras alfombradas de azul hacia el escenario, pude distinguir caras individuales en la multitud. Vi a Joe y Jan O'Neill, junto con un gran contingente de Midland. Sonreí a los queridos amigos que me habían presentado a la maravillosa mujer a mi lado. Una cosa era segura: Mientras disfrutábamos de nuestras hamburguesas esa noche en 1977, ninguno de nosotros esperaba esto.

Tomé asiento en la fila delante de Laura, Barbara y Jenna. Mi madre y mi padre, la madre de Laura, y mis hermanos y hermana estaban sentados cerca. El senador Trent Lott, presidente del Comité de Toma de Posesión, llamó al Presidente del Tribunal Supremo William Rehnquist al podio. Di un paso adelante con Laura, Barbara y Jenna. Laura sostenía la Biblia, que tanto papá y yo habíamos usado para hacer el juramento. Estaba abierta en Isaías 40.31, «Pero los que tienen esperanza en el Señor renovarán sus fuerzas. Se elevarán en alas como las águilas; correrán y no se cansarán, caminarán y no se fatigarán».

Coloqué mi mano izquierda sobre la Biblia y levanté la derecha al tiempo que el debilitado Presidente del Tribunal Supremo recitó las treinta y cinco palabras del juramento. Cuando cerré con «Qué Dios me ayude», los cañones dispararon una salva de veintiún cañonazos. Abracé a Laura y a las niñas, di un paso atrás, y asimilé el momento.

Después vino el momento para el discurso:

En esta segunda reunión, nuestras obligaciones no están definidas por las palabras que uso, sino por la historia que hemos visto juntos. Durante medio siglo, los Estados Unidos defendimos nuestra propia libertad, manteniéndonos alerta en las fronteras distantes. Después del naufragio del comunismo vinieron años de relativa calma, años de reposo, años sabáticos—y entonces llegó un día de fuego.

Hemos visto nuestra vulnerabilidad—y hemos visto su fuente más profunda. Mientras que regiones enteras del mundo hierven a fuego lento en el resentimiento y la tiranía—propensas a ideologías que alimentan el odio y disculpan el asesinato— se acumulará la violencia, y se multiplicará en poder destructivo, y atravesará las fronteras más defendidas, y creará una amenaza mortal. Sólo hay una fuerza de la historia que puede acabar con el reinado de odio y resentimiento, y expondrá las pretensiones de los tiranos, y recompensará las esperanzas de los decentes y tolerantes, y esa es la fuerza de la libertad humana.

Se nos lleva, por los acontecimientos y el sentido común, a una conclusión: La supervivencia de la libertad en nuestro país depende cada vez más del éxito de la libertad en otros países. La mejor esperanza para la paz en nuestro mundo es la expansión de la libertad en todo el mundo.... Por lo tanto, es la política de los Estados Unidos el buscar y apoyar el crecimiento de movimientos e instituciones democráticas en cada nación y cultura, con el objetivo final de acabar con la tiranía en nuestro mundo.

Después del 9/11, desarrollé una estrategia para proteger al país, que llegó a ser conocida como la Doctrina Bush: En primer lugar, no hacer distinción entre los terroristas y las naciones que los albergan y—hacerlos responsables a ambos. En segundo lugar, llevar la lucha al enemigo en el extranjero antes de que nos puedan atacar de nuevo aquí en casa. En tercer lugar, hacer frente a las amenazas antes de que se materialicen plenamente y, en cuarto lugar, proponer la libertad y la esperanza como una alternativa a la ideología de represión y miedo del enemigo.

La Agenda de la Libertad, como llamé al cuarto elemento, era a la vez idealista y realista. Era idealista en que la libertad es un don universal de Dios Todopoderoso. Era realista, ya que la libertad es la forma más práctica para proteger a nuestro país en el largo plazo. Como dije en mi Segundo Discurso Inaugural: «Los intereses vitales de los Estados Unidos y nuestras creencias más profundas son ahora uno». El poder transformador de la libertad había sido probado en lugares como Corea del Sur, Alemania y Europa del Este. Para mí, el ejemplo más claro del poder de la libertad era mi relación con el Primer Ministro, Junichiro Koizumi, de Japón. Koizumi fue uno de los primeros líderes del mundo en ofrecer su apoyo después del 9/11. Que irónico. Sesenta años antes, mi padre había luchado contra los japoneses como piloto de la Marina. El padre de Koizumi había servido en el gobierno del Japón Imperial.

Ahora sus hijos estaban trabajando juntos para mantener la paz. Algo grande había cambiado desde la Segunda Guerra Mundial—con la adopción de una democracia de estilo japonés, un enemigo se había convertido en un aliado.

Anunciar la Agenda de la Libertad era un paso; su implementación era otro. En algunos lugares, como Afganistán e Irak, teníamos una responsabilidad única de brindar a las personas que liberamos la oportunidad de construir sociedades libres, pero estos ejemplos son la excepción y no la regla. Dejé claro que la Agenda de la Libertad «no es principalmente la tarea de las armas». Promoveríamos la libertad mediante el apoyo a los gobiernos democráticos incipientes en lugares como los territorios palestinos, Líbano, Georgia y Ucrania. Animaríamos a los disidentes y a los reformadores democráticos que sufren bajo regímenes represivos en Irán, Siria, Corea del Norte y Venezuela y abogaríamos por la libertad, mientras que mantendríamos relaciones estratégicas con naciones como Arabia Saudita, Egipto, Rusia y China.

Los críticos dijeron que la agenda de la libertad era una manera de que Estados Unidos impusiera nuestros valores a los demás. Pero la libertad no es un valor estadounidense; es un valor universal. La libertad no puede ser impuesta; debe de ser elegida y cuando a las personas se les da la opción, eligen la libertad. Al final de la Segunda Guerra Mundial, había alrededor de dos docenas de democracias en el mundo. Cuando asumí el cargo en enero de 2001, había 120.

Poco después de las elecciones del 2004, leí *The Case for Democracy* por Natan Sharansky, un disidente que pasó nueve años en los gulags soviéticos. En su libro, Sharansky describe cómo él y sus compañeros de prisión fueron inspirados escuchando a líderes como Ronald Reagan hablar con claridad moral y abogar por su libertad.

En un pasaje memorable, Sharansky describe un compañero disidente soviético que comparaba un estado tiránico con un soldado que apunta constantemente a un prisionero con un arma. Con el tiempo, sus brazos se cansan y el prisionero escapa. Consideré que era responsabilidad de los Estados Unidos el ejercer presión sobre los brazos de los tiranos del mundo. Hacer de ese objetivo una parte central de nuestra política exterior fue una de mis decisiones más trascendentales como presidente

---

La gran marea de la libertad que se extendió por gran parte del mundo durante la segunda mitad del siglo XX había dejado a un lado una región: el Medio Oriente.

El informe de la ONU sobre Desarrollo Humano Árabe, publicado en 2002, reveló el desolador estado de la región: Una de cada tres personas era analfabeta. El desempleo promedio era del 15 por ciento. Menos del 1 por ciento de la población tenía acceso a Internet. Las tasas de mortalidad materna competían con las de los países menos desarrollados del mundo. La producción económica *per cápita* era minúscula.

Los autores del informe de la ONU, un grupo de respetados académicos árabes, atribuía los deprimentes resultados a tres déficits: el déficit de conocimiento, el déficit en el fortalecimiento de la mujer y, lo más importante, un déficit en libertad.

Durante la mayor parte de la Guerra Fría, la prioridad de Estados Unidos en Medio Oriente fue la estabilidad. Nuestras alianzas se basaban en el anticomunismo, una estrategia que tenía sentido en ese momento. Pero debajo de la superficie, el resentimiento y la ira crecían. Muchas personas recurrieron a clérigos radicales y mezquitas como una liberación. En medio de estas condiciones, los terroristas encontraron un terreno fértil de reclutamiento. Entonces, diecinueve terroristas nacidos en el Medio Oriente se aparecieron en aviones en los Estados Unidos. Después del 9/11, decidí que la estabilidad que había promovido era un espejismo. El foco de la agenda de la libertad sería el Medio Oriente.

———

Seis meses antes de asumir el cargo, las conversaciones de paz de Camp David entre israelíes y palestinos se vinieron abajo. El presidente Clinton había trabajado incansablemente para reunir al Primer Ministro de Israel, Ehud Barak y al líder palestino Yasser Arafat. Barak hizo una generosa oferta para entregar la mayor parte de Cisjordania y Gaza, dos territorios con poblaciones mayormente de palestinos que fueron ocupados por fuerzas israelíes y salpicados de asentamientos israelíes. Arafat lo rechazó.

Dos meses más tarde, en septiembre de 2000, la frustración por el acuerdo de paz fallido, junto con la provocativa visita del prominente líder israelí Ariel Sharón al Monte del Templo en Jerusalén, condujo a la Segunda Intifada. Extremistas palestinos, muchos de ellos afiliados con el grupo terrorista Hamas, lanzaron una ola de ataques terroristas contra civiles inocentes en Israel.

No culpé al presidente Clinton por el fracaso en Camp David o por la violencia que siguió. Culpaba a Arafat. Estados Unidos, Europa y las Naciones Unidas habían inundado los territorios palestinos con la ayuda para el desarrollo. Una buena parte de ella se desvió a la cuenta bancaria de Arafat. Él figuró en la lista de Forbes de los «reyes, reinas y déspotas» más ricos del mundo. Sin embargo, su gente permanecía atrapada en la pobreza, la desesperanza y el extremismo. Para un ganador del Premio Nobel de la Paz, seguro que no parecía muy interesado en la paz. El pueblo israelí respondió a la embestida violenta de la forma en que cualquier democracia lo haría: Eligieron a un líder que prometió protegerlos, Ariel Sharón. Conocí a Sharón en 1998, cuando Laura y yo fuimos a Israel con tres compañeros gobernadores* en un viaje patrocinado por la Coalición Judía Republicana.

La visita fue mi primera vez a la Tierra Santa. El recuerdo más notable del viaje se produjo cuando Ariel Sharón, entonces un ministro en el gabinete del Primer Ministro Benjamin Netanyahu, nos dio un recorrido en helicóptero por el país. Sharón era un toro de hombre, un hombre de setenta años de edad, ex comandante de tanque que había servido en todas las guerras de Israel. Poco después de que el helicóptero despegó, se refirió a un área de tierra debajo de nosotros. —Yo luché allí, —dijo con orgullo en su voz ronca. Cuando el helicóptero giró hacia Cisjordania, señaló a un grupo aislado de viviendas. —Yo construí ese asentamiento, —dijo.

Sharón estuvo de acuerdo con la política de Greater Israel, que rechazaba concesiones territoriales. Conocía cada pulgada de la tierra y no parecía tener la intención de regresarla de nuevo.

—Aquí nuestro país tenía sólo nueve millas de ancho, —dijo Sharón en otro punto, en referencia a la distancia entre las fronteras de 1967 y el mar.

—Tenemos caminos de entrada a las casas, más largos que en Texas, —más tarde bromeé. Me llamó mucho la atención la vulnerabilidad de Israel en un entorno hostil. Desde que el presidente Harry Truman desafió a su Secretario de Estado mediante el reconocimiento de Israel en 1948, Estados Unidos había sido el mejor amigo del estado judío. Salí convencido de que teníamos la responsabilidad de mantener la relación fuerte.

Un poco más de dos años después, llamé a Ariel Sharón desde la Oficina Oval para felicitarle por su elección como primer ministro. —Tal vez, después de tantos años y guerras en las que he participado —expresó— vamos a tener paz en la región.

El 1 de junio de 2001, un atacante suicida mató a veintiún israelíes en el club nocturno Dolphinarium en Tel Aviv. Otros ataques impactaron autobuses israelíes, estaciones de tren y centros comerciales. Las Fuerzas de Defensa israelíes atacaron las operaciones en las fortalezas de Hamas, pero palestinos inocentes, incluyendo cinco niños que caminaban a la escuela un día, murieron durante las operaciones.

Yo estaba horrorizado por la violencia y pérdida de vidas en ambos lados, pero me negaba a aceptar la equivalencia moral entre los ataques suicidas palestinos contra civiles inocentes y las acciones militares israelíes destinadas a proteger a su pueblo. Mis puntos de vista se aclararon después

---

* *El gobernador Mike Leavitt de Utah, que se convirtió en mi director de la Agencia de Protección Ambiental y Secretario de Salud y Servicios Humanos; El gobernador de Massachusetts, Paul Cellucci, que sirvió como mi embajador en Canadá; y el gobernador Marc Racicot de Montana, que dirigió el Comité Nacional Republicano 2002–2003.*

del 9/11. Si los Estados Unidos tenían el derecho de defenderse y prevenir futuros ataques, otras democracias también tenían esos derechos.

Hablé con Yasser Arafat tres veces en mi primer año como presidente. Él fue muy amable y yo a cambio era educado, pero dejé claro que esperábamos de él que acabara con el extremismo. —Sé que estas son cuestiones difíciles para usted y su gente, —le dije en febrero de 2001—, pero la mejor manera de resolver esto y empezar a resolver la situación es detener la violencia en la región.

En enero de 2002, la marina israelí interceptó un barco llamado el *Karine A* en el Mar Rojo. A bordo había un arsenal de armas mortales. Los israelíes creían que el barco se dirigía de Irán a la ciudad palestina de Gaza. Arafat envió una carta declarando su inocencia. —El tráfico ilícito de armas está en total contradicción con el compromiso de la Autoridad Palestina para el proceso de paz, —escribió. Sin embargo, nosotros y los israelíes teníamos pruebas que refutaron la afirmación del líder palestino. Arafat me había mentido. Nunca volví a confiar en él. De hecho, nunca volví a hablar con él de nuevo. En la primavera de 2002, yo había llegado a la conclusión de que la paz no sería posible con Arafat en el poder.

———

Desde que el presidente Franklin Roosevelt se reunió con el fundador de Arabia Saudita, el rey Abdul Aziz, a bordo del *USS Quincy* en 1945, la relación de Estados Unidos con el reino había sido una de nuestras más criticadas. La nación árabe sunita se asienta sobre una quinta parte del petróleo del mundo y tiene una gran influencia entre los musulmanes como guardián de las mezquitas sagradas de La Meca y Medina.

Había invitado el príncipe Abdullah,* uno de los treinta y seis hijos de Abdul Aziz, a nuestro rancho en Crawford como una forma de fortalecer nuestra relación personal. En previsión de la cumbre de la Liga Árabe en marzo de 2002 en Beirut, el heredero de la corona mostró un fuerte liderazgo con el anuncio de un nuevo plan de paz. Bajo su visión, Israel devolvería territorio a los palestinos, quienes crearían un estado independiente que rechazaría el terror y reconocería el derecho de Israel a existir. Había muchos detalles para negociar, pero el concepto era uno que yo podía apoyar.

La noche de la cumbre de la Liga Árabe, un atacante suicida de Hamas entró en un comedor del hotel lleno de gente celebrando la Pascua en la ciudad israelí de Netanya. —De repente, se volvió un infierno, —dijo uno de los huéspedes—. Tenía olor a humo y polvo en la boca y un zumbido en los oídos. —Uno de los ataques más sangrientos de la segunda Intifada, el bombardeo mató a 30 israelíes e hirió a 140.

---

* *Abdullah había gobernado Arabia Saudita como regente desde que su medio hermano, el rey Fahd, sufrió un derrame cerebral que lo incapacitó en 1995.*

En respuesta, el Primer Ministro Sharón ordenó una enérgica ofensiva israelí en Cisjordania. Las fuerzas israelíes rápidamente atraparon a cientos de presuntos militantes y rodearon a Yasser Arafat en su oficina en Ramallah.

Sharón anunció que iba a construir una barrera de seguridad que separara las comunidades israelíes de los palestinos en Cisjordania. La valla fue ampliamente condenada. Yo esperaba que proporcionara la seguridad que los israelíes necesitaban para tomar decisiones difíciles para la paz.

Me reuní con Sharón en privado para poner fin a la ofensiva, que se había convertido en contraproducente. Arafat llevó a cabo una entrevista por televisión con velas y lucía como un mártir. Sharón siguió adelante. Yo di un discurso público en el Rose Garden instándolo a iniciar una retirada. —Ya es suficiente, —le dije. Aun así, Sharón no se movió.

En el momento en que el príncipe Abdullah llegó a nuestro rancho, su plan de paz estaba en el olvido. Él estaba enojado por la violencia, furioso con Sharón, y, pronto me enteré, frustrado conmigo.

El príncipe de la corona es un modesto hombre apacible, casi tímido. Habla en voz baja, no bebe alcohol y reza cinco veces al día. En ocho años, nunca lo vi sin sus ropas tradicionales.

Después de una breve discusión, Abdullah pidió tiempo a solas con su ministro de relaciones exteriores y su embajador. Unos minutos más tarde, el intérprete del Departamento de Estado, Gamal Helal, vino a mí con una mirada afligida en su rostro. —Señor Presidente, —dijo—, creo que los saudíes están a punto de irse.

Me sorprendió. Me pareció que la reunión había ido bien. Pero Gamal explicó que los saudíes esperaban que yo disuadiera a Sharón de retirarse de Ramallah antes de que llegara el príncipe de la corona. Ahora estaban insistiendo en que yo llamara al Primer Ministro israelí en el acto. No iba a llevar a cabo la diplomacia de esa manera. Envié a Colin a la sala para ver qué estaba pasando. Se confirmó que nuestros huéspedes se dirigían a la puerta. La relación fundamental de Estados Unidos con Arabia Saudita estaba a punto de ser seriamente lastimada.

Entré en la sala de estar con Gamal y solicité un momento a solas con el príncipe de la corona. Había leído dos cosas interesantes acerca de él en una sesión informativa. Una era que él era un devoto creyente religioso. La otra era que amaba su granja.

—Su Alteza Real —expresé— me gustaría hablar de religión con usted. Hablé de mi creencia en el cristianismo y el papel que la religión jugaba en mi vida. Yo esperaba que él correspondiera hablando de su fe. No estaba en un estado de ánimo de compartir.

En un último esfuerzo, dije: —Antes de irse, ¿le puedo mostrar mi rancho? —Él asintió con la cabeza. Unos minutos más tarde, el príncipe de la corona, túnicas y todo, estaba subiendo a una camioneta Ford F-250. Luego, él, Gamal y yo salimos a dar un recorrido por la propiedad. Señalé los diferentes tipos de árboles de madera dura, los pastos nativos de las praderas que Laura había plantado y el ganado de pastoreo. El príncipe de la corona se sentó en silencio. Yo no estaba haciendo mucho progreso.

Luego llegamos a una parte remota de la propiedad. Un pavo hembra solitaria estaba de pie en la carretera. Paré la camioneta. El ave se quedó dónde estaba.

—¿Qué es eso? —preguntó el príncipe.

Le dije que era un pavo. —Benjamín Franklin amaba el pavo tanto que quería que fuera el ave nacional de Estados Unidos —comenté.

De repente, sentí la mano del príncipe agarrar mi brazo. —Mi hermano —dijo— se trata de una señal de Alá. Este es un buen augurio.

Nunca entendí plenamente el significado del ave, pero sentí cómo la tensión comenzó a derretirse. Cuando regresamos a la casa, nuestros ayudantes se sorprendieron al oírnos decir que estábamos listos para el almuerzo. Al día siguiente, recibí una llamada de mis padres. El príncipe se había detenido en Houston para visitarlos. Mi madre dijo que tenía lágrimas en los ojos, mientras recordaba su tiempo en Crawford y habló de lo que podríamos lograr juntos. Por el resto de mi presidencia, mi relación con el príncipe—pronto a ser rey—fue muy estrecha. Nunca antes había visto un pavo en esa parte de la propiedad y no he visto otra vez desde entonces.

———

Al seguir pensando más acerca del lío político en el Medio Oriente, llegué a la conclusión de que el problema fundamental era la falta de libertad en los territorios palestinos. Sin un estado, los palestinos carecían de un lugar que les correspondía en el mundo. Sin voz en su futuro, los palestinos estaban listos para ser reclutados por extremistas y sin ningún líder palestino elegido legítimamente, comprometido con la lucha contra el terror, los israelíes no contaban con ningún socio fiable para la paz. Yo creía que la solución era un estado palestino democrático, dirigido por gobernantes electos que responderían a su pueblo, rechazarían el terror y buscarían la paz con Israel.

A medida que la violencia en la Tierra Santa se intensificó en la primavera de 2002, decidí que necesitábamos un cambio de plan. Había planeado plantear mi compromiso con una democracia palestina con un importante discurso en el Rose Garden. Yo sería el primer presidente que pediría públicamente un estado palestino como una cuestión de política. Tenía la esperanza que establecer una visión audaz hacia adelante que ayudara a ambas partes a tomar las decisiones difíciles necesarias para la paz.

La idea provocó controversia, comenzando con mi administración. Mientras que Condi y Steve Hadley la apoyaron, Dick Cheney, Donald Rumsfeld y Colin Powell, me dijeron que no debería dar el discurso. Dick y Don estaban preocupados de que el apoyo a un estado palestino en medio de una intifada se viera como recompensar al terrorismo. Colin se preocupaba de que llamar a una nueva dirección palestina avergonzara a Arafat y redujera la posibilidad de una solución negociada.

Entendía los riesgos, pero estaba convencido de que un estado palestino democrático y una nueva directiva palestina eran la única manera de forjar una paz duradera. —Mi visión es de dos estados, viviendo lado a lado, en paz y seguridad, —dije en el Rose Garden el 24 de junio de 2002—. Simplemente no hay manera de lograr la paz hasta que todas las partes luchen contra el terrorismo. Exhorto a los palestinos a que elijan nuevos líderes, líderes no comprometidos por el terror. Hago un llamado a ellos para construir una democracia efectiva, basada en la tolerancia y la libertad. Si el pueblo palestino persigue estos objetivos activamente, los Estados Unidos y el mundo apoyarán activamente sus esfuerzos.

Mi apoyo a un estado palestino se vio abrumado por mi exhorto a un nuevo liderazgo. «Bush exige la expulsión de Arafat» decía un titular. Poco después del discurso, mi madre me llamó. —¿Cómo está el primer presidente judío?, —preguntó. Yo tenía una sensación extraña de que no estaba de acuerdo con mi política. Eso significaba que papá probablemente tampoco. No me sorprendió. Mientras que yo consideraba a Arafat un líder fracasado, muchos en el mundo de la política exterior aceptaban la opinión de que Arafat representaba la mejor esperanza para la paz. Me reí por el chiste de mi madre, pero tomé su mensaje con seriedad: estaba a punto de recibir una oposición seria.

El día después del discurso, volé a Kananaskis, Canadá, para la reunión anual del G-8. La cumbre se suponía que se centraría en la ayuda exterior, pero mi discurso sobre el Medio Oriente estaba en la mente de todos. Me encontré con Tony Blair en el gimnasio por la mañana antes de la primera reunión. —Realmente has levantado una buena tormenta, George, —dijo con una sonrisa.

Otros fueron menos tolerantes. Jacques Chirac, presidente de la Comisión Europea, Romano Prodi y el Primer Ministro de Canadá, Jean Chrétien claramente lo rechazaron. Al rechazar a Arafat, el ganador del Premio Nobel de la Paz anunciado, yo les había puesto patas arriba su visión del mundo. Les dije que estaba convencido que Arafat nunca demostraría ser un socio fiable para la paz.

Colin tomó la iniciativa de elaborar un plan detallado para pasar de mi discurso a un estado palestino. Llamado el Mapa de Ruta, incluía tres fases: En primer lugar, los palestinos detendrían los ataques terroristas, lucharían contra la corrupción, reformarían su sistema político y llevarían a cabo elecciones democráticas. A cambio, Israel se retiraría de los asentamientos no autorizados. En la segunda fase, las dos partes comenzarían negociaciones directas, dando lugar a la creación de un estado palestino provisional. En la tercera fase, los palestinos e israelíes resolverían los problemas más complicados, incluyendo el estatus de Jerusalén, los derechos de los refugiados palestinos y las fronteras permanentes. Las naciones árabes apoyarían las negociaciones y establecerían relaciones normales con Israel.

Con el apoyo de Tony Blair, decidí anunciar la Mapa de Ruta en la primavera de 2003, poco después de sacar a Saddam Hussein de Irak. Tanto los israelíes como los palestinos apoyaron el plan. A principios de junio, me reuní con líderes árabes en Sharm el Sheikh, Egipto, para hacer hincapié en mi compromiso con la paz y los instamos a seguir participando en el proceso. Luego viajé a Aqaba, Jordania, para una sesión con representantes palestinos e israelíes.

Teniendo en cuenta todo el derramamiento de sangre reciente, yo esperaba una sesión tensa. Para mi sorpresa, el ambiente era agradable y relajado. Estaba claro que muchos líderes se conocían desde los esfuerzos de paz anteriores, pero yo sabía que había mucha historia que superar. Mohammad Dahlan, el jefe de seguridad palestino, gustaba de recordar a la gente donde había aprendido a hablar hebreo con fluidez: en las cárceles israelíes.

Los palestinos habían dado un paso importante al nombrar a un primer ministro para que los representara en la cumbre, Mahmoud Abbas. Abbas era un hombre amable que realmente parecía querer la paz. Era un poco inseguro de sí mismo, en parte porque no había sido elegido y en parte porque estaba tratando de salir de la sombra de Arafat. Dijo que estaba dispuesto a enfrentar a los terroristas, pero que antes de que pudiera convertir sus palabras en acciones, necesitaba dinero y fuerzas de seguridad fiables.

Después de las reuniones formales, invité a Sharón y Abbas a dar un paseo en el jardín. Bajo las palmeras, les dije que teníamos una oportunidad histórica para la paz. Ariel Sharón dejó claro en Aqaba y más tarde en su relevante discurso en Herzliya que había abandonado la política del Gran Israel, un enorme avance. —En el interés de Israel está el no gobernar a los palestinos, sino que los palestinos se gobiernen a sí mismos en su propio estado, —dijo en Aqaba. Abbas declaró: —La intifada armada debe terminar y hay que usar y recurrir a medios pacíficos en nuestra búsqueda para poner fin a la ocupación y el sufrimiento de los palestinos y los israelíes. —Teníamos un largo camino por recorrer, pero fue un momento de esperanza en el Medio Este.

———

En abril de 2004, Ariel Sharón llegó a Washington para informarme sobre una decisión histórica: Él planeaba retirarse de los asentamientos de Israel en Gaza y partes del norte de Cisjordania. Como el padre del movimiento de los asentamientos, sería angustioso para él decirles a las familias israelíes que tenían que abandonar sus hogares. No obstante, su osado movimiento logró dos objetivos importantes: desprendió a Israel de la costosa ocupación de

Gaza y, mediante la devolución de territorio al control palestino, sirvió como un pago inicial de un estado futuro.

Yo tenía la esperanza de que Abbas correspondiera la dura decisión de Sharón con un paso positivo. Sin embargo, en septiembre de 2003, el primer ministro Abbas renunció después de que Arafat le quitara autoridad en cada ocasión. Poco más de un año después, murió Arafat. En enero de 2005, los votantes palestinos acudieron a las urnas por primera vez en una década. Abbas llevó a cabo su campaña con una plataforma para poner fin a la violencia y reanudar el progreso hacia un estado palestino. Fue elegido en una avalancha. Se puso a trabajar desarrollando las instituciones de un estado democrático y convocó a elecciones legislativas.

El partido de Abbas, Fatah, todavía estaba contaminado con la corrupción de la era de Arafat. La alternativa principal era Hamas, una organización terrorista que también tenía un aparato político bien organizado. La perspectiva de una victoria de Hamas, comprensiblemente, puso nerviosos a los israelíes.

Di mi apoyo a las elecciones. Estados Unidos no podía estar en la posición de apoyar las elecciones sólo cuando nos gustara el resultado previsto. Yo sabía que la elección sería sólo un paso en el camino hacia la democracia. Quien fuera que ganara heredaría las responsabilidades de gobernar—construir caminos y escuelas, hacer cumplir el estado de derecho y desarrollar las instituciones de una sociedad civil. Si lo hacían bien, serían reelectos. Si no fuera así, la gente tendría la oportunidad de cambiar de opinión. Cualquiera que fuera el resultado, las elecciones libres y justas revelarían la verdad.

El 25 de enero de 2006, la verdad era que los palestinos estaban cansados de la corrupción de Fatah. Hamas ganó 74 de 132 asientos. Algunos interpretaron los resultados como un revés para la paz. Yo no estaba tan seguro. Hamas se había nominado en una plataforma de gobierno limpio y servicios públicos eficientes, no la guerra con Israel.

Hamas también se benefició de la mal gestionada campaña de Fatah. Fatah a menudo nominaba a varios candidatos para el mismo puesto, lo cual dividió los votos del partido. La elección dejó claro que Fatah tenía que modernizar su partido. También forzó una decisión dentro de Hamas: ¿Cumpliría su promesa de gobernar como un partido legítimo, o volvería a la violencia?

En marzo de 2006, los votantes acudieron a las urnas para otras elecciones. Éstas se llevaron a cabo en Israel. Dos meses antes, Ariel Sharón había sufrido una apoplejía debilitante. Siempre me he preguntado lo que podría haber sido posible si Ariel hubiera seguido sirviendo. Se había establecido su credibilidad en materia de seguridad, tenía la confianza del pueblo israelí y creo que podría haber sido parte de una paz histórica.

La votación para un nuevo primer ministro sería una prueba del compromiso de Israel a la solución de los dos estados. El primer ministro Ehud Olmert hizo una fuerte campaña en apoyo a la misma. Había conocido a Ehud en mi viaje de 1998 a Israel, cuando era alcalde de Jerusalén. Era tranquilo y confiado, con modales gregarios y una sonrisa sin igual. —La única solución es ahora dos estados: uno judío, uno palestino, —dijo durante la campaña. En un momento dado, sugirió que crearía un estado palestino unilateralmente si fuera necesario. Los votantes israelíes lo recompensaron en las urnas.

Olmert y Abbas, que conservaron la presidencia a pesar de la victoria de Hamas en las elecciones legislativas, desarrollaron rápidamente una relación de trabajo. Encontraron un acuerdo sobre cuestiones tales como los controles de seguridad y la liberación de algunos prisioneros. Luego, en junio de 2007, el ala militante de Hamas intervino. En un patrón familiar en la lucha ideológica, los extremistas respondieron al avance de la libertad con violencia. Los terroristas de Hamás—respaldados por Irán y Siria—lanzaron un golpe de estado y tomaron el control de Gaza. Combatientes en máscaras negras saquearon la sede de Fatah, arrojaron a los líderes del partido desde los techos y se dirigieron a los miembros moderados del ala política de Hamas.

El presidente Abbas respondió expulsando a Hamas de su gabinete y consolidando su autoridad en Cisjordania. —Se trata básicamente de un golpe de estado contra la democracia misma, —me dijo Abbas por teléfono—. Siria e Irán están tratando de incendiar el Oriente Medio. Redirigimos nuestra ayuda económica y de seguridad al gobierno de Abbas en Cisjordania y apoyamos un bloqueo naval israelí de Gaza. Mientras que enviábamos ayuda humanitaria para evitar la hambruna, la población de Gaza vería un vivo contraste entre sus condiciones de vida bajo Hamás y aquellos bajo el líder democrático, yo estaba seguro de que Abbas, con el tiempo, exigiría cambios.

Condi y yo hablamos de una forma de reiniciar el impulso para un estado palestino democrático. Ella sugirió una conferencia internacional para sentar las bases de las negociaciones entre el gobierno de Abbas y los israelíes. Al principio, yo me encontraba escéptico. Las consecuencias de un golpe terrorista no parecían el momento más oportuno para una cumbre de paz, pero me llegó a gustar la idea. Si los vacilantes palestinos podían ver que el estado era una posibilidad realista, tendrían un incentivo para rechazar la violencia y apoyar la reforma.

Programamos la conferencia de noviembre de 2007, en la Academia Naval de EE.UU. en Annapolis, Maryland. Condi y yo persuadimos a quince naciones árabes a enviar delegaciones, incluyendo Arabia Saudita. Los socios árabes en el proceso temprano, aumentarían la confianza de los palestinos y harían que fuera más difícil para ellos rechazar un acuerdo de paz más adelante, como lo había hecho Arafat en Camp David. La prueba clave de la conferencia fue si Abbas y Olmert podrían ponerse de acuerdo sobre una declaración conjunta, comprometiéndose a entablar negociaciones. Cuando abordamos el helicóptero para el vuelo a Annapolis, pregunté a Condi por la declaración. Ella dijo que había hecho un gran progreso, pero que no habían terminado.

—Va a tener que entregar esto usted mismo, —dijo.

Llamé a Abbas y Olmert a un lado de forma individual. Les dije que la cumbre sería vista como un fracaso y envalentonaría a los extremistas si no podíamos estar de acuerdo en un comunicado. Dieron instrucciones a sus negociadores para trabajar con Condi. Unos minutos antes de lo previsto frente a las cámaras, ella me trajo el documento. No había tiempo para ampliar el tipo de letra, así que saqué las gafas de leer y leí la página: «Estamos de acuerdo en poner en marcha inmediatamente negociaciones bilaterales de buena fe, con el fin de concluir un tratado de paz ... y haremos todo lo posible para llegar a un acuerdo antes de finales de 2008».

La sala estalló en aplausos. Abbas y Olmert pronunciaron sus propios discursos. —Libertad es la palabra que representa el futuro de los palestinos, —dijo el presidente Abbas. —Creo que no hay un camino que no sea la paz.... Creo que es el momento. Estamos listos, —dijo el primer ministro Olmert.

Ver al canciller de Arabia Saudita escuchar con respeto al Primer Ministro de Israel y aplaudir sus palabras fue un momento histórico. La conferencia de Annapolis fue aclamada como un éxito sorpresivo. «El cinismo sobre las conversaciones de Annapolis no debe eclipsar la esperanza que surgió del esfuerzo», escribió el diario *Los Angeles Times*.

Poco después de Annapolis, las dos partes iniciaron negociaciones para un acuerdo de paz, con Ahmed Qurei, quien representa a los palestinos y el Ministro del Exterior, Tzipi Livni, quien representa a los israelíes. El Primer Ministro palestino, Salam Fayyad, un economista con doctorado de la Universidad de Texas, comenzó a llevar a cabo las muy necesarias reformas a la economía y a las fuerzas de seguridad palestinas. Enviamos ayuda financiera y a un general de alto rango para ayudar a entrenar a las fuerzas de seguridad palestinas. El día que salió de Downing Street, Tony Blair, aceptó un puesto como enviado especial para ayudar a los palestinos a construir las instituciones de un estado democrático. No era un trabajo demasiado grato, pero era necesario. —Si gano el Premio Nobel de la Paz —dijo Tony dijo en broma— sabrás que he fallado.

Las negociaciones resolvieron algunos problemas importantes, pero estaba claro que llegar a un acuerdo requeriría una mayor participación de los líderes. Con mi aprobación, Condi supervisó en silencio un canal separado de conversaciones directamente entre Abbas y Olmert. El diálogo culminó en una propuesta secreta de Olmert a Abbas. Su oferta habría devuelto la gran mayoría del territorio de Cisjordania y Gaza a los palestinos, aceptaría la construcción de un túnel que conectara los dos territorios palestinos, permitiría que un número limitado de refugiados palestinos regresara a Israel, establecería a Jerusalén como una capital conjunta, tanto de Israel como de

Palestina, y encomendaría el control de los sitios sagrados a un grupo de ancianos no políticos.

Ideamos un proceso para convertir la oferta privada en un acuerdo público. Olmert viajaría a Washington y depositaría su propuesta conmigo. Abbas anunciaría que el plan estaba en línea con los intereses palestinos. Yo llamaría a los líderes a reunirse para cerrar el trato.

El desarrollo representó una esperanza realista para la paz, pero una vez más, un evento externo intervino. Olmert había estado bajo investigación por sus transacciones financieras cuando había sido alcalde de Jerusalén. A finales del verano, sus oponentes políticos tenían suficientes municiones para acabar con él. Se vio obligado a anunciar su renuncia en septiembre.

Abbas no quería llegar a un acuerdo con un Primer Ministro en su salida del gobierno. Las conversaciones se interrumpieron en las últimas semanas de mi administración, después de que fuerzas israelíes lanzaran una ofensiva en Gaza en respuesta a los ataques con cohetes de Hamas.

Mientras que yo estaba decepcionado de que los israelíes y los palestinos no habían podido concluir un acuerdo, estaba contento con el progreso que habíamos hecho. Ocho años antes, había tomado posesión del cargo durante una embravecida Intifada, con Yasser Arafat tomando la Autoridad Palestina, los líderes israelíes comprometidos con una política de Gran Israel y las naciones árabes quejándose desde la barrera. En el momento en que me fui, los palestinos tenían un presidente y un primer ministro que rechazaba el terrorismo. Los israelíes se habían retirado de algunos asentamientos y apoyaban una solución de dos estados y las naciones árabes estaban jugando un papel activo en el proceso de paz.

La lucha en la Tierra Santa ya no es Palestina contra Israel, o musulmanes contra judíos. Es entre los que buscan la paz y extremistas que promueven el terror y hay consenso en que la democracia es el cimiento sobre el cual construir una paz justa y duradera. Llevar a cabo dicha visión requerirá un liderazgo valiente de ambos lados y de los Estados Unidos.

———

Jacques Chirac y yo no estábamos de acuerdo en gran parte. El presidente francés se oponía a la eliminación de Saddam Hussein. Llamó a Arafat un «hombre de valor». En una reunión, me dijo, —Ucrania es parte de Rusia.

Por lo tanto, fue una gran sorpresa cuando Jacques y yo encontramos un área de acuerdo en nuestra reunión en París a principios de junio de 2004. Chirac tocó el tema de la democracia en Medio Oriente y me preparé para otro sermón. Sin embargo, continuó: —En esta región, hay sólo dos democracias. Una de ellas es fuerte, Israel. La otra es frágil, Líbano. —Yo no mencioné que había dejado fuera a una democracia nueva, Irak.

Describió el sufrimiento de Líbano bajo la ocupación de Siria, que tenía decenas de miles de tropas en el país, desviaba dinero de la economía, y hacía estrangulados intentos de ampliar la democracia. Sugirió que trabajáramos juntos para detener a Siria de dominar el Líbano. Acepté de inmediato. Decidimos buscar una oportunidad para introducir una resolución en la ONU.

En agosto de 2004, el presidente libanés, Emile Lahoud, un títere de Siria, nos dio nuestra entrada. Anunció que extendería su mandato, una violación de la constitución libanesa. Chirac y yo copatrocinábamos la Resolución 1559 de la ONU, que protestaba la decisión de Lahoud y exigía que Siria retirara sus fuerzas. Se aprobó el 2 de septiembre de 2004.

Durante seis meses, Siria respondió con resistencia. Luego, el 14 de febrero de 2005, un enorme auto bomba en Beirut destruyó la caravana de Rafiq Hariri, ex Primer Ministro de Líbano a favor de la independencia. Toda la evidencia apuntaba a una conspiración de Siria. Retiramos a nuestro embajador de Damasco y apoyamos una investigación de la ONU.

Una semana después del asesinato de Hariri, Chirac y yo cenamos en Bruselas. Emitimos un comunicado conjunto llamando al auto bomba un «acto terrorista» y reiteramos nuestro apoyo a un «Líbano soberano, independiente y democrático». Chirac y yo exhortamos a las naciones árabes a presionar al presidente sirio, Basher Assad para que cumpliera con la resolución de la ONU. A un mes del asesinato de Hariri, casi un millón de libaneses—la cuarta parte de la población de la nación—se hicieron presentes en la Plaza de los Mártires en Beirut para protestar por la ocupación de Siria. La gente empezó a hablar de una Revolución de Cedro, llamado así por el árbol en el centro de la bandera de Líbano.

Los sirios recibieron el mensaje. Bajo la presión combinada de la comunidad internacional y el pueblo libanés, las tropas de ocupación sirias comenzaron a retirarse a finales de marzo. A finales del mes de abril, se habían ido. —La gente solía tener miedo de decir cualquier cosa aquí, —un ciudadano libanés dijo a un reportero—. La gente parecía estar abriéndose más hoy y se sentían más cómodos al decir lo que pensaban.

Esa primavera, el Movimiento Anti-sirio 14 de marzo obtuvo la mayoría de escaños en el parlamento. Fouad Siniora, un asesor cercano al Hariri, asesinado, fue nombrado primer ministro.

La Revolución de Cedro marcó uno de los éxitos más importantes de la agenda de la libertad. Se llevó a cabo en un país multi-religioso de mayoría musulmana. Sucedió con una fuerte presión diplomática del mundo libre y sin la participación militar estadounidense. El pueblo de Líbano logró su independencia por la más simple de las razones: querían ser libres.

El triunfo de la democracia en Líbano se produjo dos meses después de las elecciones libres en Irak y la elección del Presidente Abbas en los territorios Palestinos. Nunca antes tres sociedades árabes habían logrado tanto progreso hacia la democracia. Líbano, Irak y Palestina tenían el potencial para servir como la base de una región libre y pacífica.

—Es extraño para mí decirlo, pero este proceso de cambio se ha iniciado debido a la invasión estadounidense de Irak, —dijo el líder político libanés Walid Jumblatt. —Yo era cínico acerca de Irak, pero cuando vi al pueblo iraquí votando hace tres semanas, ocho millones de ellos, fue el comienzo de un nuevo mundo árabe. El pueblo sirio, el pueblo egipcio, todos dicen que algo está cambiando. «El muro de Berlín ha caído. Lo podemos ver.»

Él no era el único que observaba la tendencia o reconocía sus consecuencias. La creciente ola de la democracia en el Medio Oriente en 2005 sacudió a los extremistas. En 2006, se defendieron.

El 12 de julio de 2006, Laura y yo nos detuvimos en Alemania en nuestro camino a la cumbre del G-8 en San Petersburgo, Rusia. La canciller alemana, Angela Merkel y su esposo, el profesor Joachim Sauer, nos habían invitado a la ciudad de Stralsund, que estaba en el distrito de la casa de Angela. Laura y yo estábamos fascinados por la descripción de Angela acerca de crecer en la Alemania Oriental comunista. Ella nos dijo que su infancia fue feliz, pero su madre le advertía, constantemente, que no hablara de sus conversaciones familiares en público. La policía secreta, la Stasi, estaba por todas partes. Laura y yo pensamos en Angela en Camp David cuando vimos *Las Vidas de Otros*, una película que muestra la vida bajo la Stasi. Era difícil creer que habían pasado menos de veinte años desde que decenas de millones de europeos vivieran así. Fue un recordatorio de cómo drásticamente la libertad podía cambiar a una sociedad.

Además de servir como una firme defensora de la libertad, Angela era digna de confianza, agradable y cálida. Ella se convirtió rápidamente en una de mis mejores amigas en el escenario mundial.

Mientras nos encontrábamos en nuestro camino a Alemania, los terroristas de Hezbollah en el Sur de Líbano lanzaron una incursión al otro lado de la frontera israelí, secuestraron a dos soldados israelíes y desataron una nueva crisis política exterior. Israel respondió al atacar objetivos de Hezbollah en el sur de Líbano y bombardear el aeropuerto de Beirut, un punto de tránsito para armas. Hezbollah se vengó lanzando cohetes contra ciudades israelíes, matando o hiriendo a cientos de civiles.

Al igual que Hamas, Hezbollah contaba con un partido político legítimo y un ala terrorista armada y financiada por Irán y apoyada por Siria. Hezbollah estuvo detrás del bombardeo de los cuarteles de los Marines Estadounidenses en el Líbano en 1983, el asesinato de un buzo de la Marina de Estados Unidos a bordo de un avión de la TWA secuestrado en 1985, los ataques contra la embajada israelí y un centro de la comunidad judía en Argentina en 1992 y 1994, así como el bombardeo del complejo habitacional de las Torres Khobar en Arabia Saudita en 1996.

Ahora Hezbollah estaba atacando a Israel directamente. Todos los líderes del G8 en la cumbre tuvieron la misma reacción inicial: Hezbollah había instigado el conflicto e Israel tenía derecho a defenderse. Emitimos una declaración conjunta que decía: «No podemos permitir que estos elementos extremistas y los que los apoyan hundan al Oriente Medio en el caos y provoquen un conflicto más amplio».

Los israelíes tuvieron la oportunidad de dar un golpe importante contra Hezbollah y sus patrocinadores en Irán y Siria. Por desgracia, manejaron mal su oportunidad. La campaña de bombardeo israelí impactó objetivos de valor militar cuestionables, incluyendo sitios en el norte de Líbano lejos de la base de Hezbollah. El daño fue transmitido por la televisión para que todos lo vieran. Para empeorar las cosas, el primer ministro Olmert anunció que Siria no sería un objetivo. Yo pensé que era un error. La eliminación de la amenaza de represalias liberaba de culpa a Siria y les envalentonó para continuar su apoyo a Hezbollah.

A medida que la violencia continuaba en su segunda semana, muchos de los líderes del G-8 que comenzaron apoyando a Israel llamaron a un cese del fuego. Yo no me uní. Un alto al fuego podría proporcionar alivio a corto plazo, pero no resolvería la causa fundamental del conflicto. Si un bien armado Hezbollah continuaba amenazando a Israel desde el sur de Líbano, sería sólo cuestión de tiempo antes de que los combates se encendieran de nuevo. Yo quería ganar tiempo para que Israel debilitara las fuerzas de Hezbollah. También quería enviar un mensaje a Irán y Siria: No estarían autorizados a utilizar las organizaciones terroristas como ejércitos representativos para atacar a las democracias con impunidad.

Desgraciadamente, Israel hizo empeorar las cosas. En la tercera semana del conflicto, los bombarderos israelíes destruyeron un complejo de apartamentos en la ciudad libanesa de Qana. Veintiocho civiles murieron, más de la mitad de ellos niños. El primer ministro Siniora se puso furioso. Los líderes árabes condenaron fuertemente el bombardeo, la carnicería, que se mostró durante todo el día en la televisión de Oriente Medio. Empecé a preocuparme de que la ofensiva de Israel pudiera derrocar al gobierno democrático del Primer Ministro Siniora.

Convoqué a una reunión del Consejo de Seguridad Nacional para discutir nuestra estrategia. El desacuerdo dentro del equipo fue acalorado. —Tenemos que permitir que los israelitas acaben con Hezbollah —dijo Dick Cheney. —Si lo hacen —respondió Condi— Estados Unidos estará muerto en el Medio Oriente. Ella recomendó que buscáramos una resolución de la ONU que llamara a un alto al fuego y a desplegar una fuerza de paz multinacional.

Ninguna de las opciones era ideal. En el corto plazo, yo quería ver a Hezbollah y sus patrocinadores gravemente dañados. A la larga, nuestra estrategia era aislar a Irán y Siria como una manera de reducir su influencia y fomentar el cambio desde adentro. Si Estados Unidos continuara apoyando la ofensiva israelí, tendríamos que vetar una resolución de la ONU después de la próxima. En última instancia, en vez de aislar a Irán y Siria, nosotros quedaríamos aislados.

Decidí que los beneficios a largo plazo de mantener la presión sobre Siria e Irán eran mayores que los beneficios a corto plazo de asestar más golpes contra Hezbollah. Envié a Condi a la ONU, donde negoció la Resolución 1701, que pedía el fin inmediato de la violencia, el desarme de Hezbollah y otras milicias en el Líbano, un embargo de envíos de armas y el despliegue de una robusta fuerza internacional de seguridad al sur de Líbano. El gobierno libanés, Hezbollah e Israel, todos aceptaron la resolución. El alto el fuego entró en vigor en la mañana del 14 de agosto.

La guerra de Israel contra Hezbollah en Líbano fue otro momento decisivo en la lucha ideológica. Si bien sigue siendo frágil y todavía se enfrenta a la presión de Siria, la joven democracia de Líbano emergió más fuerte por haber soportado la prueba. El resultado para Israel era mixto. Su campaña militar debilitó a Hezbollah y ayudó a asegurar su frontera. Al mismo tiempo, el rendimiento militar inestable de los israelíes les costó credibilidad internacional.

Como instigadores del conflicto, Hezbolá—junto con Siria e Irán— resistieron la responsabilidad por el derramamiento de sangre. El pueblo libanés lo sabía. En el análisis más revelador de la guerra, el jefe de Hezbollah, Hassan Nasrallah se disculpó con el pueblo libanés dos semanas después del cese al fuego. —Si hubiéramos sabido que la captura de los soldados habría llevado a esto, —dijo—, sin duda no lo hubiéramos hecho.

———

Cuando Condi llevó a cabo su primer viaje a Europa como Secretaria de Estado a principios de 2005, me dijo que esperaba que los desacuerdos sobre Irak fueran el tema principal. Una semana más tarde, se reportó con un mensaje sorprendente de los aliados que había conocido. —No están hablando de Irak, —dijo—. Todos están preocupados por Irán.

Para cuando asumí el cargo, el régimen teocrático en Irán había presentado un reto para los presidentes estadounidenses desde hacía más de veinte años. Gobernado por clérigos radicales que tomaron el poder en la revolución de 1979, Irán fue uno de los principales estados patrocinadores del mundo del terror. Al mismo tiempo, Irán era una sociedad relativamente moderna, con un movimiento de liberación en ciernes. En agosto de 2002, un grupo de oposición iraní se presentó con evidencia de que el régimen estaba construyendo encubierto una instalación de enriquecimiento de uranio en Natanz, junto con una planta de producción de agua pesada secreta en Arak—dos signos reveladores de un programa de armas nucleares. Los iraníes reconocieron el enriquecimiento, pero afirmaron que era únicamente para la producción de electricidad. Si eso era cierto, ¿por qué el régimen lo ocultaba? ¿Y por qué Irán necesitaba enriquecer uranio cuando no contaba con una planta de energía nuclear funcional?

De repente, no había tantas quejas acerca de la inclusión de Irán en el eje del mal.

En octubre de 2003, siete meses después de que habíamos eliminado a Saddam Hussein del poder, Irán se comprometió a suspender el enriquecimiento y reprocesamiento de uranio. A cambio, el Reino Unido, Alemania y Francia acordaron proporcionar beneficios financieros y diplomáticos, como la tecnología y la cooperación comercial. Los europeos habían hecho su parte y habíamos hecho la nuestra.

El acuerdo fue un paso positivo hacia nuestro objetivo final de detener el enriquecimiento iraní y la prevención de una carrera de armas nucleares en el Oriente Medio.

En junio de 2005, todo cambió. Irán llevó a cabo una elección presidencial. El proceso fue sospechoso, por decir lo menos. El Consejo de Guardianes, un puñado de clérigos islámicos de alto nivel, decidió quién estaría en la votación. Los clérigos usaron las Tropas Basij, una unidad tipo milicia del Cuerpo Revolucionario de la Guardia iraní, para gestionar la participación e influir en el voto. El alcalde de Teherán, Mahmoud Ahmadinejad fue declarado ganador. No sorprendentemente, tenía un fuerte apoyo por parte de los Basij.

Ahmadinejad dirigió a Irán en una nueva y agresiva dirección. El régimen se volvió más represivo en casa, más beligerante en Irak y más proactivo en la desestabilización de Líbano, los territorios palestinos y Afganistán. Ahmadinejad llamó a Israel «un cadáver hediondo» que debía ser «borrado del mapa». Rechazó al Holocausto como un «mito». Usó un discurso de las Naciones Unidas para predecir que el imán oculto reaparecería, para salvar al mundo. Empecé a preocuparme de que se trataba de algo más que un líder peligroso. Este tipo podría estar loco.

Como una de sus primeras acciones, Ahmadinejad anunció que Irán reanudaría la conversión de uranio. Afirmó que era parte del programa de energía nuclear civil de Irán, pero el mundo reconoció la medida como un paso hacia el enriquecimiento de un arma. Vladimir Putin con mi apoyo— se ofreció para proporcionar el combustible enriquecido en Rusia para los reactores civiles de Irán, una vez que hubiera construido alguno, por lo que Irán no necesitaría sus propias instalaciones de enriquecimiento. Ahmadinejad rechazó la propuesta. Los europeos también se ofrecieron a apoyar un programa nuclear civil iraní a cambio de poner fin a sus actividades nucleares sospechosas. Ahmadinejad rechazó eso, también. Sólo había una explicación lógica: Irán está enriqueciendo uranio para su uso en una bomba.

Me enfrenté a un punto de decisión importante. Estados Unidos no podía permitir que Irán tuviera un arma nuclear. El régimen teocrático sería capaz de dominar el Medio Oriente, chantajear al mundo, pasar la tecnología de armas nucleares a sus aliados terroristas, o usar la bomba contra Israel. Pensé en el problema en términos de dos relojes funcionando. Uno mide el progreso de Irán hacia la bomba; el otro rastreaba la capacidad de los reformadores para instigar el cambio. Mi objetivo era frenar el primer reloj y la velocidad del segundo.

Tenía tres opciones a considerar. Algunos en Washington sugirieron que Estados Unidos debería negociar directamente con Irán. Yo creía que hablar con Ahmadinejad lo legitimaría a él y a sus puntos de vista y desalentaría al movimiento de la libertad de Irán, retrasando el reloj del cambio. También dudaba que Estados Unidos pudiera hacer mucho progreso en las conversaciones uno-a-uno con el régimen. Las negociaciones bilaterales con un tirano rara vez salen bien para una democracia. Debido a que están sometidos a poca rendición de cuentas, los regímenes totalitarios no se enfrentan a la presión en honor a su palabra. Ellos son libres de romper acuerdos y luego hacer nuevas demandas. Una democracia tiene dos opciones: ceder o provocar una confrontación.

La segunda opción era la diplomacia multilateral llevada a cabo con recompensas y castigos. Podríamos unirnos a los europeos en ofrecer a Irán un paquete de incentivos a cambio de abandonar sus actividades nucleares sospechosas. Si el régimen se negara a cooperar, la coalición entonces impondría duras sanciones contra Irán tanto individualmente como mediante la ONU. Las sanciones podrían hacer más difícil el que Irán obtuviera la tecnología necesaria para un arma, alentando el reloj bomba. Ellos también dificultarían que Ahmadinejad cumpliera sus promesas económicas, lo que fortalecería el movimiento de reforma del país.

La opción final era un ataque militar contra las instalaciones nucleares de Irán. Este objetivo se llevaría a cabo para detener el reloj bomba, al menos temporalmente. Era incierto cuál sería el impacto en el reloj de la reforma. Algunos pensaban que destruir el proyecto preciado del régimen envalentonaría a la oposición; otros se preocupaban de que una operación militar extranjera removería el nacionalismo iraní y uniría a la gente en nuestra contra. Giré instrucciones al Pentágono para que estudiara lo que sería necesario para una huelga. La acción militar siempre estaría sobre la mesa, pero sería mi último recurso.

Discutí ampliamente las opciones con el equipo de seguridad nacional en la primavera de 2006. Consulté de cerca con Vladimir Putin, Angela Merkel, y Tony Blair. Me aseguraron que apoyarían sanciones fuertes si Irán no cambiaba su comportamiento. En mayo, Condi anunció que íbamos a unirnos a los europeos en la negociación con Irán, pero sólo si el régimen de forma verificable suspendía el enriquecimiento. Luego ella trabajó con el Consejo de Seguridad de las Naciones Unidas para establecer un plazo para la respuesta de Irán: el 31 de agosto. El verano terminó y la respuesta nunca llegó.

El siguiente reto era desarrollar sanciones efectivas. No había mucho que los Estados Unidos pudieran hacer por nuestra cuenta. Habíamos sancionado fuertemente a Irán por décadas. Dirigí el Departamento del Tesoro a trabajar con sus homólogos europeos para hacer más difícil para los bancos y empresas iraníes mover el dinero. También designamos a la Fuerza Quds de la Guardia Revolucionaria de Irán como una organización terrorista, lo que nos permitió congelar sus activos. Nuestros socios en la coalición diplomática impusieron nuevas sanciones por su cuenta. Y trabajamos con el Consejo de Seguridad de las Naciones Unidas para dictar las resoluciones 1737 y 1747, que prohibieron la exportación de armas iraníes, congeló los activos iraníes clave y prohibió a cualquier país proporcionar equipos relacionados con las armas nucleares a Irán.

Persuadir a los europeos, rusos y chinos para llegar a un acuerdo sobre las sanciones fue un logro diplomático. Sin embargo, todos los miembros se enfrentaron a la tentación de escindir y sacar provecho comercial. Con frecuencia recordaba a nuestros socios acerca de los peligros de un Irán con armas nucleares. En octubre de 2007, un periodista me preguntó acerca de Irán en una conferencia de prensa. —Le he dicho a la gente que si están interesados en evitar la Tercera Guerra Mundial —declaré—. Parece que deberían estar interesados en impedirles tener los conocimientos necesarios para fabricar un arma nuclear.

Mi referencia a la Tercera Guerra Mundial produjo algo cercano a la histeria. Se presentaban manifestantes afuera de mis discursos con carteles que decían, «Consérvanos afuera ... de Irán». Los periodistas escribieron historias, chismes sin fundamento, cargados de mostrar a un Estados Unidos al borde de la guerra. Todos ellos se equivocaron del punto principal. Yo no estaba buscando iniciar una guerra. Yo estaba tratando de mantener nuestra coalición sólida para evitar una.

En noviembre de 2007, la comunidad de inteligencia elaboró una Estimación Nacional de Inteligencia sobre el programa nuclear de Irán. Se confirmó que, como sospechábamos, Irán había operado un programa secreto de armas nucleares en desafío a sus obligaciones del tratado. Se informó también que, en 2003, Irán había suspendido su esfuerzo encubierto para diseñar una ojiva—considerada por algunos como la parte menos difícil de construir un arma. A pesar del hecho de que Irán estaba probando misiles que podrían ser utilizados como sistema de acarreo y habían anunciado su reanudación del enriquecimiento de uranio, la NIE se abrió con una declaración sorprendente: «Juzgamos con alta confianza que, en el otoño de 2003, Teherán detuvo su programa de armas nucleares».

La conclusión de la NIE fue tan impresionante que tuve la seguridad de que sería filtrada a la prensa inmediatamente. Por mucho que me disgustaba la idea, decidí desclasificar los hallazgos clave para que pudiéramos dar forma a las historias de los noticiarios con los hechos. La reacción fue inmediata. Ahmadinejad elogió a la NIE como «Una gran victoria». El impulso para nuevas sanciones se desvaneció entre los europeos, rusos y chinos. Como el periodista del *New York Times* David Sanger expuso acertadamente: «La nueva estimación de la inteligencia alivia la presión internacional sobre Irán— la misma presión que el propio documento afirmaba que había obligado, con éxito, al país a suspender sus ambiciones de armas».

En enero de 2008, hice un viaje a Medio Oriente, donde intenté darles seguridad a los líderes que mantenían su compromiso de tratar con Irán. Israel y nuestros aliados árabes se encontraron a sí mismos en un raro momento de unidad. Ambos estaban profundamente preocupados por Irán y furiosos con Estados Unidos por la NIE. En Arabia Saudita, me encontré con el rey Abdullah y miembros de la Sudairi Seven, los hermanos influyentes del fallecido rey Fahd.

—Su Majestad, ¿puedo comenzar la reunión? —pregunté—. Estoy seguro de que cada uno de ustedes cree que yo escribí la NIE como una manera de evitar la adopción de medidas contra Irán.

Nadie dijo una palabra. Los saudíes eran demasiado educados para confirmar su sospecha en voz alta.

—Tiene que entender nuestro sistema —expresé—. La NIE fue elaborada independientemente por nuestra comunidad de inteligencia. Estoy tan enojado por eso al igual que ustedes.

La NIE no sólo socavó la diplomacia. También me ató las manos en el lado militar. Había muchas razones por las cuales estaba preocupado por llevar a cabo un ataque militar contra Irán, incluyendo su eficacia incierta y los graves problemas que crearía a la frágil democracia joven de Irak. Pero después de la NIE, ¿cómo podría explicar el uso de la milicia para destruir las instalaciones nucleares de un país que la comunidad de inteligencia dijo que no tenía un programa activo de armas nucleares?

No sé por qué la NIE fue escrita de esa manera. Me preguntaba si la comunidad de inteligencia estaría tratando tanto evitar la repetición de su error en Irak en que había subestimado la amenaza de Irán. Desde luego que tuve la esperanza de que los analistas de inteligencia no estuvieran tratando de influir en la política. Cualquiera que sea la explicación, la NIE tuvo un gran impacto y no fue bueno.

Pasé gran parte de 2008 trabajando para reconstruir la coalición diplomática contra Irán. En marzo, fuimos capaces de conseguir otra ronda de sanciones de las Naciones Unidas, que prohibió a los países comerciar con Irán en tecnologías de doble uso que podrían ser empleadas en un programa de armas nucleares. También ampliamos nuestro escudo de defensa antimisiles, que incluía un nuevo sistema con base en Polonia y la República Checa para proteger a Europa de un lanzamiento iraní. Al mismo tiempo, trabajé para acelerar el reloj de la reforma al reunirme con disidentes iraníes, para pedir la liberación de los presos políticos, el financiamiento de los activistas de la sociedad civil iraní y el uso de la radio y la tecnología de Internet para transmitir mensajes a favor de la libertad en Irán. También exploramos una amplia variedad de programas de inteligencia y las medidas financieras que podrían ralentizar el ritmo o aumentar el costo del programa de armas nucleares de Irán.

Lamento que terminé mi presidencia con la cuestión iraní sin resolver. Sin embargo, sí entregué a mi sucesor un régimen iraní más aislado del mundo y más sancionado de lo que nunca había estado. Estaba seguro de que el éxito de la oleada y el surgimiento de un Irak libre en la frontera de Irán inspiraría a los disidentes iraníes y ayudaría a catalizar el cambio. Tuve el placer de ver el movimiento de la libertad de Irán expresarse en todo el país con marchas de protesta después de la reelección fraudulenta de Ahmadinejad en junio de 2009. En los rostros de esos valientes manifestantes, creo que vimos el futuro de Irán. Si Estados Unidos y el mundo permanecen con ellos mientras se mantiene la presión sobre el régimen iraní, tengo la esperanza de que el gobierno y sus políticas van a cambiar. No obstante, una cosa es cierta: los Estados Unidos nunca deberán permitir que Irán amenace al mundo con una bomba nuclear.

Irán no fue la única nación poniendo en peligro la agenda de la libertad por la búsqueda de armas nucleares. En la primavera de 2007, recibí un informe altamente clasificado de un socio de inteligencia extranjera. Estudiamos minuciosamente fotografías de un edificio sospechoso, bien escondido en el desierto oriental de Siria.

La estructura tenía un parecido sorprendente con la instalación nuclear de Yongbyon, Corea del Norte. Llegamos a la conclusión de que la estructura contenía un reactor moderado por grafito refrigerado por gas capaz de producir plutonio de grado para armas. Dado que Corea del Norte era el único país que había construido un reactor de ese modelo en los últimos treinta y cinco años, nuestra fuerte sospecha era que simplemente habíamos atrapado a Siria *in fraganti* tratando de desarrollar una capacidad de armas nucleares con la ayuda de Corea del Norte.

Eso fue sin duda la conclusión del primer ministro Olmert —George, te estoy pidiendo que bombardees el complejo —expresó en una llamada telefónica poco después de haber recibido el informe.

—Gracias por haber planteado esta cuestión —respondí al Primer Ministro—. Deme un poco de tiempo para revisar inteligencia y le daré una respuesta.

Convoqué al equipo de seguridad nacional para una serie de intensos debates. Como una cuestión militar, la misión de bombardeo sería un proceso sencillo. La Fuerza Aérea podría destruir el objetivo, no hay problema, pero el bombardeo de un país soberano, sin previo aviso o justificación anunciada, crearía un retroceso grave.

Una segunda opción sería una incursión encubierta. Estudiamos la idea profundamente, pero la CIA y los militares llegaron a la conclusión de que sería demasiado arriesgado para poder introducir un equipo dentro y fuera de Siria con suficientes explosivos para volar la instalación. La tercera opción era informar a nuestros aliados sobre la inteligencia, exponer de forma conjunta la instalación y exigir que Siria la desmantelara y cerrara bajo la supervisión del IAEA. Con la duplicidad expuesta del régimen, podríamos utilizar nuestra influencia para presionar a Siria a poner fin a su apoyo al terrorismo y a la intromisión en Líbano e Irak. Si Siria se negara a desmantelar la instalación, tendríamos una razón pública justificada para la acción militar.

Antes de tomar una decisión, le pedí al director de la CIA, Michael Hayden, que llevara a cabo una evaluación de inteligencia.

Él explicó que los analistas estaban bastante seguros de que la planta albergaba un reactor nuclear, pero debido a que no podían confirmar la localización de las instalaciones necesarias para convertir el plutonio en un arma, sólo tenían sospechas de un programa de armas nucleares sirio.

El informe de Mike aclaró mi decisión. —No puedo justificar un ataque contra una nación soberana a menos que mis servicios de inteligencia se levanten y digan que es un programa de armas, —le dije a Olmert. Le dije que me había decidido por la opción diplomática respaldada por la amenaza de la fuerza. —Creo que la estrategia protege sus intereses y su estado y hace que sea más probable que podamos lograr nuestros intereses también.

El primer ministro estaba decepcionado. —Esto es algo que impacta gravemente en los nervios de este país, —dijo. Me dijo que la amenaza de un programa de armas nucleares en Siria era un problema «existencial» para Israel y le preocupaba que la diplomacia se empantanara y fallara. —Debo ser honesto y sincero con usted. Su estrategia es muy perturbadora para mí. —Ese fue el final de la llamada.

El 6 de septiembre de 2007, la instalación fue destruida.

La experiencia fue reveladora en múltiples aspectos. Se confirmó la intención de Siria para desarrollar armas nucleares. También proporcionó otro recordatorio de que la inteligencia no es una ciencia exacta. Aunque me dijeron que nuestros analistas sólo tenían poca confianza de que la instalación era parte de un programa de armas nucleares, la vigilancia después del bombardeo mostró a funcionarios sirios meticulosamente encubriendo los restos del edificio. Si la instalación era en realidad sólo un laboratorio de investigación inocente, el presidente sirio Assad hubiera estado gritando a los israelíes en el piso de las Naciones Unidas. Ese era un juicio que yo podría hacer con mucha confianza.

La ejecución del golpe por parte del primer ministro Olmert compensó la confianza que yo había perdido en los israelíes durante la guerra del Líbano. Sugerí a Ehud que dejáramos pasar algún tiempo y luego reveláramos la operación como una manera de aislar al régimen sirio. Olmert me dijo que quería secretismo total. Quería evitar cualquier cosa que pudiera empujar a Siria a una esquina y forzara a Assad a tomar represalias. Esta era su operación y sentí la obligación de respetar sus deseos. Me mantuve en silencio, a pesar de que pensé que estábamos perdiendo una oportunidad.

Por último, el bombardeo demostró la voluntad de Israel de actuar por sí mismo. El primer ministro Olmert no había pedido una luz verde y no me había dado una. Había hecho lo que creía que era necesario para proteger a Israel.

———

Uno de los libros más influyentes que leí durante mi presidencia fue *Aquariums of Pyongyang* del disidente norcoreano Kang Chol-Hwan. El libro de memorias, recomendado por mi amigo Henry Kissinger, cuenta la historia de la detención y el abuso por diez años de Kang en un gulag norcoreano. Invité a Kang a la Oficina Oval, donde relató el desgarrador sufrimiento en su tierra natal, incluyendo terribles hambrunas y persecución.

La historia de Kang agitó mi profundo disgusto por el tirano que había destruido tantas vidas, Kim Jong-il. A principios de la administración, Don Rumsfeld me mostró fotos satelitales de la península coreana en la noche.

El sur estaba lleno de luces, mientras que el norte era obscuridad absoluta. Leí los informes de inteligencia acerca de que la desnutrición había dejado al norcoreano promedio tres pulgadas más bajo que el promedio de Corea del Sur. Cuando asumí el cargo en 2001, un estimado de un millón de norcoreanos había muerto de inanición en los seis años anteriores.

Mientras tanto, Kim Jong-il cultivaba su apetito por el coñac fino, Mercedes de lujo y películas extranjeras. Él construyó un culto de personalidad que requería que los norcoreanos lo adoraran como líder divino. Su máquina de propaganda afirmaba que podía controlar el clima, que había escrito seis óperas de renombre y que había logrado cinco hoyos en uno durante su primera ronda de golf.

Kim también mantenía un programa de armas nucleares y una capacidad balística de misiles que amenazaba a dos aliados de Estados Unidos—Corea del Sur y Japón—y potencialmente podría llegar a la costa oeste de Estados Unidos. La proliferación era un problema grave, como lo sugirió el incidente del reactor sirio. En un país desesperado por moneda fuerte, materiales nucleares y sistemas de armas hechas para las exportaciones atractivas.

Nuestro enfoque con Corea del Norte fue el tema de una de mis primeras reuniones con el Consejo de Seguridad Nacional, el día antes de la visita del presidente Kim Dae-jung de Corea del Sur. La administración anterior había negociado el Acuerdo Marco, que otorgaba a Kim Jong-il beneficios económicos a cambio de congelar su programa de armas nucleares. Evidentemente, no estaba satisfecho. En 1998, el régimen lanzó un misil

Taepodong sobre Japón. En 1999, sus naves dispararon contra buques de Corea del Sur en el Mar Amarillo. Un mes después de asumir el cargo, el régimen amenazó con reiniciar las pruebas de misiles de largo alcance si no continuábamos con las negociaciones sobre la normalización de las relaciones.

Le dije a mi equipo de seguridad nacional que tratar con Kim Jong-il me recordaba la crianza de los niños. Cuando Barbara y Jenna estaban chicas y querían llamar la atención, tiraban su comida al suelo. Laura y yo nos precipitábamos a recogerla. La próxima vez que querían atención, tiraban la comida de nuevo. —Estados Unidos se cansó de recoger su comida, —le dije.

Al año siguiente, los informes de inteligencia indicaron que Corea del Norte probablemente estaba operando un programa secreto de uranio altamente enriquecido—una segunda vía para una bomba nuclear. Fue una revelación sorprendente. Kim había hecho trampa en el Acuerdo Marco. Tomé una decisión: Estados Unidos se había cansado de negociar con Corea del Norte sobre una base bilateral. En su lugar, nos uniríamos a la China, Corea del Sur, Rusia y Japón para presentar un frente unido contra el régimen.

La clave para la diplomacia multilateral con Corea del Norte era la China, que tenía estrechos vínculos con la nación comunista amiga. El reto era que la China y los Estados Unidos tenían intereses diferentes sobre la Península Coreana. Los chinos querían estabilidad; nosotros queríamos la libertad. Ellos estaban preocupados acerca de los refugiados que fluían a través de la frontera; nosotros estábamos preocupados por el hambre y los derechos humanos, pero había un área en la que estábamos de acuerdo: No estaba en nuestros intereses permitir que Kim Jong-il tuviera un arma nuclear. En octubre de 2002, invité al presidente Jiang Zemin de la China al rancho en Crawford. Yo saqué a colación a Corea del Norte. —Esta es una amenaza no sólo para los Estados Unidos, sino también para la China —dije. Le insté a que se uniera a nosotros en el enfrentamiento a Kim diplomáticamente. —Estados Unidos y la China tienen diferentes tipos de influencia sobre Corea del Norte. El nuestro es, en su mayoría negativo, mientras que el suyo es positivo. Si los combinamos, formaremos un equipo impresionante.

El presidente Jiang fue respetuoso, pero me dijo que Corea del Norte era mi problema no el suyo. —Ejercer influencia sobre Corea del Norte es muy complicado —mencionó.

Después de unos meses sin avances, probé un argumento diferente. En enero de 2003, le dije al Presidente Jiang que, si el programa de armas nucleares de Corea del Norte continuaba, yo no sería capaz de detener a Japón—rival histórico de China en Asia—de desarrollar sus propias armas nucleares. —Usted y yo estamos en condiciones de trabajar juntos para asegurarnos de que no comience una carrera de armas nucleares, —dije. En febrero, fui un paso más allá. Le dije al presidente Jiang que, si él no podía solucionar el problema diplomáticamente, tendría que considerar un ataque militar contra Corea del Norte.

La primera reunión de las Conversaciones de las Seis Partes tuvo lugar seis meses después en Beijing. Por primera vez, los funcionarios de Corea del Norte se sentaron a la mesa y vieron representantes de la China, Japón, Rusia, Corea del Sur y los Estados Unidos observándolos. El progreso fue gradual. Me pasé horas en el teléfono con nuestros socios, recordándoles lo que estaba en juego y la necesidad de mantener un frente unido.

En septiembre del 2005, nuestra paciencia fue recompensada. Los coreanos del Norte aceptaron abandonar todas las armas nucleares y volver a sus compromisos bajo el Tratado de No Proliferación Nuclear. Yo estaba escéptico. Kim Jong-il había violado sus compromisos en el pasado. Si lo hiciera de nuevo, estaría rompiendo su palabra no sólo con los Estados Unidos, sino con todos sus vecinos, incluyendo la China.

—

El cuatro de julio de 2006, Kim Jong-il nuevamente tiró su comida al suelo. Disparó una andanada de misiles hacia el Mar de Japón. La prueba fue un fracaso militar, pero la provocación fue real. Mi teoría era que Kim vio que el mundo se centraba en Irán y estaba deseando atención. También quería probar a la coalición para ver cuánto podía obtener.

Llamé al presidente Hu Jintao de la China, le dije que Kim Jong-il había insultado a la China y le insté a condenar públicamente el lanzamiento. Emitió un comunicado reiterando su compromiso de «paz y estabilidad» y su oposición a «cualquier acción que pudiera intensificar la situación». Sus palabras fueron leves, pero eran un paso en la dirección correcta.

Tres meses más tarde, Corea del Norte desafió al mundo de nuevo, llevando a cabo su primera prueba nuclear con pleno derecho. La reacción del presidente Hu fue más firme esta vez. —El gobierno chino se opone firmemente a esto, —dijo—. Empezamos conversaciones para apelar a los norcoreanos a la moderación. Sin embargo, nuestro vecino hizo oídos sordos a nuestro consejo.

Con el apoyo de todos los socios en las Conversaciones de las Seis Partes, el Consejo de Seguridad de la ONU aprobó, por unanimidad, la resolución 1718. La resolución imponía las sanciones más duras contra Corea del Norte desde el final de la Guerra de Corea. Los Estados Unidos también apretaron nuestras sanciones en el sistema bancario de Corea del Norte y buscábamos negar a Kim Jong-il sus preciados productos de lujo.

La presión funcionó. En febrero de 2007, Corea del Norte acordó cerrar su principal reactor nuclear y permitir a los inspectores de la ONU de nuevo en el país, para verificar sus acciones. A cambio, nosotros y nuestros socios de Seis Partes proporcionamos ayuda energética y los Estados Unidos acordaron retirar a Corea del Norte de nuestra lista de estados patrocinadores del terrorismo. En junio de 2008, Corea del Norte hizo estallar la torre de enfriamiento en Yongbyon en televisión internacional. En este caso, no era necesaria una verificación adicional.

Sin embargo, el problema no se resolvió. El pueblo de Corea del Norte todavía estaba muriendo de hambre y sufrimiento. Los informes de inteligencia proporcionaron una mayor evidencia de que Corea del Norte proseguía su programa de uranio altamente enriquecido, a pesar de que afirmó estar cerrando su reprocesamiento de plutonio. En el corto plazo, creo que las Conversaciones de Seis Partes representaron la mejor oportunidad para mantener el apalancamiento sobre Kim Jong-il y librar a la península coreana de las armas nucleares. A la larga, estoy convencido de que ese era el único camino hacia un cambio significativo para que el pueblo de Corea del Norte se liberara.

———

La agenda de la libertad era un tema sensible con la China. Mi política fue involucrar a los chinos en áreas en las que estuvieran de acuerdo y utilizar esta cooperación para construir la confianza y la credibilidad que necesitábamos para hablar claramente sobre nuestras diferencias.

Trabajé para desarrollar relaciones estrechas con los líderes de la China, Jiang Zemin y Hu Jintao. El presidente Jiang y yo tuvimos un comienzo difícil. El 1 de abril de 2001, un avión de vigilancia estadounidense conocido como EP-3 colisionó con un avión chino e hizo un aterrizaje de emergencia en la isla de Hainan. El piloto chino salió expulsado de la cabina y murió. Nuestra tripulación de veinticuatro personas fue retenida en un cuartel militar de la isla e interrogada. La crisis de los rehenes en Irán estaba a la vanguardia en mi mente. Este no era la manera como quería empezar mi relación con la China.

Después de varios días de agonía tratando de aproximarnos a los chinos, me puse en contacto con el presidente Jiang, que estaba en Chile. Los chinos pronto accedieron a liberar a la tripulación del EP-3. A cambio, escribí una carta expresando mi pesar por la muerte de su piloto y nuestro aterrizaje en Hainan sin autorización verbal. Más tarde supe que el manejo de la crisis EP-3 de la China se basaba en la creencia del gobierno que el pueblo chino había percibido debilidad en la respuesta al bombardeo accidental de los Estados Unidos contra la embajada china en Belgrado en 1999. Después del incidente EP-3, los chinos nos enviaron una factura por $1 millón para la comida y el alojamiento de la tripulación estadounidense. Les ofrecimos $34.000.

En febrero de 2002, Laura y yo hicimos nuestro primer viaje a Beijing. El presidente Jiang fue un anfitrión cordial y acogedor. Después de un banquete en nuestro honor en el Gran Palacio del Pueblo, entretuvo a la multitud con una versión de «O Sole Mío», acompañado de dos hermosas mujeres chinas vestidas con uniformes militares. Su serenata fue un gran cambio con respecto al año anterior, cuando no pude hablar con él por teléfono. Era una señal de que estábamos desarrollando la confianza.

Esa confianza se vio reforzada por un entendimiento sobre Taiwán, la democracia de la isla que había sido gobernada por separado de la parte continental desde Chiang Kai-shek se enfrentó a Mao Zedong durante la Guerra Civil China en 1949. Cada vez que me reuní con los líderes chinos, confirmé que la longeva política de Estados Unidos sobre «Una China» no cambiaría. También dejé en claro que me oponía a cualquier cambio unilateral del *status quo*, incluyendo una declaración de independencia de Taiwán o la acción militar de la China.

Cuando Hu Jintao asumió el cargo, yo estaba decidido a forjar una estrecha relación con él también. Dieciséis años más joven que su predecesor, el presidente Hu tenía un comportamiento poco expresivo y una aguda mente analítica. Al igual que muchos en la nueva generación de líderes chinos, había sido capacitado como ingeniero. Durante un almuerzo en el Salón Este, me volví hacia él con una pregunta que me gustaba hacer a los líderes mundiales amigos: —¿Qué le quita el sueño?

Le dije que yo me quedaba despierto por la preocupación de otro ataque terrorista en los Estados Unidos. Rápidamente respondió que su mayor preocupación era la creación de veinticinco millones de nuevos puestos de trabajo al año. Encontré su respuesta fascinante. Fue honesto. Demostró que estaba preocupado por el impacto de las descontentas masas desempleadas. Esto explicaba la política de su gobierno en lugares ricos en recursos como Irán y África y fue una señal de que él era un líder práctico enfocado hacia el interior, no un ideólogo propenso a crear problemas en el extranjero. Trabajé con el presidente Hu para encontrar un terreno común en asuntos desde Corea del Norte hasta el cambio climático y el comercio. La ampliación del acceso estadounidense a mil millones de potenciales consumidores de la China era una alta prioridad para mí, al igual que el acceso al mercado de EE.UU. era esencial para los chinos. También vi el comercio como una herramienta para promover la agenda de la libertad. Yo creía que, con el tiempo, la libertad inherente en el mercado llevaría a la gente a exigir la libertad en la plaza pública. Una de mis primeras decisiones fue continuar con el apoyo del presidente Clinton a la entrada de la China en la Organización Mundial de Comercio. Para solidificar nuestra relación económica, pedí al secretario del Tesoro, Hank Paulson y a Condi que crearan el Diálogo Económico Estratégico.

Una de las áreas en desacuerdo con los líderes chinos fueron los derechos humanos. Mi atención se centró en la libertad religiosa, porque creo que lo que permite a la gente a orar como deseen es una piedra angular de la agenda de la libertad. En una de nuestras primeras reuniones, expliqué al Presidente Jiang que la fe era una parte vital de mi vida y que yo estudiaba la Biblia todos los días. Le dije que pensaba aumentar la libertad de culto en nuestras conversaciones. —Yo leo la Biblia —respondió—: Pero no me fío de lo que dice.

Le dije a ambos Jiang y Hu que los creyentes religiosos serían ciudadanos pacíficos y productivos, el tipo de gente que haría más fuerte a su país. Les dije que para que la China alcanzara su pleno potencial, tenían que confiar en su gente con mayor libertad. No les intimidé ni les di un sermón; dejé que mis acciones enviaran el mensaje. Laura y yo asistimos a la iglesia en Beijing, nos reunimos con líderes religiosos como el cardenal Joseph Zen de Hong Kong y nos pronunciamos por los derechos de los predicadores bloggers, disidentes y presos políticos.

Durante la Cumbre APEC 2007 en Sidney, le dije al Presidente Hu que tenía planeado asistir a una ceremonia en la que el Dalai Lama recibiría la Medalla de Oro del Congreso. El líder budista era una fuente de angustia para el gobierno chino, quien lo acusó de provocar a los separatistas en el Tíbet. Me reuní con el Dalai Lama en cinco ocasiones durante mi presidencia y me encontré con que era un hombre encantador y tranquilo. Les dije a los líderes de la China que no le temieran. —Esto no significa una bofetada para la China, —dije—, sino una medida de mi respeto por el Dalai Lama y para el Congreso de EE.UU. Ustedes conocen mi fuerte creencia en la libertad religiosa.

—Este es un tema políticamente sensible en la China, —respondió el presidente Hu—. .... Provocará una muy fuerte reacción por parte de la población china. —Lo que él quería decir era que iba a provocar una fuerte reacción por parte del gobierno, el cual no quería que yo fuera el primer presidente estadounidense en aparecer con el Dalai Lama en público.

—Me temo que tengo que ir a esa ceremonia, —dije.

También tenía algunas buenas noticias para compartir. —¿Cómo va su planificación olímpica? —le pregunté, en referencia a los Juegos de Verano de 2008, para los cuales China había sido elegida como sede.

Me dio una actualización sobre el proceso de construcción. Le dije que iba a venir a los Juegos. Yo sabía que iba a enfrentarme a la presión para no hacerlo y a muchos les gustaría tratar de politizar los Juegos Olímpicos, pero prometí que podía contar conmigo para asistir. —Ya tengo mis reservaciones de hotel —bromeé. Pareció aliviado.

Los Juegos Olímpicos de Beijing fueron unos de los mejores momentos de mi último año en el cargo. Volé en el Air Force One con Laura y Barbara, mi hermano Marvin, mi cuñada Margaret y nuestros amigos Lois Roland Betts y Brad Freeman. Papá y Doro se reunieron con nosotros en la China. Papá y yo nos reunimos con el Embajador Sandy Randt, quien sirvió en Pekín los ocho años, para abrir una nueva y enorme embajada de Estados Unidos. Fue un gran cambio desde el pequeño puesto diplomático que mi padre dirigió treinta y tres años antes. En un gesto de generosidad extraordinaria, el presidente Hu ofreció un almuerzo para todos nosotros en el complejo Zhongnanhai del gobierno, una reunión de la familia Bush, como ninguna antes ni después.

Los Juegos Olímpicos de Beijing resultaron ser un éxito fenomenal—y mucha diversión. Estábamos en el Cubo de Agua, cuando el equipo masculino de natación llevó a cabo una espectacular remontada para superar a Francia por la medalla de oro en el relevo estilo libre. Yo asistí para ver la práctica del impresionante equipo formado por Misty May-Treanor y Kerri Walsh en el voleibol de playa. Participé en las noticias internacionales, dando una palmada juguetona en el trasero de Misty—un poco al norte del objetivo tradicional. Visitamos los vestidores antes de que el equipo de los EE.UU. y la China se enfrentaran en el partido de baloncesto más visto en la historia. Los jugadores no podrían haber sido más amables o impresionantes. —¡Hey, papá! —LeBron James llamó a papá cuando entró en la habitación.

Los Juegos Olímpicos dieron al mundo la oportunidad de ver la belleza y la creatividad de la China. Mi esperanza era que los juegos también dieran al pueblo chino una visión de un mundo más amplio, incluyendo la posibilidad de una prensa independiente, Internet abierta y libertad de expresión. El tiempo dirá cuál será el impacto a largo plazo de los Juegos Olímpicos de Beijing, pero la historia demuestra que una vez que las personas prueban la libertad, con el tiempo desearán más.

—————

El 23 de noviembre de 2002, fue un día lluvioso y gris en Bucarest. Sin embargo, decenas de miles se habían presentado en la Plaza de la Revolución para marcar el ingreso de Rumania a la OTAN, un objetivo para un país que sólo quince años antes era un estado satélite soviético y miembro del Pacto de Varsovia.

A medida que me acercaba al estrado, me di cuenta de un balcón iluminado. —¿Qué es eso? —le pregunté al hombre de adelante. Me dijo que era donde Nicolai Ceausescu, el dictador comunista de Rumania, había dado su último discurso antes de ser derrocado en 1989.

Al presentarme el presidente Ion Iliescu, la lluvia se detuvo y apareció un arco iris de espectro completo. Se extendía por el cielo y terminaba justo detrás del balcón que estaba iluminado como un monumento a la libertad. Fue un momento imponente. yo improvisé: —Dios está sonriéndonos el día de hoy.

Rumania no era la única democracia joven que celebraba ese día. También yo había emitido el voto de Estados Unidos para admitir a Bulgaria, Estonia, Latvia, Lituania, Eslovaquia y Eslovenia en la OTAN. Yo veía la expansión de la OTAN como una poderosa herramienta para avanzar en la agenda de la libertad. Debido a que la OTAN requiere que las naciones cumplan con altos estándares de apertura económica y política, la posibilidad de la adhesión actúa como un incentivo para la reforma.

Un año después de mi discurso en Bucarest, un carismático joven demócrata llamado Mijail Saakashvili, irrumpió en la sesión de apertura del parlamento en la ex República Soviética de Georgia. Hablando en nombre de miles de manifestantes de Georgia, denunció a la asamblea como el resultado ilegítimo de una elección corrupta. El presidente Eduard Shevardnadze sintió la oleada y renunció. El golpe de estado fue conocido como la Revolución de las Rosas. Seis semanas más tarde, el pueblo de Georgia fue a las urnas y eligió a Saakashvili para ser su presidente.

En noviembre de 2004, una ola de protestas similar estalló después de una elección presidencial fraudulenta en Ucrania. Cientos de miles de personas desafiaron temperaturas bajo cero para manifestarse a favor del candidato de la oposición Viktor Yushchenko. En un momento durante la campaña, Yushchenko sufrió un misterioso envenenamiento que desfiguró su rostro. Sin embargo, se negó a abandonar la carrera. Sus partidarios se presentaron todos los días vestidos con bufandas y cintas de color naranja hasta que el Tribunal Supremo de Ucrania ordenó una repetición de la contaminada elección. Yushchenko ganó y fue juramentado el 23 de enero de 2005, completando la Revolución Naranja.

En la cumbre de la OTAN de 2008 en Bucarest, tanto Georgia como Ucrania solicitaron Planes de Acción para la Adhesión, MAPs, el paso final antes de la consideración para ser miembros en pleno derecho. Yo era un firme defensor de sus solicitudes, pero para la aprobación era necesaria la unanimidad, y ambos Angela Merkel y Nicolás Sarkozy, el nuevo presidente de Francia, se mostraron escépticos. Sabían que Georgia y Ucrania habían tenido relaciones tensas con Moscú y se preocupaban de que la OTAN pudiera ser arrastrada a una guerra con Rusia. También estaban preocupados por la corrupción.

Me pareció que la amenaza de Rusia fortaleció la oportunidad de ampliar los MAPs a Georgia y Ucrania. Rusia sería menos propensa a participar en la agresión si esos países estuvieran en el camino a la OTAN. En cuanto a las cuestiones de gobierno, un paso hacia la membrecía animaría a limpiar la corrupción. Acordamos un compromiso: Nosotros no concederíamos MAPs a Georgia y Ucrania en Bucarest, pero emitiríamos un comunicado anunciando que estaban destinados para una futura adhesión a la OTAN. Al final del debate, el primer ministro, Gordon Brown de Gran Bretaña se inclinó hacia mí y dijo: —¡Nosotros no les dimos MAPs, pero puede que de hecho los hayamos hecho miembros!

———

El debate sobre la OTAN acerca de Georgia y Ucrania destacó la influencia de Rusia. En mi primera reunión con Vladimir Putin en la primavera de 2001, se quejó de que Rusia se había visto afectada por la deuda de la era soviética. En ese momento, el petróleo se vendía a $26 por barril. En el momento en que vi a Putin en la cumbre de la APEC en Sídney en septiembre de 2007, el petróleo había alcanzado los $71 en su camino a $137 en el verano de 2008. Se echó hacia atrás en su silla y preguntó cómo se encontraban los valores respaldados por hipotecas de Rusia.

El comentario fue del Putin de antaño. A veces era arrogante, a veces encantador, siempre era difícil. Durante mis ocho años como presidente, me encontré cara a cara con Vladimir más de cuarenta veces. Laura y yo tuvimos visitas maravillosas con él y su esposa, Lyudmilla, en nuestra casa de Crawford y su dacha a las afueras de Moscú, donde él me mostró su capilla privada y me dejó conducir su clásico Volga 1956. Nos llevó en un hermoso viaje en barco a través de San Petersburgo durante el Festival de las Noches Blancas. Lo invité a Kennebunkport, donde fuimos a pescar con mi padre. Nunca olvidaré la reacción de Putin la primera vez que entró en la Oficina Oval. Era temprano en la mañana, y la luz entraba a raudales a través de las ventanas del sur. Cuando salió por la puerta, espetó, —Oh, Dios.... ¡Esto es hermoso! — Fue una extraña respuesta proviniendo de un ex agente de la KGB de la Unión Soviética atea.

A través de todos los altibajos, Putin y yo fuimos sinceros uno con el otro. Cooperamos en algunas áreas importantes, incluyendo la lucha contra el terrorismo, la eliminación de los talibanes de Afganistán y el aseguramiento de materiales nucleares.

Uno de los mayores logros surgió de nuestra primera reunión, en Eslovenia en 2001. Le dije a Vladimir que tenía planeado darle aviso con los requeridos seis meses de que Estados Unidos se retiraría del Tratado sobre Misiles Antibalas, de manera que los dos pudiéramos desarrollar misiles y sistemas de defensa efectivos. Dejó claro que esto no me haría más popular en Europa. Yo le dije que había hecho campaña sobre el tema y el pueblo estadounidense esperaba que siguiera adelante. —La Guerra Fría ha terminado —le dije a Putin—. Nosotros ya no somos enemigos.

También le informé que Estados Unidos cortaría unilateralmente nuestro arsenal de ojivas nucleares estratégicas en dos tercios. Putin accedió a igualar nuestras reducciones. Menos de un año después, se firmó el Tratado de Moscú, que comprometió a nuestras naciones a reducir nuestro número de cabezas nucleares desplegadas de 6.600 armas a entre 1.700 y 2.200 antes de 2012. El tratado fue de una de las mayores reducciones de armas nucleares en la historia, y se llevó a cabo sin las interminables negociaciones que generalmente acompañan a los acuerdos de control de armas.

A lo largo de ocho años, la nueva riqueza de Rusia afectó a Putin. Se hizo agresivo en el extranjero y más a la defensiva acerca de su récord en casa. En nuestra primera reunión de uno-a-uno de mi segundo mandato, en Bratislava, mencioné mis preocupaciones por la falta de avances en la democracia de Rusia. Yo estaba especialmente preocupado por sus detenciones de hombres de negocios rusos y su ofensiva contra la prensa libre. —No me des sermones sobre la libertad de prensa, —dijo—, no después de que tú despediste a ese reportero.

Me di cuenta de lo que se refería. —¿Vladimir, ¿estás hablando de Dan Rather? —interrogué. Dijo que sí. Le dije. —Te recomiendo encarecidamente que no menciones eso en público. El pueblo estadounidense va a pensar que no entiendes nuestro sistema.

En una conferencia de prensa conjunta después de la reunión, convoqué a dos reporteros estadounidenses y Vladimir llamó a dos periodistas rusos. La última pregunta vino de Alexei Meshkov de la agencia de noticias Interfax. Estaba dirigida a Putin. —El presidente Bush ha declarado recientemente que la prensa en Rusia no es libre —declaró— ¿De qué se trata esta falta de libertad...?

—¿Por qué no habla mucho acerca de las violaciones de los derechos de los periodistas en los Estados Unidos, sobre el hecho de que algunos periodistas han sido despedidos? Qué casualidad. La llamada prensa libre de Rusia estaba repitiendo como un loro la línea de Vladimir.

A Putin y a mí nos encantaba mantenernos en forma. Vladimir hacía mucho ejercicio, nadaba con regularidad y practicaba el judo. Los dos éramos gente competitiva. En su visita a Camp David, introduje a Putin con nuestro terrier escocés, Barney. No estaba muy impresionado. En mi próximo viaje a Rusia, Vladimir me preguntó si quería conocer a su perro, Koni. Claro, le dije. A medida que caminamos por los jardines forrados de abedul de su dacha, un gran labrador negro salió corriendo a través del césped. Con un brillo en los ojos, Vladimir dijo, —Más grande, más fuerte y más rápido que Barney. — Más tarde platiqué la historia a mi amigo, el Primer Ministro Stephen Harper de Canadá. —Tienes suerte de que sólo te mostró su perro —contestó.

La historia de Barney fue instructiva. Putin era un hombre orgulloso que amaba a su país. Él deseaba que Rusia recobrara la estatura de un gran poder de nuevo y estaba decidido a ampliar las esferas de influencia de Rusia. Intimidó a las democracias en sus fronteras y utilizó la energía como un arma económica cortando el suministro de gas natural para partes de Europa oriental.

Putin era astuto. Como contrapartida por apoyar a Jacques Chirac y Gerhard Schroeder en sus esfuerzos por contrarrestar la influencia estadounidense, Putin les convenció de defender su consolidación del poder en Rusia. En una cena del G-8 en San Petersburgo, la mayoría de los líderes desafiaron a Putin por su historial democrático. Jacques Chirac no lo hizo. Él anunció que Putin estaba haciendo un buen trabajo en Rusia y no era de nuestra incumbencia el cómo lo hizo. Eso no fue nada comparado con lo que hizo Gerhard Schroeder. Poco después de que el canciller alemán se retiró de su cargo, se convirtió en presidente de una empresa propiedad de Gazprom, el gigante energético estatal de Rusia.

A Putin le gustaba el poder y al pueblo ruso le gustaba. Enormes excedentes presupuestarios alimentados por el petróleo no dolían. Él utilizó su estatura al elegir por sí mismo a su sucesor, Dmitry Medvedev. Luego se nombró a sí mismo Primer Ministro.

El punto más bajo en nuestra relación llegó en agosto de 2008, cuando Rusia envió tanques al otro lado de la frontera con Georgia para ocupar Osetia del Sur y Abjasia, dos provincias que formaban parte de Georgia, pero tenían vínculos cercanos con Rusia. Yo me encontraba en Beijing para la ceremonia de apertura de los Juegos Olímpicos.

Laura y yo estábamos de pie en la fila para saludar al presidente, Hu Jintao, cuando Jim Jeffrey, mi asesor adjunto de seguridad nacional, susurró la noticia de la ofensiva de Rusia. Miré algunos lugares por delante de mí en la fila. Ahí estaba Vladimir. Decidí que la línea de recepción no era el lugar apropiado para la diplomacia acalorada.

También pensé que era importante que dirigiera mis preocupaciones al presidente Medvedev. No conocía bien a Medvedev. En abril de 2008, justo antes del cambio de poder, Vladimir había invitado a Medvedev a visitar con nosotros en Sochi, equivalente de Camp David de Rusia. El estado de ánimo era festivo. Putin ofreció una buena cena, seguida de baile regional. En un momento dado, los miembros de mi delegación, incluido yo, fuimos levantados de nuestros asientos para subir al escenario. La danza se sentía como una combinación de baile de cuadrillas y el jitterbug. Estoy seguro de que habría sido más fluida si hubiera tenido un poco de vodka en mi sistema. Curiosamente, rara vez vi el vodka en mis viajes a Rusia, a diferencia de los viejos tiempos del comunismo.

Me gustó la oportunidad de pasar tiempo con Medvedev, primer líder no comunista de Rusia desde la Revolución Bolchevique en 1917. Había pronunciado un impresionante discurso delineando su compromiso con el estado de derecho, la liberalización de la economía rusa y la reducción de la corrupción. Le dije que estaba deseando volver a tratar con él de presidente a presidente. La gran pregunta, por supuesto, era si realmente regiría al país. A manera de prueba, le pregunté si todavía Vladimir usaría el complejo Sochi después de que Medvedev asumiera el cargo. —No, —dijo sin dudar—, este es el palacio de verano del presidente.

Llamé a Medvedev cuando llegué de regreso a mi hotel en Beijing. Él estaba ardiendo. También yo lo estaba —Mi consejo fuerte es empezar a reducir esta cosa ahora —dije—. La desproporción de sus acciones va a poner al mundo en su contra. Nosotros vamos a estar con ellos.

Medvedev me dijo que Saakashvili era como Saddam Hussein. Afirmó que Saakashvili había lanzado un ataque «bárbaro» no provocado que había matado a más de mil quinientos civiles.

—Espero que no esté diciendo que va a matar a mil quinientas personas como respuesta —me incliné hacia atrás—. Usted ha manifestado su punto fuerte y claro, —le dije—. Espero que tenga en cuenta lo que he pedido muy en serio.

Mi mayor preocupación era que los rusos irrumpieran todo el camino a Tbilisi y derrocaran al democráticamente elegido Saakashvili. Estaba claro que los rusos no podían soportar una Georgia democrática con un presidente pro-occidental. Me preguntaba si hubieran sido tan agresivos si la OTAN hubiera aprobado la solicitud MAP de Georgia.

Después llamé a Saakashvili. Él estaba comprensiblemente sacudido. Describió el asalto ruso y me instó a no abandonar Georgia. —Te escucho, —le dije—. No queremos que Georgia se colapse. —En los días venideros, hablé en defensa de la integridad territorial de Georgia, trabajamos con el presidente Sarkozy—que servía como presidente de la Unión de Europa en reuniones de naciones para pedir a Rusia que se retirara, enviara suministros de socorro a Georgia a bordo de aviones militares de los EE.UU., y se comprometió a ayudar a reconstruir el ejército georgiano.

En la Ceremonia de Apertura de los Juegos Olímpicos, Laura y yo estábamos sentados en la misma fila que Vladimir y su intérprete. Esta era la oportunidad de tener la conversación que había dejado fuera en el Gran Salón. Laura y el hombre a su lado, el rey de Camboya, se movieron hacia abajo unos pocos asientos. Putin se deslizó a mi lado.

Yo sabía que las cámaras de televisión estarían sobre nosotros, así que traté de no animarme demasiado. Le dije que había cometido un grave error y que Rusia se aislaría si no salía de Georgia. Dijo que Saakashvili era un criminal de guerra—el mismo término que había utilizado Medvedev y que había provocado a Rusia.

—Te he estado advirtiendo que Saakashvili es de sangre caliente —dije a Putin. —Yo soy de sangre caliente, también —respondió.

Yo le devolví la mirada. —No, Vladimir —le dije— eres de sangre fría.

———

Después de unas semanas de intensa diplomacia, Rusia había retirado la mayor parte de sus tropas invasoras, pero mantenido una presencia militar ilegal en Osetia del Sur y Abjasia. Vladimir Putin me llamó durante mi última semana en el cargo para desearme lo mejor, lo cual fue un gesto amable. Aun así, yo había esperado que Putin y yo pudiéramos dejar atrás la Guerra Fría. Rusia se destaca como una decepción en la agenda de la libertad. Rusia no era el único. Yo tenía la esperanza de que Egipto fuera un líder por la libertad y la reforma en el mundo árabe, tal y como había sido líder de la paz bajo Anwar Sadat una generación antes. Desafortunadamente, después de una elección presidencial prometedora en 2005, que incluía candidatos de la oposición, el gobierno tomó medidas durante las elecciones legislativas más tarde ese año, encarcelando a disidentes y blogueros que abogaban por una alternativa democrática.

Venezuela también iba un paso atrás de la democracia. El presidente Hugo Chávez contaminó las frecuencias radiales con fuertes sermones anti-estadounidenses, mientras que difundía una versión de populismo falso que él denominó la Revolución Bolivariana. Lamentablemente, despilfarró el dinero del pueblo venezolano y está arruinando a su país. Se está convirtiendo en el Robert Mugabe de América del Sur.

Lamentablemente, los líderes de Nicaragua, Bolivia y Ecuador han seguido su ejemplo.

Hay otros puestos avanzados aislados de tiranía—lugares como Bielorrusia, Birmania, Cuba y Sudán. Mi esperanza es que los Estados Unidos seguirá firme con los disidentes y defensores de la libertad allí. Me reuní con más de un centenar de disidentes en el transcurso de mi presidencia. Su situación puede parecer sombría, pero no es desesperada. Como dije en mi segundo discurso inaugural, la Agenda de la Libertad exige «el trabajo concentrado de generaciones». Una vez que llega el cambio, a menudo se mueve rápidamente, como lo experimentó el mundo en las revoluciones europeas de 1989 y la rápida transformación de Asia Oriental después de Segunda Guerra Mundial. Cuando las personas finalmente son puestas en libertad, a menudo son los disidentes y los presos—gente como Václav Havel y Nelson Mandela—quienes emergen como los líderes de sus países libres.

———

A pesar de los reveses de la Agenda de la Libertad, había muchos más ejemplos de esperanza y progreso. Georgianos y ucranianos se unieron a las filas de los pueblos libres, Kosovo se convirtió en una nación independiente, y la OTAN se expandió de diecinueve miembros a veintiséis. Bajo la valiente dirección del presidente Álvaro Uribe, la democracia de Colombia reclamó su territorio soberano de los narcoterroristas. Con el apoyo de los Estados Unidos, las democracias multiétnicas desde la India e Indonesia a Brasil y Chile se convirtieron en líderes en sus regiones y modelos de sociedades libres en desarrollo alrededor del mundo.

Los avances más dramáticos de la libertad se produjeron en el Oriente Medio. En 2001, la región vio al terrorismo en aumento, furiosa violencia entre palestinos e israelíes, la influencia desestabilizadora de Saddam Hussein, Libia desarrollando armas de destrucción masiva, decenas de miles de tropas de ocupación sirias ocupando Líbano, Irán en su presión sin oposición con un programa de armas nucleares, estancamiento económico generalizado y poco progreso hacia la reforma política.

Para el año 2009, los países de Oriente Medio estaban luchando activamente contra el terrorismo en lugar de mirar hacia otro lado. Irak era una democracia multi-religiosa y multiétnica y aliado de los Estados Unidos. Libia había renunciado a sus armas de destrucción masiva y había reanudado las relaciones normales con el mundo. El pueblo libanés había expulsado a las tropas sirias y la democracia había sido restaurada. El pueblo palestino tenía un gobierno cada vez más pacífico en Cisjordania y un impulso hacia un estado democrático que viviría lado a lado con Israel en paz. Y el movimiento de la libertad de Irán estuvo activo después de la elección presidencial el verano de 2009.

En toda la región, la reforma económica y la apertura política comenzaban a avanzar. Kuwait celebró su primera elección en la que se permitió votar a las mujeres, así como ocupar cargos oficiales. En 2009, las mujeres obtuvieron varios puestos. Las mujeres también ocuparon puestos del gobierno en Omán, Qatar, los Emiratos Árabes Unidos y Yemen. Bahrain nombraría una embajadora judía en los Estados Unidos. Jordania, Marruecos y Bahrain realizaron elecciones parlamentarias competitivas. Aunque sigue siendo una monarquía altamente ordenada, Arabia Saudita celebró sus primeras elecciones municipales y el rey Abdullah fundó la primera universidad del reino abierta a hombres y mujeres saudíes. En toda la región, el comercio y la inversión se ampliaron. El uso de Internet aumentó considerablemente y las conversaciones sobre la democracia y la reforma se hicieron más fuertes—especialmente entre las mujeres, que me siento confiado dirigirán el movimiento de la libertad en todo el Medio Oriente.

En enero de 2008, viajé a Abu Dhabi y Dubai, dos Emiratos Árabes que habían aceptado el libre comercio y las sociedades abiertas. Sus centros de comercio presumían relucientes rascacielos llenos de empresarios y profesionales de negocios, hombres y mujeres por igual. En Dubai, visité a los estudiantes universitarios que estudian campos tan diversos como la economía, la ciencia y la historia.

En la última noche de mi visita, el príncipe de la corona de Abu Dabi, mi amigo el jeque Mohammed bin Zayed, me invitó a su retiro en el desierto para una cena tradicional. Me dijo que una serie de funcionarios del gobierno se uniría a nosotros. Yo esperaba que fueran hombres de mediana edad, pero estaba equivocado. El gobierno del príncipe de la corona incluye jóvenes musulmanas, inteligentes. Se habló de su determinación de continuar la reforma y el progreso—y de profundizar su amistad con los Estados Unidos.

Las arenas de Abu Dabi estaban muy lejos de la plataforma Inaugural donde yo me encontraba de pie en enero de 2005. Sin embargo, esa noche en el desierto, vi el futuro de Medio Oriente, una región que hace honor a su antigua cultura mientras que abraza el mundo moderno. Tomará décadas para que los cambios puestos en marcha en los últimos años puedan realizarse plenamente. Habrá contratiempos en el camino, pero yo confío en el destino: La gente del Medio Oriente será libre y los Estados Unidos será un lugar más seguro, por añadidura.

14

CRISIS FINANCIERA

— Señor Presidente, estamos testificando pánico financiero. —Esas palabras fueron preocupantes, viniendo de Ben Bernanke, el apacible Presidente de la Reserva Federal, quien estaba sentado frente a mí en el Salón Roosevelt. Durante las dos últimas semanas, el gobierno había incautado Fannie Mae y Freddie Mac, dos entidades de vivienda gigantescas. Lehman Brothers acababa de hacer la bancarrota más impresionante en la historia estadounidense. Merrill Lynch había sido vendida bajo presión. La Reserva Federal había otorgado un préstamo de $85 mil millones para salvar AIG. Ahora Wachovia y Washington Mutual estaban a bordo del colapso.

Con tanta turbulencia en las instituciones financieras, los mercados de crédito se habían congelado. Los consumidores no podían conseguir créditos para casas o autos. Los pequeños negocios no podían pedir préstamos para financiar sus operaciones. La Bolsa de Valores había estado cayendo en su picada más fuerte que había visto desde el primer día de negocios después del 9/11.

Sentados con la visión de la pintura al óleo de Teddy Roosevelt a caballo, todos supimos que los Estados Unidos estaban enfrentando su más alarmante desafío económico en décadas.

Me dirigí a mi Domador de Caballos de mi equipo financiero, al Secretario del Tesoro, Hank Paulson, un líder natural con décadas de experiencia en comercio internacional.

—La situación es extraordinariamente seria —dijo Hank. Él y el equipo me presentaron tres medidas para lidiar con la crisis. Primero, el Tesoro garantizaría toda la cantidad de $3,5 billones en fondos mutuos del mercado de dinero, que estaban enfrentando salidas de depositantes. Segundo, la Reserva Federal lanzaría un programa para descongelar el mercado de papel comercial, una fuente clave para financiar los negocios a través del país. Tercero, la Comisión de Valores e Intercambio emitiría una medida temporal para prevenir la venta a corto plazo de valores financieros. —Estas son medidas desesperadas —dijo Hank—, pero el sistema financiero estadounidense está en juego».

Perfiló una propuesta aún más audaz. —Necesitamos amplia autoridad para comprar valores respaldados por hipotecas —dijo—. Estos bienes financieros tan complejos habían perdido valor cuando reventó la burbuja financiera, poniendo en peligro las hojas de balance de firmas financieras a través del mundo. Hank recomendó que pidiéramos al Congreso cientos de miles de millones para comprar estos activos tóxicos y restaurar la confianza en el sistema bancario.

—¿Es esta la peor crisis desde la Gran Depresión? —pregunté.

—Si —respondió Ben—. En términos del sistema financiero, no hemos visto algo como esto desde 1930 y podría empeorar aún.

Su respuesta clarificó la decisión que enfrenté: ¿Deseaba ser el presidente supervisando una calamidad económica que pudiera ser peor que la Gran Depresión?

Estaba furioso de que la situación hubiera llegado a este punto. Un grupo relativamente pequeño de gente —muchos en Wall Street y algunos no— habían apostado a que el mercado de viviendas continuaría en auge para siempre. No lo hizo. En un ambiente normal, el mercado libre emitiría su juicio y podrían fallar. Hubiera estado feliz de dejarlos hacer eso.

Sin embargo, este no era un ambiente normal. El mercado había dejado de funcionar y tal como Ben había explicado, las consecuencias de la inacción serían catastróficas. Por más injusto que era el utilizar el dinero de la gente estadounidense para prevenir un colapso del cual no eran responsables; sería aún más injusto no hacer nada y dejarlos sufrir las consecuencias.

—Pónganse a trabajar —ordené, aprobando por completo el plan de Hank—. Vamos a resolver esto.

Interrumpí la reunión y caminé a través del pasillo a la Oficina Oval. Josh Bolten, el Consejero Ed Gillespie y Dana Perino, mi talentosa y efectiva secretaria de prensa, me siguieron. La comparación histórica de Ben aún me resonaba en los oídos.

—Si verdaderamente estamos observando otra Gran Depresión —comenté—, pueden estar bien seguros de que seré como Roosevelt, no como Hoover.

Casi exactamente veinticinco años antes, en octubre de 1983, me encontraba tomando café en Midland, con un amigo de la Escuela de Negocios de Harvard, Tom Kaneb. Escuchamos a alguien mencionar que se estaba formando una línea frente a las puertas del First National Bank de Midland. El First National era el banco independiente más grande de Texas. Había sido un elemento fijo en Midland por noventa y tres años

Recientemente, habían estado volando rumores acerca de la precaria posición financiera del banco. El First National había emitido muchos de sus préstamos cuando los precios del petróleo estaban subiendo. Entonces, al principio de los 1980, el precio del crudo cayó de casi cuarenta dólares por barril a debajo de treinta dólares. El ritmo de la perforación se ralentizó. Los préstamos incumplieron. Los depositarios retiraron su efectivo. Yo transferí nuestra cuenta de la compañía de exploración a un banco grande en Nueva York. No iba a jugar con la solvencia del First National.

Tom y yo nos apresuramos hacia el banco. Desde el balcón del segundo piso, observamos gente formada en el lobby para llegar a las ventanillas de los cajeros. Algunos llevaban sobres de papel. En medio del gentío, estaba un viejo ranchero prominente, Frank Cowden. Como otros rancheros del Oeste de Texas, Mr. Cowden era afortunado de que su tierra contuviera mucho petróleo. Él era un gran accionista del First National. Él le hablaba a la gente, diciéndoles que el gobierno federal aseguraba cada depósito de hasta $100.000. La gente solo se le quedaba viendo. Querían su dinero.

El 14 de octubre de 1983, el FDIC incautó First National y lo vendió al First Republic en Dallas. Los depositarios estaban protegidos, pero los accionistas fueron aniquilados y una institución de Midland desapareció. El Alcalde Thane Atkins habló por mucha gente cuando dijo: —Siento como quisiera colgar una guirnalda negra en mi puerta.

Ya había leído acerca de los pánicos financieros de 1893 y de 1929. En este momento, había atestiguado el estallido de una burbuja financiera especulativa de primera mano. El First National, como otras instituciones financieras, dependía de la confianza de sus clientes. Una vez que esa confianza se perdió, el banco no tuvo oportunidad de sobrevivir.

———

Dieciséis años más tarde, me estaba nominando para presidente. Por casi todas las medidas, la economía estaba en auge. El PBI de los Estados Unidos había incrementado por más de $2,5 billones desde la recesión que le había costado a papá la elección, pero terminó antes de que él dejara la presidencia. Alimentado por nuevas acciones de Internet, el índice NASDAQ se había disparado de bajo de 500 a más de 4.000. Algunos economistas argumentaban que la era del Internet había redefinido el ciclo de los negocios.

Yo no estaba tan seguro. —Algunas veces, los economistas están equivocados —dije en un discurso cuando describí mi política económica en diciembre del 1999—. Puedo recordar repuntes que supuestamente terminarían, pero no lo hicieron y recesiones que supuestamente no ocurrirían, pero lo hicieron. Espero desarrollo continuo—pero no está garantizado. Un presidente debe trabajar para el mejor escenario y estar preparado para lo peor.

El eje central de mi plan era un recorte de impuestos generalizado. Yo creía que el gobierno estaba tomando demasiado del dinero de la gente. Al final de 1999, los impuestos repuntaban a un porcentaje más alto de PBI de lo que habían estado en cualquier punto desde la Segunda Guerra Mundial. El gobierno contaba supuestamente con un gran superávit. Sabía a dónde iría ese dinero: El gobierno buscaría una manera de gastarlo. Después de todo, el Congreso y el Presidente Clinton habían estado de acuerdo en incrementar los gastos discrecionales en más del 16 por ciento en el año fiscal 2001, sin incluir los gastos de seguridad.

Tenía otra razón para apoyar el recorte de impuestos. Me preocupaba que pudiéramos estar testificando otra burbuja, ésta, en el sector tecnológico.

Larry Lindsey, mi principal asesor económico, creía que el país iba directo a una recesión. Si él estaba en lo correcto, el recorte de impuestos actuaría como un estímulo vital.

Ni más ni menos, la recesión oficialmente comenzó en marzo del 2001. El *New York Times* consideró la desaceleración económica como un desarrollo positivo para mí. Salió un artículo con el encabezado «Para el Presidente, es un tiempo perfecto para la Recesión». Yo no lo sentía de esa forma. No pude evitar tener en cuenta la extraña ironía de la historia. En 1993, mi papá había dejado una economía mucho mejor que lo que el público pudiera considerar. En este momento, yo heredaba una mucho peor.

Con la economía desplomándose, el recorte de impuestos trajo una nueva urgencia. Presioné al Congreso a actuar rápidamente. En junio del 2001, firmé un recorte de impuestos de unos $1,35 billones, el más grande desde el que firmó Ronald Reagan durante su primer período. La medida redujo la tasa impositiva marginal para cada contribuyente de impuestos sobre la renta, incluyendo millones de propietarios de pequeñas empresas;* duplicó el crédito tributario de hijos de $500 a $1.000; se redujo la penalidad por matrimonio y se eliminó el nivel de impuestos más bajo, lo cual retiró a cinco millones de familias de bajo ingreso del registro de contribuyentes. La medida también eliminó el impuesto por fallecimiento, una carga que era injusta para propietarios de pequeñas empresas, granjeros y ganaderos. Consideré que los estadounidenses habían pagado suficientes impuestos cuando estaban en vida; no deberían pagar nuevamente después de muertos.

Estaba optimista de que los consumidores y pequeños negocios gastaran su reducción de impuestos para ayudar a sacar adelante la economía. Sin embargo, nos dirigíamos hacia otro golpe económico masivo que no esperábamos.

———

La cifra del 9/11 siempre será valorada por las 2.973 vidas robadas y muchas otras devastadas, pero el costo económico fue también devastador. La bolsa de valores dejó de funcionar por cuatro días, la suspensión más larga de la actividad comercial desde la Gran Depresión. Cuando los mercados abrieron, el Dow Jones se hundió 684 puntos, la mayor caída en un solo día en la historia a ese punto.

El impacto de los ataques repercutió a través de la economía. El turismo se desplomó. Varias líneas aéreas se fueron a bancarrota. Muchos restaurantes virtualmente se quedaron vacíos. Algunos hoteles reportaron que el negocio se había caído tanto como un 90 por ciento. Fabricantes y

---

* *Muchos propietarios de pequeñas empresas son empresas individuales, sociedades limitadas, Corporaciones del subcapítulo S, lo que significa que ellos pagan sus impuestos empresariales al nivel de las tasas de impuestos individuales.*

pequeños negocios dieron de baja a sus trabajadores, mientras compradores atemorizados suspendieron sus órdenes. A finales del año, más de un millón de estadounidenses habían perdido sus empleos. «Los Estados Unidos y el resto del mundo probablemente van a experimentar una profunda recesión ahora», lo había pronosticado un economista.

Eso era lo que pretendía el terrorismo. —Al Qaeda gastó $500.000 para el acto —Osama bin Laden más tarde se jactó—, mientras los Estados Unidos —de acuerdo con el más bajo estimado— perdió $500 mil millones. —Él resaltó lo que él llamó como la estrategia de «sangramiento hasta la quiebra», y dijo que, «Es muy importante concentrarnos en atacar la economía de los Estados Unidos a través de cualquier medio».

Lo vi como mi responsabilidad alentar a los estadounidenses a desafiar a Al Qaeda al mantener a la economía en movimiento. A finales de septiembre del 2001, me dirigí hacia el aeropuerto O'Hare de Chicago a promover la recuperación de la industria de las líneas aéreas. Me encaminé hacia un podio, en frente de aviones 737 de American Airlines y United Airlines Con seis mil trabajadores de las aerolíneas en la audiencia, les dije —Una de las grandes metas de esta guerra nacional era restaurar la confianza pública en la industria de las líneas aéreas; hacerles saber al público que viaja: Suban a bordo. Continúen con sus negocios a lo largo del país.

Más tarde, sería criticado y motivo de burla por decirle a los estadounidenses que salieran de compras, después del 9/11. Nunca utilicé realmente esa frase, pero eso es asunto aparte. En los meses llenos de amenazas después del 9/11, viajar en avión, visitar destinos turísticos y sí, ir de compras, eran actos desafiantes y de patriotismo. Ayudaron a los negocios a recuperarse y a los trabajadores estadounidenses a conservar sus trabajos.

Me sorprendí con las críticas que sugirieron que yo debía haber requerido de más sacrificios después del 9/11. Supongo que es fácil para algunos olvidar, pero la gente estuvo haciendo sacrificios. Un gran número de voluntarios se adelantaron a ayudar a sus vecinos. Incluso nuestros ciudadanos más jóvenes colaboraron. Estudiantes a través del país donaron $10 millones —frecuentemente un dólar a la vez—para un fondo que creamos para el beneficio de niños afganos. En mi Informe 2002 del Estado de la Unión, lancé una nueva iniciativa de servicio nacional, USA Freedom Corps, y pedí a todos los estadounidenses que dedicaran cuatro mil horas para dar servicio a otros, en el transcurso de su vida.

Los voluntarios más valientes fueron aquellos que arriesgaron sus vidas al unirse o a enlistarse en la milicia, FBI o la CIA. Cientos de miles tomaron esa noble decisión en los siguientes años después del 9/11. Muchos sirvieron en múltiples periodos de servicio lejos de sus familias. Miles de nuestros mejores ciudadanos dieron sus vidas. Sugerir que este país no se sacrificó después del 9/11, es ofensivo y erróneo.

Aparte de un reclutamiento militar—una medida a la cual me opuse vigorosamente—no estoy seguro qué más podría haber hecho para fomentar el sacrificio. Esta era un tipo diferente de guerra. No necesitábamos remachadores o jardines de la victoria, como los que tuvimos en la segunda guerra mundial. Necesitábamos personas que le negaran al enemigo, el pánico que buscaron crear.

Siempre he creído que los críticos que alegaban que yo no estaba pidiendo a las personas que se sacrificaran, realmente se estaban quejando de que yo no hice un alza en los impuestos. «Los impuestos son más que un dispositivo para recaudar fondos», escribió un columnista del *Washington Post*. «Son una declaración de consenso sobre propósitos nacionales». Rechazo la premisa de que impuestos más altos habrían conducido a un propósito nacional más fuerte. Estoy convencido de que subir los impuestos después de la devastación del 9/11, habría lastimado nuestra economía y habría tenido el efecto contrario.

———

El 11 de septiembre del 2001, cambió la vida de los estadounidenses, también transformó el presupuesto federal. El superávit proyectado al comienzo del 2001 se había basado en proyecciones optimistas para un crecimiento más fuerte de la economía. El estallido de la burbuja de alta tecnología y subsecuente recesión significativamente disminuyeron esas proyecciones. El daño económico causado por los ataques terroristas la hicieron bajar aún más. Después enfrentamos el costo esencial de asegurar el país y pelear la guerra contra el terrorismo. En noviembre del 2001, Mitch Daniels, un fiscal halcón de Indiana quien hábilmente dirigió mi Oficina de Administración y Presupuesto, entregó el reporte oficial: El llamado superávit se había desvanecido en diez meses.

Durante años, escuché a políticos de ambos partidos alegar que yo había despilfarrado el superávit masivo que heredé. Eso nunca tuvo sentido. Mucho del superávit fue una ilusión, basado en las suposiciones erróneas de que continuaría el auge de los 1990. Después de la recesión y el impacto del 9/11, había quedado poco superávit.

Para finales del 2002, la recesión estaba técnicamente terminada, pero la economía quedó inactiva. A principios de enero 2003, pedí al congreso que acelerara el recorte de impuestos del 2001, los cuales no habían surtido efecto completamente, y que aprobara más recortes de impuestos, que impulsarían la inversión de negocios y creación de empleos.

Mientras que el recorte de impuestos del 2001 se aprobaba con la mayoría bipartidista —de la misma forma que se aprobó un pequeño recorte de impuestos en el 2002, enfocado en pequeñas empresas— la versión del 2003 se enfrentó a serias oposiciones. La izquierda denominaba el plan como «recorte de impuestos para los ricos». El cargo era falso. Los recortes de Bush, cuando se implementaran completamente, realmente *incrementarían* la porción del cargo de impuestos que recayó en los estadounidenses más adinerados.*

Otros críticos se opusieron al recorte de impuestos porque podrían impulsar el déficit. Era verdad que los recortes en impuestos incrementarían el déficit a corto plazo, pero yo creía que los recortes en impuestos, especialmente en aquéllos de ganancias en capital y dividendos, estimularían el crecimiento económico. Los ingresos de impuestos de ese crecimiento, combinado con restricción en el gasto, ayudarían a disminuir el déficit.

El Proyecto de ley para alivio en impuestos logró pasar por la Cámara por una votación de 231 a 200. El recuento en el Senado llegó a su punto muerto en 50. Dick Cheney fue a Capitol Hill a romper el empate en su papel constitucional como Presidente del Senado. Afortunadamente, votó que sí. Bromeaba que no lograba emitir muchos votos como vicepresidente, pero cuando lo hizo, siempre estuvo del lado ganador.

Firmé la Ley para los recortes en impuestos a finales de mayo del 2003. En septiembre, la economía había empezado a repuntar otra vez, adicionando empleos. No paró por 46 meses consecutivos. Después de que llegó a un punto de 6,3 por ciento en junio, la tasa de desempleo disminuyó por cinco de los siguientes seis meses y promedió 5,3 por ciento durante mi presidencia, más bajo que los porcentajes de los 1970, 1980 y 1990. Algunos argumentaron que el tiempo de la recuperación inmediatamente después del recorte de impuestos fue una coincidencia. Yo no lo creo.

——

En medio del crecimiento económico, estaba consciente de que el país tenía déficits. Tomé mi responsabilidad de ser un buen fiscal administrador seriamente y lo mismo mis cuatro directores de presupuesto—Mitch Daniels, Josh Bolden, Rob Portman y Jim Nussle. Como presidente en tiempos de guerra, les dije que tenía dos prioridades: proteger la patria y apoyar a nuestras tropas, tanto en combate como a los veteranos. Más allá de esas áreas, sometí presupuestos que disminuyeran el presupuesto de gasto discrecional cada año de mi presidencia. Por los últimos cinco años, mis presupuestos sostuvieron este crecimiento de gastos debajo de la tasa de inflación—en términos reales, un recorte.

Trabajé estrechamente con el Congreso para cumplir con mis objetivos de gasto—o, tal como lo llamé, el tamaño integral del pastel. No siempre estuve de acuerdo en cómo el Congreso dividía los pedazos. Objeté ante asignaciones de fondos derrochadoras introducidas en los proyectos de gastos, pero no tenía un veto en la partida presupuestaria para eliminar proyectos favoritos de

---

Los contribuyentes que constituían el 1 por ciento de más adinerados fueron de pagar 38,4 por ciento en los impuestos totales al 39,1 por ciento, mientras que los del 50 por ciento de más pobres vieron su aporte disminuir del 3,4 por ciento al 3,1 por ciento.

los legisladores. Debía aceptar o rechazar los proyectos por completo. Entre tanto que el Congreso satisficiera mi resultado final, lo cual hacía cada año, sentía que debería sostener mi parte del trato y firmar los proyectos.

Los resultados han sido tema de debate acalorado. Algunos de la izquierda se quejan de que el recorte en impuestos incrementaba los déficits. Algunos en la derecha argumentan que yo no debí haber firmado el costoso beneficio de medicamentos de prescripción de Medicare. Es justo debatir esas elecciones de políticas, pero aquí están los hechos: La combinación de presupuestos apretados y los ingresos por el incremento de impuestos resultado del crecimiento económico ayudaron a bajar el déficit del 3,5 por ciento del PBI en 2004, a 2,6 por ciento en 2005, a 1,9 por ciento en 2006 a 1,2 por ciento en 2007.

El promedio de la relación déficit/PBI durante mi administración era del 2,0 por ciento, debajo del promedio de cincuenta años del 3,0 por ciento. Las relaciones gastos/PBI, impuestos/PBI, déficit/PBI y deuda/PBI de mi administración son todos más bajos que los promedios de las últimas tres décadas—y en la mayoría de los casos, debajo de los promedios de mis recientes predecesores. A pesar del costo de dos recesiones, el desastre natural más costoso de la historia, y dos guerras, nuestro récord fiscal era fuerte.

TABLA DE COMPARACIÓN DE PRESUPUESTO*

	Gastos/PBI	Impuestos/PBI	Déficit/PBI	Deuda/PBI
Reagan ('81–88)	22,4%	18,2%	4,2%	34,9%
Bush 41 ('89–92)	21,9%	17,9%	4,0%	44,0%
Clinton ('93–00)	19,8%	19,0%	0,8%	44,9%
Bush 43 ('01–08)	19,6%	17,6%	2,0%	36,0%

Al mismo tiempo, yo sabía que dejaba atrás un serio problema fiscal a largo plazo: el insostenible crecimiento del gasto en ayuda social, que contabiliza la vasta mayoría de la deuda federal futura. Insistí con energía para reformar las fórmulas de financiación para el Seguro Social y Medicare, pero los demócratas se opusieron a mis esfuerzos y el apoyo en mi propio partido era tibio.

---

* Deuda a PBI es el promedio que se mide al final de cada año calendario. El promedio de gastos, impuestos y déficits son calculados por años fiscales, los cuales terminan el 30 de septiembre. De este modo, el promedio de cuatro u ocho años fiscales excluye los efectos de cualesquiera políticas implementadas en los últimos tres meses y veinte días de un periodo presidencial. Si los números del año fiscal completo del 2009 fueran incluidos en mis promedios, serían: gasto = 20,2% impuestos = 17,5%; déficit = 2,7%. Esto incluiría gasto para TARP y los préstamos iniciales de la industria automotriz como los proyecta la Oficina del Congreso para el Presupuesto en enero del 2009. Estos cálculos exageran el gasto adicional, puesto que la vasta mayoría de fondos para TARP serán reembolsadas.

Parte del problema era que la crisis fiscal se veía muy lejana de la rama legislativa mientras yo estaba en funciones. A principios del 2008, la Oficina del Presupuesto para el Congreso estimó que la deuda no debía de exceder el 60 por ciento del PBI hasta 2023, pero debido a la crisis financiera —y las elecciones de gasto hechas después de que yo terminé mi mandato— la deuda excederá ese nivel al final del 2010. Una crisis fiscal que muchos vieron distante, se cierne sobre nosotros.

———

«Wall Street se embriagó y a nosotros nos dio la Resaca».

Esa era una forma simplista, ciertamente, de describir los orígenes del mayor pánico financiero desde la Gran Depresión. Una explicación más sofisticada data de la burbuja de los 1990. Mientras la economía estadounidense crecía a una tasa anual del 3,8 por ciento, países en vías de desarrollo tales como China, India y Corea del Sur promediaron casi dos veces eso. Muchas de esas economías almacenaron grandes reservas de efectivo. También lo hicieron las naciones productoras de energía, las cuales se beneficiaron de un aumento de diez veces en los precios del petróleo entre 1993 y 2008. Ben Bernanke llamó a este fenómeno «un exceso de ahorro global». Otros lo consideraban como una gigante reserva de dinero.

Una gran cantidad de este capital extranjero fluyó de regreso a los Estados Unidos. Los Estados Unidos eran vistos como un atractivo lugar para invertir, gracias a nuestros fuertes mercados de capital; sistema legal confiable y fuerza de trabajo productiva. Los inversionistas extranjeros compraron grandes números de bonos del Tesoro, lo cual hizo bajar su rendimiento. Naturalmente, los inversionistas empezaron a buscar mayores ganancias. Un prospecto fue la burbuja en los Estados Unidos del mercado inmobiliario. Entre 1993 y 2007, el precio promedio de las casas estadounidenses más o menos se duplicaron. Los constructores construían viviendas rápidamente. Las tasas de interés eran bajas. El crédito era fácil de conseguir. Los prestamistas daban hipotecas casi a cualquiera—incluyendo las de «alto riesgo» a prestatarios, cuyos bajos puntajes de crédito los convertía en un riesgo más alto.

Wall Street encontró una oportunidad. Los bancos de inversión compraron grandes cantidades de hipotecas de los prestamistas, las maquillaban, re-empaquetaban y las convertían en valores financieros complejos. Las agencias de puntaje crediticio, las cuales recibían cuotas lucrativas de los bancos inversionistas, bendijeron muchos de estos bienes con puntajes de AAA. Las firmas financieras vendieron cantidades enormes de intercambios de hipotecas morosas, apuestas sobre si las hipotecas detrás de los valores iban a incumplir. Intercambiando bajo nombres elegantes tales como obligaciones de deuda con garantía, los nuevos productos basados en hipotecas rendían las ganancias que los inversionistas estaban buscando. Wall Street los vendía agresivamente.

Fannie Mae y Freddie Mac, compañías privadas con subsidio del gobierno y regulaciones negligentes, alimentaron al mercado con valores respaldados en hipotecas. Las dos compañías respaldadas por el gobierno compraron más de la mitad de las hipotecas en los Estados Unidos, aseguraron muchos de los préstamos y los vendieron alrededor del mundo. Los inversionistas compraron vorazmente porque creyeron que el papel de Fannie Mae y Freddie Mac tenía una garantía del gobierno estadounidense.

No eran solamente inversionistas extranjeros los que fueron atraídos por mayores ganancias. Los bancos estadounidenses pidieron prestadas grandes sumas de dinero contra su capital, una práctica conocida como apalancamiento y se cargaban de los valores asegurados por las hipotecas. Algunos de los inversionistas más agresivos eran nuevas compañías gigantes de servicio financiero. Muchas habían tomado ventaja de la derogación en 1999 de la Ley Glass-Steagall de 1932, la cual prohibía a los bancos comerciales el involucrarse en el negocio de la inversión.

En la cumbre de la burbuja hipotecaria, la propiedad alcanzó una altura sin precedentes de casi el 70 por ciento. Yo había apoyado políticas para extender la propiedad, incluyendo ayuda para pago inicial para personas de bajo ingreso y primeros compradores. Me sentía complacido de ver crecer a la sociedad con propiedad, pero la exuberancia del momento enmascaró el riesgo inherente. Juntos, la reserva global de efectivo, política monetaria fácil, mercado de vivienda en auge, insaciable apetito para los valores respaldados en hipotecas, la complejidad de la ingeniería de Wall Street y apalancamiento de las instituciones financieras crearon un castillo de naipes. Esta precaria estructura estaba destinada a colapsar en el momento que el naipe que la sostenía —el crecimiento sin parar en los precios de las casas— fuera empujada. Eso era claro en retrospectiva, pero muy pocos lo vieron en ese momento, incluyéndome a mí.

———

En mayo del 2006, Josh Bolten entró al Salón de Tratados con un invitado que intentaba reclutar en la administración, Henry Paulson, el Presidente Ejecutivo de Goldman Sachs. Esperé persuadir a Hank de que sucediera al Secretario del Tesoro, John Snow. John había sido un efectivo defensor de mi agenda económica, desde recorte de impuestos a la reforma de Seguridad Social al libre comercio. Había hecho un buen trabajo manejando el departamento y lo dejó en mejor estado que cómo lo encontró. Había estado en el trabajo por más de tres años y tanto John como yo sentimos que era momento para un rostro fresco.

John me dijo que Hank era de una personalidad dinámica—listo, energético y creíble con los mercados financieros. Hank fue lento para hacerse a la idea de unirse a mi Gabinete. Tenía un trabajo excitante en

Wall Street y tenía dudas de si podría lograr mucho en los años finales de mi administración. Tenía una buena reputación y no quería ver su nombre envuelto en el lodo político. Era un ávido conservacionista que amaba pescar sábalo y observar a las aves con su esposa, Wendy—intereses que tal vez no hubiera podido lograr. Mientras que Hank era un republicano de toda su vida, era el único dentro de su familia. Wendy era una amiga de Hillary Clinton de la universidad y apoyaba su causa. Sus dos hijos estaban desilusionados del Partido Republicano. Más tarde supe que la madre de Hank lloró cuando supo, por primera vez, que se estaba uniendo a mi Gabinete.

En su estable forma de bajo perfil, Josh finalmente persuadió a Hank de que me visitara en la Casa Blanca. Hank radiaba energía y confianza. Sus manos se movían como si estuviera dirigiendo su propia orquesta. Tenía una forma distintiva de hablar que era difícil de seguir. Algunos decían que su cerebro se estaba moviendo demasiado rápido para que su boca le siguiera el ritmo. Eso no me molestó. La gente me acusaba de tener el mismo problema.

Hank entendió la globalización de las finanzas y su nombre suscitaba respeto dentro y fuera del país. Cuando le aseguré que sería mi asesor financiero primordial y tendría acceso ilimitado, aceptó la oferta. Me sentí agradecido con Wendy y la familia de Hank por apoyarlo. En el momento, ninguno de nosotros se dio cuenta que sus pruebas como Secretario del Tesoro rivalizarían con las de Henry Morgenthau, bajo FDR o las de Alexander Hamilton en la fundación del país.

—

Cuando empecé mi mandato, me convertí en el cuarto presidente en servir con el Presidente de la Reserva Federal, Alan Greenspan. Creada por el Presidente Woodrow Wilson en 1913, la Fed se encarga de las políticas monetarias de los Estados Unidos y se coordina con otros bancos centrales alrededor del mundo. Sus decisiones tienen un impacto de gran alcance, desde el valor del dólar hasta las tasas de interés de un préstamo local. Puesto que su Presidente y el Consejo de Gobernadores son nombrados por el presidente y confirmados por el Senado, la Fed establece políticas monetarias independientemente de la Casa Blanca y el Congreso. Así es como debería de ser. Una Fed independiente es una señal crucial de estabilidad a los mercados financieros e inversionistas alrededor del globo.

Invitaba a Greenspan a la Casa Blanca a comidas regulares. Dick Cheney, Andy Card y yo comíamos juntos. Alan no lo hacía. Pasaba todo el tiempo respondiendo a nuestras preguntas. Su entendimiento de datos era impresionante. Yo le preguntaba dónde veía que avanzara la economía en los próximos cuantos meses. Él citaba inventarios de petróleo, cambios en las millas de flete en la industria ferrocarrilera y otras estadísticas interesantes. En cuanto recitaba las cifras, daba un palmetazo con su mano izquierda en su puño derecho, como para liberar más información. Cuando su posición debería renovarse en 2004, nunca consideré nombrar a nadie más.

Cuando Alan avisó que se retiraría a principios del 2006, empezamos a buscar a un sucesor. Había un nombre que continuaba resaltando: Ben Bernanke. Ben había servido tres años en el consejo de la Fed y se unió a mi administración como presidente del Consejo de Asesores Económicos en junio del 2005. Era bien respetado por el personal y por mí. Creció en un pequeño pueblo de Carolina del Sur, era humilde, práctico y franco. Tal como yo, amaba el béisbol. Al contrario de mí, su equipo era el Boston Red Sox. Podía destilar temas complejos en términos entendibles. En contraste a algunos en Washington, el profesor de barba entrecana no era adicto al sonido de su propia voz.

Me gustaba fastidiar a Ben, una señal de afecto. —Tú eres un economista, por lo tanto, cada oración empieza con: «Por un lado ... por el otro lado» —solía decirle—, Gracias a Dios que no tienes un tercer lado. —Un día en la Oficina Oval, molesté a Ben por usar calcetines café claro con un traje oscuro. En nuestra próxima reunión, el equipo económico completo apareció usando calcetines café claro como muestra de solidaridad. —Mira lo que han hecho —le dije a Dick Cheney. El vicepresidente lentamente se subió el pantalón—. ¡Oh no, tú también! —le dije.

Lo que más destacaba acerca de Ben era su sentido de la historia. Era un renombrado experto académico en la Gran Depresión. Debajo de su comportamiento apacible, había una fiera determinación por evitar los errores de los 1930. Yo esperaba que los Estados Unidos nunca enfrentaran un escenario como ese otra vez, pero si lo hacíamos, quería a Ben al timón de la Reserva Federal.

Como Presidente de la Fed, Ben desarrolló una cercana relación con otros miembros de mi equipo económico, especialmente con Hank Paulson. Ben y Hank eran como los personajes en *The Odd Couple*. Hank era intenso; Ben era tranquilo. Hank era un líder de negocios decidido; Ben era un analista cuidadoso, que había pasado la mayoría de su vida en universidades. Hank era un platicador natural y Ben se sentía cómodo escuchando.

Sus personalidades opuestas podrían haber producido tensión, pero Hank y Ben se convirtieron en perfectos complementos. En retrospectiva, el poner a un banquero inversionista de primera clase y a un experto en la Gran Depresión para las dos posiciones económicas más importantes de la nación estuvieron entre las decisiones más importantes de mi presidencia.

———

Comencé mi último año en la oficina de la misma forma que empecé el primero, preocupado acerca del estallido de una burbuja y peleando por el alivio en los impuestos.

A mediados del 2007, los valores de las casas habían bajado por la primera vez en trece años. Los propietarios dejaron de pagar sus hipotecas en números que aumentaban y las compañías financieras redujeron miles de millones de dólares en valores relacionados con las hipotecas. El Presidente del Consejo de Asesores Económicos, Eddie Lazear, un profesor de Stanford, inteligente y respetado, reportó que la economía estaba ralentizando. Él y el equipo económico creían que podríamos mitigar los efectos con un alivio oportuno en los impuestos.

En enero del 2008, envié a Hank Paulson a negociar un proyecto con la portavoz Nancy Pelosi y el Líder de la Minoría de la Cámara John Boehner. Forjaron un plan para proporcionar incentivos temporales en los impuestos para los negocios para crear empleos y reembolsos inmediatos en los impuestos para ayudar a las familias con sus gastos de consumo. En un mes, la legislación había pasado por una amplia mayoría bipartidista. Para mayo, cheques de hasta $1.200,00 por familia estaban en el correo. La economía mostró algunos signos de resistencia.

Los reportes de crecimiento económico eran positivos, el desempleo era de 4,9 por ciento, las exportaciones habían alcanzado altos récords y la inflación estaba bajo control. Yo tenía la esperanza de que pudiéramos esquivar una recesión.

Estaba equivocado. La fundación se estaba debilitando y el castillo de naipes estaba a punto de derrumbarse.

———

Temprano, durante la tarde del jueves 13 de marzo, supimos que Bear Stearns, uno de los bancos de inversión más grandes de los Estados Unidos, estaba enfrentando una crisis de liquidez. Como otras instituciones de Wall Street, Bear estaba fuertemente apalancado. Por cada dólar que conservaba en capital, la firma había pedido prestados treinta y tres dólares para inversión, la mayoría de ella en valores asegurados por hipotecas. Cuando la burbuja reventó, Bear estuvo sobre-expuesto y los inversionistas movieron sus cuentas. A diferencia de la retirada masiva del First National Bank de Midland, no había sacos con dinero.

Yo estaba sorprendido por la crisis repentina. Mi enfoque había estado en cuestiones económicas de «la mesa de la cocina» tales como empleos e inflación. Asumí que cualquier problema de crédito mayor podría ser disminuido por los reguladores o las agencias de puntaje. Después de todo, yo había fortalecido la regulación financiera al firmar la Ley Sarbanes-Oxley en respuesta al fraude de Enron y otros escándalos corporativos. Sin embargo, las malas decisiones de Bear Stearns la dejaron a punto del colapso. En este caso, el problema no era falta de regulación del gobierno; era una falta de juicio de los ejecutivos de Bear. Mi primer instinto era no salvar a Bear. En una economía de mercado libre, las firmas que fallan, deberían salir del negocio. Si el gobierno intervenía, crearíamos un problema llamado peligro moral: Otras compañías asumirían de que serían rescatadas también, lo cual las estimularía a tomar mayores riesgos.

Hank compartía mi fuerte inclinación en contra de la intervención del gobierno, pero él explicó que un colapso como el de Bear Stearns tendría extensas repercusiones para un sistema financiero mundial que había estado bajo mucho estrés desde que la crisis hipotecaria empezó en 2007. Bear tenía relaciones financieras con cientos de otros bancos, inversionistas y gobiernos. Si la firma fallaba, repentinamente, la confianza en otras instituciones financieras disminuiría. Bear podría ser la primera ficha del dominó en una serie de firmas cayendo. Mientras que me encontraba preocupado acerca de crear peligro moral, me molestaba más un colapso financiero.

—Hay un comprador para Bear? —le pregunté a Hank.

Temprano, la siguiente mañana, recibimos nuestra respuesta. Los ejecutivos de JPMorgan Chase estaban interesados en adquirir Bear Stearns, pero estaban preocupados por heredar el portafolio de Bear en valores riesgosos respaldados por hipotecas. Con la aprobación de Ben, Hank y Tim Geithner, el Presidente de la Fed de Nueva York, ideó un plan para responder a las preocupaciones de JPMorgan. La Fed prestaría $30 mil millones contra las participaciones indeseables de hipotecas, lo que abrió paso para que JP Morgan comprara a Bear Stearns por dos dólares por acción.*

Muchos en Washington denunciaron el movimiento como un rescate. Probablemente, no se sintió de esa manera para los empleados de Bear, quienes perdieron sus empleos o los accionistas que vieron sus acciones caer al 97 por ciento en menos de dos semanas. Nuestro objetivo no era recompensar las malas decisiones de Bear Stearns. Era salvaguardar al pueblo estadounidense de un golpe económico severo. Por cinco meses, parecía que lo habíamos logrado.

———

—¿Saben que está llegando, Hank?

—Señor Presidente —respondió—, vamos a movernos rápidamente y tomarlos por sorpresa. El primer sonido que escucharán va a ser el de sus cabezas golpeando sobre el piso.

Era la primera semana de septiembre del 2008, y Hank Paulson acababa de diseñar un plan para colocar a Fannie Mae y Freddie Mac, las dos compañías gigantes patrocinadas por el gobierno, a conservadurismo.

De todas las acciones de emergencia que tuvo que tomar el gobierno en 2008, ninguna fue más frustrante que el rescate de Fannie y Freddie. Los problemas en las dos GSE habían sido visibles por años. Fannie y Freddie se habían expandido más allá de su misión de promover propiedad. Se habían comportado como

---

* *El precio fue renegociado después a diez dólares por acción.*

un fondo de cobertura que recaudaba enormes cantidades de dinero y tomaba riesgos significativos. En mi primer presupuesto, advertí que Fannie y Freddie habían crecido tanto que presentaban «un problema potencial» que podría «causar fuertes repercusiones en los mercados financieros».

En el 2003, propuse un Proyecto de ley que fortalecería la regulación de las GSE, pero fue bloqueada por sus buenas conexiones de amigos en Washington. Muchos ejecutivos de Fannie y Freddie eran antiguos oficiales del gobierno. Tenían conexiones cercanas con el Congreso, especialmente con demócratas influyentes como el Congresista Barney Frank de Massachusetts y el Senador Chris Dodd de Connecticut. «Fannie Mae y Freddie Mac no están enfrentando ninguna clase de crisis», dijo Barney Frank en su momento.

La reclamación parecía más increíble a medida que pasaba el tiempo. En mi presupuesto del 2005, emití una advertencia más urgente. «Las GSE están altamente apalancadas, conservando mucho menos capital en relación a sus bienes que instituciones financieras similares en tamaño», el presupuesto leía. «...Dado el gran tamaño de cada empresa, aun un pequeño error por una GSE podría tener consecuencias a través de la economía».

Ese verano, hicimos otro intento de legislación. John Snow trabajaba muy cerca de Richard Shelby, Presidente del Comité Bancario en el Senado, en un proyecto de reforma que crearía un nuevo regulador autorizado para reducir el tamaño de los portafolios de inversión de las GSE. El Senador Shelby, un inteligente y duro legislador de Alabama, impulsó el proyecto de ley a través de su comité, a pesar de la unánime oposición demócrata, pero los demócratas bloquearon un voto en el piso del Senado. Siempre me sorprendo cuando escucho a los demócratas decir que la crisis financiera ocurrió porque los republicanos impulsaron la desregulación.

En el verano del 2008, yo había pedido una reforma de las GSE públicamente diecisiete veces. Resultó que la número dieciocho fue la de la suerte. Todo lo que se necesitó era el prospecto de colapso global financiero. En julio, el congreso pasó un proyecto de reforma, otorgando un elemento clave de lo que habíamos propuesto primero, cinco años antes: un regulador fuerte para las GSE. El proyecto de ley también dio al Secretario del Tesoro, autoridad temporal para inyectar capital a Fannie y Freddie si su solvencia fuera cuestionada.

Un poco después de que la legislación pasó, la nueva agencia regulatoria, conducida por un amigo y hombre de negocios Jim Lockhart, dio una mirada fresca a los libros de Freddie y Fannie. Con la ayuda del Departamento del Tesoro, los examinadores concluyeron que las GSE no tenían suficiente capital en ningún lado. A principios de agosto, tanto Freddie como Fannie anunciaron enormes pérdidas trimestrales.

Las implicaciones eran alarmantes. De bancos de poblaciones pequeñas hasta inversionistas internacionales como China y Rusia, virtualmente todos los que poseyeran papeles GSE asumían que estaban respaldados por el gobierno estadounidense. Si las GSE fallaban, un efecto dominó global seguiría y la credibilidad de nuestro país estaría tambaleante.

Con el fuerte consejo de Hank, decidí que la única forma de prevenir un desastre era llevar a Fannie y Freddie a custodia del gobierno. Dependía de Hank y Jim persuadir a los consejos de Fannie y Freddie para que tragaran la medicina. Estaba escéptico de que pudieran lograrlo sin provocar una ráfaga de demandas, pero el domingo, 7 de septiembre, Hank me llamó a la Casa Blanca para decirme que estaba hecho. Los mercados asiáticos repuntaron el sábado en la noche y el Dow Jones subió 289 puntos el lunes.

Pasé el siguiente fin de semana, 13 y 14 de septiembre, manejando la respuesta del gobierno al Huracán Ike. La tormenta golpeó la Costa del Golfo de Texas temprano el sábado por la mañana. Los vientos de 110 millas (177 km) por hora y la oleada de la tormenta de 20 pies (6 metros) inundaron Galveston, destrozaron ventanas en Houston y mataron a más de 100 personas. La peor tormenta que golpeara Texas desde el Huracán Galveston en 1900, Ike infligió daños por más de $24 mil millones.

Ese mismo fin de semana, una diferente clase de tormenta se estaba librando en la Ciudad de Nueva York. Al igual que muchas instituciones en Wall Street, Lehman Brothers estaba pesadamente apalancada y altamente expuesta al vacilante mercado de viviendas. El 10 de septiembre, la firma había anunciado su peor pérdida financiera de $3,9 mil millones en un solo trimestre. La confianza en Lehman se desvaneció. Vendedores de corto plazo, comerciantes buscando ganancia de los precios de las acciones bajando, habían ayudado a llevar a las acciones de Lehman de $16,20 a $3,65 por acción. No había manera de que la firma pudiera sobrevivir a ese fin de semana.

La pregunta era qué papel, si es que había uno, podía jugar el gobierno para mantener a Lehman a flote. La mejor solución posible era encontrar un comprador para Lehman, tal como lo habíamos hecho por Bear Stearns. Teníamos dos días.

Hank voló a Nueva York para hacerse cargo de las negociaciones. Me dijo que había dos probables compradores: Banco de América y Barclays, un banco británico. Ninguna firma tenía la voluntad de cargar con los bienes problemáticos de Lehman. Hank y Tim Geithner buscaron una manera de estructurar un trato sin destinar los dólares de los contribuyentes. Convencieron a los mayores presidentes ejecutivos de Wall Street para que contribuyeran a un fondo que absorbiera los bienes tóxicos de Lehman. Esencialmente, los rivales de Lehman salvarían a la firma de la bancarrota. Hank tenía la esperanza que alguno de los compradores cerrara el trato.

Pronto se hizo claro que Banco de América había puesto sus ojos en otra compra, Merrill Lynch. Eso dejaría a Barclays como la última esperanza para

Lehman, pero el domingo, menos de doce horas antes de que los mercados asiáticos abrieran para el comercio del lunes, los reguladores financieros en Londres informaron a la Fed y la SEC que no tenían voluntad de aprobar una compra hecha por el banco británico.

—¿Qué demonios está pasando? —le pregunté a Hank—. Pensé que conseguiríamos el acuerdo.

—Los británicos no están preparados para aprobar —respondió.

Mientras que Hank y yo hablábamos todo el tiempo, esas llamadas el domingo —que se suponía era un día de descanso— siempre parecían ser lo peor. Se sentía como si tuviéramos la misma conversación una y otra vez. La única cosa que cambiaba era el nombre de la firma, pero esta vez, no íbamos a poder evitar el efecto dominó de derrumbarse.

—¿Podremos explicar por qué Lehman es diferente a Bear Stearns? —interrogué.

—Sin JPMorgan como comprador para Bear, hubiera fallado. Solo no pudimos encontrar un comprador para Lehman —respondió.

Sentí que habíamos hecho lo mejor que pudimos, pero el tiempo se terminó para Lehman. La vieja casa de inversión de 158 años de fundación se declaró en bancarrota un poco después de la medianoche en lunes, 15 de septiembre.

———

Se desató un infierno en la mañana. Los legisladores alabaron nuestra decisión de no intervenir. El *Washington Post* puso un editorial: «El Gobierno de los Estados Unidos tuvo razón al dejar a Lehman hundirse». El mercado de valores no era tan positivo. El Dow Jones se hundió más de quinientos puntos.

Había una mentalidad de pánico. Los inversionistas empezaron a vender sus valores y a comprar bonos del Tesoro y oro. Los clientes sacaban sus cuentas de los bancos de inversión. Los mercados crediticios se hicieron más severos puesto que los prestamistas guardaron su efectivo. Los engranajes del sistema financiero, que dependían de la liquidez para lubricarse, estaban frenándose.

Como si no fuera suficiente, el American International Group, una gigantesca compañía de seguros, estaba enfrentando su propia crisis. AIG extendía pólizas para viviendas y de vida y aseguraba municipalidades, fondos de pensión, 401(k)s y otros vehículos de inversión que afectaban la vida diaria de los estadounidenses. Todos esos negocios eran saludables. Sin embargo, la firma estaba, de alguna manera, al borde de una implosión.

—¿Cómo pasó esto? —interrogué a Hank.

La respuesta fue que una unidad de la firma, Productos Financieros AIG, había asegurado grandes cantidades de obligaciones respaldadas de hipotecas—e invertido en otras más. Con las hipotecas morosas en números récord, la firma estaba enfrentando problemas financieros por al menos

$85 mil millones que no tenían. Si la compañía no conseguía el dinero inmediatamente, no solamente fallaría, traería al desastre a instituciones financieras mayores y a inversionistas internacionales con ella.

La Fed de Nueva York había intentado diseñar una solución con el sector privado, pero ningún banco podría recaudar la cantidad de dinero que AIG necesitaba en tan corto plazo. Había una sola forma de mantener la firma viva: El Gobierno Federal tendría que intervenir. Ben Bernanke reportó que AIG, a diferencia de Lehman, conservó suficiente garantía colateral de sus estables negocios de seguros para calificar para un préstamo de emergencia de la Fed. Él diseñó los términos: La Fed de Nueva York le prestaría a AIG $85 mil millones asegurados por las subsidiarias de seguros, estables y valiosas, de AIG. En cambio, el gobierno recibiría una garantía por 79,9 por ciento de las acciones de AIG.

No había nada atractivo en el trato. Era básicamente una nacionalización de la compañía de seguros más grande de los Estados Unidos. En menos de 48 horas después de que Lehman había declarado bancarrota, salvar a AIG se vería como una contradicción flagrante, pero eso era muchísimo mejor que un colapso financiero.

———

Con el rescate de AIG, habíamos sobrevivido tres semanas de agonía financiera. Día tras día, las noticias se ponían peor. Iría a alguna reunión con el Dow arriba doscientos puntos y al salir, treinta minutos más tarde, con la noticia de que había bajado trescientos. Los mercados estaban angustiosos y yo también. Me sentí como el capitán de un barco hundiéndose. El Tesoro, la Fed y mi equipo de la Casa Blanca estaban trabajando las 24 horas del día, pero todo lo que hacíamos era sacar el agua. Decidí que no podríamos seguir así. Teníamos que parchar el bote.

El jueves, 18 de septiembre —tres días después de que Lehman se declaró en bancarrota— el equipo económico se reunión en el Salón Roosevelt. Ben habló de la posibilidad de otra Gran Depresión. Luego Hank y el Presidente de la SEC, Chris Cox, nos plantearon el plan: Garantizar todos los depósitos del mercado de dinero, lanzar un nuevo vehículo de préstamos para reiniciar el mercado de papel comercial, temporalmente, prohibir la venta corta de valores financieros importantes y comprar cientos de miles de millones de dólares en valores asegurados por hipotecas—iniciativa que llegaría a ser conocida como el Programa: Troubled Asset Relief Program o TARP.

La estrategia era una intervención asombrosa en el mercado libre. Iba en contra de todos mis instintos, pero era necesario para sacar el país fuera del pánico. Decidí que la única manera de preservar el mercado libre a la larga, era intervenir a corto plazo.

—Tienen mi respaldo al cien por ciento— le dije al equipo. —Esto ya no es un asunto de caso por caso. Tratamos de detener la marea, pero el problema es más profundo de lo que pensamos. Esto es sistémico.

La conversación se trasladó a una discusión de todas las dificultades que enfrentaríamos en Capitol Hill. —No tenemos tiempo de preocuparnos por los políticos —expresé—. Resolvamos lo correcto por hacer y hagámoslo.

Tomé una decisión: El gobierno de los Estados Unidos entraría de lleno.

Reflexioné en todo lo que estábamos enfrentando. Hacía algunas semanas, habíamos visto la falla de las entidades hipotecarias más grandes de los Estados Unidos, la bancarrota de un banco de inversión mayor, la venta de otro, la nacionalización de la compañía de seguros más grande del mundo y ahora la intervención más drástica en el mercado libre desde la Presidencia de Franklin Roosevelt. Al mismo tiempo, Rusia había invadido y ocupado Georgia, el Huracán Ike había golpeado Texas y los Estados Unidos estaban combatiendo en una guerra frontal en Irak y Afganistán. Esta era una fea manera de terminar mi presidencia.

No sentí pena por mí mismo. Sabía que habría días difíciles. La auto-compasión es un rasgo patético en un líder. Envía señales tan desmoralizantes tanto al equipo como al país. También, me sentía consolado por mi convicción de que el Buen Señor no le daría a un creyente una carga que no pudiera soportar. Después de la reunión, caminé alrededor del Salón Roosevelt y le di las gracias a todos. Les dije qué tan agradecido estaba por su trabajo duro y que afortunados eran los Estados Unidos de que ellos eligieran servir. En la presidencia, así como en la vida, tienes que jugar la carta que te tocó. Esta no era la mano que cualquier de nosotros hubiera deseado; pero estábamos muy seguros de que jugaríamos lo mejor que pudiéramos.

***

Hank y su equipo en el Tesoro se lanzaron fuerte en el Congreso con respecto al paquete de rescate. Propusimos una apropiación de $700 mil millones— cerca del 5 por ciento del mercado de hipotecas, lo cual pensamos que sería suficientemente grande para hacer la diferencia. Muchos legisladores reconocieron la necesidad de una medida grande y decisiva, pero eso no disminuyó su conmoción o enojo. Los demócratas se quejaron de que la rama ejecutiva estaba tomando demasiada autoridad. Un senador republicano dijo que nuestro plan «quitaría el libre mercado e instituiría el socialismo en los Estados Unidos».

En algunas formas, yo simpatizaba con los críticos. La última cosa que quería hacer era rescatar a Wall Street. Tal como le dije a Josh Bolten, —Mis amigos en Midland van a preguntar qué le pasó al tipo del mercado libre que conocieron. Se van a preguntar por qué estamos gastando su dinero para salvar las firmas que crearon la crisis en primer lugar.

Deseaba que hubiera una forma de mantener a las firmas individuales para que rindieran cuentas, mientras se salvara en el resto del país; pero cada economista en quien yo confiaba me dijo que eso era imposible. El bienestar de Main Street [la calle principal común y corriente] estaba directamente vinculado al destino de Wall Street.

Si los mercados crediticios permanecían congelados, las cargas más pesadas caerían sobre las familias estadounidenses: abruptas caídas en el valor de las cuentas de retiro, pérdidas masivas de empleo y más pérdida del valor de las propiedades. El 24 de septiembre, di un discurso a la nación en el horario estelar para explicar la necesidad del paquete de rescate. —Yo [entiendo] la frustración de los estadounidenses responsables que pagan sus hipotecas a tiempo, presentan sus impuestos cada 15 de abril y se sienten reacios a pagar el costo de los excesos de Wall Street —expresé—, pero dada la situación que estamos enfrentando, el no pasar un proyecto de ley ahora costaría al pueblo estadounidense mucho más en el futuro cercano.

Unas cuantas horas antes de salir al aire a dar mi discurso, mi asistente personal, Jared Weinstein, me dijo que John McCain necesitaba hablar conmigo de inmediato. Le pregunté a John como se estaba sintiendo acerca de la campaña, pero él fue directamente a la razón de su llamada. Deseaba que convocara una reunión en la Casa Blanca acerca del paquete de rescate.

—Deme algún tiempo para hablar con Hank —dije. Quería asegurarme que una reunión en la Casa Blanca no socavara los esfuerzos de mi Secretario del Tesoro para estructurar un trato con el Congreso. John dijo que emitiría una declaración. Minutos más tarde, estaba en la televisión. Pidió la reunión y anunció que estaba suspendiendo su campaña para trabajar de tiempo completo en la legislación.

Sabía que John estaba en una posición difícil. Se estaba quedando atrás en las encuestas con el Senador Barak Obama de Illinois, quien había aturdido a Hillary Clinton en las primarias. No había duda de que el problema económico estaba hiriendo a John. Nuestro partido controlaba la Casa Blanca, por lo tanto, éramos el blanco natural para que nos apuntaran con el dedo. Sin embargo, creía que la crisis financiera le dio a John su mejor tiro para montar un regreso. En periodos de crisis, los votantes valoran la experiencia y el juicio, sobre la juventud y el carisma. Al manejar el reto de una forma de hombre de estado, John podía poner en claro que él era el mejor candidato para los tiempos actuales.

Me dirigí hacia la Oficina Oval donde esperaba Josh Bolten con su suplente, Joel Kaplan y el Consejero, Ed Gillespie. Nadie estaba entusiasmado con la idea de la reunión. Josh dijo que Hank se oponía, pero ¿cómo podía decirle que no a la solicitud de John? Podía ver los encabezados: «Hasta Bush cree que la idea de McCain es mala».

Notificamos a la portavoz Nancy Pelosi y el líder de la Mayoría en el Senado, Harry Reid de que la reunión se llevaría a cabo la siguiente tarde, jueves 25 de septiembre. Llamé al Senador Obama y le dije que apreciaba que interrumpiera la programación de su campaña. —Cada vez que el presidente llame, lo haré —dijo de forma gentil. Extendí la invitación a la reunión y puse en claro que no era una trampa política. Él estuvo de acuerdo en asistir.

Alrededor de las 3:30 al siguiente día, los participantes empezaron a llegar. Aunque yo no me asomé a ver el espacio estrecho de estacionamiento entre la Casa Blanca y el Edificio de Oficinas Ejecutivas Eisenhower, me dijeron que parecía una convención SUV. Antes de que comenzara la reunión, tuve una rápida discusión con el Líder de la Minoría del Senado, Mitch McConnell y el Líder de la Minoría de la Cámara, John Boehner. Pasamos la mayoría del tiempo hablando acerca de qué tan difícil sería estructurar un trato que pudiera reunir votos republicanos en la Cámara. Les dije que sería un desastre si los republicanos mataran el proyecto de ley TARP y la economía se colapsara.

Un poco antes de que tomara asiento en el Salón del Gabinete, tuve un momento con la portavoz Pelosi. Le dije que planeaba llamarla después de que Hank y yo habíamos hecho nuestras observaciones de entrada. Claramente sospechó que mi motivo era sabotear a los demócratas. Como un volcán a punto de estallar, dijo: —Barak Obama será nuestro portavoz.

Tomé asiento al centro de la mesa grande que Richard Nixon había donado a la Casa Blanca. Hank Paulson, Dick Cheney, Josh Bolten y yo representábamos la administración. Los líderes de partidos y presidentes de comités clave representaron al Congreso. Los candidatos presidenciales McCain y Obama tomaron sus asientos en los lados opuestos de la mesa. Los miembros de nuestro personal estaban como sardinas en el recinto. Nadie quería perderse un evento clave en el teatro político de Washington.

Abrí la reunión al mencionar la urgencia de pasar la legislación tan pronto como fuera posible. El mundo estaba observando para ver si los Estados Unidos actuaban y ambos partidos debían estar a la altura del reto. Hank dio una actualización de los mercados volátiles y recalcó mi recomendación de paso rápido.

Me dirigí a la portavoz, Haciendo honor a su palabra, se refirió al Senador Obama. Él era de un comportamiento tranquilo y habló acerca de los rasgos grandes del paquete. Pensé que era inteligente el que haya informado a los reunidos de que estaba en constante contacto con Hank. Su propósito era mostrar que estaba consciente, en contacto y preparado para ayudar a que pasara el proyecto de ley.

Cuando Obama terminó, pasé la palabra a John McCain. El pasó. Yo quedé perplejo. Él había convocado esta reunión. Asumí que vendría preparado para esbozar una forma de que el proyecto pasara.

Lo que había comenzado como un drama, rápidamente descendió a una farsa. Los temperamentos se encendieron. Las voces se levantaron. Se lanzaron algunas puyas. Estaba observando una pelea verbal desenfrenada, que hubiera sido cómica, excepto que los apuestos eran demasiado altos.

Hacia el final de la reunión John sí habló. Habló en términos generales acerca de la dificultad del voto para miembros republicanos y su esperanza de que se pudiera alcanzar un consenso.

Después de que cada uno tuvo su oportunidad de desahogarse, decidí de que no había más que pudiéramos lograr. Pedí a los candidatos que no utilizaran la Casa Blanca como fondo para emitir declaraciones políticas. Pedí a los miembros del Congreso recordar que necesitábamos mostrar un frente unido para evitar el asustar a los mercados. En ese momento, me levanté y me fui.

———

Temprano, la tarde del lunes 29 de septiembre, la Cámara de Representantes sostuvo una votación en el proyecto de ley para el rescate financiero. Los dos días previos, nuestro quinto fin de semana seguido utilizado para tratar con la crisis financiera, se había llenado con las negociaciones. Hank y su personal del Tesoro —con la compañía de Dan Meyer, mi imperturbable jefe de Asuntos Legislativos y Keith Hennesey, mi incansable Director del Consejo Económico Nacional— habían viajado de ida y vuelta a Capitol Hill, trabajando para resolver las cuestiones remanentes del TARP. Tarde el sábado en la noche, la portavoz Pelosi y John Boehner me dijeron que habían esbozado un acuerdo. El lunes por la mañana, me dirigí al Jardín Sur para felicitar al Congreso y pedir que pasara el acuerdo rápido.

De regreso en la Oficina Oval, comencé a llamar a los miembros del Partido Republicano para asegurar votos.

—Verdaderamente, necesitamos este paquete —le dije a un congresista tras otro. Todos tenían razones por las cuáles no podían votar por él. El precio de la etiqueta era demasiado alto. Sus electores se oponían.

—Simplemente, no puedo rescatar Wall Street —me dijo uno—. No voy a ser parte de la destrucción del mercado libre.

—¿Cree usted que a mí me gusta la idea de hacer esto? —ataqué—. Créame, yo estaría bien si estas firmas quiebran, pero la economía por completo está en juego. La hija de puta se va a colapsar, si no intervenimos.

A las 2:07 p.m. se emitió el último voto para el proyecto. Falló, 228 a 205. Los demócratas habían votado a favor de la legislación, 140 a 95. Los republicanos la habían rechazado con 65 votos a favor y 133 en contra.

Supe que la votación sería un desastre. Mi partido había jugado el papel principal para matar TARP. Ahora los republicanos serían culpados por las consecuencias.

En unos cuantos minutos, la bolsa de valores empezó a caer en picada. El Dow bajó 777 puntos, la pérdida más grande en un solo día en sus 112 años de historia. Los S&P 500 cayeron 8,8 por ciento, su mayor pérdida de porcentaje desde la caída del Lunes Negro en 1987. «Esto es pánico ... y el miedo se desboca» dijo un analista a CNBC. «En este momento, estamos en un clásico momento de debacle financiera».

Un poco después de la votación me reuní con Hank, Ben y el resto del equipo económico en el Salón Roosevelt para planear nuestro próximo movimiento. En realidad, solo teníamos una opción. Debíamos hacer otro intento en la legislación.

Mi esperanza era que la severa reacción del mercado proporcionara una llamada de atención al Congreso. Muchos de aquéllos que habían votado en contra del proyecto habían basado su oposición en el precio en la etiqueta de $700 miles de millones. Luego habían visto la hemorragia de los mercados $1,2 billones en menos de tres horas. Cada elector con un IRA, una pensión o una cuenta E*Trade estaría furioso. Ideamos una estrategia, dirigida por Josh Bolden, para llevar el proyecto primero al Senado y luego hacer otro intento en la Cámara. Harry Reid y Mitch McConnell rápidamente movieron el proyecto con varias nuevas cláusulas que intentaban atraer más apoyo, incluyendo un incremento temporal en seguro de FDIC para los depositarios y protecciones para las familias de clase media en contra del Impuesto Mínimo Alternativo. El núcleo de la legislación—los $700 miles de millones para fortalecer a los bancos y descongelar los mercados crediticios—no tuvo cambios.

El Senado sostuvo un voto el miércoles por la noche y el proyecto pasó con 74 a 25. La Cámara votó dos días después, el viernes 3 de octubre. Yo hice otra ronda de llamadas a miembros vacilantes. Mis advertencias acerca del sistema cayendo tuvo muchísima más credibilidad esta vez. Gracias al liderazgo fuerte del republicano Whip Roy Blunt y el líder de la mayoría demócrata Steny Hoyer, el proyecto pasó por 263 a 171. —El lunes, di mi voto como trabajador —dijo un miembro que había cambiado su posición—. Hoy voy a votar rojo, blanco y azul.

———

Días después de que firmé el TARP, Hank me recomendó un cambio en la forma que desplegaríamos los $700 miles de millones. En lugar de comprar bienes tóxicos, el propuso que el Tesoro inyectara capital directamente a los bancos que estaban luchando, al comprar acciones preferentes sin voto.

Yo detestaba la idea del gobierno poseyendo pedazos de bancos. Me preocupé de que el Congreso lo considerara un señuelo y cambio para gastar el dinero en algo diferente que comprar bienes tóxicos, pero ese era un riesgo que debíamos tomar. El plan para el TARP debía cambiar porque la situación financiera empeoraba rápidamente. El diseño de un sistema para comprar valores asegurados por hipotecas consumiría tiempo que no teníamos. Comprar acciones en bancos era más rápido y eficiente. Comprar acciones inyectaría capital al sistema sanguíneo financiero—directamente hacia el sistema bancario con baja capitalización. Eso reduciría el riesgo de fallas súbitas y liberaría más dinero para que los bancos prestaran.

Las inyecciones de capital también ofrecerían términos más favorables para los contribuyentes de los Estados Unidos. Los bancos pagarían un 5 por ciento de dividendo por los primeros cinco años. El dividendo incrementaría al 9 por ciento con el tiempo, creando un incentivo a instituciones financieras para recaudar capital privado menos costoso y comprar de nuevo sus acciones de preferencia. El gobierno también recibiría garantías en acciones, lo cual nos daría el derecho de comprar acciones a bajos precios para el futuro. Todo esto hizo más probable que los contribuyentes recobraran su dinero.

El 13 de octubre, Día de la Raza, Hank, Tim Geithner y Ben revelaron el plan de compra de capital de una forma dramática. Llamaron a los Presidentes Ejecutivos de nueve firmas financieras mayores al Departamento del Tesoro y les dijeron que, por el bien del país, esperaban que ellos tomaran varios miles de millones de dólares cada uno. Nos preocupaba que algunos bancos más saludables no aceptaran el capital y estigmatizaran a los que lo aceptaran; pero Hank era persuasivo. Todos estuvieron de acuerdo en tomar el dinero.

El desplegar el TARP tuvo el impacto psicológico que estábamos esperando. Combinado con una nueva garantía de FDIC para la deuda bancaria, el TARP era una señal inequívoca de que no dejaríamos al sistema financiero estadounidense caer. El Dow subió 936 puntos, el incremento mayor de un solo día en la historia de la bolsa de valores.

El TARP no terminó con los problemas financieros. Durante los próximos tres meses, Citigroup y Banco de America necesitaron fondos del gobierno adicionales. AIG continuó deteriorándose y eventualmente, necesitó cerca de $100 mil millones más. El mercado financiero permaneció altamente volátil.

Sin embargo, con el TARP en curso, los bancos lentamente comenzaron a reanudar los préstamos. Las compañías empezaron a encontrar la liquidez que necesitaban para financiar sus operaciones. El pánico que había consumido los mercados retrocedió. Puesto que sabíamos que teníamos una dura recesión por delante, pude sentir que la presión cedió. Tuve mi primer fin de semana, en meses, sin llamadas de terror acerca de la crisis. La confianza, que es la fundación de una economía fuerte, regresaba.

La crisis financiera era global en escala y una decisión mayor era como lidiar con ella en la arena internacional. La turbulencia vino cuando Francia estaba de turno como la cabeza de la Unión Europea. Nicolas Sarkozy, el dinámico presidente francés que se había postulado con una plataforma pro-estadounidense, me urgió el que fuera un anfitrión de una cumbre internacional. Me empezó a gustar la idea. La cuestión era qué países invitar. Escuché que algunos líderes europeos preferían que convocáramos el G-7*, pero el G-7 incluía solo cerca de dos terceras partes de la economía global.

Los Estados Unidos, Japón, Alemania, Gran Bretaña, Francia, Italia y Canadá.

Decidí hacer de la cumbre, una reunión de G-20, un grupo que incluyera China, Rusia, Brasil, México, India, Australia, Corea del Sur, Arabia Saudita y otras economías dinámicas.

Sabía que no sería fácil fraguar un acuerdo entre los veinte líderes, pero con trabajo arduo y algo de gentil manita de puerco, lo logramos.* El 15 de noviembre, cada líder en la cumbre firmó una declaración conjunta que decía: «Nuestro trabajo será guiado por la creencia compartida de que los principios del mercado, regímenes de comercio abierto e inversión, y mercados financieros efectivamente regulados fomentarán el dinamismo, la innovación y la iniciativa empresarial que son esenciales para el crecimiento económico, empleo y reducción de la pobreza».

Envió una señal poderosa el tener países representando casi el 90 por ciento de la economía mundial estar de acuerdo en los principios para resolver la crisis. A diferencia de lo que ocurrió durante la Depresión, las naciones del mundo no se tornarían al interior. El esquema de trabajo que establecimos en la cumbre de Washington continúa guiando la cooperación económica global.

La cumbre económica no fue el mayor evento de noviembre. Ese vino el martes, 4 de noviembre, cuando el Senador Barak Obama fue elegido como Presidente de los Estados Unidos.

Mi preferencia había sido John McCain. Creía que estaba mejor preparado para asumir la Oficina Oval entre una guerra global y una crisis financiera. No hice campaña para él, en parte porque estaba ocupado con la situación económica, pero más que nada porque él no lo solicitó. Entendí que tenía que establecer su independencia. También sospeché que estaba preocupado acerca de las encuestas. Pensé que se vería defensivo que John se distanciara de mí. Tenía la confianza de que podría haberle ayudado a defenderse, pero la decisión fue suya. Estaba decepcionado, no pude hacer más para ayudarlo.

La economía no fue el único factor trabajando contra el candidato republicano. Como el caso de papá y de Bob Dole en 1996, John McCain estuvo en el lado incorrecto de la política generacional. A los setenta y dos, era una década más viejo de lo que era yo y uno de los más viejos nominados presidenciales. El elegirlo hubiera significado omitir una generación. En contraste, Barack Obama, con cuarenta y siete años de edad, representaba un paso generacional hacia adelante. Tenía un tremendo atractivo para los votantes de menos de cincuenta años e hizo una campaña inteligente, disciplinada y con alta tecnología para llevar a sus jóvenes seguidores a las urnas.

*La responsabilidad para diseñar el acuerdo recayó en Dan Price, un tenaz abogado del personal de NSC y Dave McCormick, el hábil Subsecretario del Tesoro para Asuntos Internacionales.

Debido a que la probabilidad aumentaba de que ganara Obama, empecé a pensar más acerca de lo que significaría que un afroamericano ganara la elección. Recibí un atisbo inesperado unos días antes de la elección. Un afroamericano miembro del personal de la Casa Blanca trajo a sus hijos gemelos de seis años de edad a la Oficina Oval para una foto de despedida. Uno de ellos dio un vistazo a la habitación y lo dejó escapar: ¿Dónde está Barack Obama?

—Todavía no llega —respondí.

La noche de la elección, me sentí conmovido con las imágenes de hombres y mujeres afroamericanos llorando en televisión. Más de uno dijo: —Nunca pensé que viviría este día.

Llamé al presidente electo para felicitarlo. También llamé a John McCain para decirle que era un buen hombre que había hecho su mayor esfuerzo posible. Los dos eran amables. Le dije al presidente electo que esperaba darle la bienvenida en la Casa Blanca.

Cuando colgué el teléfono, dije una plegaria para que todo fuera bien en el mandato de mi sucesor. Pensé acerca de una de mis citas presidenciales favoritas, de una carta que John Adams le escribió a su esposa Abigail: «Pido al cielo que confiera las mayores bendiciones a esta casa y a todos los que la habiten de hoy en adelante. Que solo hombres honestos y sabios dirijan bajo este techo». Sus palabras están talladas en el manto de la chimenea del Salón para Cenas de Estado.

Meses antes de la elección del 2008, había decidido hacer una prioridad el conducir una total y organizada transición. El primer cambio de poder desde 9/11 sería un periodo de vulnerabilidad y sentía la responsabilidad de dar a mi sucesor la cortesía de una entrada tranquila a la Casa Blanca. La transición fue supervisada por Josh Bolten y uno de sus delegados, mi talentoso ex ayudante personal, Blake Gottesman. Ellos se aseguraron de que el presidente electo y su equipo recibieran reportes, acceso a los altos miembros de la administración y espacio de oficina para sus nuevos departamentos.

Parte de la transición involucró política económica. La crisis financiera trajo un punto final de decisión: ¿Qué hacer acerca de la conmovida industria automotriz estadounidense? Las tres grandes compañías: Ford, Chrysler y General Motors habían estado experimentando problemas por años. Décadas de malas decisiones administrativas habían atrapado a los fabricantes de automóviles con costos enormes en cuidado médico y pensiones. Fueron lentos en reconocer los cambios en el mercado. Como resultado, fueron dejados fuera de la competencia por los fabricantes extranjeros tanto en producto como en costo.

Cuando la economía fue golpeada, las ventas de autos se cayeron. Luego ocurrió el congelamiento en el mercado de crédito que paró casi todas las ventas de autos. Las acciones de las compañías automotrices resultaron maltrechas en la caída del mercado de valores en septiembre y octubre. Sus balances en efectivo disminuyeron a niveles peligrosamente bajos. Tenían poca esperanza de recaudar nuevos fondos en los mercados privados.

En el otoño del 2008, el Presidente Ejecutivo de General Motors, Rick Wagoner, comenzó a presionar por ayuda federal. Advirtió que GM caería y luego los otros fabricantes de autos les seguirían. No creí que fuera una coincidencia que las advertencias acerca de la bancarrota llegaron un poco antes de las elecciones por venir. Me negué a tomar una decisión en la industria automotriz hasta después de la votación.

Seis días después de la elección, me reuní con el Presidente Electo Obama en la Oficina Oval. Barack era afable y confiado. Se notaba que tenía el mismo sentido de admiración que yo tuve hacía ocho años cuando Bill Clinton me dio la bienvenida a la Oficina Oval como presidente electo. También pude ver el sentido de responsabilidad que empezaba a apoderarse de él. Me hizo preguntas acerca de cómo estructuraba mi día y organizaba a mi personal. Hablamos acerca de la política exterior, incluyendo las relaciones de los Estados Unidos con China, Arabia Saudita y otros poderes mayores. También discutimos la economía, incluyendo los problemas de las firmas fabricantes de automóviles.

Más tarde esa semana, me senté para una reunión con mi equipo económico. —Le dije a Barak Obama que no dejaría que la industria automotriz se cayera —expresé—. No voy a dejarle este desastre.

Me había opuesto al rescate de Jimmy Carter de Chrysler en 1979 y creía firmemente que el gobierno debería mantenerse fuera del negocio de los autos. Sin embargo, la economía estaba extremadamente frágil y mis asesores financieros me habían advertido que la inmediata bancarrota de los Tres Grandes podría costar más de un millón de empleos, disminución de ingresos en impuestos de $150 mil millones y retrasar el PBI de los Estados Unidos por cientos de miles de millones de dólares.

El Congreso había aprobado un Proyecto de ley ofreciendo $25 mil millones en préstamos a las compañías automotrices a cambio de hacer sus flotas más eficientes en combustible. Yo esperaba que pudiéramos convencer al Congreso de autorizar esos préstamos inmediatamente para que las compañías pudieran sobrevivir lo suficiente para dar al nuevo presidente y a su equipo tiempo de encarar la situación.

Mi hombre clave en la cuestión automotriz era el Secretario de Comercio, Carlos Gutiérrez. Nacido en Cuba, Carlos había emigrado a la Florida cuando era niño. Sus padres se mudaron a México, donde Carlos tomó un trabajo conduciendo un camión de entrega de Kellogg's. Veinticuatro años más tarde, Carlos se convirtió en el presidente ejecutivo más joven en la historia de esa compañía y el único presidente ejecutivo latino de una compañía de Fortune

500. Se unió a mi administración en 2005 e hizo un trabajo sobresaliente al promover el comercio, defender el alivio de impuestos y defender la libertad para Cuba.

Carlos y el equipo urgieron al Congreso para que autorizaran los préstamos de auto. Logramos progresar en la Cámara, pero el Senado no quería ceder. La única opción que quedaba era tomar prestado de TARP. Le dije al equipo que quería usar los préstamos como una oportunidad para insistir a los fabricantes de autos que desarrollaran planes viables de negocio. Bajo los términos estrictos de los préstamos, las compañías tendrían hasta abril del 2009 para hacerse fiscalmente viables y autosuficientes al reestructurar sus operaciones, renegociar contratos de trabajo y llegar a nuevos arreglos con los titulares de bonos. Si no lograban cumplir con todas esas obligaciones, los préstamos de inmediato se cancelarían, provocando la bancarrota.

El trato atrajo críticas de ambos lados del pasillo. El encargado del sindicato de trabajadores de la industria automotriz se quejó de que las condiciones eran demasiado severas. Grover Norquist, un defensor influyente del conservatismo fiscal, me escribió una carta pública que decía: «Estimado Señor Presidente Bush: No».

Nadie estaba más frustrado que yo. Mientras que los préstamos restrictivos a corto plazo eran mejor que un rescate total, era frustrante el tener el rescate de la industria automotriz como mi última decisión económica mayor, pero con el mercado aun no funcionando, tenía que salvaguardar a los trabajadores estadounidenses y a sus familias de un colapso generalizado. También tenía a mi sucesor en mente. Decidí tratarlo de la misma forma que yo hubiera querido ser tratado si estuviera en su posición.

———

Uno de los mejores libros que leí durante mi presidencia fue *Theodore Rex*, la biografía de Teddy Roosevelt por Edmund Morris. En un punto cerca del final de su mandato memorable, Roosevelt exclamó: —Sabía que habría una tormenta de nieve cuando saliera.

Sé lo que quiso decir. El periodo entre septiembre y diciembre del 2008 fue el trecho más intenso, turbulento y lleno de decisiones desde aquellos mismos meses del 2001. Debido a que surgió la crisis tan tarde en mi administración, no estaría en la Casa Blanca para ver el impacto de la mayoría de las decisiones que tomé. Afortunadamente, para el tiempo que salí en enero del 2009, las medidas que habíamos tomado habían estabilizado el sistema financiero. La amenaza de un colapso sistémico había pasado. Una vez que los mercados crediticios salieron del congelamiento, los mercados empezaron a fluir otra vez. Mientras que el mundo todavía enfrentaba serias inseguridades económicas, la mentalidad del pánico ya se había ido.

El año siguiente trajo un cuadro mixto. La bolsa de valores cayó durante los primeros dos meses del 2009, pero terminó el año con más del 19 por ciento de subida. En la medida que los bancos reconstruyeron sus hojas de balance, comenzaron a amortizar las acciones propiedad del gobierno. Para el otoño del 2010, la vasta mayoría del capital del Tesoro que fue inyectado a los bancos había sido pagado. A medida que la economía gane fuerza de nuevo, más de ese dinero será pagado, más los dividendos. Un programa ridiculizado por sus costos podría, potencialmente, ganar dinero para los contribuyentes estadounidenses.

Siempre he reflexionado en si pudimos haber previsto venir la crisis financiera. En algunos aspectos, lo hicimos. Reconocimos el peligro que representaban Fannie y Freddie y repetidamente, pedíamos al Congreso que autorizara vigilancia más fuerte y limitara el tamaño de sus portafolios. También entendimos la necesidad de un nuevo enfoque a la regulación. A principios del 2008, Hank propuso un programa para una estructura regulatoria modernizada que fortaleciera la vigilancia del sector financiero y diera al gobierno más autoridad para desmantelar firmas en caída. Sin embargo, mi administración y los reguladores subestimaron el grado de riesgo tomado por Wall Street. Las agencias de puntaje crearon un falso sentido de seguridad al acoger bienes inestables. Las firmas financieras edificaron demasiado apalancamiento y escondieron la exposición con contabilidad no incluida en su balance contable. Muchos nuevos productos eran tan complejos que aun sus propios creadores no los entendían en su totalidad. Por todas estas razones, nos tomó por sorpresa una crisis financiera que llevaba cocinándose por más de una década.

Una de las preguntas que me hacen con más frecuencia es cómo evitar otra crisis financiera. Mi primera respuesta es que no estoy seguro si aún hemos superado todos los escollos de este asunto. Las instituciones financieras a través del mundo están todavía liberándose del apalancamiento y los gobiernos están endosados con demasiada deuda. Para recuperarse completamente, el gobierno federal deberá mejorar su posición fiscal a largo plazo al reducir el gasto, abordando los pasivos sin financiación en seguridad social y Medicare, así como crear las condiciones para el sector privado—especialmente negocios pequeños—para que generen nuevos empleos.

Una vez que la economía se encuentre sobre pasos firmes, Fannie y Freddie deberían convertirse en compañías privadas que compitan en el mercado de hipotecas a un nivel de campo de juego con otras firmas. A los bancos debería requerírseles que cumplan con requerimientos sensatos de capital para evitar el sobre-apalancamiento. Las agencias de puntaje de crédito necesitan reevaluar su modelo para analizar bienes financieros complejos y los consejos de directores deben poner fin a los paquetes de compensación que crean incentivos erróneos y recompensan a los ejecutivos por fracasar.

Al mismo tiempo, debemos tener cuidado de no sobrecorregir. La sobreregulación ralentiza la inversión, sofoca la innovación y desalienta la iniciativa empresarial. El gobierno debería desenredarse de su involucramiento en los sectores bancarios, automotrices y de seguros. En el tema de la regulación financiera, el Congreso no debería infringir la independencia de la Reserva Federal en la conducción de políticas monetarias y la crisis financiera no debería convertirse en una excusa para aumentar impuestos, lo cual solo desvirtuaría el desarrollo económico requerido para recobrar nuestra fuerza.

Sobre todo, nuestro país debe mantener la fe en el mercado libre, empresa libre y comercio libre. Los mercados libres han convertido a los Estados Unidos en la tierra de las oportunidades y con el tiempo, han ayudado a elevar el estándar de vida de las sucesivas generaciones. En el exterior, los mercados libres han transformado naciones en apuros en poderes económicos y sacado a cientos de millones de personas de la pobreza. El capitalismo democrático —aun imperfecto y con la necesidad de una supervisión racional— es por mucho, el modelo económico más exitoso nunca antes ideado.

———

La naturaleza de la presidencia es que algunas veces, no eliges los desafíos que llegan a tu escritorio, lo que sí eliges es cómo responder. En los últimos días de mi administración, me reuní con mis asesores financieros para un último reporte en la Oficina Oval. Había formado un equipo fuerte y experimentado que fue capaz de adaptarse a lo inesperado y hacer recomendaciones acertadas. Habíamos hecho lo que creímos necesario y con la certeza de que no siempre sería popular. Para algunos, en nuestro país, el TARP se había convertido en una palabrota. Creo que ayudó a aliviar al pueblo estadounidense de un desastre económico de proporciones históricas. El gobierno puso en claro que no dejaría caer la economía, y la segunda Gran Depresión de la que advirtió Ben Bernanke, no ocurrió.

Cuando miré los rostros cansados de los hombres y mujeres de mi equipo económico, pensé en todo lo que mi administración tuvo que pasar. Cada día por ocho años, dimos nuestro mayor esfuerzo. Le dimos todo al trabajo y a través de cada prueba, nos sentimos honrados de servir a la nación que amamos.

EPÍLOGO

Comencé el martes, 20 de enero del 2009, de la misma forma que lo había hecho cada día por los últimos ocho años: Leí la Biblia. Uno de los pasajes para el día final era Salmos 18.2 «El Señor es mi roca, mi fortaleza y mi libertador; mi Dios es mi roca, en la cual me refugio». Amén.

Un poco antes de las 7:00 a.m., tomé el elevador hacia la planta baja de la Casa Blanca, caminé hacia la Colonnade y abrí la puerta de panel de cristal de la Oficina Oval por última vez. Josh Bolten esperaba adentro. Me saludó con las mismas palabras que utilizaba cada día como mi jefe de Estado Mayor:

—Sr. Presidente, gracias por el privilegio de servirle.

En una mañana normal, la Ala Oeste estaría animada con los colaboradores, pero ese último día, el edificio estaba sorprendentemente tranquilo. No había llamadas de teléfono, ni cambio de canales de la televisión a las noticias, ni juntas en los pasillos. El único sonido que escuché era el sonido de perforación de un obrero reparando las oficinas para el nuevo equipo.

Dejé una carta en el escritorio *Resolute*, para continuar la tradición presidencial, había escrito a mi sucesor para felicitarlo y desearle lo mejor. La nota estaba en un sobre manila dirigida a «44».

—Qué honor ha sido venir a trabajar a esta oficina todos los días— le dije a Josh. Entonces, me puse mi abrigo, caminé hacia la puerta y di una última vuelta alrededor de la pista para correr en el Jardín Sur, donde Spot y yo caminábamos la mañana que di la orden de liberar Irak.

Mi siguiente parada fue en el Salón Este, donde el personal de la Casa Blanca se había reunido. El salón lleno era un fuerte contraste con lo desolado del Ala Oeste. Casi todos los miembros del Gabinete de la residencia habían llegado: los floristas que ponían ramos de flores frescas en la Oficina Oval cada mañana, los mayordomos y ayudantes que hacían nuestra vida tan confortable; los carpinteros e ingenieros que mantienen la Casa Blanca en buenas condiciones, los cocineros que nos preparaban tan fabulosas comidas y, por supuesto, el repostero que deleitó mi gusto por lo dulce.

La mayoría del personal de la residencia había servido no solo por los últimos ocho años, sino también durante el tiempo de mis padres en la Casa Blanca. Habían sido parte de la familia para nosotros. Le dije a los presentes, con Laura, Barbara y Jenna a mi lado. «Hay cosas que no voy a extrañar de Washington, pero lo que es a ustedes los voy a extrañar mucho. Muchas gracias desde lo más profundo de nuestros corazones.»

———

Barack y Michelle Obama llegaron al Pórtico Norte justamente antes de las 10:00. Laura y yo les invitamos a una taza de café en el Salón Azul, de la misma forma que Bill y Hillary Clinton lo habían hecho con nosotros ocho años atrás. Los Obama estaban emocionados y tenían un buen espíritu con relación a la jornada que se aproximaba. Mientras tanto en el Salón de Emergencias, los responsables de seguridad nacional de parte de ambos equipos, monitoreaban información de inteligencia sobre una amenaza terrorista hacia la toma de posesión. Era un severo recordatorio de que hombres sin escrúpulos todavía perseguían dañar nuestro país, sin importarles quien fuera el presidente en función.

Después de nuestra visita, caminamos entre el desfile de automóviles para el recorrido a la Avenida Pennsylvania. Recordé el recorrido que hice con Bill Clinton ocho años antes. Ese día de enero del 2001, nunca podría imaginarme lo que se desarrollaría durante mi mandato. Sabía que algunas de las decisiones que había tomado no habían sido populares entre muchos de mis conciudadanos. Sin embargo, me sentía satisfecho de que había podido tomar las decisiones difíciles y había hecho siempre lo que creí que era correcto.

En el Capitolio, Laura y yo tomamos nuestros asientos para la toma de posesión. Me maravilló el pacífico cambio de poder, una de las características que definían nuestra democracia. La audiencia tenía emoción anticipada para la toma de posesión de Barack Obama, que había hecho campaña sobre la esperanza y eso era lo que él había dado a muchos americanos.

Para nuestro nuevo presidente, la toma de posesión fue un comienzo emocionante. Para Laura y para mí era una final; era el turno para otro presidente y yo ya estaba listo para ir a casa. Después de una ceremonia de despedida conmovedora en la base de la Fuerza Aérea Andrews, Laura y yo abordamos Air Force One—ahora designado como Special Air Mission 28000. Aterrizamos en Midland al final de la tarde de un precioso día de invierno del oeste de Texas. Condujimos hacia la Plaza Centennial, donde habíamos asistido a una ceremonia de despedida ocho años atrás. Muchos de los rostros de la multitud eran los mismos, un recordatorio de verdaderos amigos que estuvieron con nosotros antes de la política, durante la política y después de la política.

—Es bueno estar en casa —comenté—. Laura y yo habíamos dejado Texas, pero Texas nunca nos dejó.... Cuando salí de la Casa Blanca esta mañana, salí con los mismos valores con los que llegué ocho años atrás y cuando me vea al espejo esta noche, en casa, no tendré arrepentimientos de lo que vea, excepto tal vez el cabello gris.

Volamos a Crawford esa noche y llegamos al amanecer la siguiente mañana para el primer día que Laura había denominado «el más allá». Me sentía afectado por la calma. No había más instrucciones de la CIA que atender, ni hoja azul del Salón de Emergencias. Sentí que había ido de cien millas por hora a aproximadamente diez. Tenía que acostumbrarme a relajarme. Leería las noticias e instintivamente pensaría cómo habríamos de responder. Entonces recordé que la decisión estaba en el escritorio de alguien más.

Tenía mucho con que ocupar mi tiempo. Iría a trabajar en la construcción del Centro Presidencial Bush del campus de la Universidad Metodista del Sur, el cual incluirá un archivo oficial del gobierno, un museo y un instituto de política dedicado a la promoción de la reforma educativa, salud mundial, crecimiento económico y libertad humana; con un énfasis especial en la creación de nuevas oportunidades para las mujeres alrededor del mundo. Soy bendecido de ser el único presidente que deja el Gabinete con sus dos padres vivos y estoy agradecido por la oportunidad de pasar más tiempo con ellos. En junio del 2009, Laura y yo reunimos a nuestra extensa familia en Kennebunkport para festejar el ochenta y cinco aniversario de mi papá, que lo celebró con otro salto de paracaídas. Mi mamá hizo la broma de que su elección de zona de aterrizaje en St. Ann's Episcopal, era estratégica. Si el salto no salía bien, al menos él estaría cerca de un cementerio.

De vez en cuando, hay recordatorios de cuanto ha cambiado la vida. Poco después de que nos mudamos a Dallas, llevé a Barney a dar un paseo por nuestro vecindario, por la mañana. No había hecho algo como eso en más de una década. Barney había pasado su vida entera en la Casa Blanca, el Campo David y Crawford. Descubrió el césped de nuestros vecinos donde rápidamente se ocupó de sus asuntos. Allí estaba yo, el ex presidente de los Estados Unidos, con mi bolsa de plástico en la mano, recogiendo lo que había estado evadiendo por los últimos ocho años.

———

El día después que dejé el cargo, comencé a escribir este libro. Trabajando en él ha sido una gran oportunidad para la reflexión y espero que ustedes disfruten la lectura de estos pensamientos, tanto como yo he disfrutado escribirlos.

Cuando elegí la estructura de este libro, alrededor de los principales puntos de decisión, sabía que significaría sacar algunos aspectos de mi presidencia. No cubrí completamente los logros de la política exterior, tales como el histórico Acuerdo Nuclear Civil con India o la Iniciativa Mérida para combatir las drogas con México. Yo dedico solo unas palabras a mi registro en energía y medio ambiente y no describo mi decisión de crear las más grandes áreas de conservación marina en el mundo. También omito un informe de nuestros esfuerzos exitosos para mejorar servicios para los veteranos y reducir el uso de drogas en adolescentes y la falta de vivienda crónica. Todos estos logros son motivo de orgullo y estoy agradecido a aquellos que ayudaron a hacerlos posible.

En lugar de cubrir cada tema, he tratado de darle al lector un sentido de la mayoría de las decisiones consecuentes que llegaron a mi escritorio. También espero haber dejado claro, que tomé algunas buenas decisiones y otras equivocadas; pero en cada una, hice lo que creí que era mejor para los intereses de nuestro país.

Es muy pronto para decir cómo resultarán la mayoría de mis decisiones. Como presidente tuve el honor de elogiar a Gerald Ford y Ronald Reagan.

El perdón del presidente Ford a Richard Nixon, una vez considerado como uno de los errores más grandes en la historia de la presidencia, es ahora visto como un acto desinteresado de liderazgo. También fue algo importante escuchar a los comentaristas que una vez criticaron al Presidente Reagan de cabeza hueca y belicoso, cómo el Gran Comunicador que ganó la Guerra Fría.

Décadas más adelante, espero que las personas me vean como un presidente que reconoció el desafío central de nuestro tiempo y sostuve mi voto para mantener el país seguro, que perseguía mis convicciones sin vacilar, pero cambiaba el curso cuando era necesario; que confió en individuos para tomar decisiones en sus vidas y quien utilizó la influencia de los Estados Unidos para promover la libertad. Asimismo, espero que concluyan en que preservé el honor y dignidad de la presidencia que tuve el privilegio de ostentar.

Me tranquiliza que cualquiera que sea el veredicto acerca de mi actuación en la presidencia, no estaré alrededor para escucharlo. Ese punto de decisión solo la historia lo decidirá.

RECONOCIMIENTOS

Soy muy afortunado de venir de una familia de autores de libros más vendidos. Mi madre y padre escribieron buenos libros, así como mi hermana Doro. Cerca de casa, Laura escribió un libro de los más vendidos, Jenna escribió otro igual y ambas colaboraron en otro más. Aun los perros de mis padres, C. Fred y Millie fueron autores de sus propios trabajos.

Me inspiré por los miembros de mi familia que triunfaron y, aún más importante, me sostuvieron con su amor. Doy las gracias a Laura por su amor constante y por compartir las experiencias que hicieron este libro posible. Agradezco a mis hijas, Barbara y Jenna, por sus abrazos y sonrisas. Estoy feliz de tener a Henry Hager como mi yerno. Aprecio el inquebrantable apoyo de mamá y papá, así como a Jeb, Neil, Marvin y Doro por confortar a su hermano.

Cuando consideré escribir este libro, sabía que la tarea sería un reto. No imaginaba que tan placentero podría ser. La razón principal es que trabajé con Chris Michel. Al final de mi administración, Chris era mi jefe de escritores de discursos. Él sabía cómo hablaba y vio mucha de la historia que forjé. Su amplio rango de talentos, desde investigación hasta edición, ha hecho este proyecto del libro caminar con fluidez. Su personalidad optimista fue una alegría constante. Lo voy a extrañar cuando vaya a la Escuela de Leyes en Yale.

Este libro tomó su primer paso hacia la publicación cuando contraté a Bob Barnett. Bob es un talentoso abogado con un juicio profundo, experiencia inigualable y gran paciencia—la cual me mostró al tolerar mis bromas acerca de su tarifa por hora. La verdad es que Bob es lo mejor en los negocios y vale cada centavo.

No puedo imaginar a un mejor editor que Sean Desmond, un hijo de Dallas, Texas; educado en Harvard. Sean supo dónde agregar detalle, dónde cortar palabras y cómo dar vida a mis decisiones para compartir con el lector. Todo lo hizo con paciencia, profesionalismo y un buen sentido del humor.

Estoy agradecido con el magnífico equipo en Crown Publishing. Steve Rubin y Jenny Frost mostraron confianza en este proyecto desde el principio. Maya Mavjee y Tina Constable hábilmente estuvieron desde el principio hasta la conclusión. Aprecio a la Jefa de Redacción, Amy Boorstein; Editora de Copias, Jenna Dolan; Directora Creativa, Whitney Cookman; Asistente Editorial, Stephanie Chan; Director de Publicidad, David Drake; Director de Producción; Linnea Knollmueller, Directora de Diseño Interior, Elizabeth Rendfleisch y los muchos otros en Crown y Random House que me ayudaron a hacer este libro una realidad.

Estoy en deuda con los profesionales de la Administración de Archivos y Registros Nacionales por su asistencia en este libro. Agradezco a Alan Lowe, Director de la Biblioteca Presidencial George W. Bush y la Archivista

Supervisora, Shannon Jarrett por hacer de este proyecto una alta prioridad. A los archivistas Brooke Clement, Matthew Law y Jodie Steck, quienes localizaron miles de documentos y fotografías que ayudaron a refrescar mi memoria y confirmar los detalles en mi narración. Sarah Barca, Tally Fugate, Peter Haligas, Neelie Holm, Bobby Holt, Elizabeth Lanier, David Sabo y Ketina Taylor ayudaron también. También, deseo agradecer al personal de Materiales Presidenciales de los Archivos Nacionales de Washington —especialmente a Nancy Smith, John Laster y Stephannie Oriabure— quienes hicieron disponibles muchos importantes documentos, altamente clasificados, para mi disponibilidad.

Muchos amigos en los que confío contribuyeron a este libro. Estoy particularmente agradecido con aquéllos que revisaron el manuscrito completo: Steve Hadley, Josh Bolten, Andy Card, Blake Gottesman, Karen Hughes, Condi Rice y Dan Perino, quiénes también me brindaron consejos invaluables en publicidad. Pete Wehner leyó mucho del libro en sus primeras etapas e hizo comentarios esclarecedores. Brent McIntosh y Raul Yanes cuidadosamente revisaron el manuscrito final. Muchos otros hicieron sugerencias en capítulos clave, incluyendo Dan Bartlett, Ryan Crocker, Mark Dybul, Gary Edson, Peter Feaver, Joe Hagin, Mike Hayden, Keith Hennessey, Joel Kaplan, Eddie Lazear, Jay Lefkowitz, Brett McGurk y Hank Paulson. Ellos son los responsables de todas las cualidades del libro y no de sus imperfecciones.

Parte de publicar un libro como ex presidente es someterse a una revisión de clasificación. Fui afortunado de tener la ayuda de tres abogados capaces que me guiaron en el proceso: Bill Burck, Mike Scudder y Tobi Young. También agradezco a Bill Leary y su personal profesional en el Consejo de Seguridad Nacional, lo cual me ayudó a acelerar el proceso de revisión. También doy las gracias a los hombres y mujeres dedicados de la Agencia de Inteligencia Central, quienes me ayudaron a verificar hechos.

Para aquéllos que disfrutaron la sección de fotos, pueden agradecer a Emily Kropp Michel, quien—con el equipo de NARA—buscó entre las más de cuatro millones de fotografías digitalmente archivadas en la Biblioteca Presidencial Bush. Recibieron guía valiosa de parte de Eric Draper, mi fotógrafo en jefe, durante ocho años y antiguo fotógrafo de la Casa Blanca, Paul Morse.

Las decisiones que describo en este libro no hubieran sido posibles sin el servicio y apoyo de mucha gente dedicada dentro de mis quince años de servicio público. Doy las gracias a Dick y Lynne Cheney por ocho años de amistad. Aprecio a los sobresalientes y desinteresados hombres y mujeres que sirvieron en mi Gabinete y mi personal de la Casa Blanca, así como también en mis campañas como Gobernador de Texas. Laura y yo siempre estaremos agradecidos con los finos agentes del Servicio Secreto, los ayudantes militares que siempre estuvieron a nuestro lado, el increíblemente generoso personal de la residencia de la Casa Blanca, a los médicos y enfermeras de la Unidad Médica de la Casa Blanca, a los equipos del Air Force One y el Marine One y al gran equipo de Camp David. A nombre de Barney, Spot y Miss Beazley, extiendo mis más especiales gracias a Dale Haney, Sam Sutton, Robert Favela, Cindy Wright, Robert Blossman y Maria Galvan.

Soy afortunado de estar rodeado por un gran equipo en Dallas, dirigido por mi jefe de personal, el hábil y talentoso, Mike Meece. También agradezco a Blake Gottesman y Jared Weinstein, dos antiguos ayudantes personales que tomaron meses de sus vidas para ayudarme a acomodarme en mi oficina. Todos en la oficina de George W. Bush contribuyeron a este libro: Mike Meece, Brian Cossiboom, Logan Dryden, Freddy Ford, Ashley Hickey, Caroline Hickey, Caroline Nugent, David Sherzer y Justine Sterling. También agradezco a Charity Wallace, Molly Soper y Katie Harper por cuidar muy bien de Laura. Además de escribir este libro, he pasado los últimos ocho meses, trabajando para construir mi centro presidencial en Southern Methodist University en Dallas. Agradezco a Mark Langdale por supervisar el esfuerzo, al Presidente del SMU, Gerald Turner por su cercana colaboración y a Jim Glassman y Stacy Cinatl, por su liderazgo en el Instituto George W. Bush. Estoy particularmente agradecido a Don Evans, Ray Hunt y Jeanne Johnson Phillips por todo lo que han hecho para convertir este proyecto en un éxito.

Con frecuencia, le digo a las personas que no extraño la política en Washington, pero si extraño a la gente. Estoy agradecido con mis amigos en el Congreso, con mis compañeros líderes mundiales y también con los miembros de press corps.

Finalmente, agradezco a los hombres y mujeres de la Milicia de los Estados Unidos. Mientras escribo la dedicatoria de este libro a Laura, Barbara y Jenna, pienso que nadie hizo tanto para inspirarme como aquéllos que usan el uniforme de este país y sus familias. Sus logros permanecerán al lado de aquéllas grandes generaciones en la historia y es el más grande honor de mi vida el haber servido como su Comandante en Jefe.